DVDビデオの見どころ

カタイ鉄骨の現場、やわらかく解説します

アルミを１山１山折り曲げた折板屋根

水平ブレースはターンバックル付き

通しダイアフラムまで細かく再現

高力ボルトも１本１本忠実に

超精巧！ 1/20スケール鉄骨軸組模型

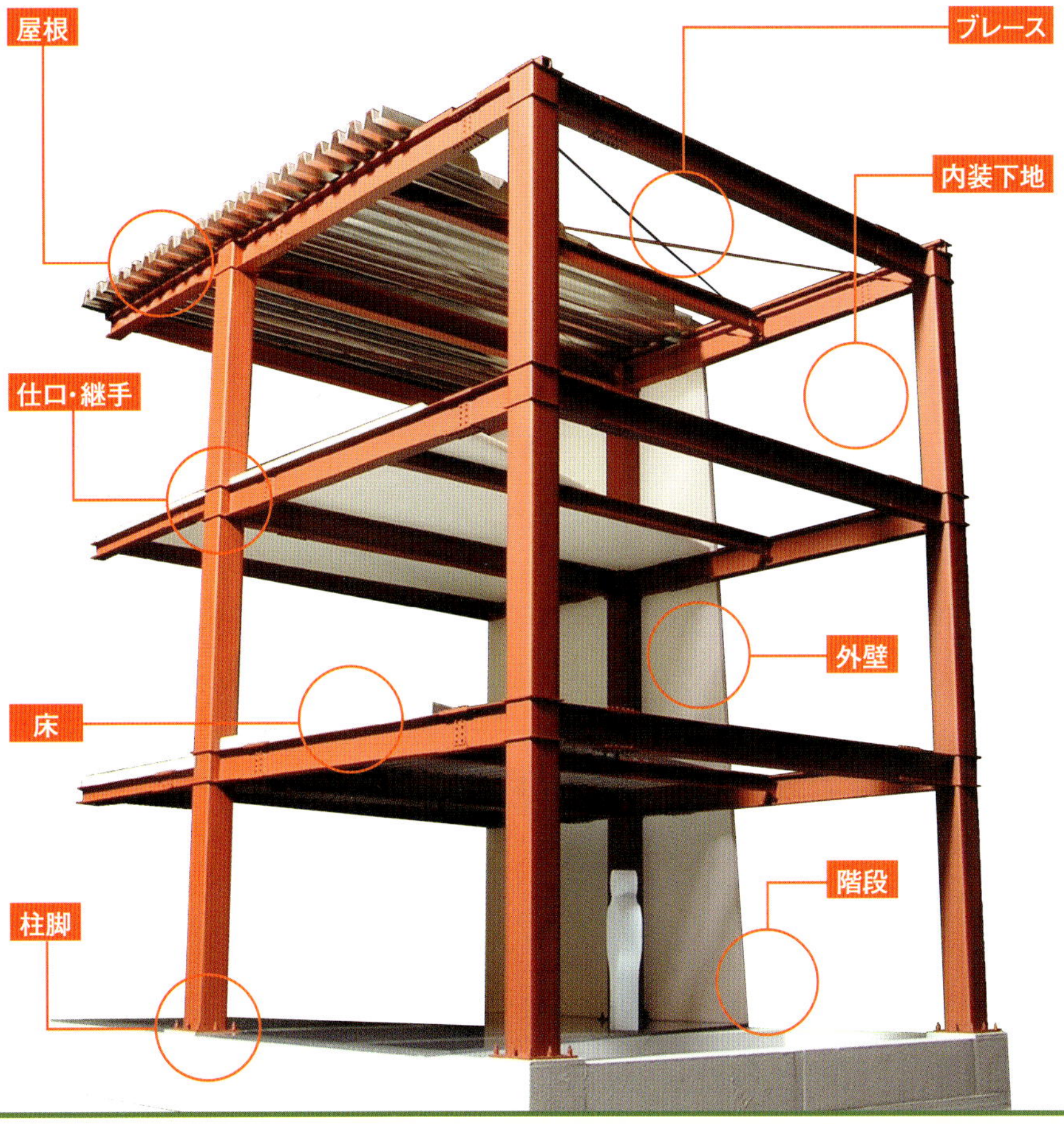

各種検査のチェックポイントを網羅

角形鋼管の柱やＨ形鋼の梁など、鉄骨の構成部材が組み上がっていく過程を
映像化しているほか、製品検査や中間検査など、
鉄骨造ならではの各種検査のチェックポイントについても、分かりやすく解説しています。

主なコンテンツ： 1．製品検査・鉄骨工場
躯体構成部材の組み立て／溶接／超音波検査
2．中間検査・建方
躯体の組み上がり／継手／トルシア形高力ボルト／柱脚／デッキプレート
3．瑕疵担保・防水
乾式外壁パネルの特性／雨水の浸入防止／屋上の防水
4．防火・防音・検査
防火区画／貫通孔／耐火被覆／断熱材／二重床

超精巧な模型

現場の映像に連動するかたちで、詳細な解説を付しています。「現場入門編」では超精巧な１／20の鉄骨軸組模型、「現場監理編」では１／８スケールの鉄骨躯体模型を使い、現場映像だけでは押さえきれないポイントをしっかりフォローしました。

模型製作
平田良之／平田工房（現場入門編）
横塚和則／アールイコール（現場監理編）

写真帖との連動で深まる理解

また、このビデオは「写真帖」とも連動しています。
すなわち……

現場映像
模型による解説 ⟷ **写真帖**

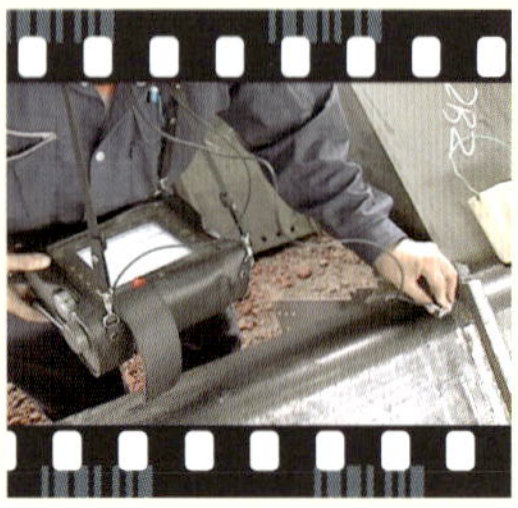

これらを横断的に行き来することで、鉄骨造設計（施工）の神髄が見えてきます。

●

解説は、鉄骨造の酸いも甘いもかみ分けたベテラン専門家が担当。鉄骨造に関するこれまでの失敗談や若い設計者から訊かれることの多い質問などに対し、豊富な経験から語られる設計ノウハウは、多くの設計者に共感をもって受け入れられるものに違いありません。

●

建築の現場は、常に新しい発見の連続です。現場に赴き、現場で得たヒントは、必ずや明日からの設計の糧となるはずでしょう。“鉄骨ビギナー”にとってはその予行演習に、ベテランにとっては再確認の意味で、このDVDビデオを大いに活用してください。

設計の手掛かりは現場にある！

鉄骨造の設計は難しい。そんな声をよく耳にします。たしかに、複雑な形状をした鉄骨部材は少々とっつきにくく、細かな部材が方々で取り合う詳細図は、何がどこに取り付いているのか見当すらつかないこともあるでしょう。そんなとき、机上でいくら考えても見えてこなかった納まりが、現場に行ったとたん一挙に解決します。これは、鉄骨造のベテラン設計者なら誰もが経験する真実です。この「見れば分かった！」という感覚を1枚のDVDに凝縮したい。そんな思いから本書は生まれました。

第1部　現場入門編

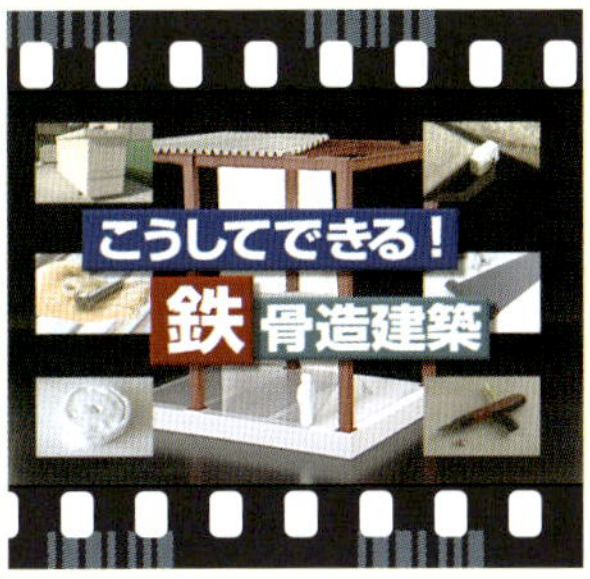

解説

江尻憲泰／江尻建築構造設計事務所
岡本憲尚／岡本構造研究室

意匠設計に役立つ現場映像

鉄骨造の設計にかかわる重要なポイントはどこなのか、設計業務に役立つ“使える知識”とは何なのかを精査し、住宅、店舗、鉄骨加工工場など、最適な映像を撮影できる現場へ足を運びました。総撮影時間3,000分。そこから設計のヒントとなり得る映像を厳選し60分に収めました。

主なコンテンツ：
1. 柱脚
2. 工場
3. 仕口（柱・梁）
4. 継手
5. 梁段差
6. 床・外壁

たとえば「柱脚」では、基礎廻りは思った以上に大きくなることを、
「仕口」では、複雑な工程を経てつくられる仕口の製作から意匠設計上の要注意ポイントまで、
“見ること”でより一層理解が深まる映像を中心に構成しています。

第2部　現場監理編

解説

大山章吾／岡建工事
磯村一司／ギルドデザイン
冨井雅司／コラム
西條正／モノリス秀建
久田基治／構造設計工房デルタ

[使用前に必ずお読みください]

・本DVDは『サクッとわかる　鉄骨造のつくり方　改訂版』をご購入いただいた方が使用するためのものです。
・本DVDに収録された映像などはすべて著作権法により保護されています。個人が本来の目的で使用する以外の使用は認められていません。また、収録された映像などを弊社および著作権者に無断で譲渡、販売、複製、再配布、上映することなども法律で固く禁じられています。
・収録された映像などを利用したことによるいかなる結果に対しても、弊社ならびに著作権者は一切の責任を負いません。利用は使用者個人の責任において行ってください。
・収録された映像を再生するためのOS、再生ソフトなどは、本DVDには含まれていません。別途必要なものをご用意ください。
・収録された映像などの一部には、使用者のマシン環境により十分に作動しないものもあります。あらかじめご了解ください。

以上の内容に同意された場合のみ、本DVDを使用できます。

DVD-Videoとは、映像と音声を高密度に記録したディスクです。DVD-Videoに対応したプレーヤーで再生してください。

サクッとわかる

鉄骨造のつくり方

改訂版

建築知識＝編

X-Knowledge

サクッとわかる
鉄骨造のつくり方
改訂版

CONTENTS

第1部 現場入門

柱脚……13

意匠のための柱脚の納まり……17

半地下の解決方法……19

仕口・継手……20

仕口ができるまで……20

鉄骨造の仕口はなぜ複雑？……26

柱と梁の「標準」寸法……26

継手の現場……29

継手はボルトでつなぐ……30

意匠設計上のポイント……31

ブレース……32

他部材との干渉どう防ぐ？……35

工場・建方……38

鉄骨加工工場へ行こう……38

防錆処理の基礎知識……40

建方の一日……42

床……45

合成スラブはなぜ多い？……49

階段……52

鉄骨階段のスタンダード……54

外部階段・螺旋階段……56

外壁……59

ALC板［縦張り］の現場……59

押出成形セメント板［横張り］の現場……63

ルーズなディテール……66

ALC板を賢く使う……66

外壁材とサブフレームの関係……68

開口部と外壁材……69

耐火被覆……71

いまさら訊けないQ&A……71

吹付けロックウール［半湿式］の現場……73

耐火板の現場……74

耐火左官材の現場……75

耐火塗料の現場……75

屋根……77

折板屋根の現場……77

FRP防水の現場……81

揺れを想定した設計……81

内装下地……84

LGS［軽鉄］下地の現場……84

木下地の現場……86

LGS下地か木下地か……89

設計・寸法のポイント……90

COLUMN

埋込み柱脚の善し悪し……19

溶接用語の基礎知識……25

わたしの大失敗

第三の男はどこから来たか……58

揺れる生活……58

鉄はお熱いのがお好き?……76

白い恐怖の正体……76

第2部 現場監理

地業・基礎工事……92

杭工事……92
根切り、山留め……97
墨出し……98
柱脚のアンカーフレーム設置……100
基礎配筋……102
ガス圧接……104
基礎配筋検査……106
耐圧版コンクリート打設……108
型枠……109
基礎コンクリート打設後の工事……110
脱型・埋戻し……111

鉄骨工事……112

柱・仕口・梁の製作……112
鉄骨製品検査……118
建方……120
デッキプレートの敷設……125
ベースプレート本締め、グラウト注入……127
中間検査……128
スラブコンクリート打設……129

外壁工事……132

外壁パネルの建込み……132

防水工事……137

防水下地……137
シート防水……139
アスファルト防水……141

設備工事……143

電気設備……143

給排水設備……146

冷暖房換気設備……149

防火区画貫通処理……151

耐火被覆……152

耐火被覆……152

消防検査……155

建具関連工事……156

アルミサッシ取付け……156

内装工事……159

内装下地……159

床……161

壁・天井……163

COLUMN

耐火構造の壁……154

キーワードINDEX……164

執筆・監修者プロフィール……166

本書は2019年発刊の書籍「サクッとわかる鉄骨造のつくり方」(小社刊)をもとに、2023年7月現在の法制度や製品情報に合わせて改訂したものです。

編集協力
リングウッド

DVD製作協力
井上晃、谷口悌三(マキシメディア)

カバー・表紙デザイン
細山田デザイン事務所

第1部
鉄骨造現場入門
「写真帖」

DVD マーク

写真帖は DVD ビデオと連動しています。本文中にこのマークを見つけたら、DVD ビデオを要チェック！ 臨場感あふれる現場映像とあわせて見ると鉄骨造の理解がさらに深まります。

カントクくん——現場の水先案内人

こう見えても現場監督歴 20 年のベテラン。
鉄骨造のポイントをお教えします。

撮影協力［五十音順］

旭化成建材／アトリエ・ワン／安部製作所／ Ar.Partners 建築設計／イシハラ／ウエガイ／建築設計事務所／エスケー化研／大友建設／岡建工事／岡部／加建／川崎橋梁鉄構／キクシマ／久保工業／建築計画網・大系舎／構造設計工房デルタ／コラム／サンエー興産／㈶住宅保証機構／辰／太陽ハウス／ TH-1 ／日南鉄構／長谷部建設／花実建設／プランプラン一級建築士事務所／モノリス秀建／横山建築／好井鐵工所／ライフアンドシェルター社

写真提供［五十音順］

旭化成建材／ JFE 建材／スチライト工業／日本インシュレーション

図版製作［五十音順］

勝山聡美［「現場入門編」各項扉、工場内観］／神田宇樹［柱脚］／黒瀬章夫［「現場監理編」各項扉］／西村聡仁［ブレース、床］／福浦恵美子［コラム 2］／松永路［カントクくん］／吉川浩太［仕口・継手、内装下地］／吉田多映美［コラム 3・4］

柱脚

どんなにすばらしい建物でも、脚元がふらついては元も子もない。阪神・淡路大震災では、鉄骨柱脚の破壊が原因で倒壊した建物が少なくなかった。それだけに、その仕組みはしっかりと頭に入れておきたいところだ。柱脚の設計は主として構造設計者の担当となるが、だからといって、まったくのお任せは禁物。構造側が要求する柱脚のかたちを、意匠側でどのように納めていくか――鉄骨造の設計は、脚元からすでに始まっているのである。

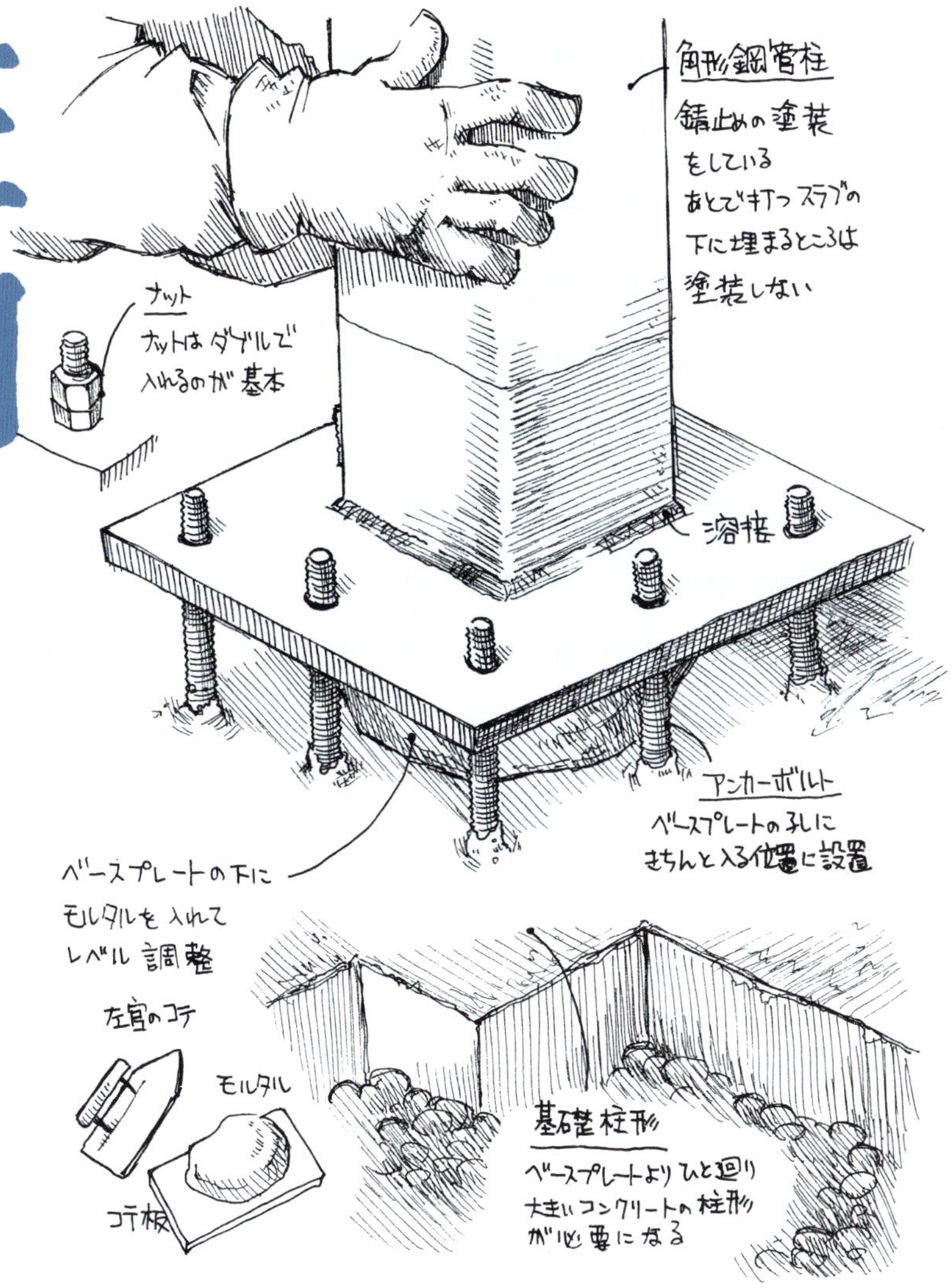

柱脚の工事は**アンカーボルトの設置**で幕をあける[1]

鋼製フレーム（仮留めプレート付き）にアンカーボルトを固定。墨出し位置に合わせて設置する[2]

基礎梁鉄筋と複雑に絡み合う部分では、アンカーボルトとの取合いが難しくなる[3]

アンカーボルトをセットし、基礎の配筋が終わると、構造設計者による配筋検査が行われる[4]

検査後、アンカーボルトが曲がっていたので修正する

マメチシキ｜[1] 本稿では露出柱脚について解説する [2] 上部のプレートはアンカーボルトを設置するための仮留めプレート。ベースプレートではない [3] アンカーボルトどうしの間隔は10d（d：径）以上が望ましいが、構造計算により建物ごとに決定される。アンカーボルトの耐力には、埋め込み部分のコンクリートの破壊が大きくかかわる。したがって、狭いスペースに無理にアンカーボルトを押し込もうとして、アンカーボルトどうしを近付けると、柱脚の耐力は落ちてしまう [4] アンカーボルトの据え付け精度を確認する際は、位置とともにレベルも重要になる。また、据え付けたフレームが基礎コンクリート打設時に動いたりしないよう、強固なものであることを確認する

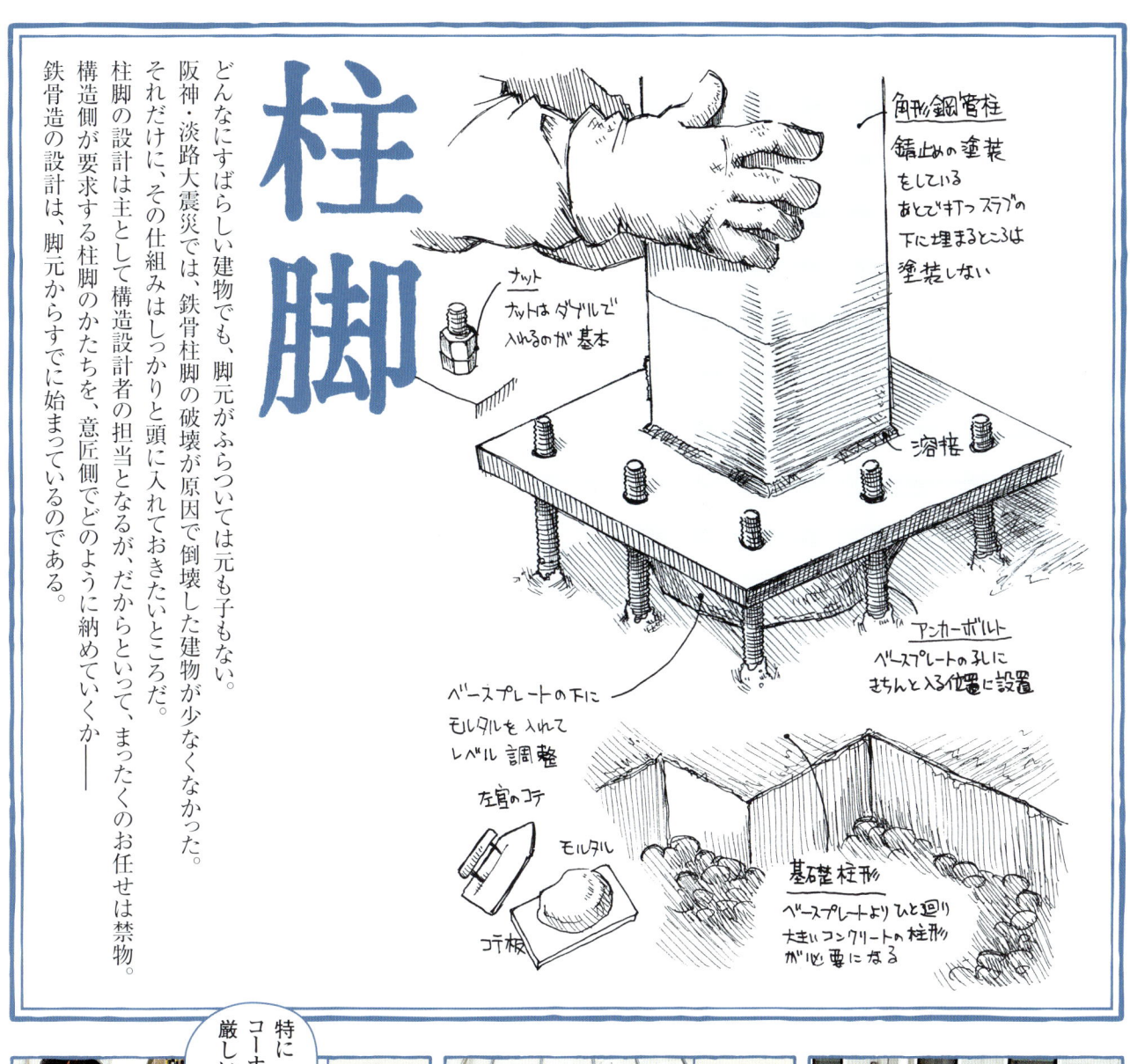

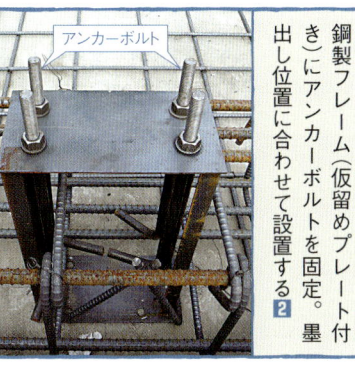

図1｜アンカーボルトの据え付け方法

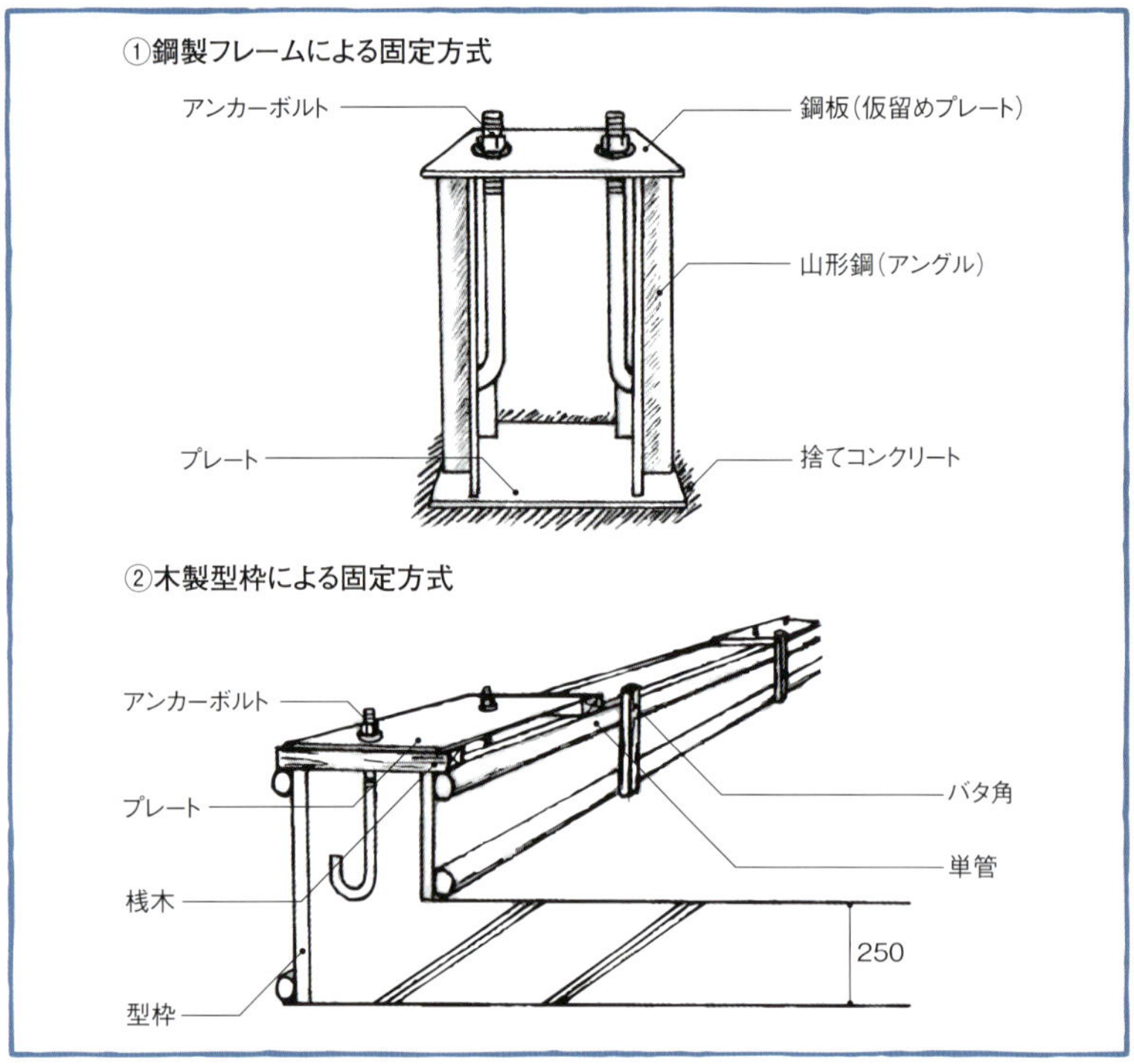

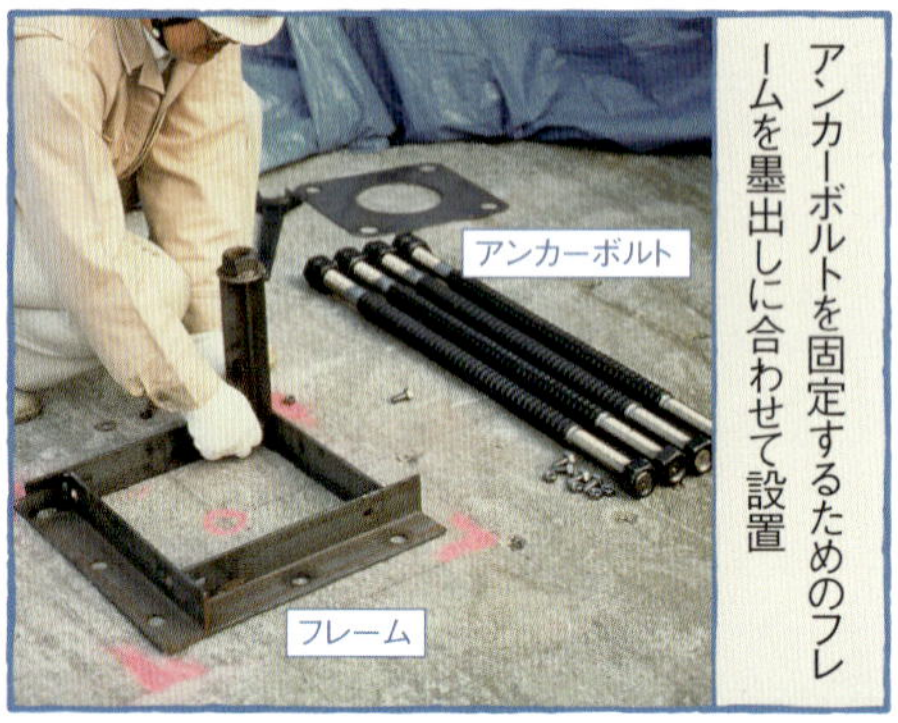

こちらも別の現場——**露出柱脚の既製品**6をセットしている

図2｜露出柱脚の既製品（ベースパック／旭化成建材）

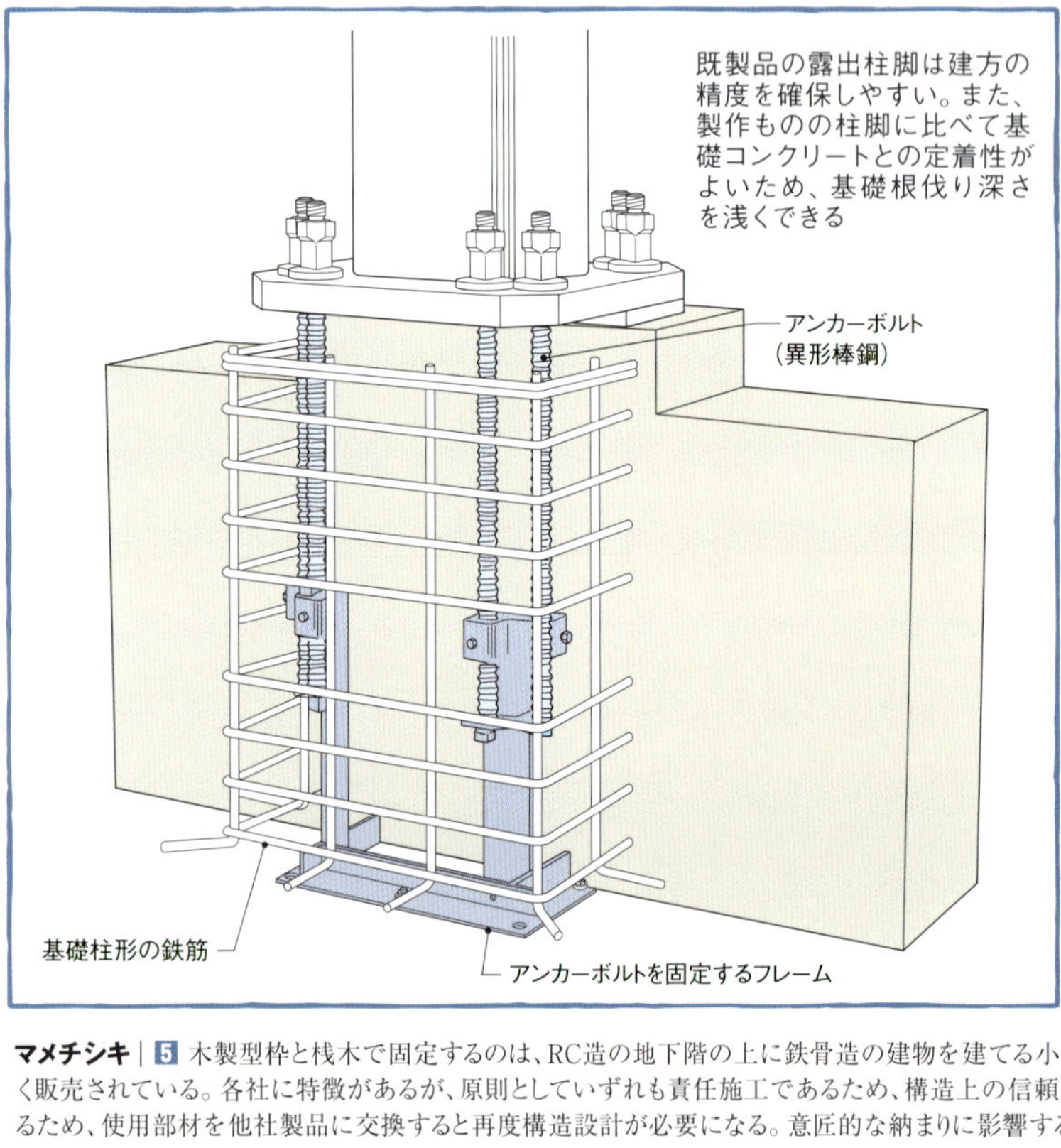

マメチシキ｜5 木製型枠と桟木で固定するのは、RC造の地下階の上に鉄骨造の建物を建てる小規模建築物に多い 6 露出柱脚の既製品は多くのメーカーから数多く販売されている。各社に特徴があるが、原則としていずれも責任施工であるため、構造上の信頼度は高い。ただし、ボルトの長さ、基礎柱形の寸法などは各社で異なるため、使用部材を他社製品に交換すると再度構造設計が必要になる。意匠的な納まりに影響する場合もあるので注意したい

アンカーボルトは養生しておく

冒頭の現場――**基礎コンクリート打設**が完了した鋼製フレームはコンクリートのなかに埋設され、アンカーボルトの頭と仮留めプレートだけが露出している

アンカーボルトの頭は必ず養生しておく。基礎天端からのボルト余長は、モルタル高さ＋ベースプレート厚＋ナット3つ分以上が原則

その後、墨出しを経てベースプレート下に盛るモルタルの施工に入る。このモルタルによって柱脚のレベルを調整し、建方時の柱荷重を支持する

トランシットで測量中

仮留めプレートを外しました。アンカーボルトだけがコンクリートから突き出ています

モルタルを盛る場所にプライマーを塗ったあと、ベースプレートを設置するためのモルタルを調合 7

モルタルの付着がよくなるぞ
無収縮モルタルを使うんだな
プライマー

舟
コテ板
ワンコ
手鍬
ハンドミキサー
角ゴテ
木ゴテ

左官屋さんの七つ道具

のちに設置される柱（ベースプレート）の中央部となる位置に無収縮モルタルを盛る

レーザー墨出し器でレベルを確認しながら、モルタルの高さを調整していく

レーザー墨出し器
レーザーレシーバー
もうちょい下かな

モルタルの施工完了――十分な養生期間を取る。あとは建方を待つばかり

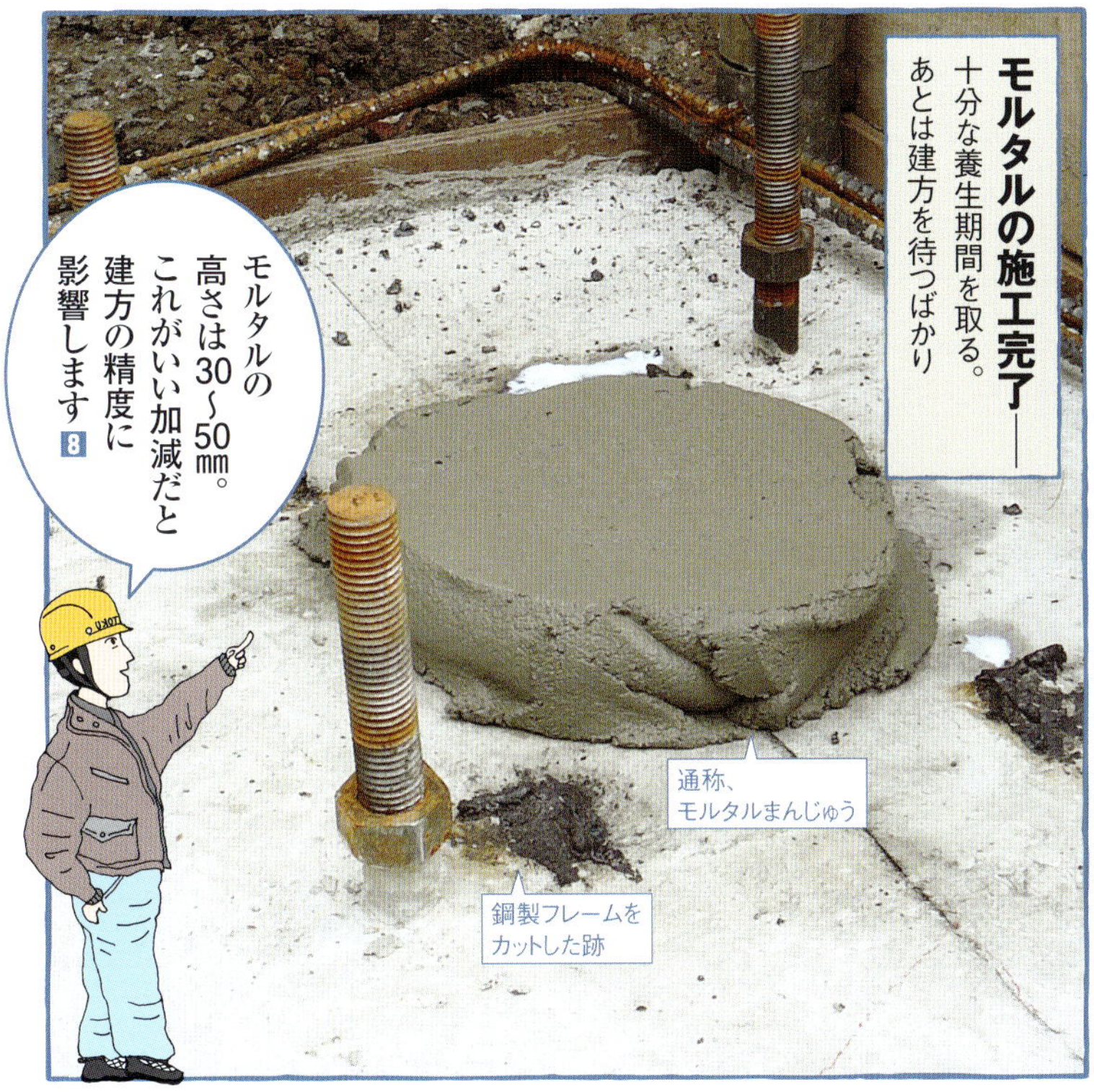
モルタルの高さは30～50㎜。これがいい加減だと建方の精度に影響します 8
通称、モルタルまんじゅう
鋼製フレームをカットした跡

マメチシキ｜7 モルタルは通常、砂と普通ポルトランドセメントを体積比で2：1の調合とし、水を適切に加えて混練りする。養生期間は通常3日以上 8 モルタルの高さを30～50㎜にするのは、50㎜を超えると強度が不足し、30㎜未満ではモルタルが割れてしまうため

そのころ鉄骨工場では――
柱とベースプレートの溶接が行われていた

その後、柱には仕口・建方用足場部材などが取り付けられ建築現場へ運ばれていく
溶接完了

ベースプレート
ここにアンカーボルトが入る
エンドタブ
柱

溶接は…
エンドタブを取り付けて一面ずつガスシールド半自動アーク溶接で行う 9

アンカーボルトをベースプレートの孔に通して柱脚を設置
必要最小限のナットでひとまず仮留めします
現場A

（現場に戻って）建方――
所定の位置に柱脚（柱）を据え付ける。建方当日になってボルト孔の位置が合わないなどの失敗がないよう、重要なポイントは必ず事前にチェックしておく
アンカーボルトがベースプレートの孔に入らなくて工場へ持ち帰ったこともあるよ

図3 | 露出柱脚の構成

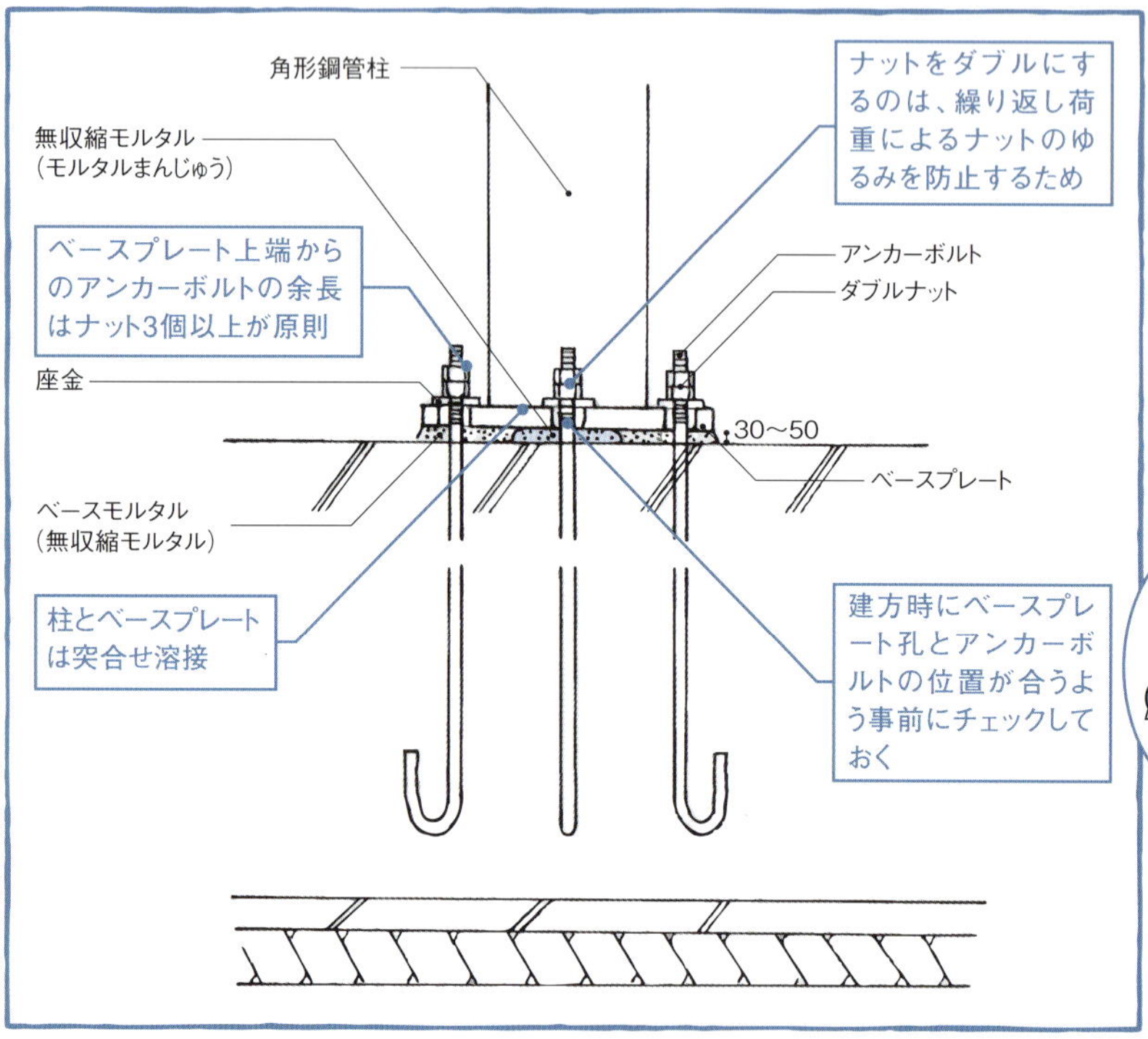
角形鋼管柱
無収縮モルタル（モルタルまんじゅう）
ベースプレート上端からのアンカーボルトの余長はナット3個以上が原則
座金
ベースモルタル（無収縮モルタル）
柱とベースプレートは突合せ溶接
ナットをダブルにするのは、繰り返し荷重によるナットのゆるみを防止するため
アンカーボルト
ダブルナット
30～50
ベースプレート
建方時にベースプレート孔とアンカーボルトの位置が合うよう事前にチェックしておく

別の現場の建方後――
ここでは既製品の露出柱脚を使用している
基礎柱形が少し出っ張っています
DVD
現場B

マメチシキ | 9 エンドタブについては21・23頁参照。ガスシールド半自動アーク溶接については25頁参照 10 基礎と外壁の納まりについては18頁図4参照。一方、施工者側は山留め工事にかかわることから、設計段階で基礎の寸法、寄り、深さを気にする傾向にある 11 アンカーボルトとベースプレートのボルト孔の位置が合わない場合などに、打ち上がったコンクリートに孔をあけ、新たなアンカーボルトを挿入してエポキシ樹脂などの化学凝固剤で固定する方法。樹脂アンカー、エポキシアンカーともいう

建方後、ボルトの本締め（建直し）が終わると、モルタルまんじゅうの周囲にも無収縮モルタルを充填してベースプレート下面を固める

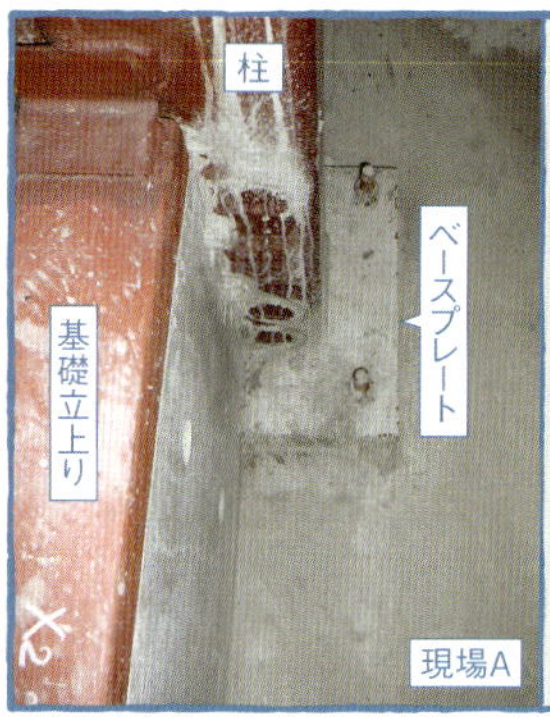

その後、基礎立上り部分のコンクリートが打設される

もし、ボルト孔がずれていたら

現場でアンカーボルトの位置、レベルを確認し、明らかに誤差があった場合は、現場の状態に合わせたボルト孔のベースプレートに取り替えなければならない。現場でボルト孔を拡げたり、新たに孔をあけ直すようなマネは絶対にしないこと。

アンカーボルトをケミカルアンカー 11 などのあと施工アンカーに置き換えることもあるが、これは既設建物の耐震補強の場合のみに限定され、新築部分の構造躯体には使用できないので、要注意。ケミカルアンカーの引張耐力は通常のアンカーボルトの20%程度しかないのである。

①通常の埋込みアンカー　②ケミカルアンカー（既存建物の補強のみ）

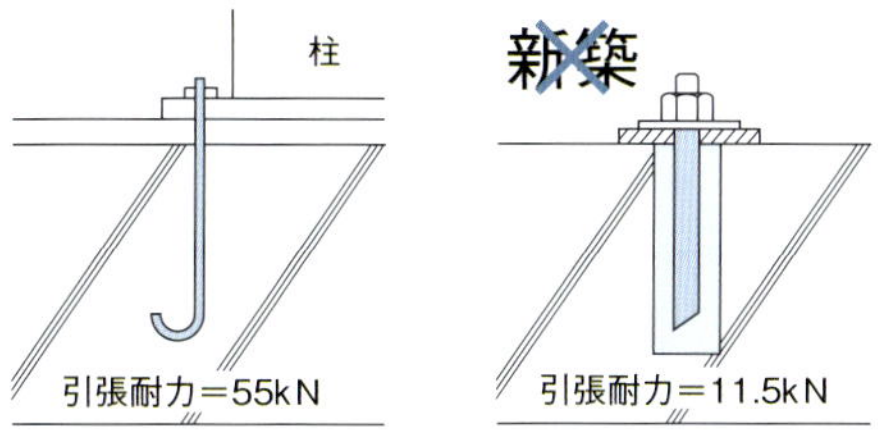

たとえば、SS400のアンカーボルトの引張耐力は、呼び径M20の場合、埋込みアンカーなら55kNあるが、ケミカルアンカーでは11.5kNしかない

データ出典「非構造部材の耐震設計指針・同解説および耐震設計・施工要領」（日本建築学会）

現場Bでは、建方から1週間後、1階床スラブのコンクリートが打設され、柱脚廻りのかたちが見えてきた

意匠のための柱脚の納まり

工場で製作する鉄骨部材と、現場施工によるRC基礎とが取り合う部位、それが柱脚である。異種の構造が取り合うだけに、施工上はもちろん、構造的にも重要な部位といえる。ただ、構造上必要な性能を満たすことと、意匠側が思い描く納まりを実現することは、必ずしもイコールとはならない。

構造と意匠をうまく両立させるための柱脚設計の勘所を押さえておきたい。

露出柱脚の納まり

鉄骨造建築物における柱脚の構成は**図3**のとおりである。柱脚には露出型、埋込み型、根巻き型の3形式があるが、本書で想定している5～6層以下の建物では、ほとんどが露出型か埋込み型となる［**19頁 Column** 参照］。

なかでも、ベースパック（旭化成建材）、ハイベース（日立建材）といった露出柱脚に使用される既製品［**14頁図2、18頁表**］は、メーカー側であらかじめ性能を明確化していることもあり、現在では多くの現場で採用されている［※1］。

柱脚の設計は主として構造設計者が担当するため、意匠設計者が考えなければならないのは主にその納まりとなる。露出柱脚であれば、ベースプレートのサイズや基礎梁の寸法（幅）、その寄りなどが焦点となるだろう。

ただ大前提として、柱脚廻りの寸法は構造設計者が柱脚に求める性能により、おのずと決まってしまうことを理解しておかなければならない［※2］。

たとえば、3層の住宅では、200㎜角の角形鋼管＋露出柱脚の既製品という構成が多いが、その場合のベースプレートのサイズは360㎜角、ボルト頭のレベルは基礎コンクリート天端＋165㎜、ベースプレートを受ける基礎柱形の寸法は550㎜角となる［※3］。

既製品のメーカーによって、また、既製品を用いない個別の設計によっては若干の寸法差が出るが、ほとんど大差はないといってよい。

「柱脚の納まりを考える」とはすなわち、これらの寸法を把握したうえで、外壁面と基礎柱形の位置関係、柱と敷地境界との離れ寸法、エレベータピット近くの柱の配置、引き込み配管との位置関係などについて配慮することといえる［**18頁図4**］。

※1：阪神・淡路大震災以降、柱脚の性能基準が改正され（2000年の改正建築基準法）、製作ものの柱脚は求められる構造的性能を発揮しづらくなった。それが、性能を明確化している既製品柱脚の人気を後押しした一因と考えられる｜※2：柱脚の剛性や耐力は、アンカーボルトの径および本数によって決まる（ベースプレート厚も関係する）
※3：柱脚に基礎柱形（礎柱［そばしら］ともいう）を設けるのは、アンカーボルトの性能を十分発揮させるためである。礎柱の断面はベースプレートより150～200㎜くらい大きくなると覚えておこう。また、露出柱脚の既製品は、基礎柱形まで含めて大臣認定を取得しているため、原則として基礎柱形のサイズを小さくしたり、柱を偏心させることはできない

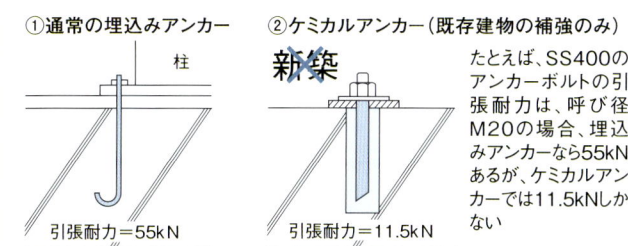

図4｜露出柱脚の納まりと注意点

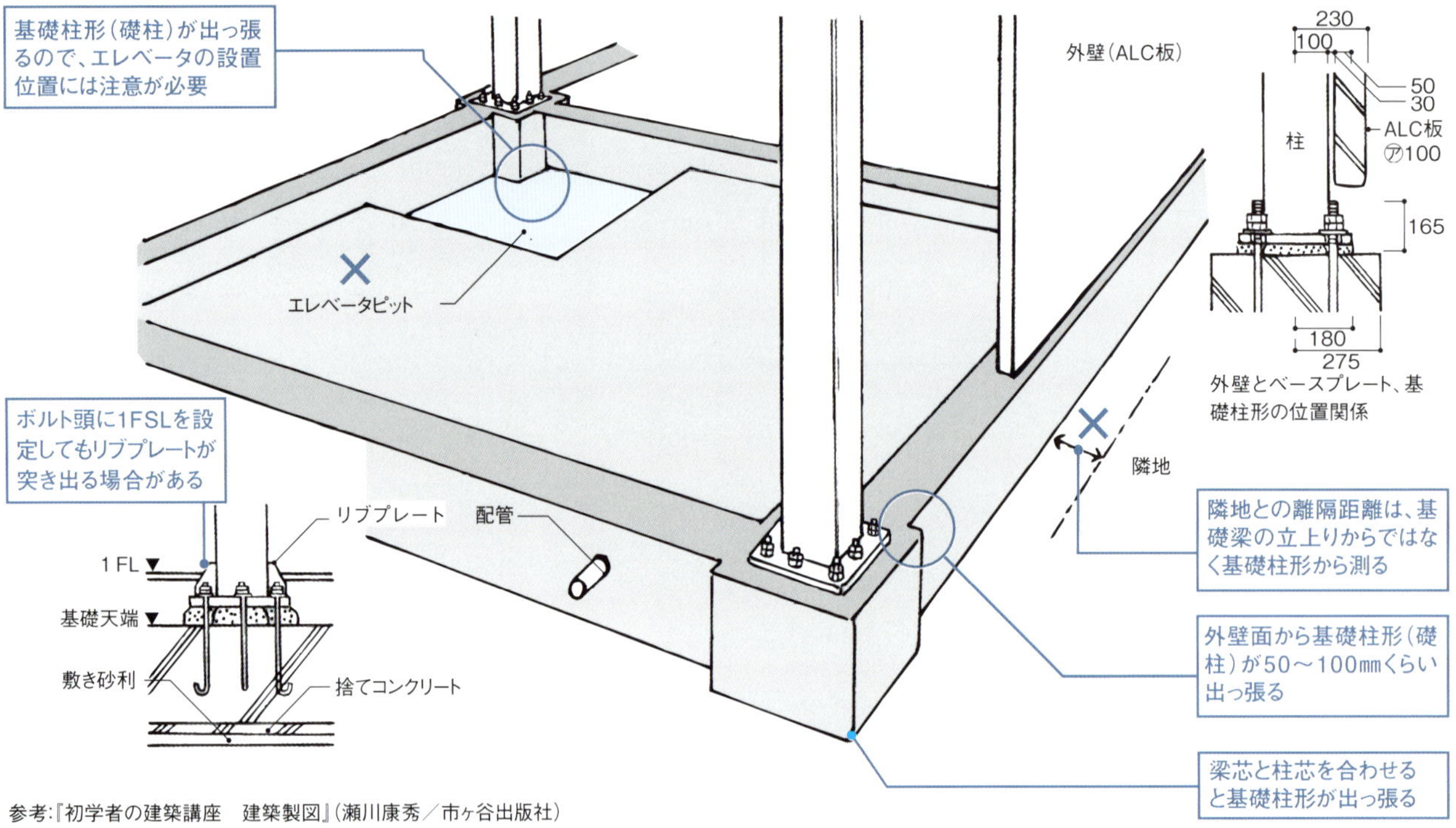

参考：『初学者の建築講座　建築製図』（瀬川康秀／市ヶ谷出版社）

表｜既製品柱脚の寸法例（ベースパック／旭化成建材）

（㎜）

鋼管断面	ベースプレート		ボルト高さ	基礎柱形	
	寸法	厚さ		寸法	深さ
150×150×9	300×300	25	165	460×460	550以上
175×175×9	320×320	28	165	500×500	550以上
200×200×9	360×360	32	165	550×550	600以上
200×200×12	360×360	36	165	550×550	600以上
250×250×9	460×460	32	165	620×620	600以上
250×250×12	460×460	36	165	620×620	600以上
250×250×16	460×460	40	165	630×630	600以上

注 基礎柱形の深さは最小寸法

図5｜RCの地下階がある場合の柱脚の納まり

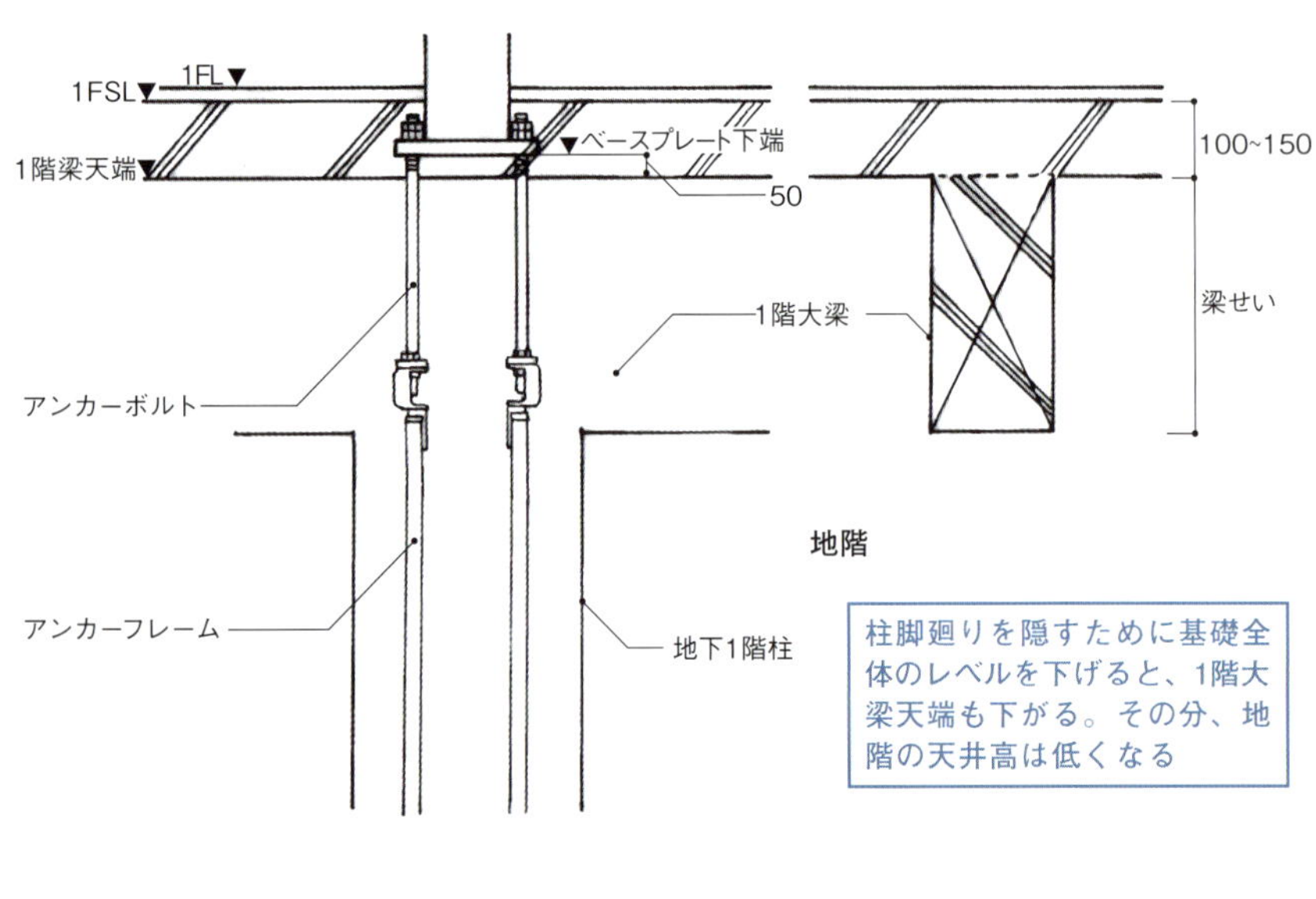

柱脚の高さ寸法を確認する

平面的なサイズほど大きな影響はないが、柱脚の高さ方向の寸法にも注意しておきたい。

露出柱脚の場合、柱脚を固定するアンカーボルトやリブプレート[図4、※4]は、ベースプレート上にそのまま露出して取り付けられるが、これらの「出っ張り」は床レベルの設定に大いに関係してくる。

一般的な設計であれば、アンカーボルトの頭までは、床仕上げ面の下に隠して処理する。基礎梁と基礎柱形の天端をGLより下げ、柱脚自体を床スラブ内に埋め込むのである（リブプレートがある場合は、リブプレートの高さを確認しておく[図4]）。DVD

ただし、鉄骨造の下にRC造の地下階をつくるプランでは、柱脚のレベルを下げた分だけ、地下階の大梁天端も下がってくる[図5]。

これにより、地下階の梁下寸法は通常より短くなる。同時に、根伐り量や基礎梁天端までのコンクリートふかし量も増えることになるため、「地上・鉄骨＋地下・RC」という組み合わせは、慎重な検討が必要になる。

※4：三角形状などの平板（プレート）。リブ（rib）とは補強用の細長い突起物のこと。補強する部分に直角に取り付ける｜※5：RC壁の上に鉄骨柱を載せる場合、壁の面外方向は壁自体が曲げ耐力をもたないため、鉄骨柱もこの方向では剛にしない。したがって、露出柱脚のようにベースプレートより大きなRC部材（柱形）を設けなくてもよく、ベースプレート幅とRCの壁厚を揃えることができる｜※6：鉄骨造はRC造に比べて躯体重量が軽く、地盤の悪い敷地に採用されるケースが多い。しかし、半地下部分のコンクリートが重くなって鉄骨造のメリットを生かせないとあっては本末転倒である

図6｜半地下がある場合の柱脚の納まり

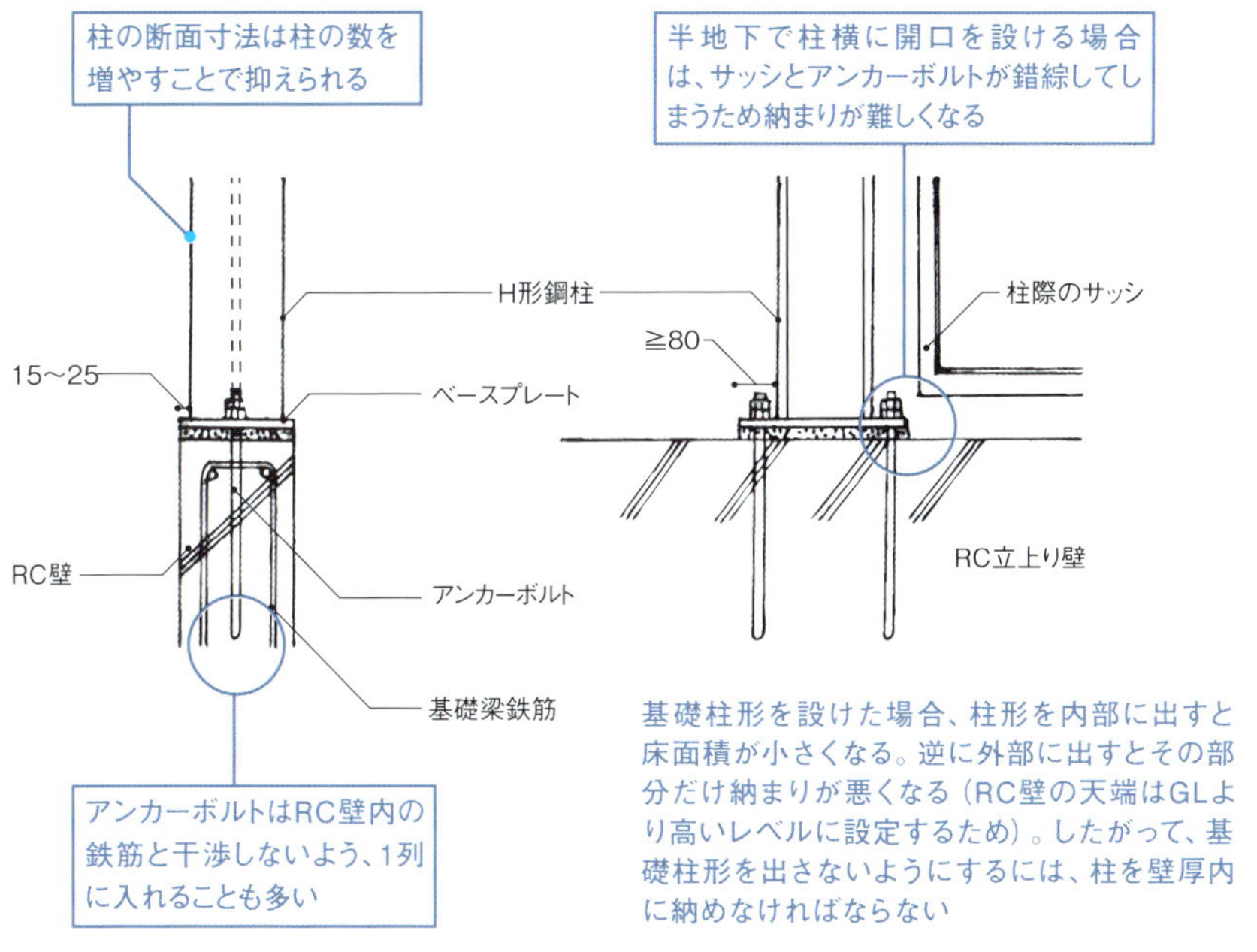

基礎柱形を設けた場合、柱形を内部に出すと床面積が小さくなる。逆に外部に出すとその部分だけ納まりが悪くなる（RC壁の天端はGLより高いレベルに設定するため）。したがって、基礎柱形を出さないようにするには、柱を壁厚内に納めなければならない

図7｜アンカーボルトとガセットプレートの納まり

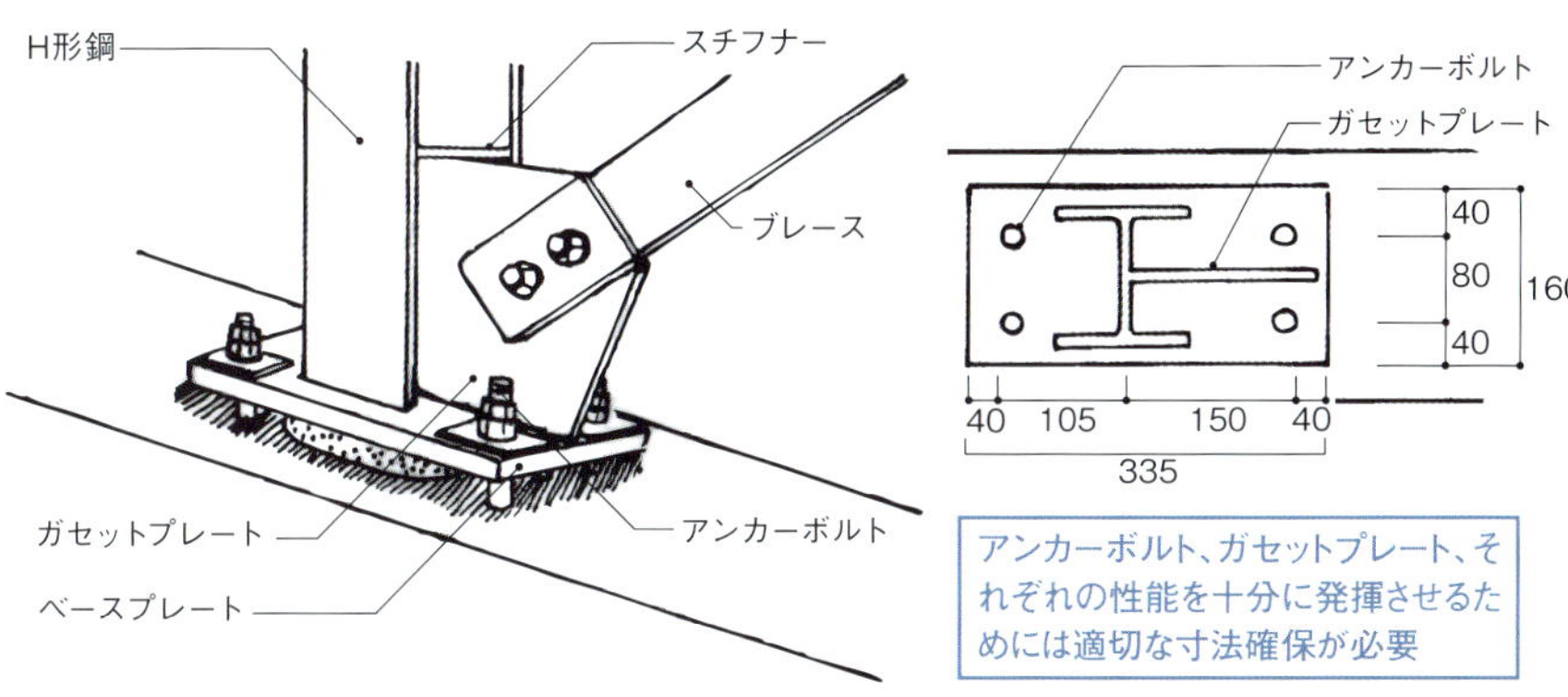

半地下の解決方法

住宅に半地下を設ける場合、地下階床より立ち上げたＲＣ壁の上にＨ形鋼柱を載せる形式が多い。その場合は、ＲＣの壁厚は柱のベースプレート寸法を考慮して、最低でも柱径＋50㎜以上は必要になると覚えておきたい［**図6**、※5］。

しかしＲＣ壁の多くは、通常200～250㎜厚程度のため、鉄骨柱の断面寸法によっては、柱脚が納まらなくなるおそれがある。単純に考えれば、壁を厚くして柱を埋め込むという対処法が考えられるが、意匠上の納まり（床面積の縮小）、躯体重量の増大［※6］などを考慮すると、特に柱断面の大きくなるような計画では、あまり現実的な対処法とはいえない。

そこで、半地下のケースでは、露出柱脚による固定形式はあきらめ、ピン形式を選択することが多い［※7］。ただこの場合も、柱脚とブレースを取り付けるガセットプレート［**32頁**参照］とアンカーボルト間の寸法確保が難しくなるなどのデメリットは避けられない［**図7**］。

［牧屋知行］

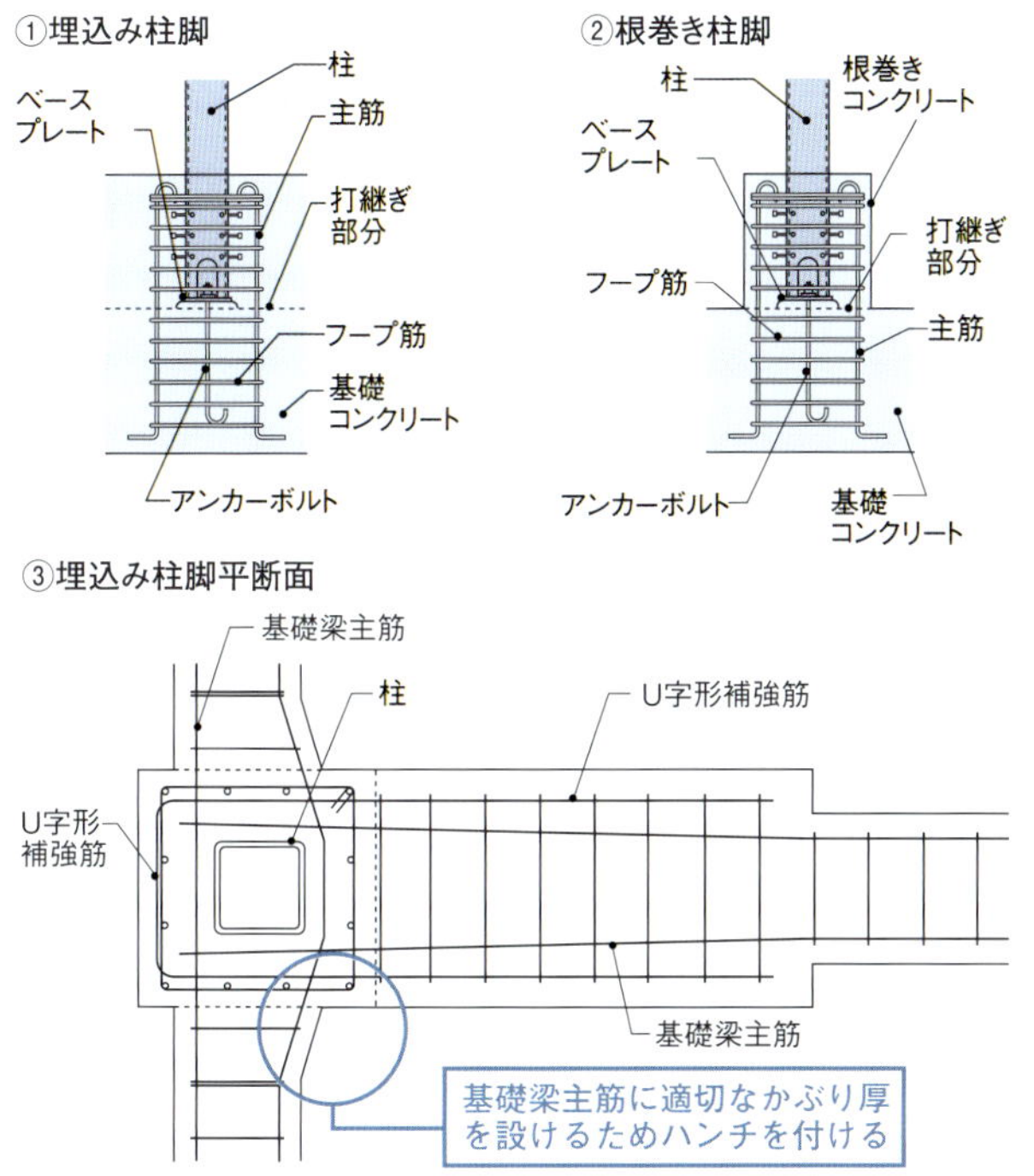

column

埋込み柱脚の善し悪し

鉄骨造の柱脚には、以下の3つの形式がある。

基礎コンクリート上に載せた鉄骨柱のベースプレートを補強し、剛性、曲げ耐力を確保する「露出型」、基礎に鉄骨柱を埋め込んでしまう「埋込み型」、1階柱脚部にコンクリート柱を立ち上げる「根巻き型」である。

中小規模建築物のほとんどで露出型か埋込み型が用いられているが、それは根巻き型では、建物のスケールに比べて柱廻りの断面寸法があまりにも大きくなりすぎるためである。

埋込み型は、露出型と違い足元をすっきりさせられるうえ、柱断面を細くできるなど意匠上のメリットが大きい。建設コストも比較的安く収まるが、基礎コンクリートを2回打設する分だけ工期は長くなる。

また、埋込み型では、基礎梁鉄筋と埋め込んだ鉄骨柱が干渉して適切なかぶり厚が取れなくならないよう、鉄筋に水平ハンチを設けるなど、設計上の配慮が必要になる。ということは、柱際に竪配管などを通したくてもハンチの分だけ離さなければならない。細かなことだが覚えておきたいポイントである。

［牧屋知行］

※7：固定柱脚とは、柱脚に曲げ剛性、曲げ耐力をもたせる柱脚で、柱と梁を剛接合するラーメン構造で用いられることが多い。一方、ピン柱脚とは、圧縮力、引張力、せん断力を基礎に伝える柱脚で、ブレース構造で用いられる。ただしこれは、柱脚の性能基準が改正される2000年の建築基準法以前の話である。現在、露出柱脚は回転バネを考慮した設計としなければならないため、すべて「半固定形式」（弾性固定形式）となった。しかし、半固定にも「固定に近い半固定」と「ピンに近い半固定」があるため、ここでは便宜上、固定形式、ピン形式という名称を用いた

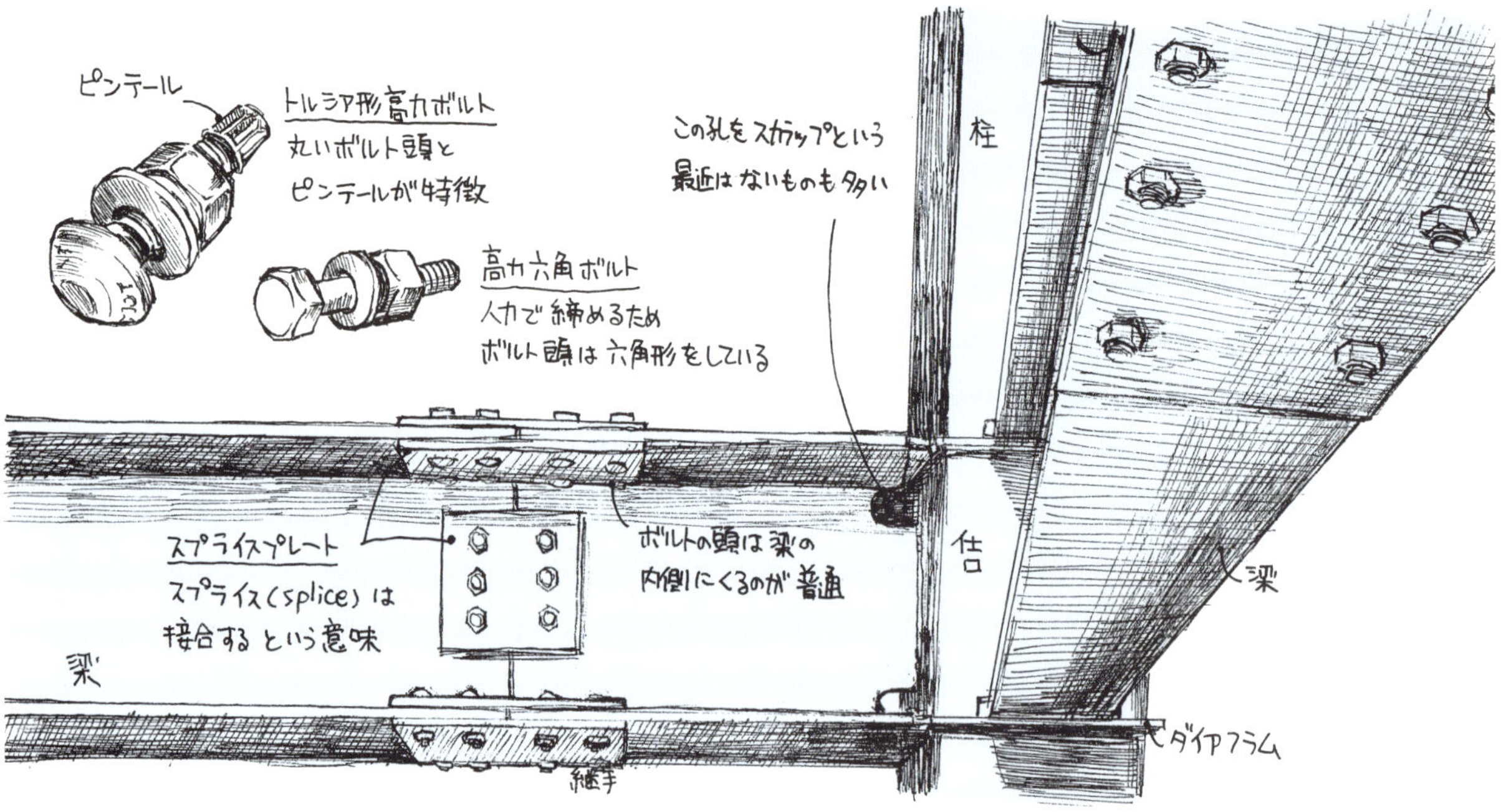

仕口・継手

木造ほどには手軽に加工できず、RC造ほどには自在に成形しにくい鉄骨造は、建築現場での工事に先立ち鉄骨製作工場におけるパーツの製作が、重要なカギを握る。特に、柱・梁が交わり合う仕口は、あらかじめ工場で製作されることから、鉄骨造ならではの独特の形状をもつ。ここでは、仕口がどのような工程でつくられていくのか、また現場ではどのように接合されていくのかを、できるだけ詳細に見ていきたい。

仕口ができるまで

ここでは、複雑な仕口の構成を製作工程順に紹介する。以下は、角形鋼管柱に通しダイアフラム（＋内ダイアフラム）・ブラケット形式とする仕口である［**図1、23頁図3**参照］

まずは**切り板加工**からバンドソーマシンで、ブラケット用のH形鋼を適切な長さに切断していく

超鋼**1**でできた帯鋸《おびのこ》が高速で左右に動き、上から少しずつ切断していく。このサイズのH形鋼なら5分程度

ブラケットとなるH形鋼にはボルト接合用の孔が必要になるため、高速孔あけ加工機でそのための**孔あけ**をする

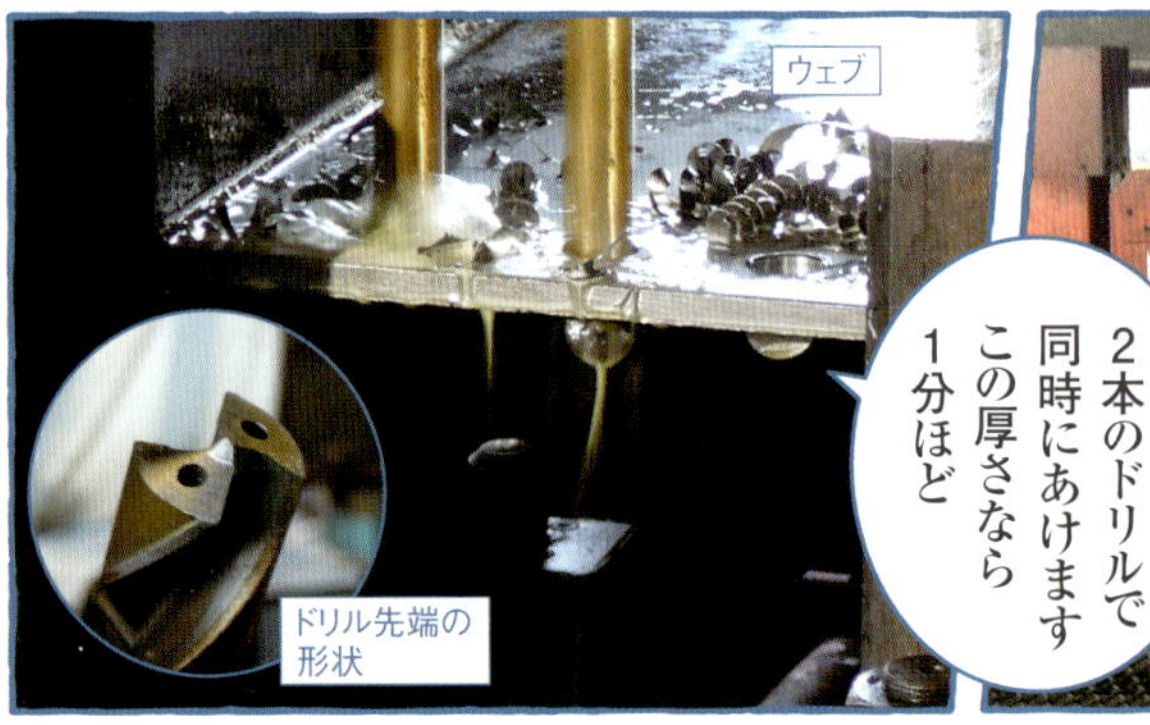

マメチシキ｜**1** 超鋼とはタングステンと炭素の粉を焼き固めた物質をいう **2** 溶接する2部材の間に設ける溝のことで、グルーブともいう。レ形をはじめI形、V形の片面グルーブ、裏側にも溝を設けるX形、K形の両面グルーブがある

図1｜仕口の概要（通しダイアフラムの場合）

開先加工の終わったブラケット

仕口のコアになるパーツ。切断された角形鋼管の上下に通しダイアフラムを溶接する

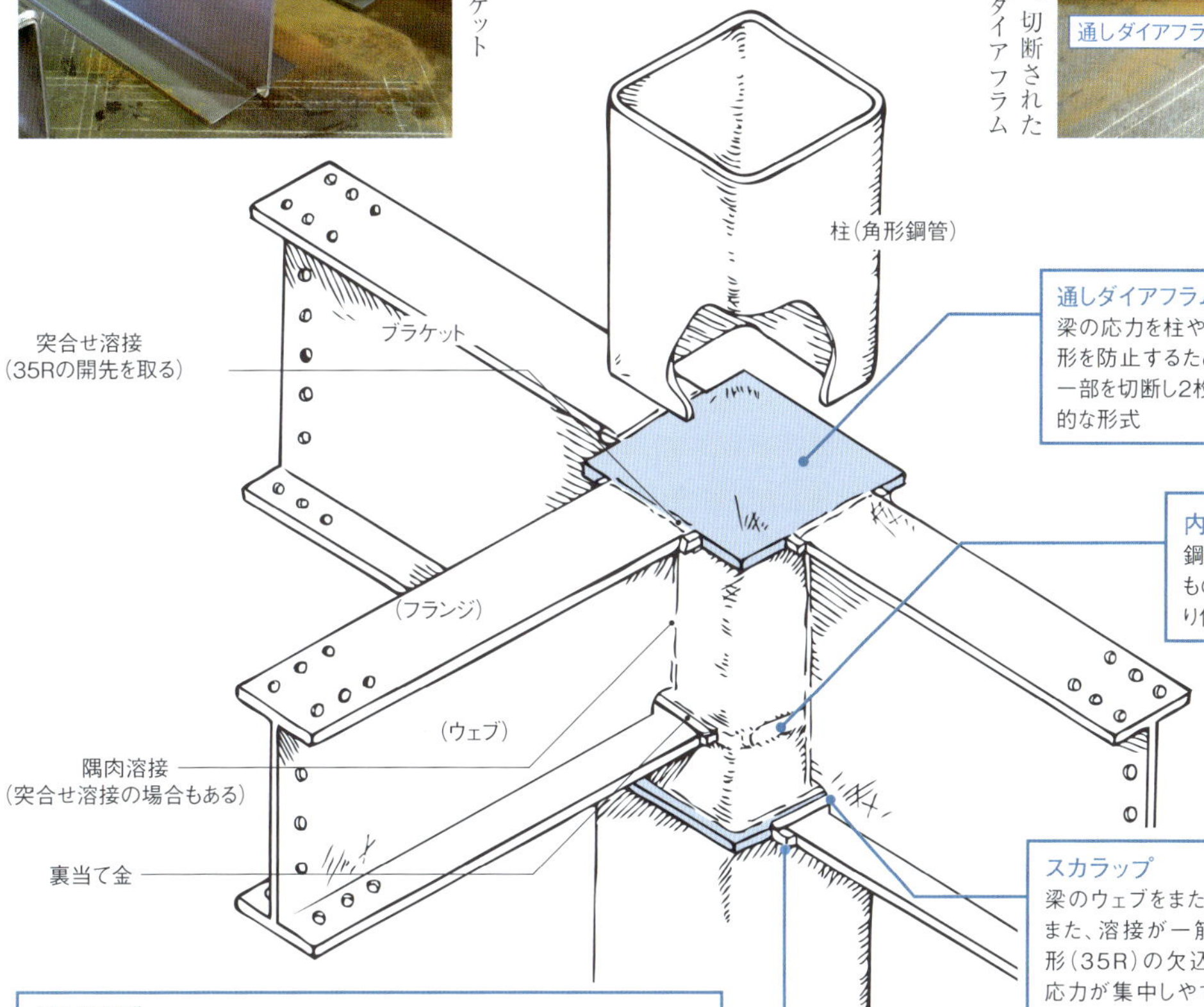

通しダイアフラム
梁の応力を柱やほかの梁に伝達したり、仕口の局部変形を防止するために柱の仕口に取り付ける鋼板。柱の一部を切断し2枚のダイアフラムを挟むもので、最も一般的な形式

内ダイアフラム（鋼管内部）
鋼管内にダイアフラムを溶接する形式のもので、1つの柱に梁せいの異なる梁を取り付ける際などに用いられる

スカラップ
梁のウェブをまたいで裏当て金を取り付けられるよう、また、溶接が一筋にできるようにウェブに設ける楕円形（35R）の欠込み。しかし、このような欠込み部には応力が集中しやすいため、現在では欠込みのかたちを35R＋10Rとする改良スカラップや、スカラップを設けないノンスカラップ工法が主流になりつつある。ノンスカラップの場合は、裏当て金はウェブの左右に1つずつ設けて溶接する

エンドタブ
溶接個所の両端部で、端まで確実に溶接できるよう取り付ける鋼片（セラミックの場合もある）。溶接の始端と終端では溶接不良が起きやすいため、捨板として母材の溶接線の両端に取り付ける。材質的には鋼でできた鋼製タブのほか、フラックスタブ、セラミックタブの固形エンドタブがある。
鋼製タブは、溶接終了後に切り落とすことを基本としているが、切り落としにより母材を傷つけないよう、溶接面の一部を残して切り落とさなければならない（仕上げなどに影響がなければ、残す場合もある）

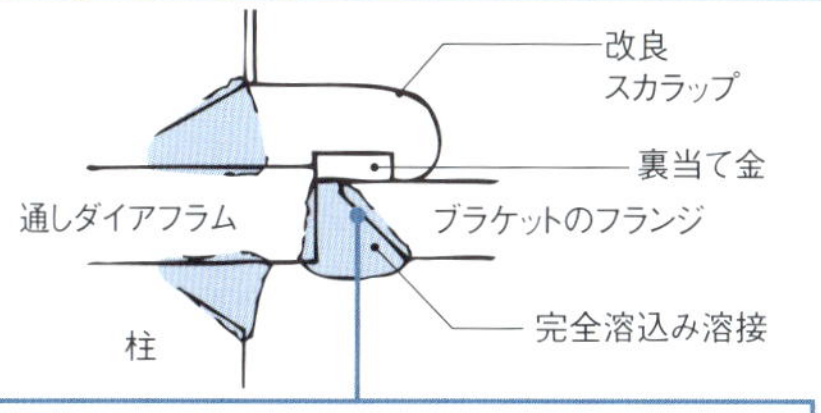

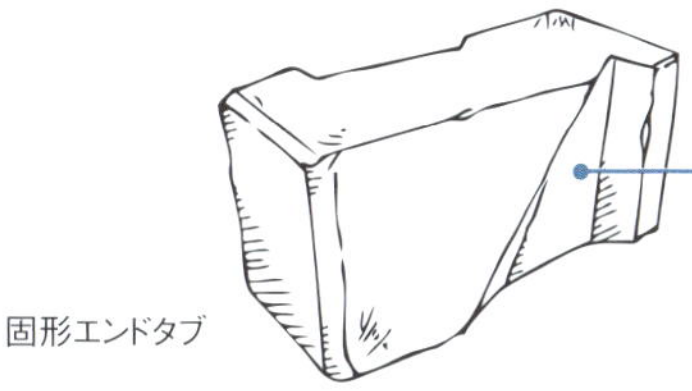

開先と同じ角度（35度）の欠込みが表裏にあるため2回使用できる

開先
一般的な開先角度は35度。開先角度が広すぎると溶着金属量が増えて溶接部の収縮量が多くなり、変形しようとする力も大きくなる。逆に狭すぎても十分に溶け込まなくなる

完成したブラケット
右側がサイコロ**3**に溶接される側

回転刃各種。削る角度によって使い分ける。手前の刃はスカラップのR形状を削るもの

孔あけが終わると、ブラケットのフランジに完全溶込み溶接のための**開先を加工**する**2**

仕口の呼び方｜**3** 本書で使用している「仕口」という呼称だが、具体的にどの部分を指してそう呼ぶかは人によって微妙に違う。構造設計者の間では、「柱・梁などの部材が2つ以上接合される部分」という意味で使用することが多い。しかし鉄骨加工工場では、そもそも仕口という呼称自体を使うことが少ない。たとえば、切断した鋼管柱（コラム）の上下に通しダイアフラムを溶接したものは、①サイコロ、②タイコ、③コア、などと呼ばれる。さらに、そこにブラケットが取り付くと、①パネルゾーン、②ブロック、などと呼ばれる。「意匠設計者と話していて、サイコロ、ブロックと言っている人がいたら、〈この人はデキるな〉と思う」とは、ある工場の社長の言葉

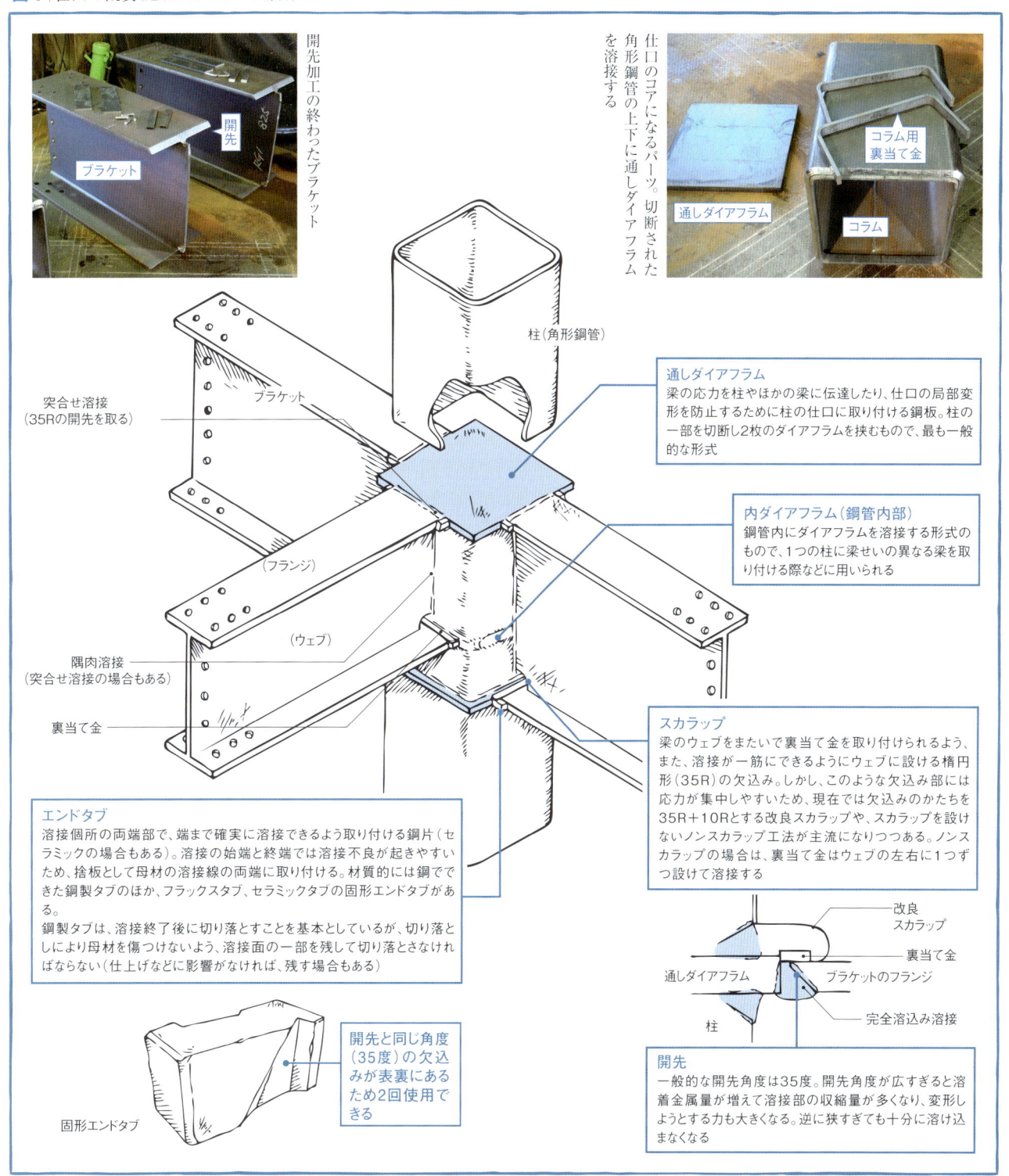

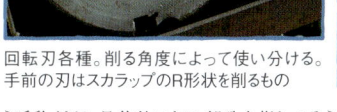

次に仕口の核となる、通称「**サイコロ**」の製作に入る
ここでは、内ダイアフラムを入れた通しダイアフラム形式のサイコロを製作する 4

内ダイアフラムの組み立て溶接 5
まずは、仕口用に切断された角形鋼管 6 の内部に内ダイアフラムを設置するための台（ここではH形鋼を適切な長さに切断したものを使用）を置く

柱内に設置した台の上に内ダイアフラムとなる鋼板を載せる

R!

角形鋼管のなかに内ダイアフラムが置かれた状態。角形鋼管のコーナーにはRが付いているため、そこに隙間ができる。内ダイアフラムとなる鋼板もコーナーを斜めに切断している

内ダイアフラムを組み立て溶接するための裏当て金を置く

裏当て金

各面に1本ずつ

裏当て金を角形鋼管、内ダイアフラムにそれぞれ適切な長さで溶接

組み立て溶接では30㎜以上の溶接長を取ります

溶接はすべてガスシールド半自動アーク溶接なんだな

その後、裏当て金を完全に固定するため、もう一度溶接する 7

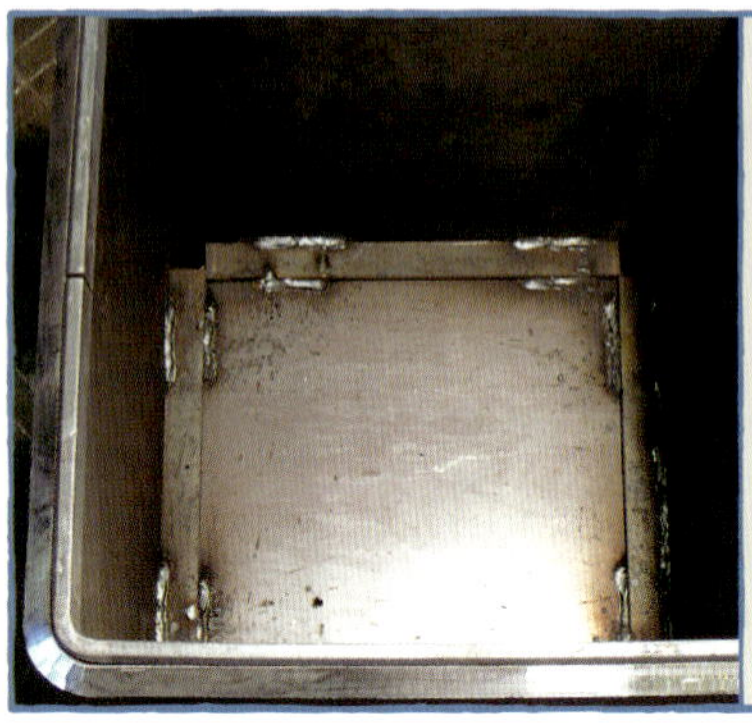

組み立て溶接完了

サイコロの上下を裏返した状態。この裏側に裏当て金が溶接されている。次の本溶接は組み立て溶接と反対側から行う

裏当て金の役割とは

完全溶込み溶接を行う際に、溶着金属が溶接面の裏に溶け落ちて溶接不良が起こらないようにするための鋼製の当て板を「裏当て金」という。内ダイアフラムを溶接するときや、サイコロとブラケットを溶接するときなどに使用される。使用する部位ごとに適した形状があるが、溶接後もそのままの状態で取り付くため、仕口を露しにする場合には凸凹が目立つ。

裏当て金を使用できない個所、あるいは使用したくない場合には、溶接部の「裏はつり」を行ったのち裏溶接することもある［25頁参照］。ただし、裏はつりには高度な技術を要するため、熟練の溶接工でなければ溶接欠陥を起こしやすいことも覚えておきたい。

サイコロ
移動中

組み立て溶接の完了後、本溶接を行う工場内の別の場所に、サイコロを移動させる

マメチシキ | 4 通しダイアフラム形式の仕口に内ダイアフラムを使うのは、主に1つの柱にせいが異なる複数の梁が取り付く場合である。せいの違う梁には、内ダイアフラムを付けたり、梁にハンチを付けて対応する（21頁図1参照） 5 組み立て溶接とは本溶接の前に部材を組み立てていくための溶接のこと。仮溶接ともいわれる 6 仕口を構成する柱（コラム）は、すでにシャーリング（切断）業者や問屋から適切な長さに切断された状態で鉄骨加工工場に納品されているのが一般的 7 組み立て溶接は2回に分けて行う。一度に1面ずつ溶接していくと、柱面に対してダイアフラムを直角に固定できないため（ダイアフラムが曲がらないようにする）

本溶接はオレに任せろ！

溶接歴30年の超ベテラン・須永さん

装着している溶接用マスクは住友スリーエム製の最新式「自動遮光溶接面・スピードグラス」

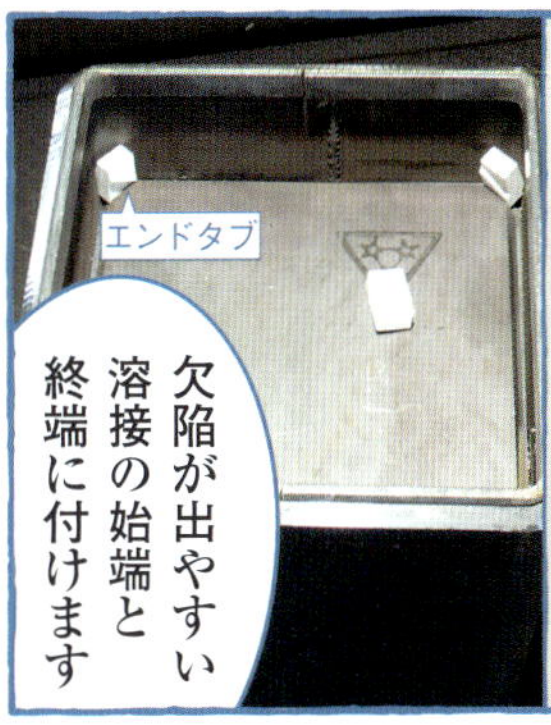

内ダイアフラムのコーナーにエンドタブを置く［**21頁図1**参照］

本溶接開始 この場合、溶接不良を起こさないために各面の溶接は一度始めたら終端（エンドタブのあるところ）まで止めない 8

内ダイアフラムの溶接完了 Rのついているコーナーには欠陥が生じやすいため溶接しないことも多い。よって、ブラケットは柱面の端部を避けて取り付ける［**図2**］

図2｜内ダイアフラムの注意点

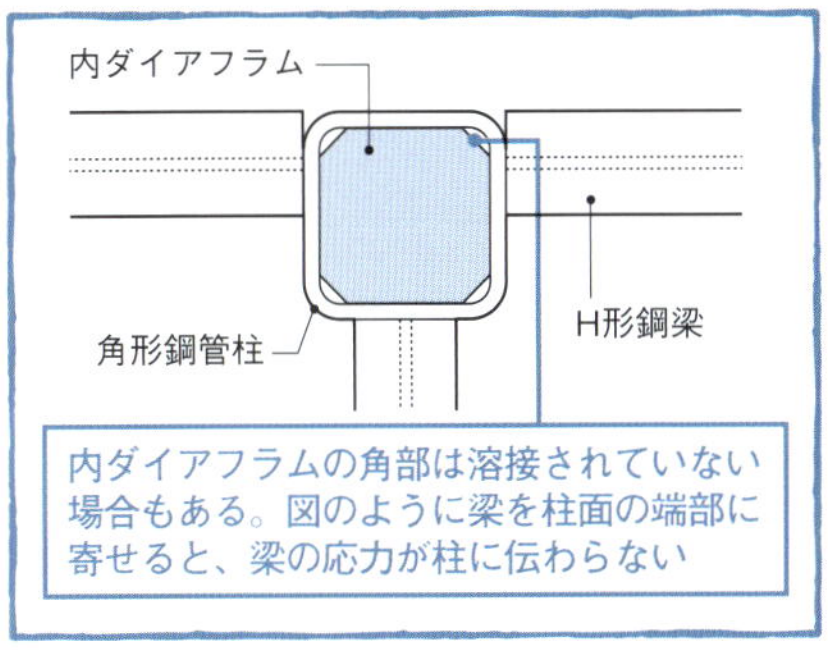

図3｜仕口の形式

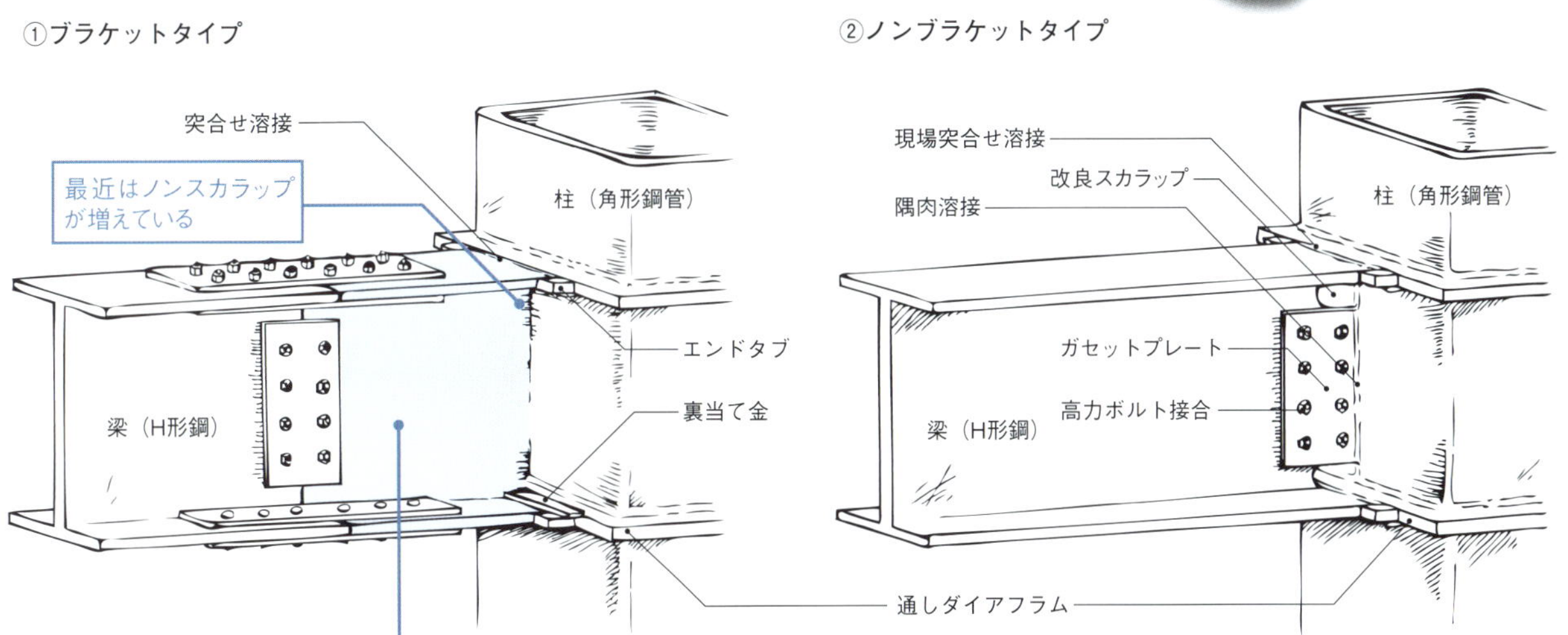

ブラケット
工場で柱に溶接して取り付ける短い梁。現場では先付けしたブラケットと梁を高力ボルトで接合する。かさばるので搬送効率は悪いが、高度な技術が必要でコストのかかる柱・梁の現場溶接を省略できる

仕口にはあらかじめ工場でブラケットを溶接する「ブラケットタイプ」と、柱と梁を現場で溶接する「ノンブラケットタイプ」がある。中小規模の建物ではブラケットタイプが一般的。ノンブラケットの場合は、ウェブはガセットプレートを介してボルト接合し、フランジはダイアフラムに溶接する

通しダイアフラムを溶接するため、内ダイアフラムの本溶接が終わったサイコロを、再び組み立て溶接用の作業台へ戻す

専用の治具で垂直に立てられた通しダイアフラムにサイコロをドッキング 9

通しダイアフラムの組み立て溶接。この後、反対面も同様に溶接してから本溶接の工程へ送る

マメチシキ｜8 溶接が冷えるときの収縮により、周囲の鋼が引っ張られひずみと残留応力が生じる。そのため、溶接は応力集中が生じないような施工順序を適切に選ぶ必要がある 9 この時点ですでに通しダイアフラム用の裏当て金は溶接されている。治具は既製品ではなく工場で工夫して製作したもの

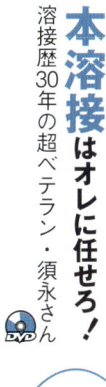

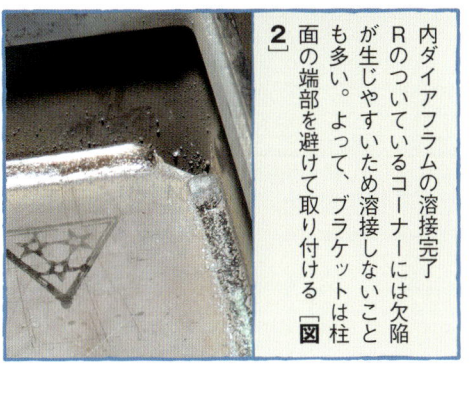

最後に ブラケットを取り付ける

ブラケットを付ける方向はどっちだ？

ダイアフラムの溶接が終わったサイコロにブラケットをドッキング。通常の設計では通しダイアフラムと梁上端のレベルを揃えるため、作業は上下を逆にした状態で行われる

磁石で位置を微調整します
ブラケット

通しダイアフラムとブラケットのフランジに裏当て金を溶接して本溶接の準備

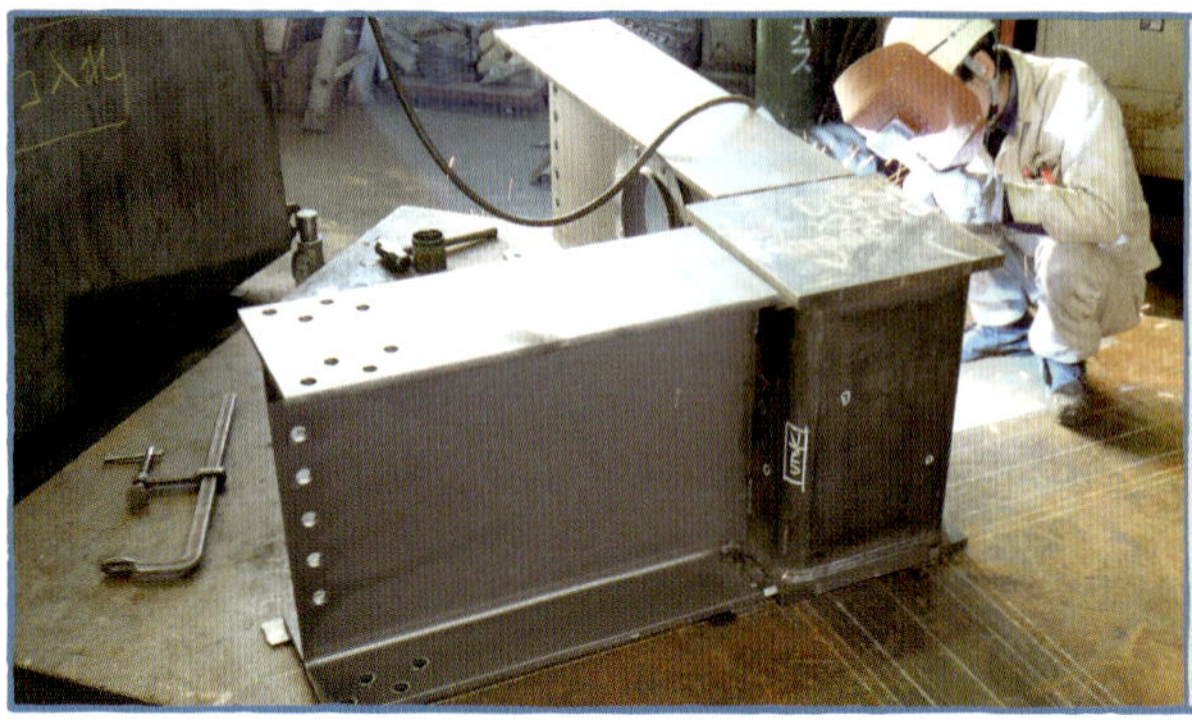

ダイアフラムはフランジより2サイズ厚いものを使用する

ダイアフラム
ブラケットのフランジ
溶接された裏当て金

ダイアフラムと梁フランジの溶接は完全溶込み溶接。溶接の始端と終端にはエンドタブを使用する。エンドタブは「タブ留め」で一時的に固定してから溶接

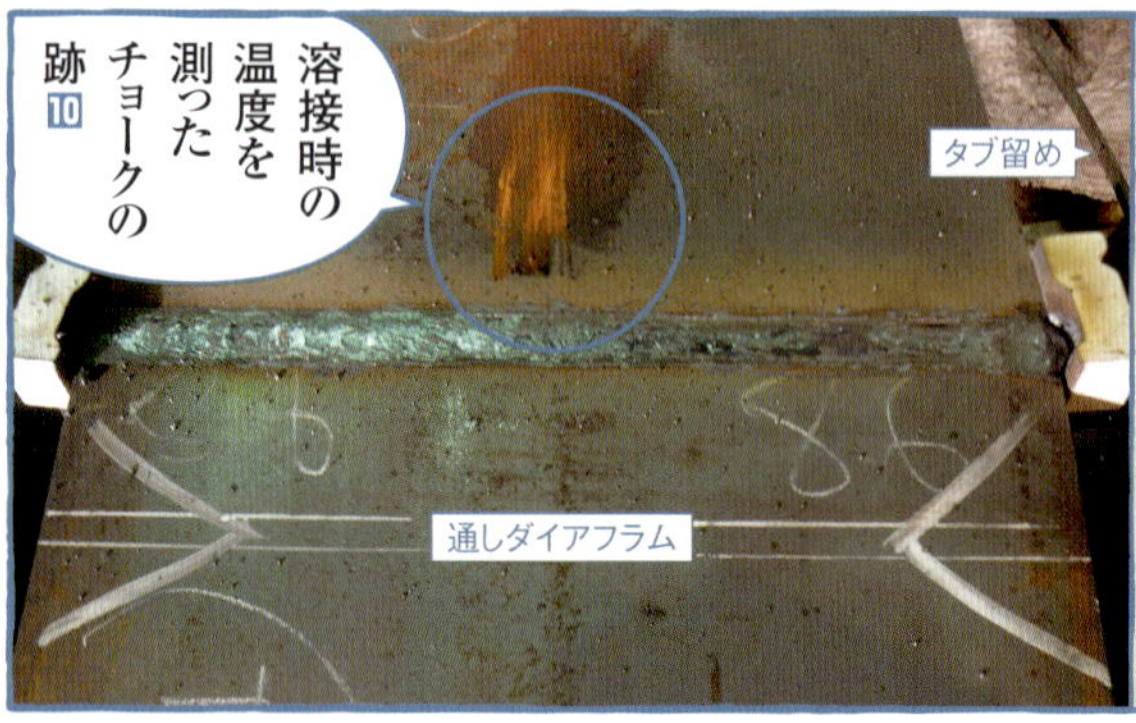
溶接時の温度を測ったチョークの跡[10]
タブ留め
通しダイアフラム

その後、ウェブを溶接すれば仕口の完成[11]。溶接後、エンドタブは取り除かれるが、裏当て金は溶接されたまま残る

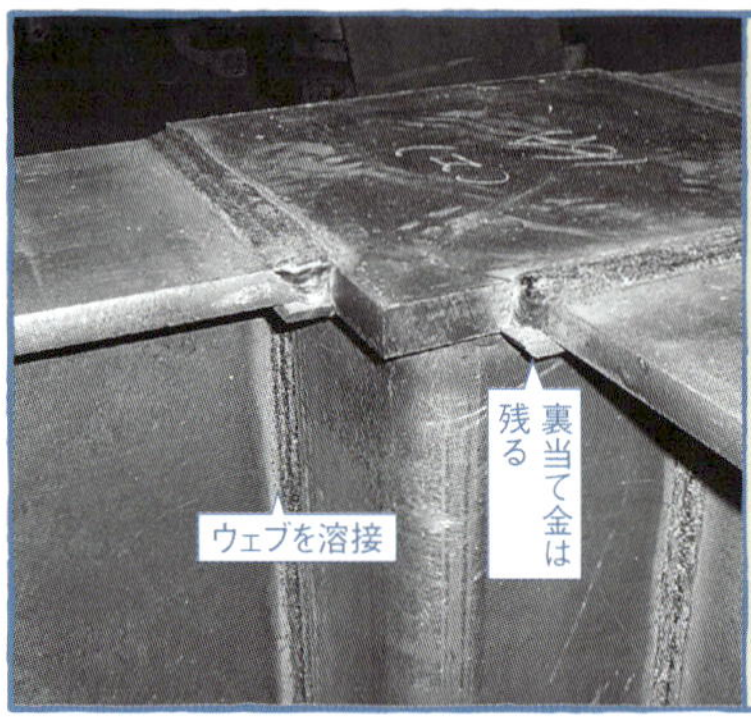
裏当て金は残る
ウェブを溶接

ブラケット

現場に設置された仕口。これは上の製作工程で紹介したものとは別の仕口で、スカラップ工法[12]、鋼製タブを用いている

鋼製タブ
裏当て金

仕口の見上げ

この欠き込んだ孔がスカラップです

仕口の見下げ

裏当て金とエンドタブが溶接されたままなので凸凹した複雑な形状です
KANTOKU

マメチシキ｜[10]溶接時の入熱量を管理するために溶接個所の近くにチョークで色をつける。その色の変化により溶接時の適正な温度管理がなされているかをチェックする。示温チョーク、示温クレヨンとも呼ばれる DVD [11]ウェブとサイコロの溶接は隅肉溶接とする [12]21頁図1参照

column

溶接用語の基礎知識

被覆アーク溶接(アーク手溶接)

溶接道具が簡易なため、建築現場で行われる簡易な溶接のほとんどはこの被覆アーク溶接。「溶接棒」と呼ばれる細径(2~5㎜程度)の鉄棒を「ホルダー」でつかみ、溶接機の電力によって発生させたアークの熱で、溶接棒と母材を溶かしながら溶接していく［**写真1**］。アークとは気体中の放電の一種であるアーク放電のことで、電極(溶接する個所と溶接棒)間の気体と両電極が高温となる性質を溶接に利用する。溶接工が、溶接棒を鉄骨の柱や梁に打ちつけてバチバチと火花を飛ばすのはアークを発生させているところ。

ガスシールド半自動アーク溶接

鉄骨加工工場において多く使用される溶接方法の1つ。溶接の信頼性が高く、溶接時間も比較的短くて済む。溶接時はコイル状に巻かれた溶接ワイヤー(これが溶着金属となる)がノズル状の「トーチ」の内部に自動的に供給される仕組み［**写真2**］。ワイヤーと同時にCO_2ガス(シールドガス)も供給され、溶接不良の原因となる酸素を排除する。

完全溶込み溶接

部材の断面どうしを完全に融合させる溶接。ダイアフラムと梁ブラケット、あるいは梁どうしなど、大きな応力のかかる部分に使用する。部材を完全につなげるため、溶接面には開先と呼ばれる切込み取る。

隅肉溶接

部材どうしの隅角部で開先を取らずに接合する溶接。主要構造部や、繰り返し荷重のかかる個所には使用しない。

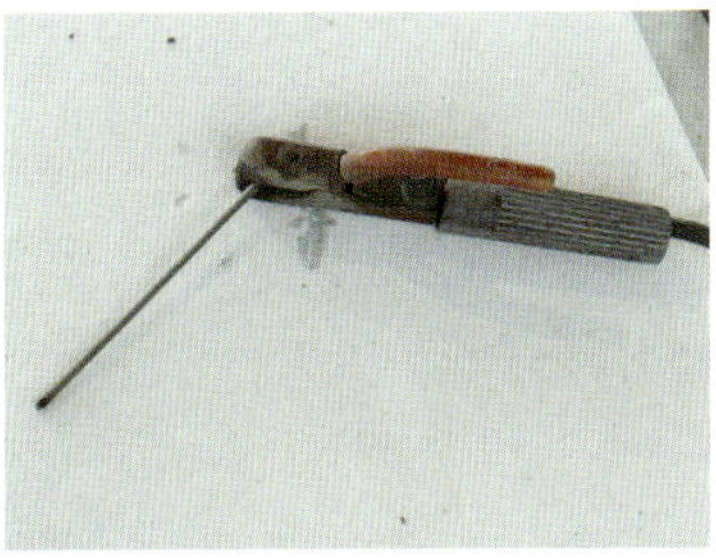

写真1｜被覆アーク溶接に使用するホルダー(握り)と溶接棒

写真2｜ガスシールド半自動アーク溶接に使用するトーチの先端。写真奥はコイル状に巻かれたワイヤー

裏はつり

裏当て金を溶接できないような個所の溶接、あるいは裏当て金を残したくない場合などは、裏はつりと呼ばれる作業を行う

裏はつりの仕組み

裏はつりとは、本来は溶接欠陥を避けたり、溶接で生じるひずみを極力均等にする目的で行う溶接のことで、ある程度板厚の厚い鋼材での使用を想定している。

ただ、構造躯体を露しにする場合、裏当て金やエンドタブの露出が見た目に問題になるため、裏はつりを行うことがある(最近はフラックスタブなどの固形エンドタブが普及したので、エンドタブはそれほど問題にならなくなった)13。1層目の溶接をいったん裏からはつり出して再度裏から溶接を行うと、裏当て金を用いない溶接が可能となる。

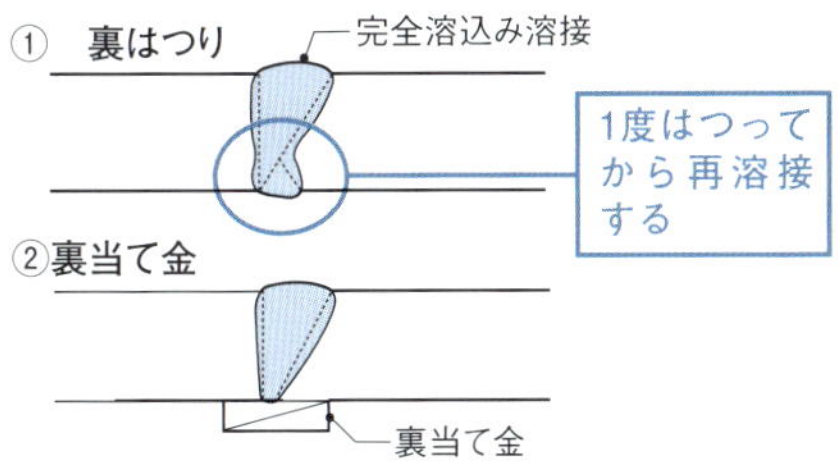

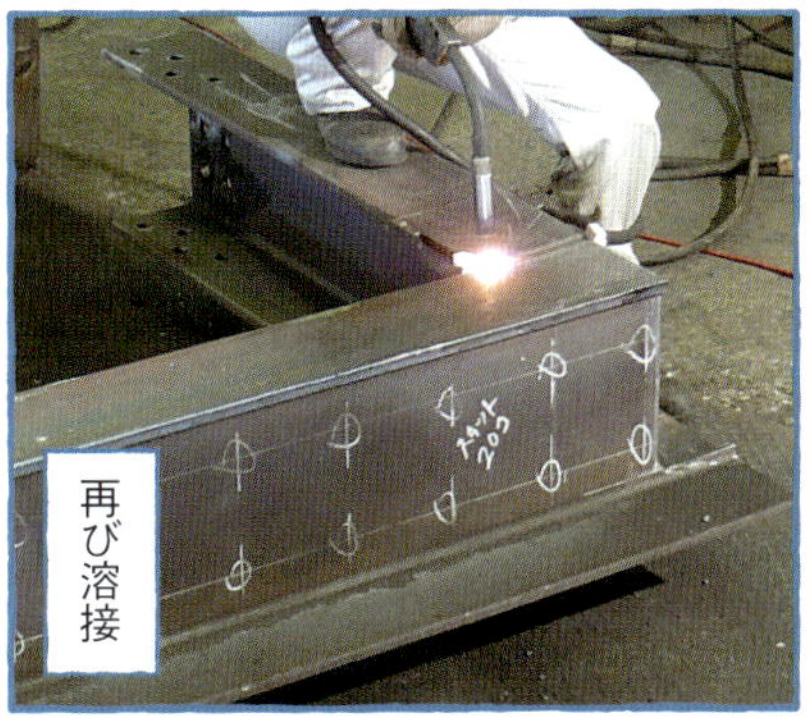

マメチシキ｜13溶接後に取り外せる固形エンドタブ（セラミック系、フラックス系）は、独特の技量が必要となるが慣れれば溶接の品質を向上させることができる。鋼製タブのように切断、仕上げが必要ないため鉄骨加工工場にとっては手間がかからずトータルコストも低くなる。各メーカーが成分や焼成温度を企業秘密としているため、呼称として広まった「フラックスタブ」をセラミックタブに対しても使うことが多い。日本エンドタブ協会の定義は以下のとおり。フラックスタブ：シリカのほか数種類の金属酸化物を主成分とする粉体にバインダーを加えて成形し1,000℃未満で焼成した耐火物。セラミックタブ：焼成温度1,000℃以上で焼成した耐火物

鉄骨造の仕口はなぜ複雑？

柱と梁の接合部である仕口は、木造であればホゾを切って嵌合させたり、あるいは金物を使って緊結させたりといった方法でつくられるが、鉄骨造では主に部材どうしを溶接することによって製作する。具体的な製作方法は、**20～25頁**の**写真**や**図**を見ていただきたいが、要するに柱と梁を接合するためのコアとなる部分は工場で製作し、そこに取り付ける柱・梁(主に梁)は現場で接合するというのが鉄骨造の考え方である。

鉄骨造に限らず、柱と梁の交差部は構造的に最も重要な部位といえる。しかし、その設計のすべてを構造設計者に委ねていると、外壁との取合いや設備配管の取り回しなどで思わぬミスを犯すおそれもある。

本稿では、仕口の設計が意匠上関係する部分にスポットを当てつつ、その仕組みをみていく。

仕口廻りの構成パーツ

鉄骨造の仕口は、柱材・梁材以外にいくつかのパーツを介在させて製作する。それらのパーツや加工工程を、目的によって大まかに分類すると、「構造的な補強」と「製作上の補助」に分けられる。

21頁図1のような、最も一般的な通しダイアフラム形式の仕口は、柱(角形鋼管)を途中で切断した部分にダイアフラムと呼ばれる鋼板を挟んだ形状となる。このようなかたちをしているのは、仮に角形鋼管の柱材とH形鋼の梁材を直接突き付けて溶接すると、その仕口は構造強度上非常に脆いものになるからである。角形鋼管は比較的薄い鋼板(5層以下の建物では6～19㎜程度が多い)を管状に加工してつくるため、その柱面に梁からの水平力が直接加わると変形しやすく壊れやすい。そこで、梁材と柱材の間にダイアフラムを介させることでスムーズな応力伝達を行うのである。

一方、できあがった仕口(サイコロ)と梁・柱を溶接するためには、溶接の施工特性を考慮して、開先、スカラップといった加工を施したり、裏当て金、エンドタブといったパーツが必要になる。これらは、仕口製作上の補助といえる[**21頁写真、図1**]。

寸法・クリアランスの知識

意匠設計上、仕口廻りで覚えておきたい基本的な寸法は以下のとおりである。

1｜ダイアフラムの出

柱(コラム)と梁(ブラケット)をつなぐ通しダイアフラムは、柱面から25㎜出すのが一般的である[※1]。したがって、外壁の取り付け位置などを設定する場合は、柱面からではなくダイアフラムの小口から測る。ALC板などは、柱面から35㎜のクリアランスをメーカーが推奨しているため、多少誤差があっても干渉しないが、それ以外の外壁材では要注意である[**図4**]。

なお、ダイアフラムの厚さは、梁フランジの厚さより2サイズ以上大きくするのが一般的だ。たとえば、梁フランジ厚が12㎜であれば、19㎜厚を使用する。これは、ダイヤフラム厚さ内にフランジを接合できるようにし、応力伝達上の不良となるような接合のズレを防ぐためである。

2｜梁に段差を付けたい

1つの柱に2方向以上から梁を接合する際、その梁に段差を付けたい(梁せいの異なる梁を接合したい)場合は、

①それぞれの梁せいに対応するため、ダイアフラム(内ダイアフラム)を追加する

②梁にテーパーを付ける

という2通りの対処法がある。

①であれば、ダイアフラムどうしは150㎜以上離すのが適切。これは、ダイアフラムどうしの距離が近いと溶接が難しくなるためである。各ダイアフラムの間隔が150㎜以下となる場合には、②のテーパーで対応する[**写真1**]。

意匠設計者のなかには、あまり意識せず梁段差をつける人がいるが、段差部のダイアフラムを内ダイアフラムで処理すると製作上の手間は確実に増える。また、梁にテーパーを付けると、その部分には梁下の配管が通せなくなる(柱際に配置できなくなる)などの問題が生じる。

なお、梁せいを小さくすると、全体の鋼材量が削減されコストも下げられると思いがちだが、中小規模の建物では、製作・加工の手間を考えると同じ梁せいの材料を使用したほうが、仕口の構成がシンプルになり、安く済む場合が多い。

図4｜ダイアフラムの出寸法

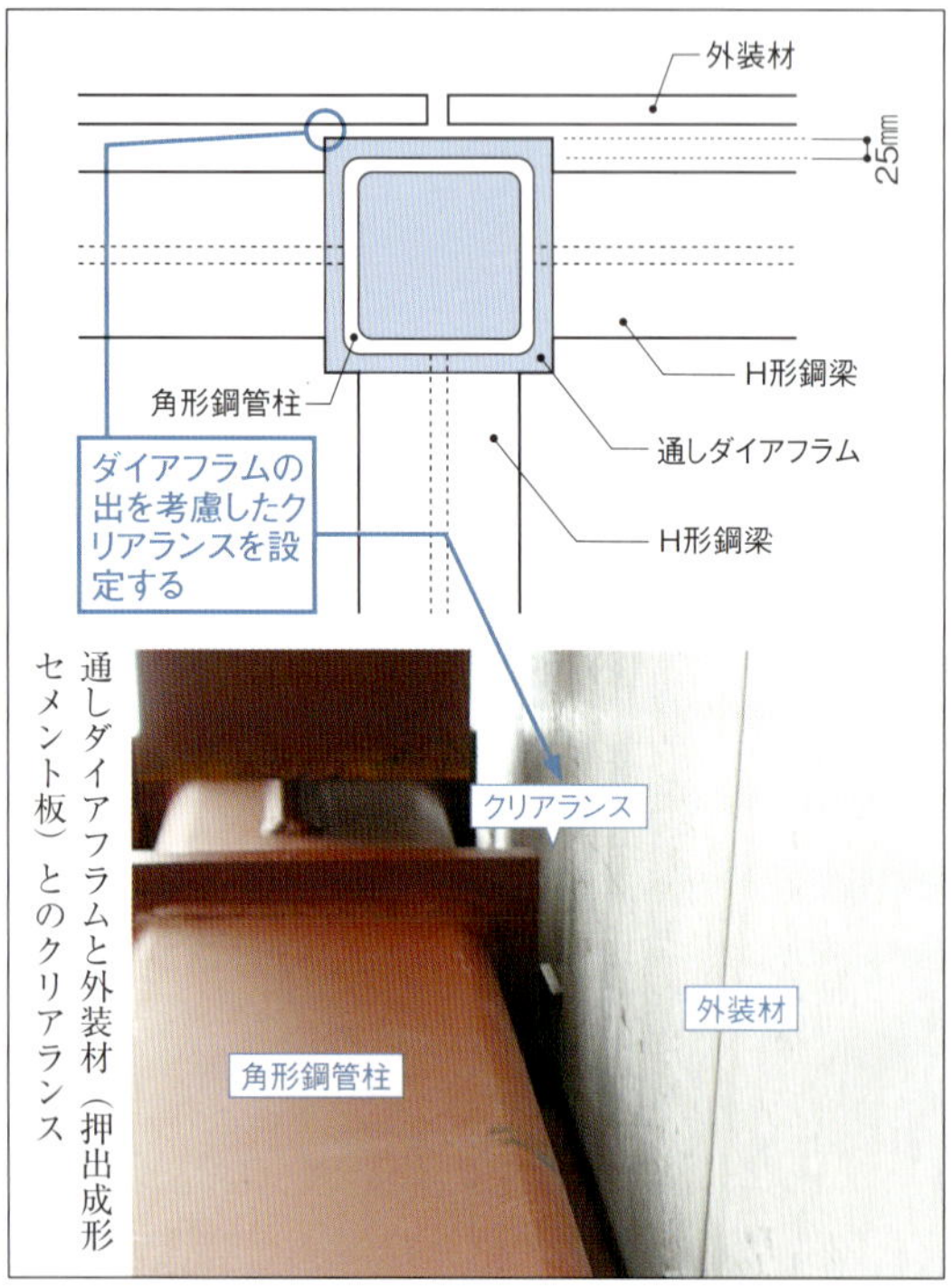

通しダイアフラムと外装材（押出成形セメント板）とのクリアランス

柱と梁の「標準」寸法

木造であれば、建築基準法に照らして、柱は105角、通し柱は120角あたりが標準となるが、ほとんどの場合に構造計算が必要となる鉄骨造では、特に何㎜の柱・梁が標準という考え方はない。

ただ、目安となるサイズは存在する。

たとえば、5層以下の建物で

※1：ダイアフラムの出は必ずしも25㎜とは限らない。35㎜の場合などもあるのでそのつど構造設計者に確認すること

スパン6m程度であれば、柱は200～400㎜、梁せいは250～400㎜くらいとなる。スパンを飛ばしたり、座屈止めの小梁を入れない場合は、仕上げ重量や負担面積によって柱・梁の断面寸法は変わってくる［**図5**］。

また、鋼材には断面寸法と同時に肉厚寸法、いわゆる鋼板の厚みもある。鋼材の寸法を知るためのアンチョコとして多くの設計者に利用されている「建設用資材ハンドブック」（新日本製鐵）［**写真2**］を見ると、同じ断面の材料でも厚さの異なる製品がいくつもあることが分かる。肉厚の大きい材料を使用すれば、場合によってはワンサイズ小さな断面の材料に変更することも可能である。

写真1｜梁にテーパーを付けて1枚のダイアフラムに3方向から梁を接合。もう一方の梁との段差が150㎜以内なら内ダイアフラムではなくテーパーを付けて処理する

柱に取り付くもの

建築現場で必要な材料の多くを事前に工場で製作する鉄骨造は、柱・梁部材についても工場で取り付ける部材がいくつか存在する。決して大きな部材ではないが、設計上無視できないものばかりである。

1 仮設用足場部材（ナット、プレートなど）

建方時の足場［※2］となるもので、柱にナットを溶接しておき、現場でそのナットにボルトをねじ込むもの、ハシゴ状のプレートを溶接するものなどがある［**28頁写真3**］。いずれも建方後は必要なくなるが、仕上げに関係な

写真2｜「建設用資材ハンドブック」（新日本製鐵）。新日鐵グループの代表的資材をまとめたもの。世の中にどのような鋼材が存在しているのかおおよそ把握できる

図5｜鉄骨造の寸法の目安（5層以下の場合）

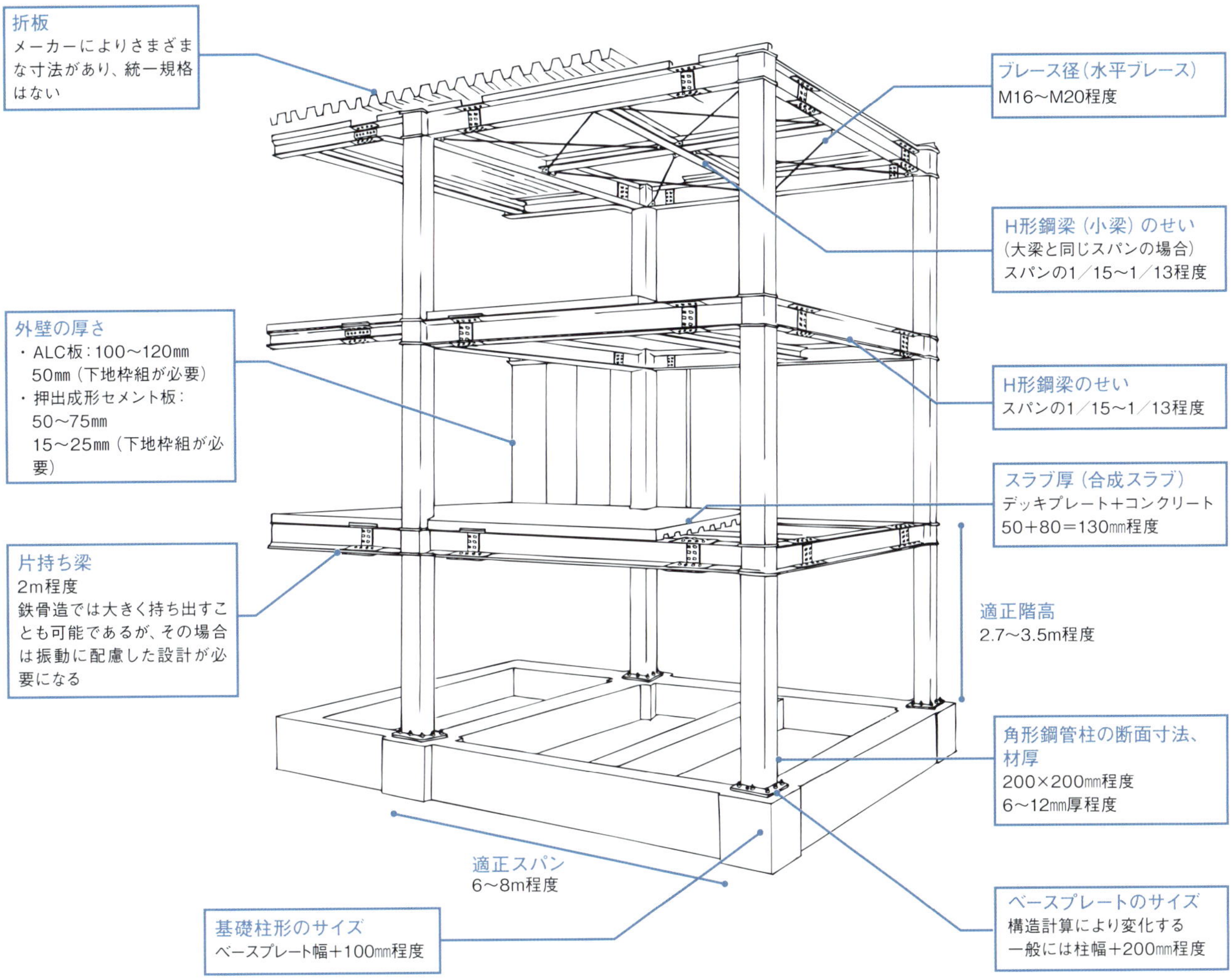

※2：建方時、鳶職人は柱をハシゴ代わりにして上方へ登っていき、柱と梁などを仮接合していく

い場合はボルトのみを外しナット（プレート）は残しておいてもよい。ただし、ナットであれば10㎜程度柱面から飛び出すため、内部造作仕事の際などは、造作材とナットが干渉しないよう、事前に位置関係に配慮しておく。

なお、鉄骨柱を露しにしたい場合は、ナット部をサンダーなどで削って塗装するなどの措置を施す。その際は、柱の母材が傷つけられることのないようにしっかり監理すること。

2 エレクションピース

建方後、柱どうしを現場溶接でつなぐ際の仮固定用プレート。柱の長さが9m程度以上のときは、運搬上の問題から現場溶接が必要になるため、エレクションピースを取り付ける。

溶接が終わればガスバーナーで切断するが、きれいに切断するのは難しく、切断の跡が5㎜程度柱面に残る［**30頁写真**］。

露しの場合はもちろん、ケイカル板などの耐火被覆材を柱に覆うなどの作業は、この切断跡による出っ張り分浮かせて張る必要がある。

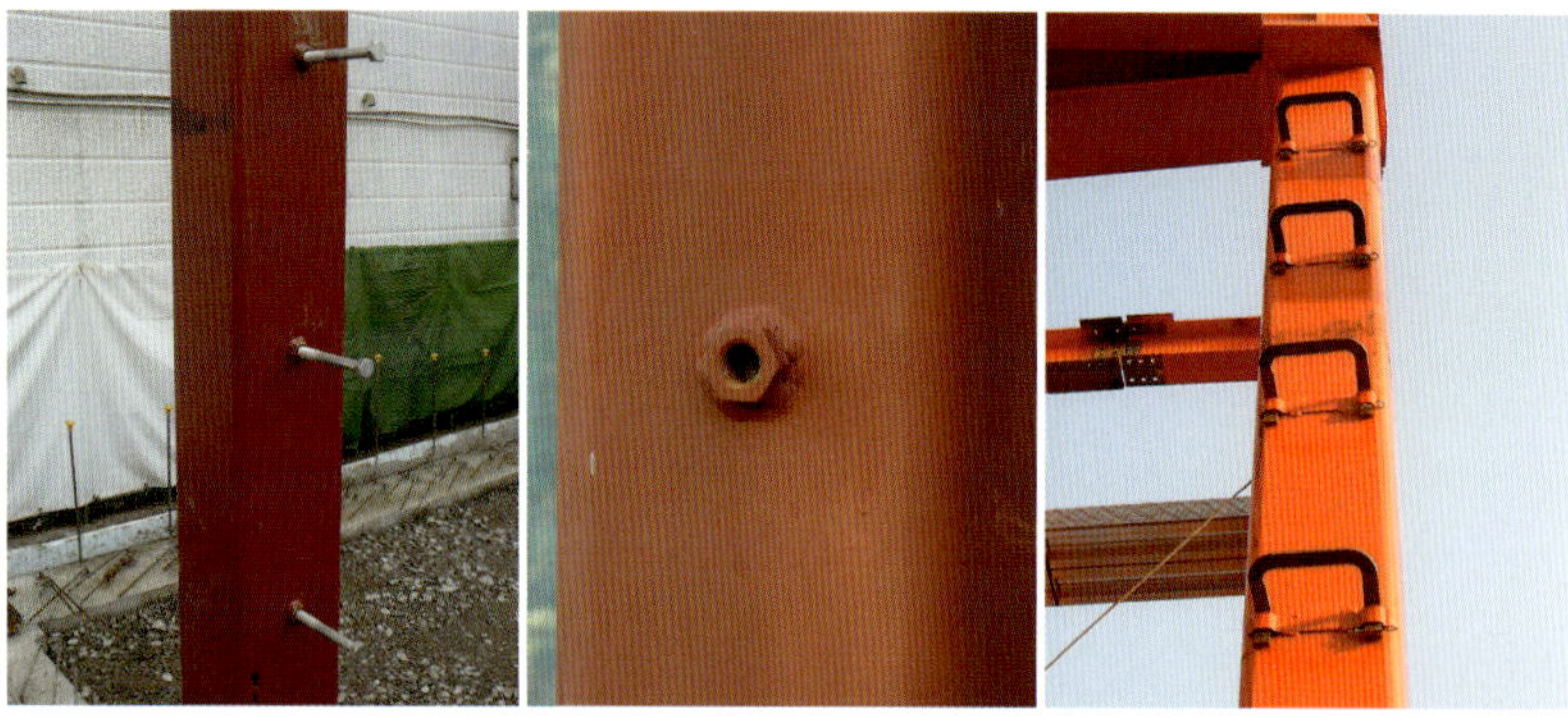

写真3 仮設用足場部材。建方時にボルトを差したもの（左）、ボルトを抜いてナットだけ残った状態のもの（中）、ハシゴ状の足場（右）

写真4 梁貫通孔の補強。貫通孔の廻りをプレートで補強したもの（左）、「フリードーナツ」（旭化成建材）という貫通孔補強の既製品を取り付けたもの（右）。この製品を使用すると柱際でも貫通孔を設けることができる

写真5 外壁（押出成形セメント板）取り付け用の胴縁を受けるピースアングル。事前に工場で溶接した状態で搬入している

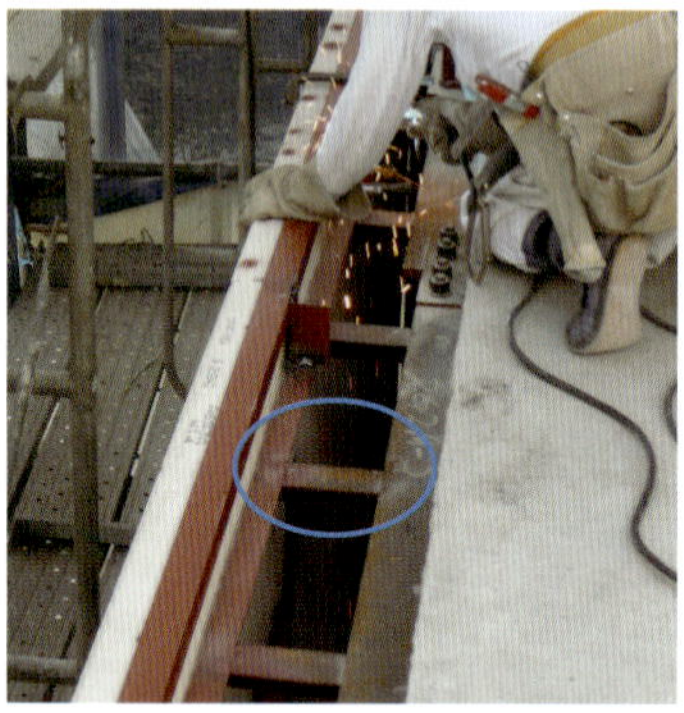

写真6 梁から持ち出したアングル。適切な長さ、ピッチ、溶接方法などは事前に打ち合わせる。現場での場当たり的な溶接は耐力強度的にも危険

梁に取り付くもの

1 ガセットプレート（水平ブレース用、小梁用）

水平ブレースや小梁を取り付けるために必要なガセットプレート［**32頁写真**参照］は、あらかじめ工場で溶接しておく。水平ブレース用のガセットプレートは、その取り付け方によっては床のディテールなどに影響を及ぼす。

一般には梁（大梁）のフランジ面に対して水平に取り付けるが、梁の上フランジに取り付けると、床のデッキプレートやALC板床材と干渉するため、それらの邪魔にならない梁せいの中央に取り付けることも多い。

なお、ガセットプレートを取り付けることの多い仕口廻りはPSを配置することも多いため、設備配管との干渉にも配慮する必要がある。

2 貫通孔の補強

梁にはスリーブ配管用の貫通孔を設けることが多いが、その場合は貫通孔の廻りに補強用のプレートを溶接する（補強しなくてよい場合もある）［**写真4**］。しかし、位置によっては補強しづらいこともある。

たとえば、貫通孔は構造上梁せいの半分以下の径ならあけてよいが、配管の勾配の関係から貫通孔の位置を上下させると、位置によっては補強用プレートを取り付けられなくなる［※3］。

3 外壁用胴縁ピース

外壁を支持するための山形鋼（アングル）や胴縁用のアングルピースなどは建方の精度に合わせて、現場で後付けにすることが多い。しかし、精度的にも構造的にも、事前に工場で溶接したほうがよい［**写真5**、※4］。

現場溶接の場合、溶接技術が稚拙な外壁工が雑な溶接をすることも少なくない。したがって、アングル類を後付けとする場合には、溶接工にとって基本的な事項［※5］を徹底させる必要がある。

また、梁と外壁の距離が離れている場合などに取り付ける持出しのピース（外壁を支持するアングルを受ける部材）も工場で取り付けておきたい。

比較的小さな部位ではあるが、その割に受ける荷重が大きいため、梁に対するピースの呑み込み長さ、溶接代、取り付けるピッチなど、事前によく検討しておく［**写真6**］。

［よしだきんじ＋江尻憲泰］

※3：その場合は、施工者、構造設計者と事前の相談が必要になる｜※4：外壁用アングル、胴縁用ピースなどは仕口、柱、梁のどこにでも溶接する可能性があるため、その取付けは梁だけに限定されるものではない｜※5：基本的な事項とは、①溶接面の塗装は事前に除去する、②母材を温めてから溶接する、③点付け溶接はしない、④雨天時に溶接しない、など

継手の現場

工場で加工された部材は、現場でどのように接合されるのだろうか

部材どうしを接合するためのボルトには、主に**トルシア形高力ボルト**という特殊なボルトを使用する。スプライスプレートという添え板を介して接合する

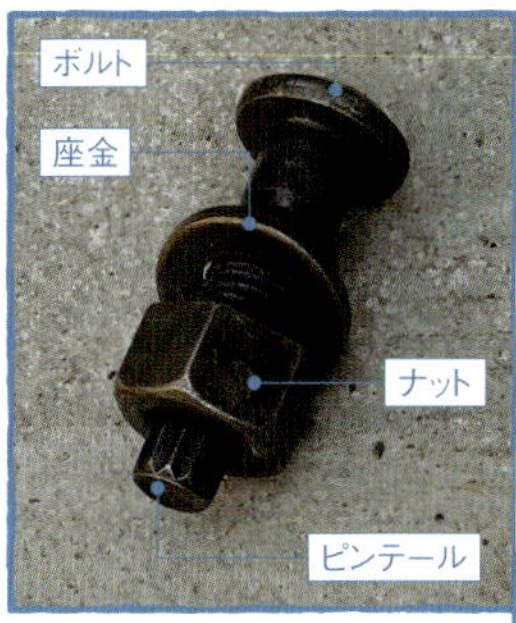
ボルト
座金
ナット
ピンテール

トルシア形高力ボルト

スプライスプレート。
接合個所に合わせたサイズを製作する

建方前の様子
片方の梁（ブラケット）にくっつけて待機してます
スプライスプレート

建方時は必要最小限の仮ボルトで仮締めするだけ。メガネレンチを使って人力で締める [1]

その後、組み上がった鉄骨躯体の精度をチェックして調整する「建入れ直し」を行ったあと、ボルトの本締めに移る（建方については**42～44頁**参照）

本締めの準備

すべての継手孔にボルトを入れたら、シャーレンチで1次締め。場所によってはインパクトレンチ（ボルトを締める電動の工具）が入らないことがあるので、ボルトの向きや位置は事前の確認が必要

ワタシはこっちから締められます

ボルトを入れ終わったら**マーキング**を行う

白いペンで線を引いていくんだナ

すべてのピンテール・ナット・座金をまたぐひと筋のマークを施してマーキング完了

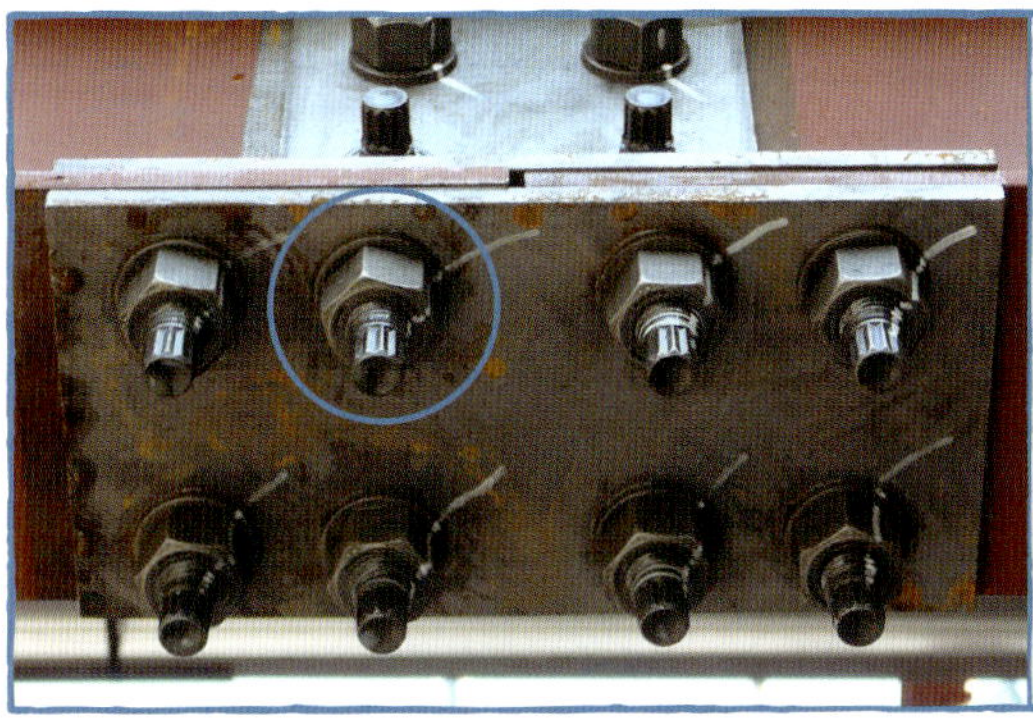

本締め開始

この建物では合計約800個のボルトを締める [2]

おりゃー!!
これがインパクトレンチ

必要なトルク [3] に達するとピンテールが破断してボルト締めが完了したと分かる

まだ付いてる
ピンテール取れました
ピンテール落ちました
ずれ
ずれ

座金とボルトに付けられたマークがずれている。
これで完全にボルトが締まっていると確認できる

マメチシキ | [1] ボルト締めに使用する道具は、仮締めはメガネレンチ、一次締めはシャーレンチ、本締めはインパクトレンチという使い分けをするのが一般的 [2] ボルトは接合部中央から端部へ向けて締め付けていく。梁ウェブは上から下に向かって締め付ける [3] 回転している物体の回転軸の周りに働く力のモーメント

すべての継手のボルト接合が完了した。スプライスプレート、高力ボルトは本締め後、防錆塗装される［41頁参照］
さびないようにしてくださいね

これは別の現場――H形鋼柱のボルト接合
およそ3層以上の建物だと柱に継手が必要になります

柱の現場溶接
これはエレクションピース4と呼ばれる柱継手用の補助部材を切断した直後の様子
エレクションピース跡
エレクションピース跡
ここを溶接しました

完全溶込み溶接なので、裏当て金、エンドタブが必要になる
裏当て金
エンドタブ

柱からはみ出している裏当て金、エンドタブはガスバーナーで切り落とすぜ

裏当て金、エンドタブ切断後はグラインダーで溶接個所を研磨
母材を傷めないように

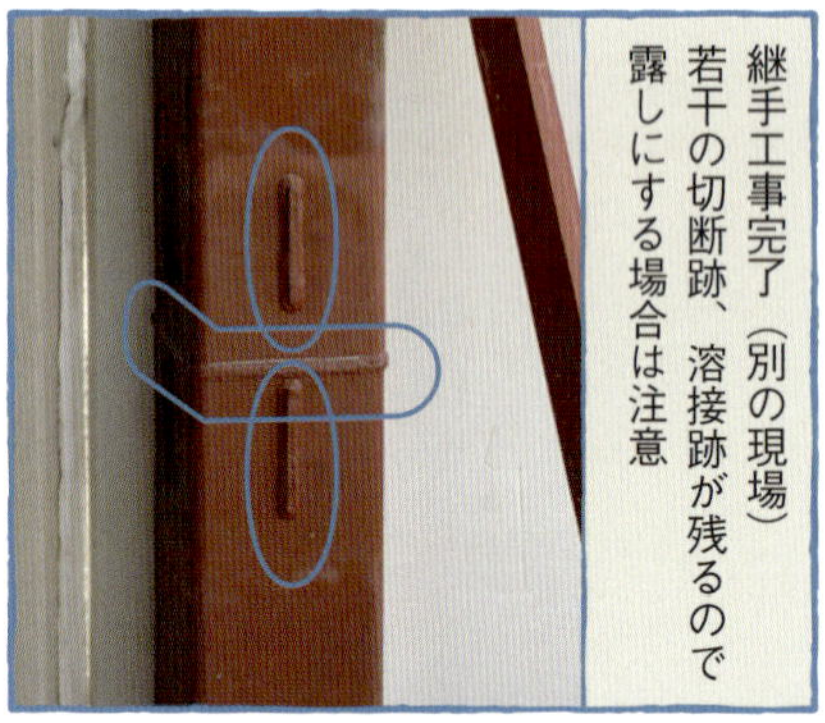
継手工事完了（別の現場）若干の切断跡、溶接跡が残るので露しにする場合は注意

継手はボルトでつなぐ

仕口（柱と梁の接合部）以外の接合部、すなわち梁と梁、柱と柱、柱・梁とブレースなど、鉄骨躯体をつないでいく部分が継手である。

鉄骨造の継手は、高力ボルトと呼ばれる特殊なボルトによる摩擦接合と、溶接による接合の2つの方法でつながれ、それらはすべて現場での作業となる。

梁継手の接合方法

鉄骨造建築物の梁にはH形鋼を使用することが多いが、その継手は高力ボルトによる摩擦接合が一般的である［図1］。

高力ボルト摩擦接合とは、ボルトの強力な締め付けによってスプライスプレート（接合する部材どうしをつなぐ鋼板）と母材との間に摩擦力を生じさせ、部材を固定する接合方法で、施工は比較的簡単である。

一方、溶接による接合は、ウェブを高力ボルト摩擦接合、フランジを溶接とすることが多いが、使用される割合は高力ボルト摩擦接合に比べるとごくわずかである。主に継手を露しとする場合に使用され、梁フランジのみの溶接であれば、建方時はウェブにボルトを接合するだけである。しかし、現場での溶接は工場溶接に比べて技術的に難しくなるため、溶接不良などには十分注意する。

柱継手の接合方法

柱の継手にも高力ボルト摩擦

図1｜高力ボルトによる摩擦接合

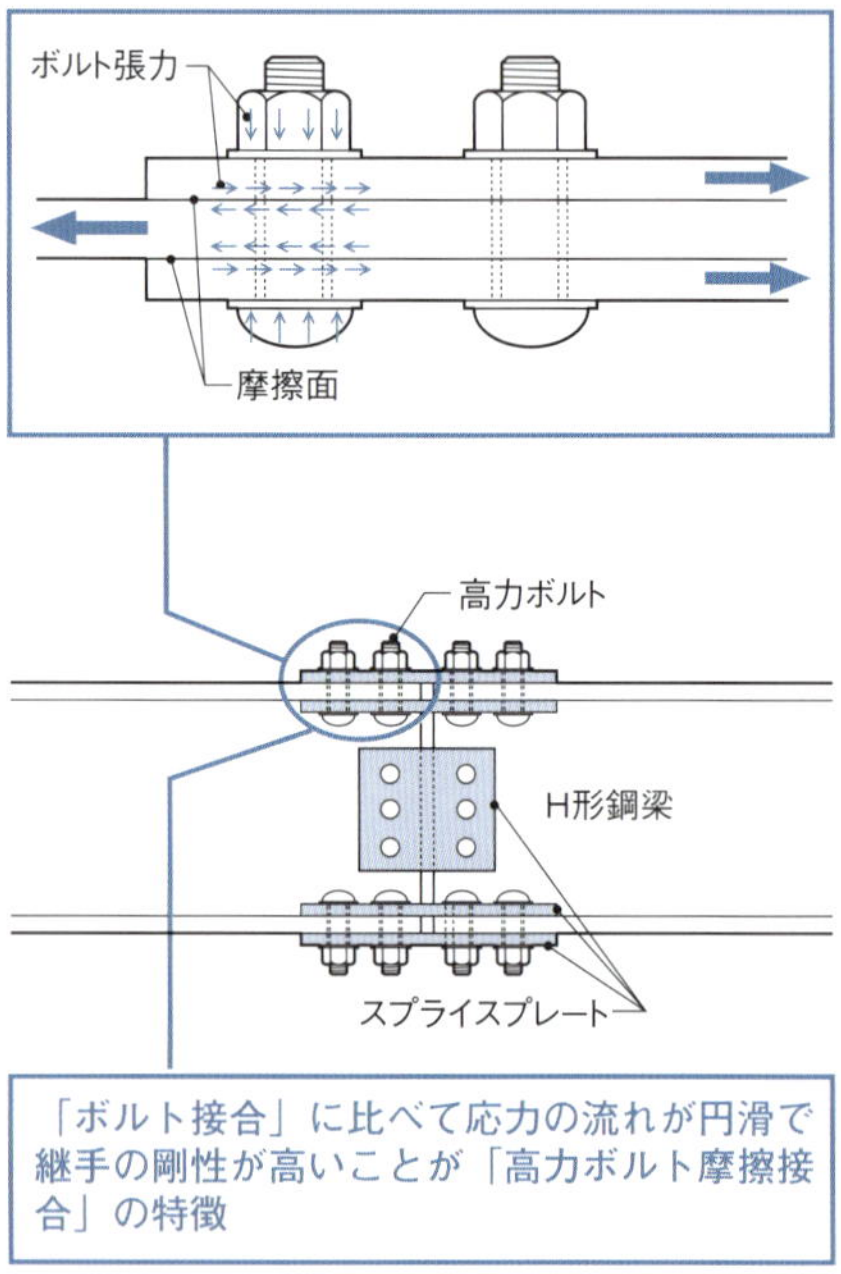
ボルト張力
摩擦面
高力ボルト
H形鋼梁
スプライスプレート
「ボルト接合」に比べて応力の流れが円滑で継手の剛性が高いことが「高力ボルト摩擦接合」の特徴

マメチシキ｜4 エレクションピースは鉄骨建方の際に部材相互のずれをなくしたり、開先の精度を保持するための仮設の鋼板。柱の溶接継手において仮ボルト（高力ボルト）で留め付ける。本溶接中、または本溶接後に切断する

接合、現場溶接接合の2種類がある。一般に、小径の角形鋼管柱は、現場溶接で接合される。

一方、H形鋼柱の場合はどちらもあるが、柱面にはできるだけボルトの凸凹を出したくないなどの理由から、現場溶接で接合されるのがほとんどである。

現場で溶接接合を行うためには、エレクションピースと呼ばれる建方用ピース（現場溶接前に部材どうしを仮に接合するためのもの）が必要で、これは鉄骨工場で事前に溶接しておかなければならない。

ただし、現場溶接は足場が不安定で風などの気象条件にも影響されやすいことから、溶接欠陥が出やすい。そこで最近では、ボルトによる柱継手の既製品も出ている［**写真1**］。これは、溶接技術の未熟な溶接工が溶接するより、構造的に安定した性能を得やすいというメリットがある。

写真1｜柱継手の既製品「イーカプラ」（旭化成建材）（写真は2019年当時）

マーキングはなぜ必要？

高力ボルト摩擦接合では、必ず本締め前にボルトにマーキングを施さなければならない。これは、マーキングによってボルトに締め付け不良がないかを見分けるためである。

トルシア形高力ボルトは、締め付けトルク値をピンテールの破断という物理現象に置き換えている。すなわち、摩擦接合に必要な締め付けがボルトに加わった時点でボルト端部に付いているピンテール［**29頁写真**］が破断し、ボルトから外れるのである。

ただし、稀に、ボルトとナットが一緒に回転しているにもかかわらず［※1］、ピンテールが破断して締め付けが完了したと誤解してしまうことがある。それを防ぐためにも、ボルト本締め前のマーキングは必要といえる。

図2｜梁の継手位置と貫通孔の注意

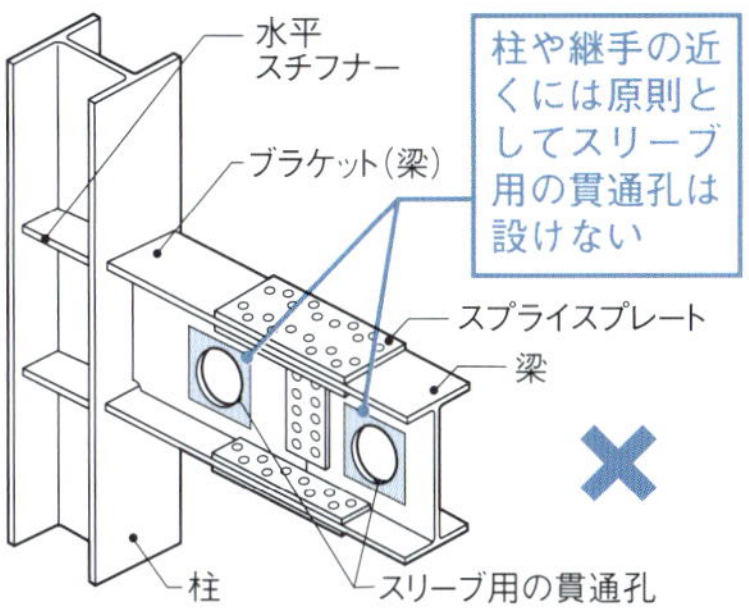

意匠設計上のポイント

梁の継手位置

設計上、梁継手に関して考慮しておきたいのは、その位置である。梁の応力を考えた場合、継手位置は一般にスパンの1／4程度（柱寄り）が有効となる［※2］。多くは構造設計者の判断で決められるが、場合によっては以下の点で継手位置が問題になることもある。

1｜スリーブと干渉しないか

梁に貫通させるスリーブは、構造的に柱に近い位置はもちろん、継手（スプライスプレート）廻りも避けなければならない［**図2**］。しかし、構造設計者は、設計段階では設備図を見ていない（設備図ができていない）ことが多いため、継手とスリーブ用の貫通孔位置との調整は意匠設計者側で確認する。

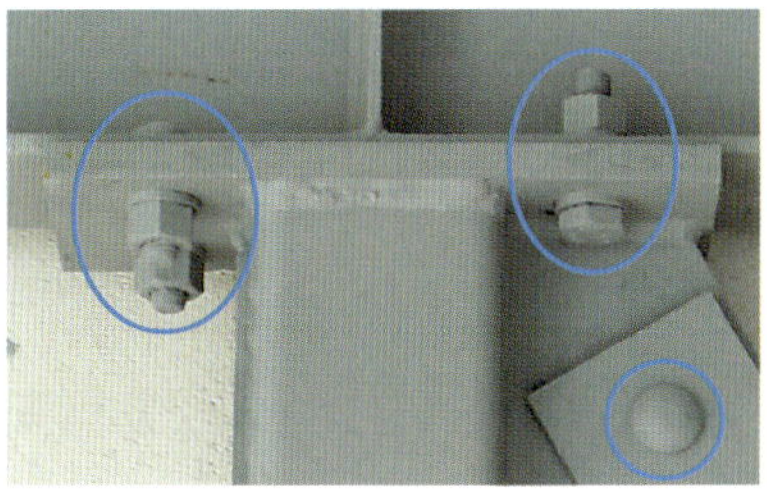

写真2｜高力六角ボルト（上）。左は下から締め、右はガセットプレートが干渉するため上から締めている。右下はガセットプレートとブレースを接合しているトルシア形高力ボルトの頭

2｜小梁と干渉しないか

梁（大梁）に小梁を取り付けるためには、ガセットプレートを溶接しなければならないが、その位置に梁継手のスプライスプレートが干渉することがある。

小梁の位置は、階段や間仕切の位置、デッキやALC板など床版の構造性能によって決まるため、急な設計変更が発生したときなどは、意匠図と構造図を比較しながらチェックしておく必要がある。

柱の継手位置

柱に継手が発生するのは、階高の高い3層以上の建物で、その位置は2階スラブライン（SL）から1mくらいの高さに設定するのが一般的である。

柱の応力を考えると、通常の建物では、おおむね階高中央の応力が最も小さくなるため、継手はそこに設けるのが望ましい。

また、建築現場は足元の状態が悪いことが多く、仮設足場に載っての溶接は危険を伴うため、その建築現場の特徴に合わせて、作業員が作業しやすい高さを考慮して設定する必要もある。

ボルトの頭はどちら向き？

高力ボルトで接合する場合、ボルトの頭をどちら側に向けるかが問題になることもある。

トルシア形高力ボルトの場合、通常施工者は締め付け作業がしやすいよう、ボルト頭を下にする場合が多い。ウェブ接合のボルトに近接する部分や、梁せいが小さい場合の下フランジの接合部分では、インパクトレンチ（トルシア形高力ボルトを締める工具）がボルトにセットできない［※3］ため、ボルト頭を上にして締め付ける。しかし、H形鋼の外形をすっきりさせて鉄骨構造躯体を意匠的に見せる場合、上フランジではボルト頭を上向きに、下フランジでは下向きになるように締め付けることもある。向きにこだわるときは、必ず本締め前に現場に指示を出しておく必要がある。

どうしてもインパクトレンチが入らない場合は、ボルト頭が六角形の高力（六角）ボルトを人力で締めるという方法もある。ボルト種を変更する場合は、発注前に施工者とよく打ち合わせておきたい［**写真2**］。

［よしだきんじ＋江尻憲泰］

※1：これを共回りという　※2：継手位置は基本的には建物の構造ごとに検討するのが原則なので、これはあくまで目安と考えていただきたい｜※3：インパクトレンチは30cm以上あり、それにボルトの余長とレンチをつかむための手の厚みを加えた寸法が最低限必要な作業スペースとなる

ブレース

壁にブレース（斜材）を効果的に用いた建物は鉄骨造ならではのものである。いわゆるブレース構造と呼ばれるものだ。

ラーメン構造に比べ、構造材の断面寸法を小さくできたり、接合部をコンパクトにできるなど、そのメリットは大きいが、ブレースの配置によっては開口部が制限されたり、下地材が干渉するなどの問題も起こり得る。ブレース特有の制約を把握して、そのメリットを最大限生かせるかどうかは、設計者の腕次第である。

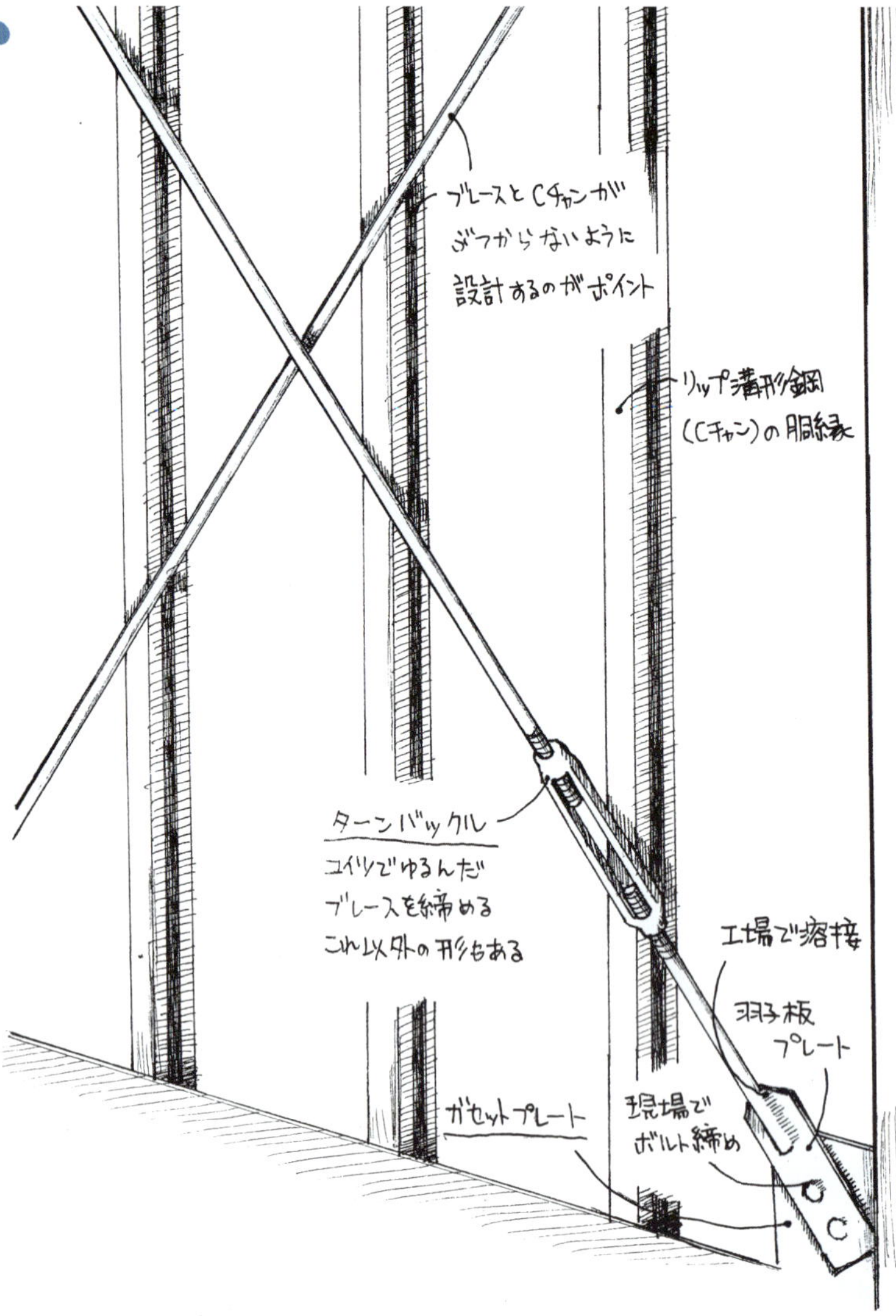

ブレースは**ガセットプレート**1を介して柱や梁に接合される。ガセットプレートは、あらかじめ鉄骨工場で柱・梁に溶接しておかなければならない

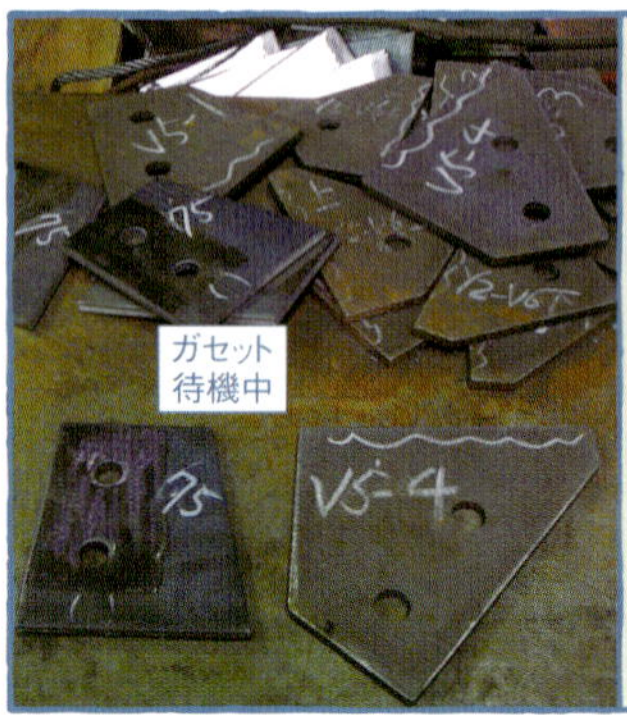

溶接台に柱を載せて、ガセットプレートを取り付ける位置を記入

ガセットプレートを所定の位置にはめる

うまく納まったところで組み立て溶接。その後、本溶接に移る3

マメチシキ｜1 設計図にもとづき鉄骨加工工場で製作・孔あけ加工する。量産するプレート（平鋼板）の多くは外注加工だが、少量多品種の変形平鋼板であるガセットプレートは、主に手作業により元請工場で孔あけ加工することが多い 2 高力ボルト接合面の摩擦抵抗を上げるため、サンド（珪砂）やショット（鉄）を吹き付けて表面を荒らすことをブラスト処理という（41頁参照）3 ガセットプレートのチェックポイントとしては、所定のボルト径・本数となっているか、ガセットプレート摩擦面に塗装がされていないか、さびが発生しているか、ブラスト処理（高力ボルトの摩擦面処理）がされているか、高力ボルト接合面に隙間はできないか、などである

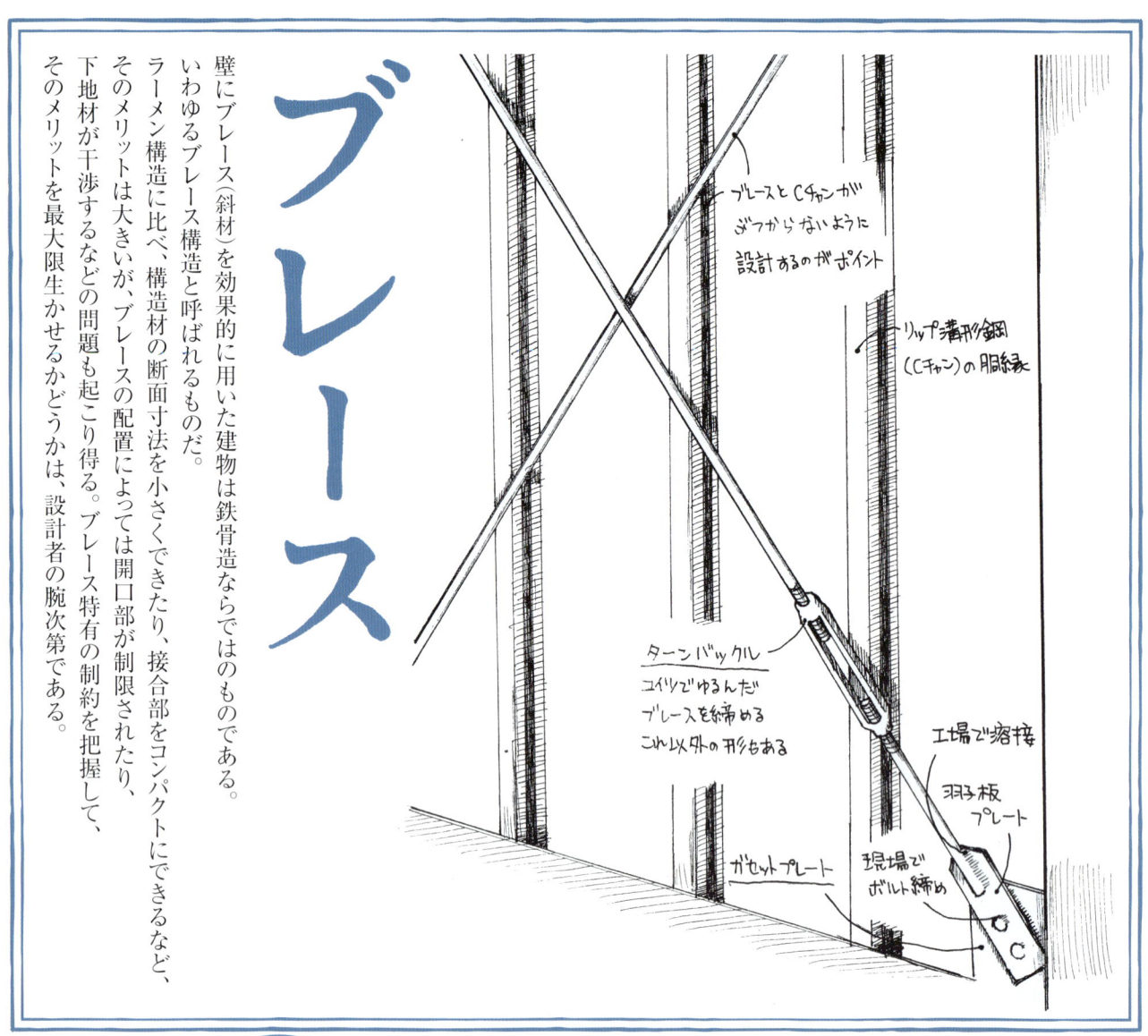

図1 ブレースの種類

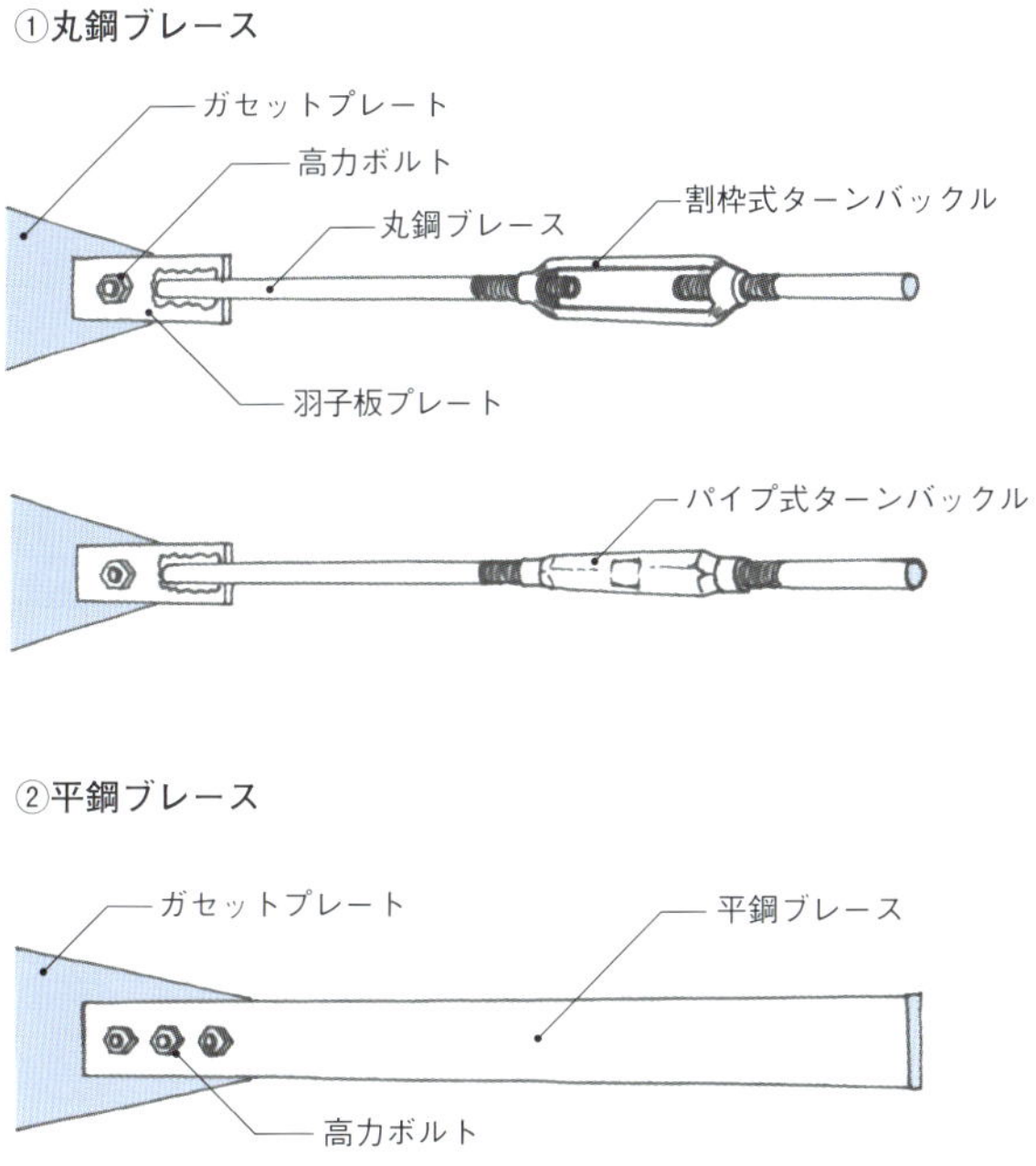

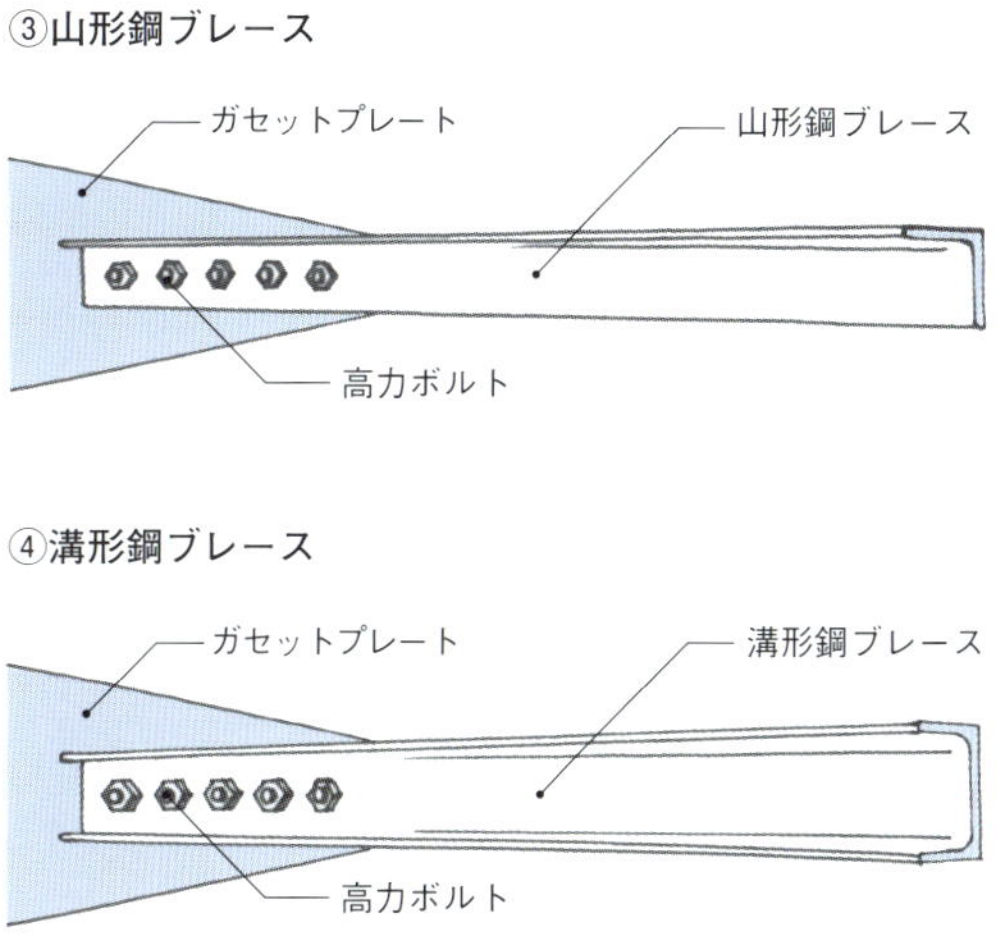

どのブレースを使用するかは設計者の判断による。住宅では断面の小さい丸鋼や平鋼、工場などでは山形鋼、溝形鋼が使われることが多い。丸鋼には張力をかけるターンバックルが必要だが、ブレースを露しで使用する場合にはすっきりしたかたちの「パイプ式」の使用がお勧め

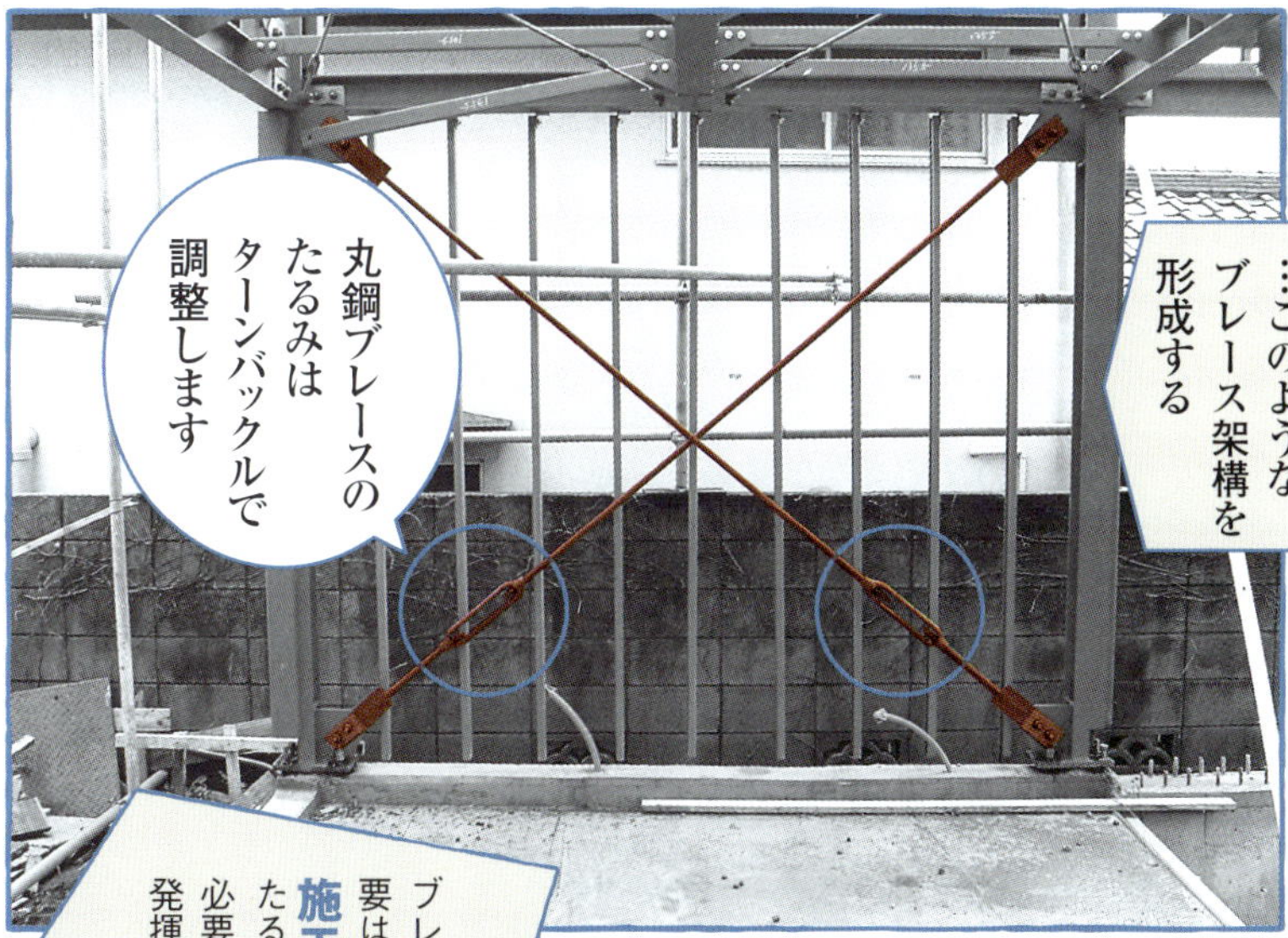

ブレース構造の要はブレースの**施工精度**。たるんでいると必要な耐力を発揮できない **4**

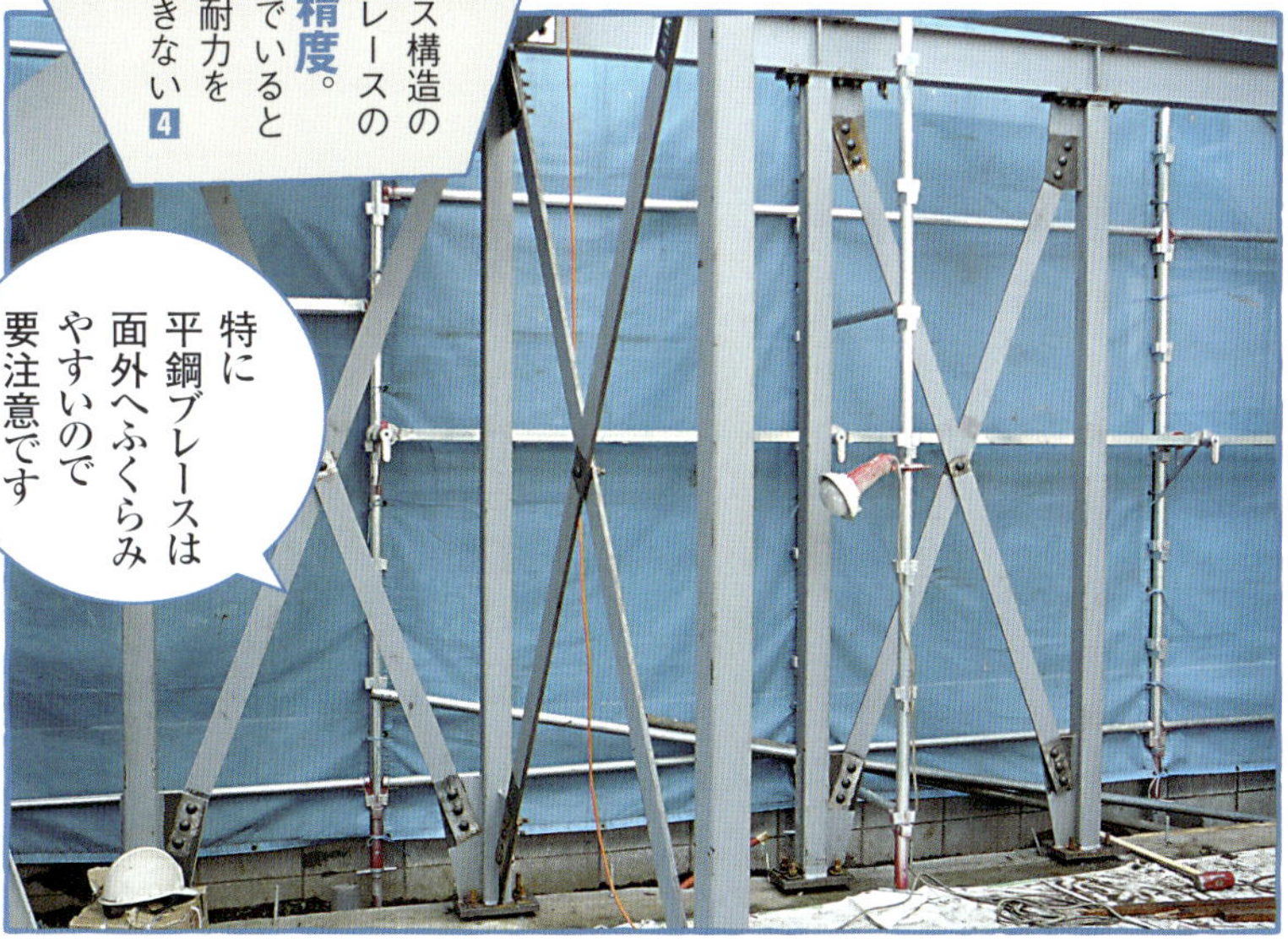

これはブレース構造で一般的なH形鋼柱に取り付けられたガセットプレート ここにブレースを取り付けて…

もちろん、角形鋼管柱にブレースを取り付けることもある

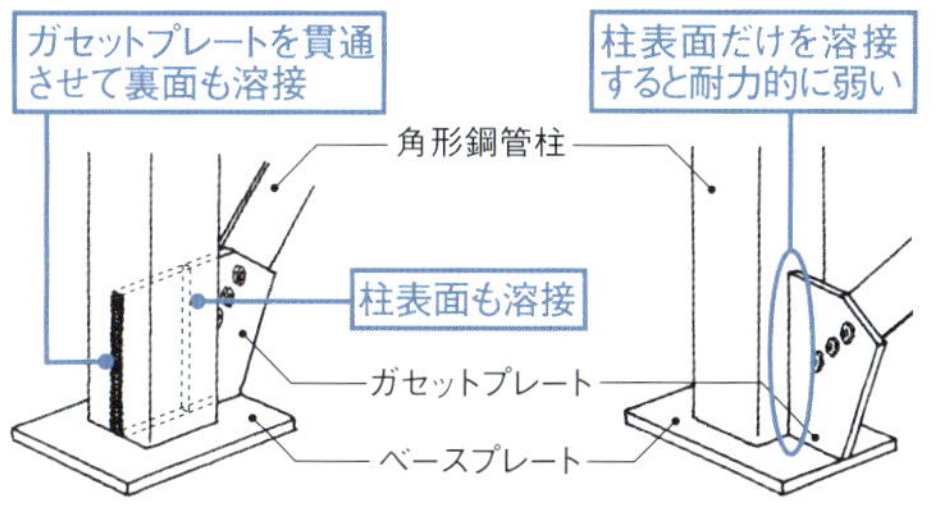

角形鋼管柱にガセットプレートを取り付けるときは、ガセットプレートを反対の柱面まで貫通させて溶接する。柱の表面だけで溶接すると耐力的に弱い

マメチシキ | **4** ブレースの端部は原則として、大地震時に柱などの軸部は降伏しても、端部の接合部は破断しないものとして設計する。したがって、ブレースを取り付ける際は高力ボルトの締め付けや、ガセットプレートの溶接が設計図書どおり行われているかどうかをしっかり確認しなければならない。製作過程では、ガセットプレートの板厚・形状、溶接の方法・長さ・脚長が設計図書どおりかを確認。現場での取り付けでは、高力ボルトの締め付け、高力ボルト摩擦面の処理、ブレースのたるみなどに注意してチェックする

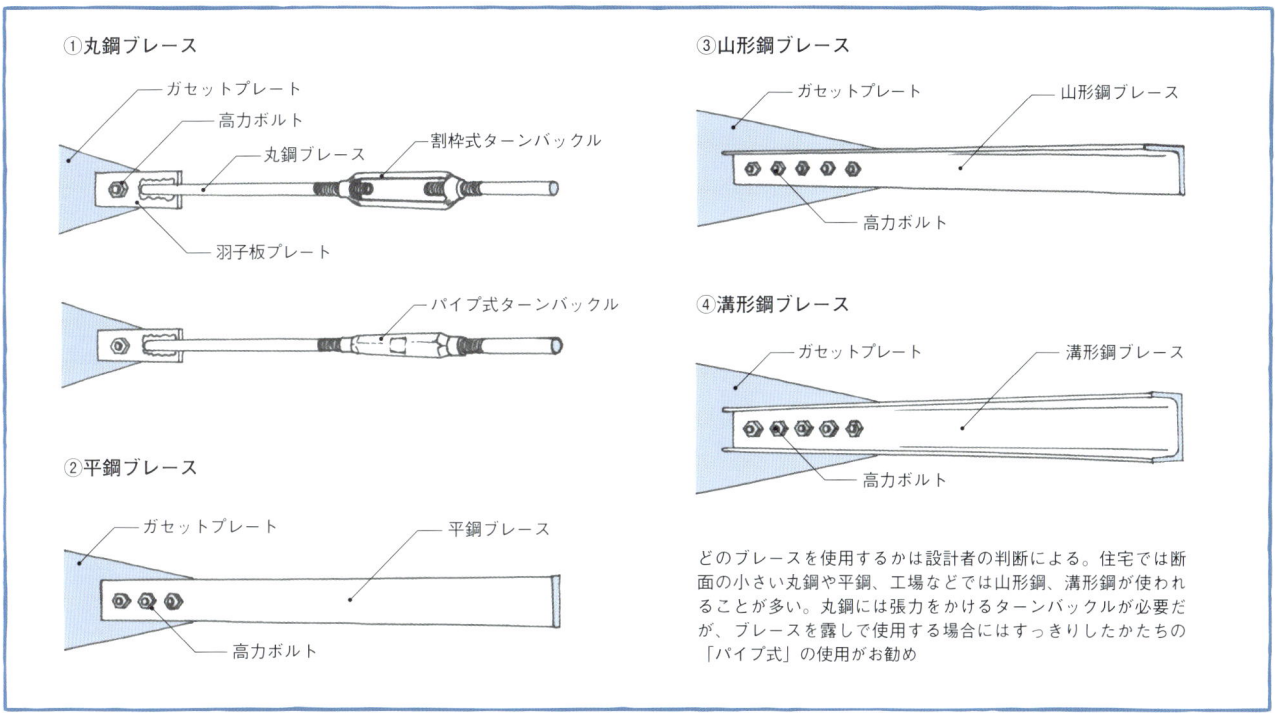

建方後、工事が進んで外壁のALC板が張られた——

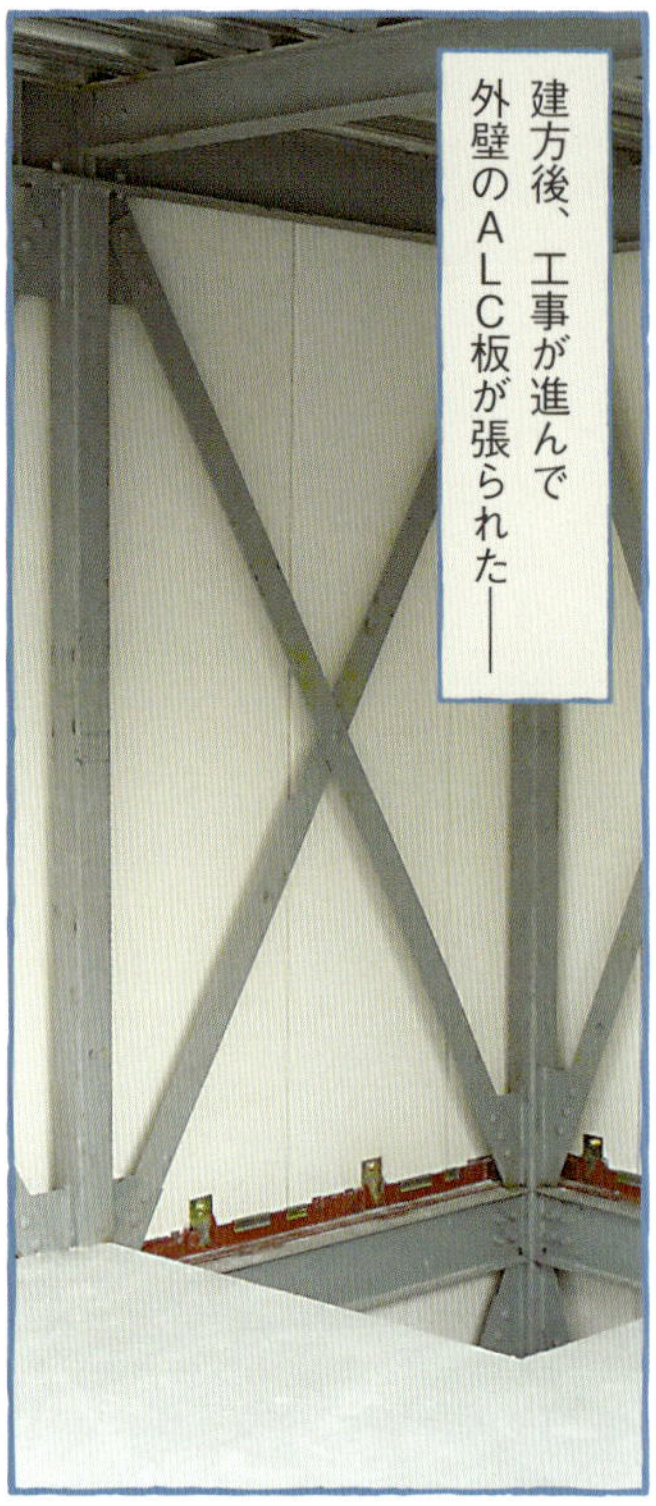

ブレース架構の接合部にはダイアフラム**5**が必要ないため、構造躯体から外壁面までの厚さを薄く納めることができる

ブレース構造では、**ほかの部材と干渉**しないよう、設計段階でそれぞれの位置を確認しておくことが重要になる

ALC外壁のように、梁に溶接したアングルとALC板を接合する外壁なら、少なくとも外壁廻りの部材とブレースが干渉する心配はないが…

図2｜ブレースと胴縁の位置関係

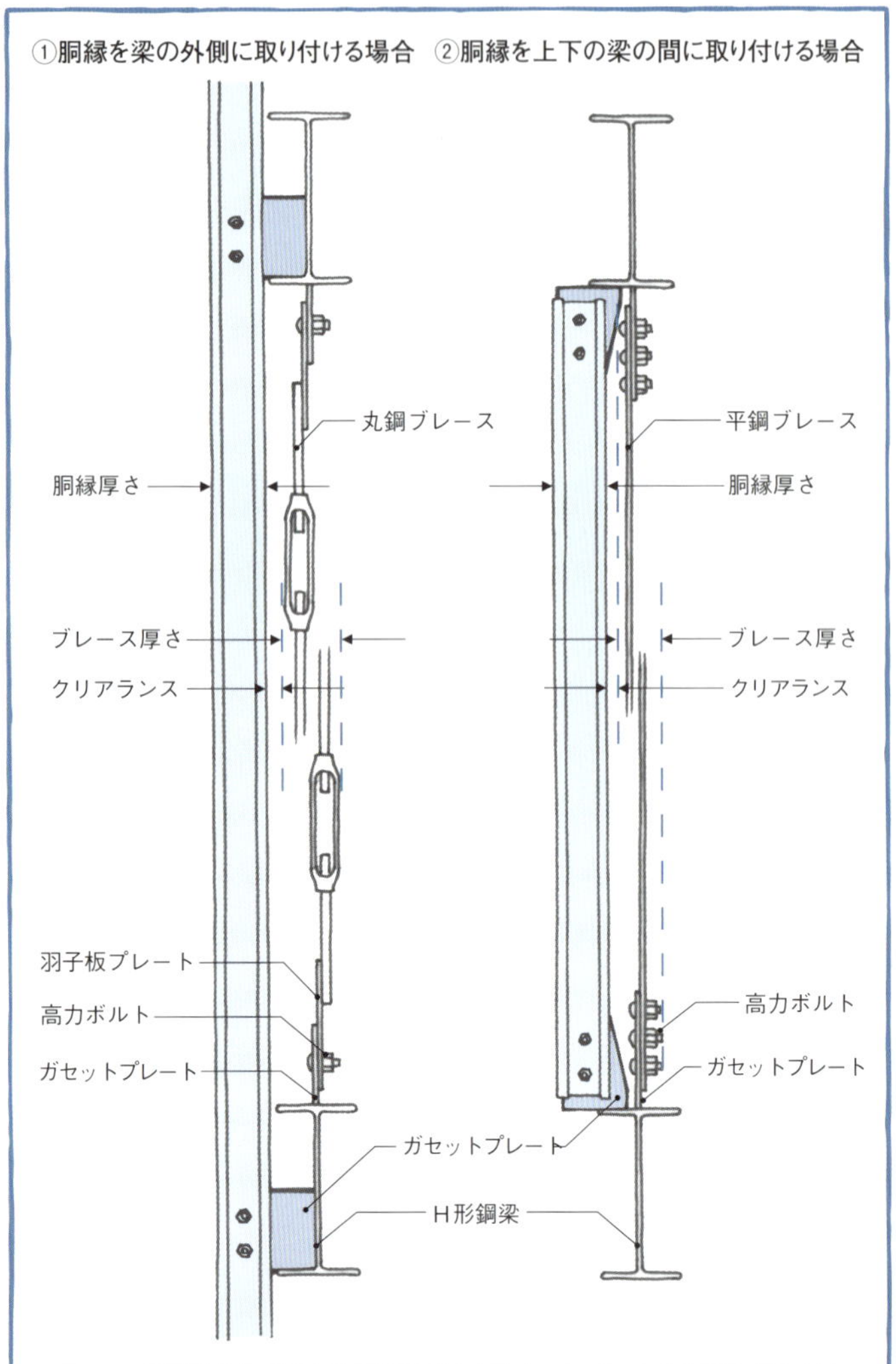

ブレースの断面方向の厚さは端部のボルトやターンバックルの厚さで決まる。
胴縁の位置はブレース厚さ、クリアランス（10～20㎜程度）を考慮して決める

…外壁用の胴縁を流す設計では、胴縁とのクリアランスを検討しておかなければならない**6**

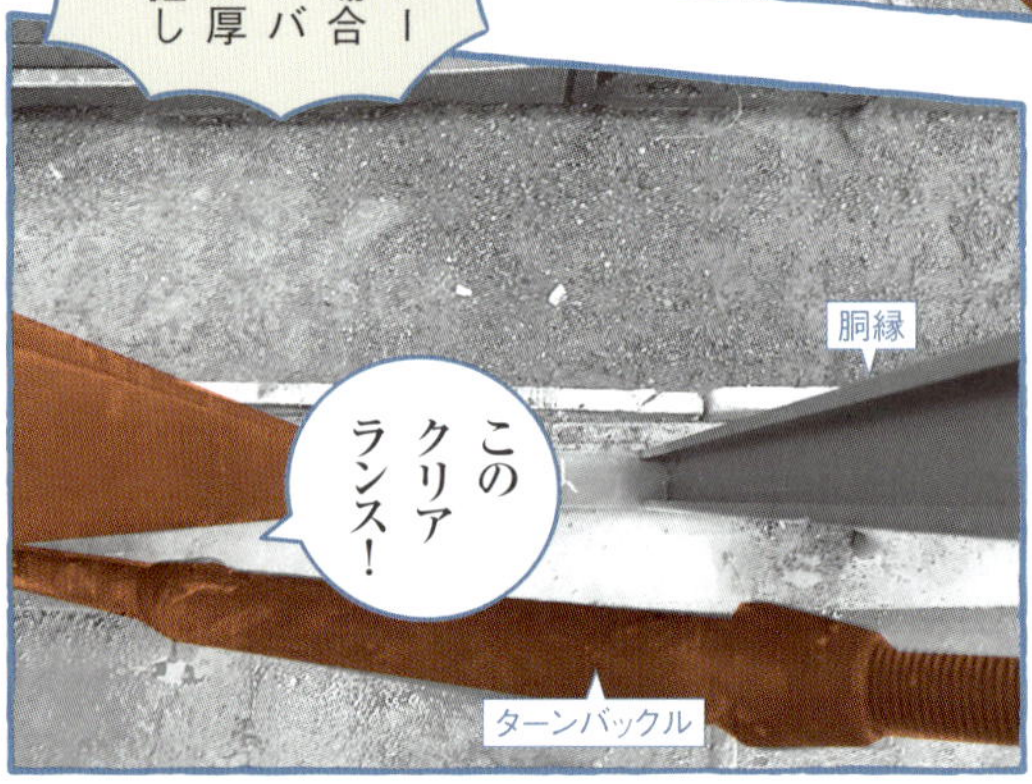

マメチシキ｜**5**柱の仕口に取り付ける鋼板。応力を伝達し、仕口の局部変形を防止する。柱を切断して1枚板を挟んだり、柱を通して内部や外周に取り付ける形式がある（21頁参照）**6**写真のような平鋼はブレース厚さを薄くできるので、丸鋼などに比べると胴縁との取合いは有利になることが多い **7**丸鋼ブレースは鋼板（羽子板プレート）に丸鋼を添えて丸鋼の両側を溶接するが、その方法を「フレア溶接」と呼ぶ。溶接の脚長は丸鋼径の半分の高さまでないとNG

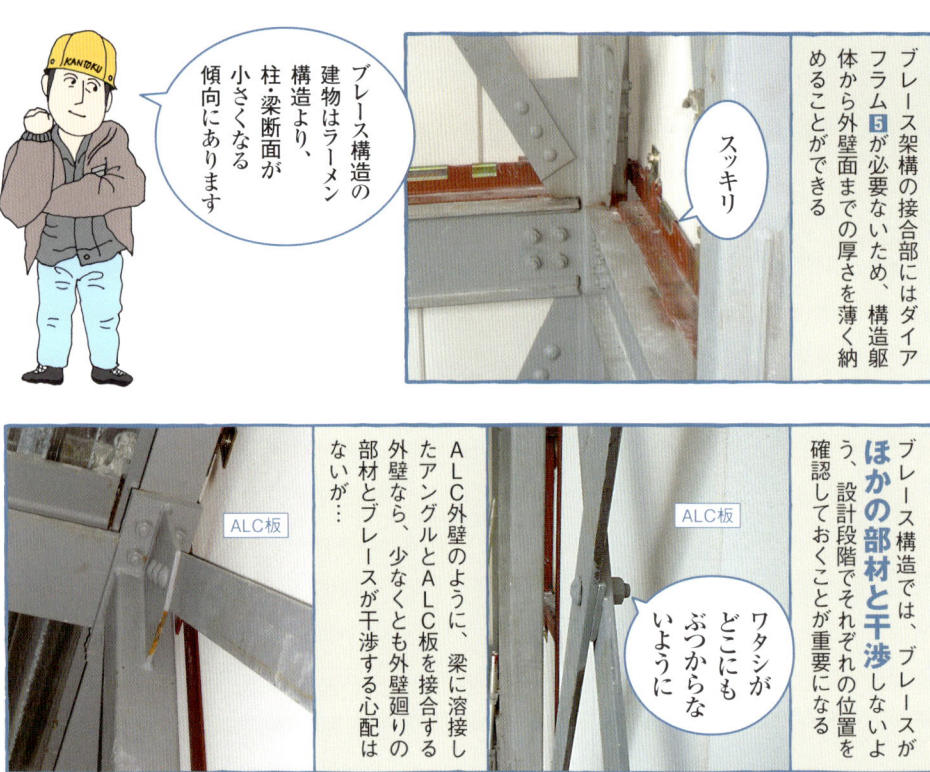

図3 | 壁厚を薄くするブレースと胴縁の納まり例

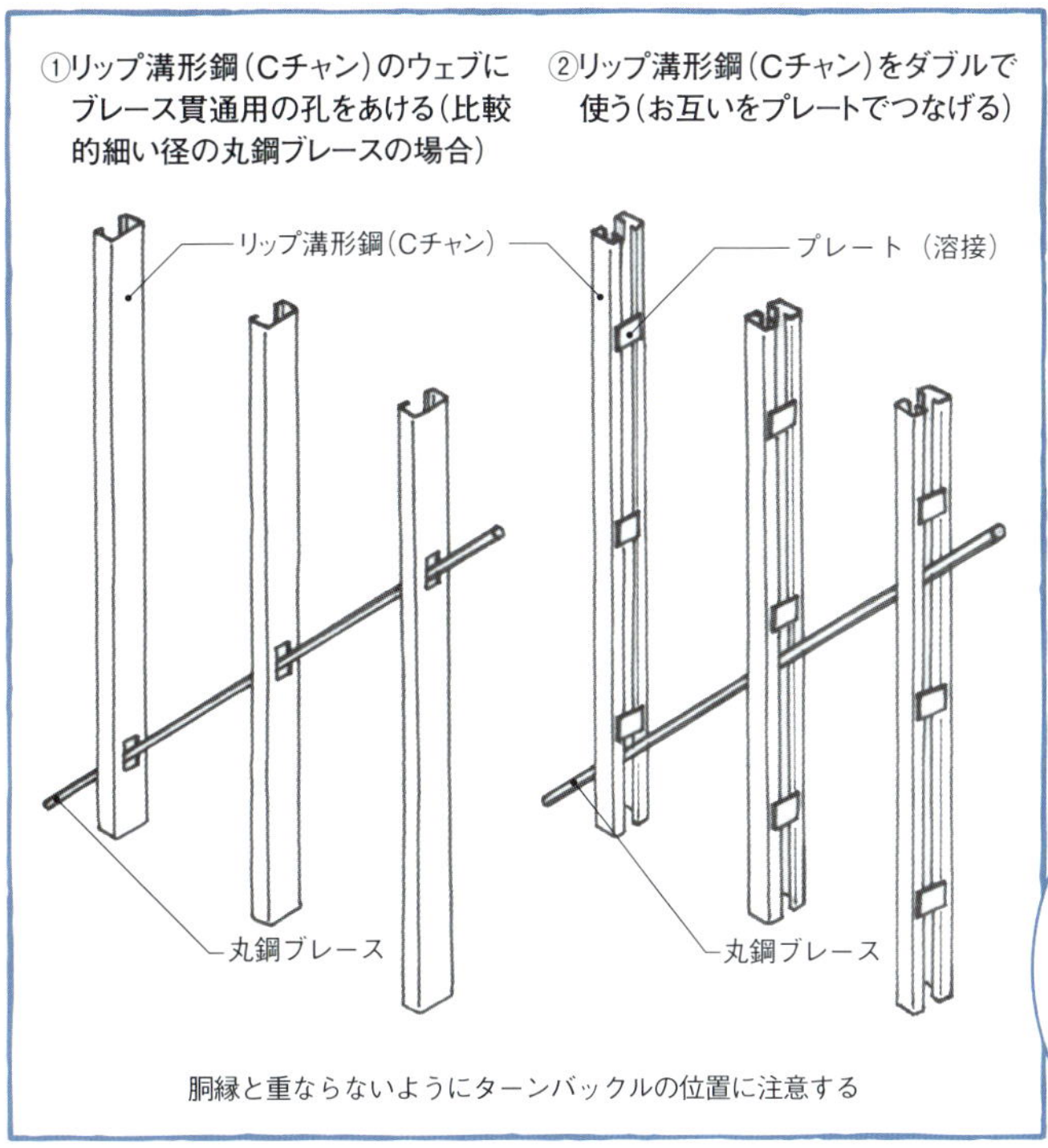

胴縁と重ならないようにターンバックルの位置に注意する

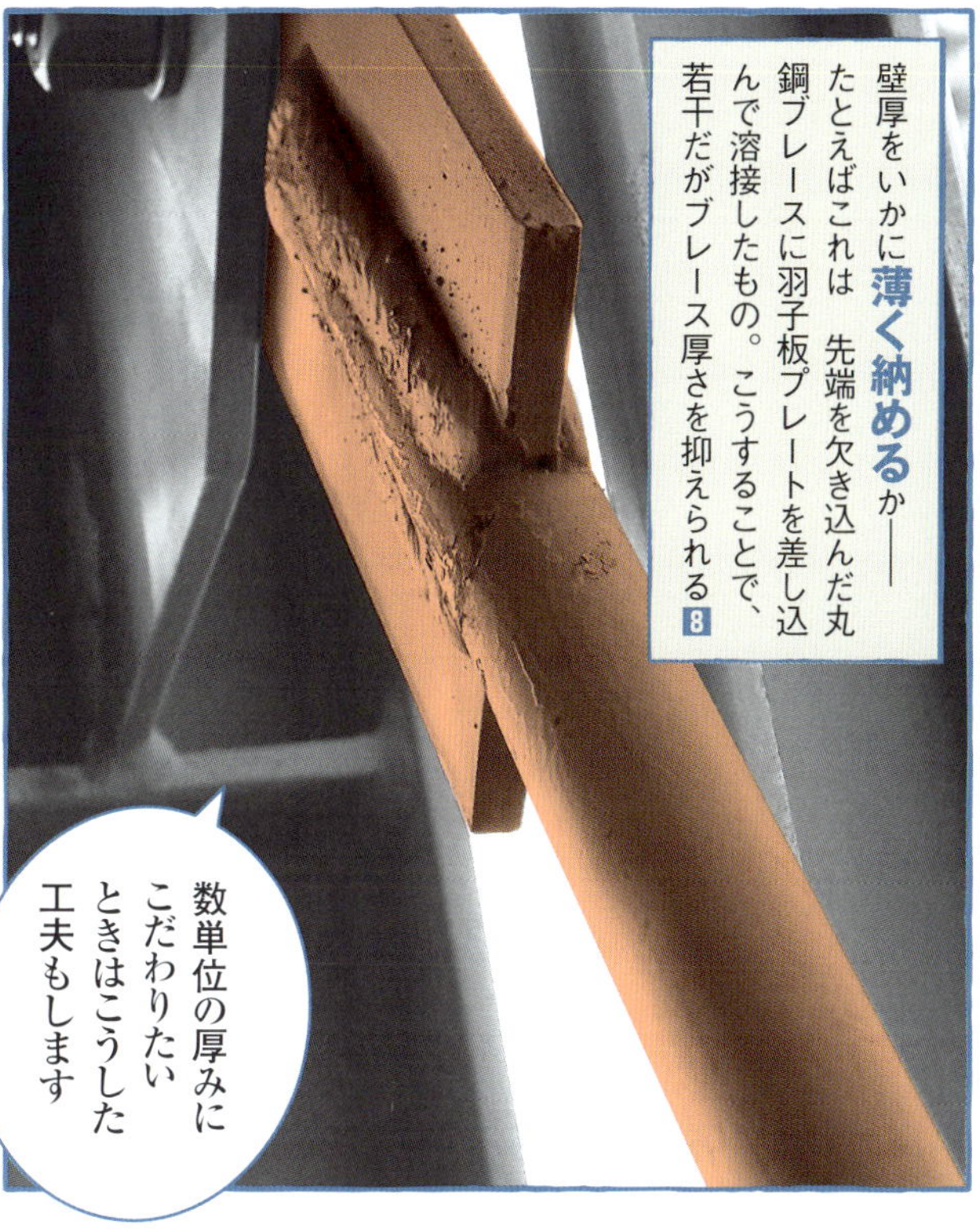

図4 | 水平ブレースの納まり例

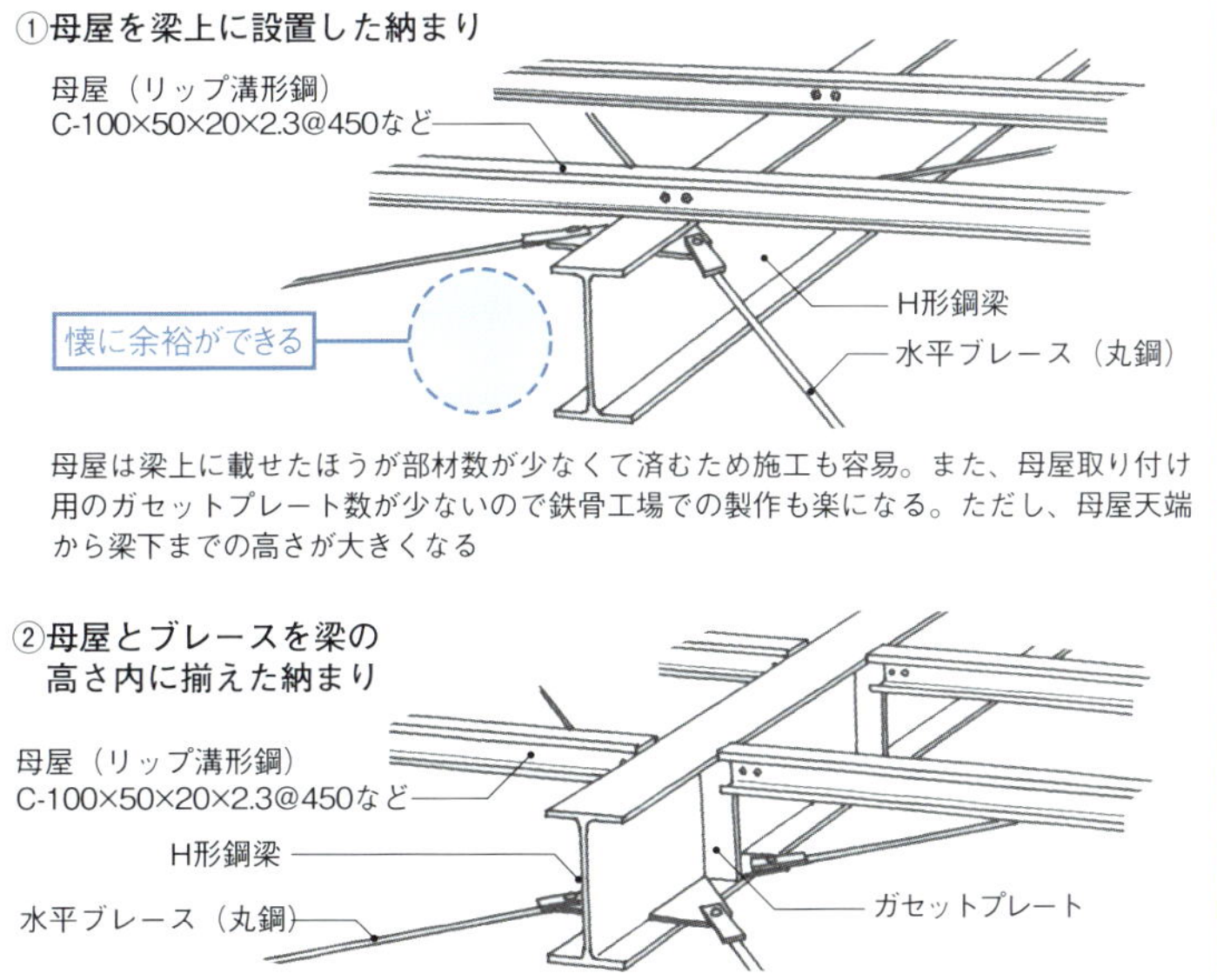

母屋は梁上に載せたほうが部材数が少なくて済むため施工も容易。また、母屋取り付け用のガセットプレート数が少ないので鉄骨工場での製作も楽になる。ただし、母屋天端から梁下までの高さが大きくなる

水平ブレースをH形鋼梁の下フランジに取り付ける場合は、ブレースが取り付く先の梁の位置を確認する

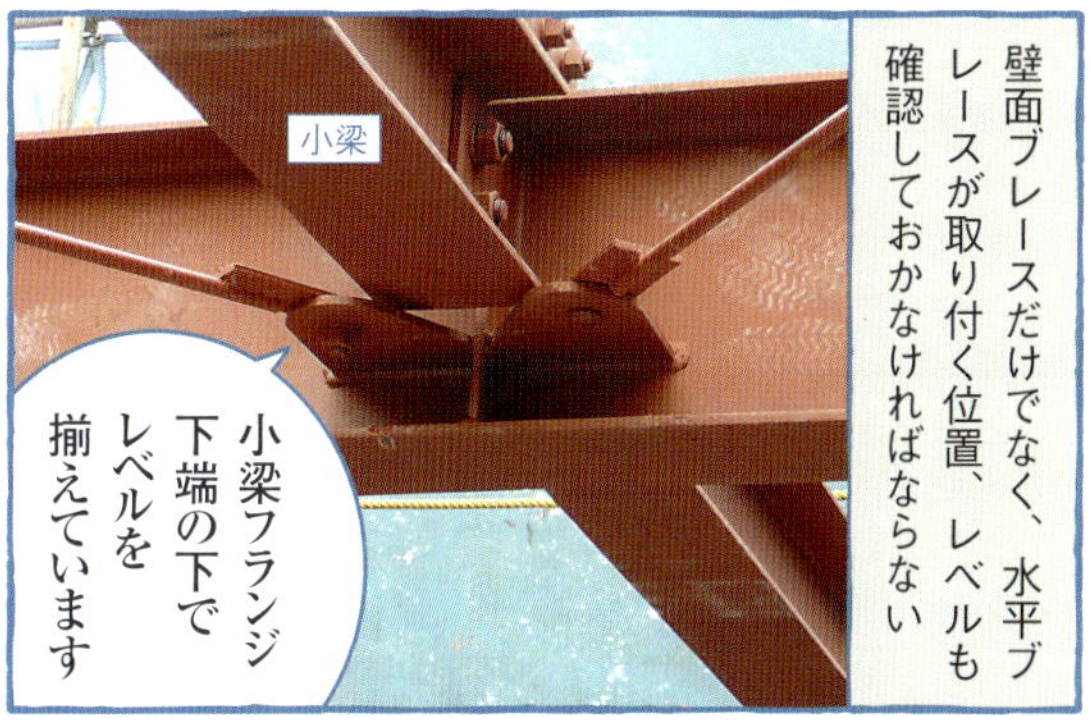

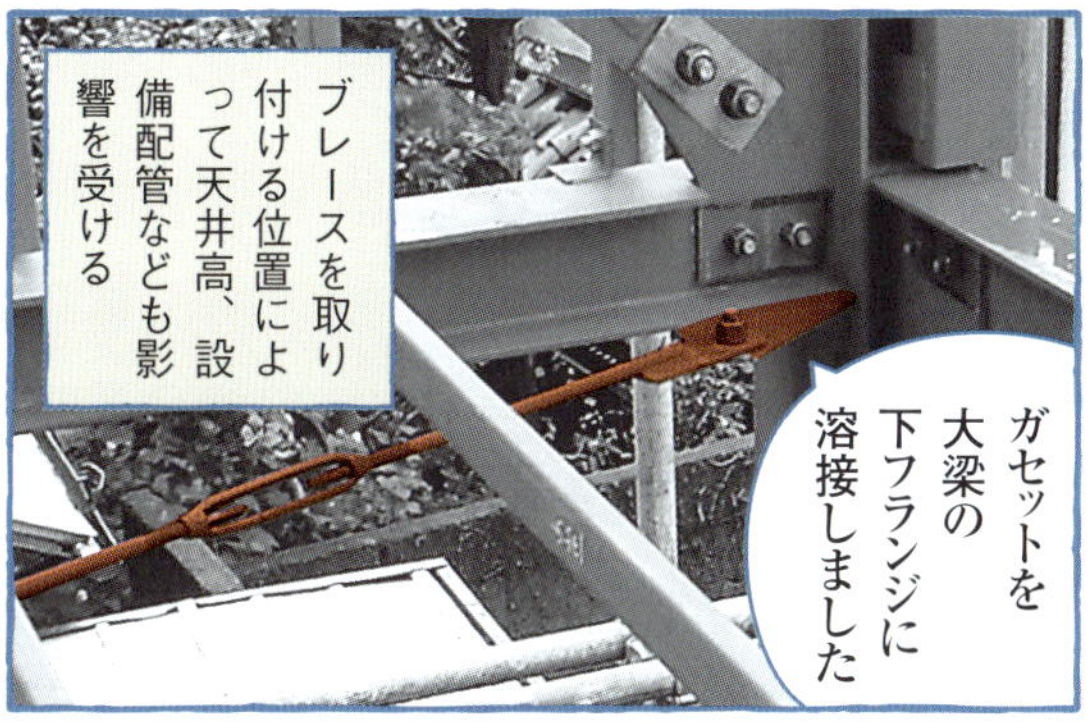

他部材との干渉どう防ぐ？

柱・梁のみで構成されるラーメン構造に比べ、地震や風の水平力に対してより高い剛性をもつ架構、それがブレース構造である。意匠設計上は、以下の2つが大きな特徴といえる。

1 ダイアフラムがいらない

ブレース構造の架構は、柱と梁をピン接合[※1]にしても成立する。これは、仕口部分にダイアフラムを必要としないことを意味する。ダイアフラムとは柱の仕口部を補強するなどのために取り付ける鋼板だが、ピン接合ではこれが必要ないため、ラーメン構造より外壁廻りをすっきり納めることができる[**36頁図5**]。ただし、ブレースと柱・梁を接合するガセットプレートの大きさ、位置、レベルなどには注意が必要だ。

2 断面が小さくなる

ラーメン構造では柱・梁が水平力を負担しているが、ブレース構造ではブレースが負担することになる。その分、同規模のラーメン構造に比べて、柱・梁の断面はおおむね小さくなる

マメチシキ | ⑧ PC鋼棒や高強度の鋼材（大臣認定材料）のブレースを用いると、1つのブレースで負担できる強度が高くなるのでブレースの配置個所を減らすことができる。ただし、特殊な材料を使う場合は、その材料特性を把握し設計・監理には注意しなければならない。なお、PC鋼棒は溶接で接合することはできない

※1：梁がH形鋼のピン接合では、ガセットプレートを介して梁ウェブのみボルトで接合し、上下ラウンジと柱は突合せ溶接する

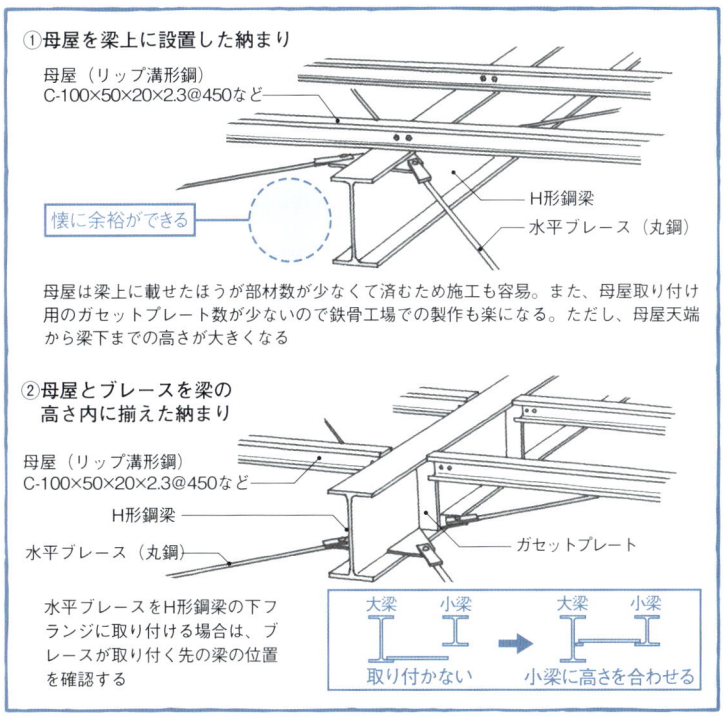

図5｜ラーメン構造とブレース構造の仕口廻り比較

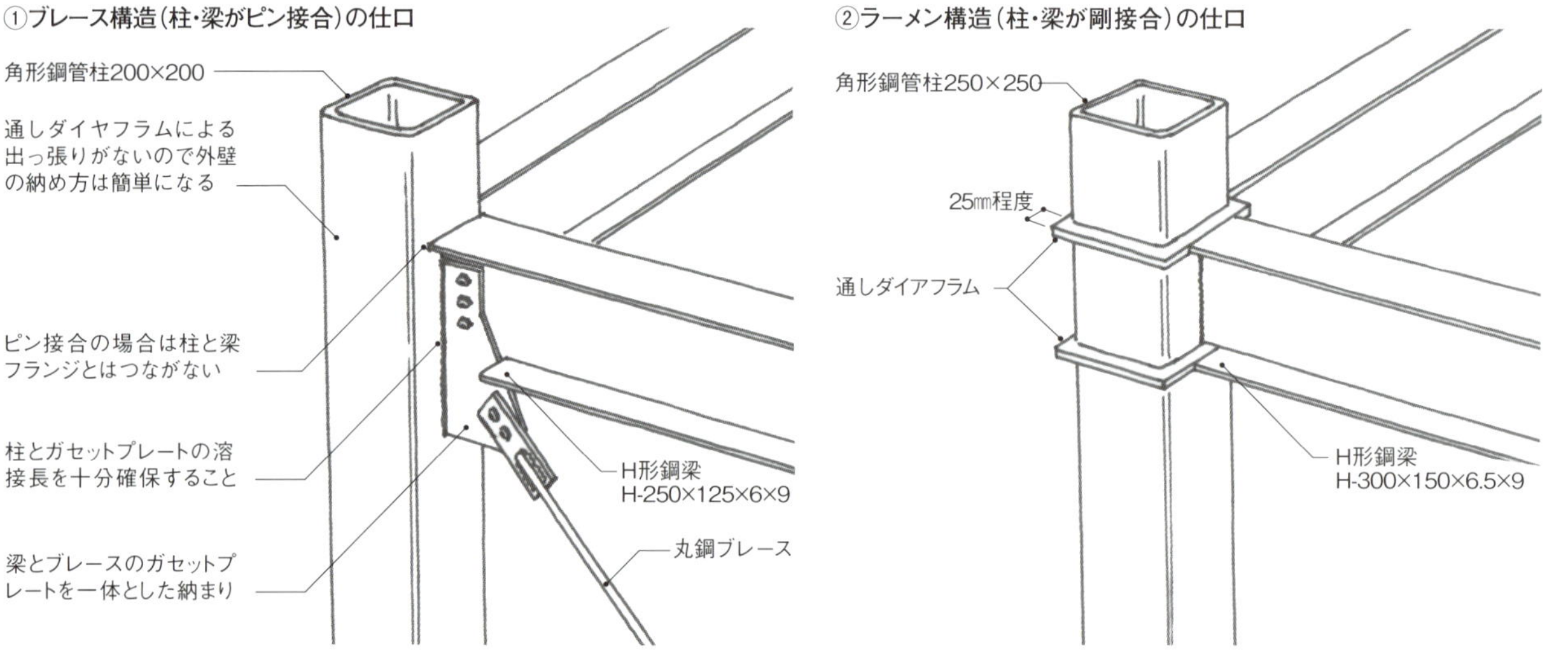

図6｜ブレース構造のメリット

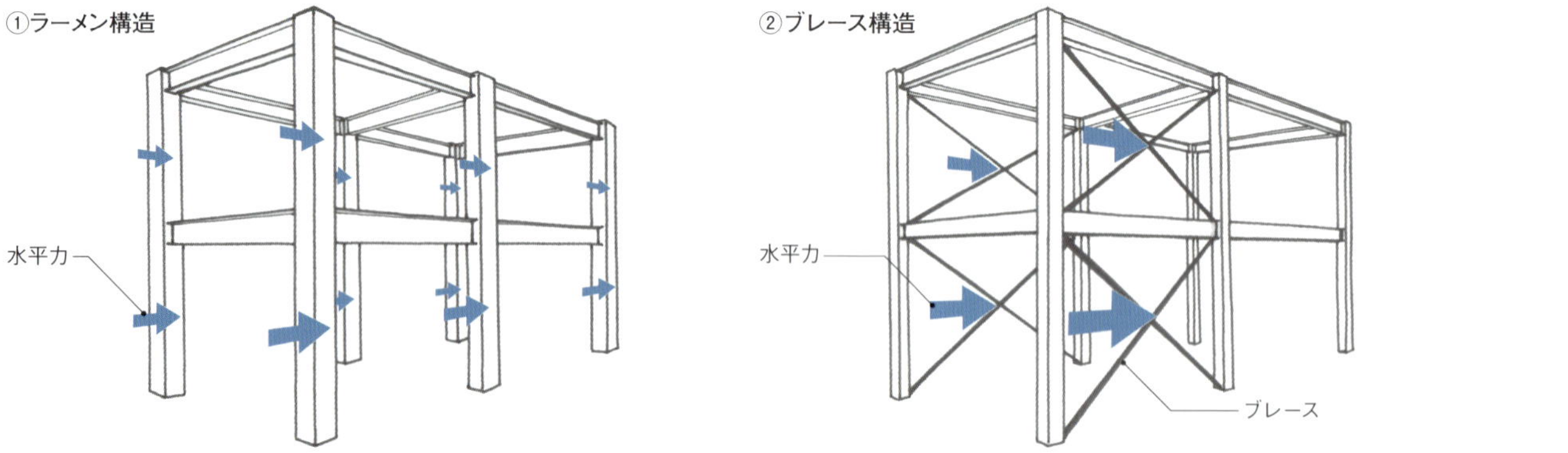

ラーメン構造は地震力などの水平力に対して柱・梁で抵抗する。一方、壁面にブレースを設置したブレース構造は、水平力のほとんどをブレースが負担する。したがって、ブレース構造の柱・梁断面は、ラーメン構造に比べて小さくできる。ただし、ブレースは平面的にバランスよく配置しないと、地震時にねじれ変形が生じるので、ブレースを設ける壁の配置と意匠上のプランや開口部の位置を調整する必要がある

［**図6**］。

そのほか、ラーメン構造と比べると、①鉄骨製作の加工手間が少なくなる、②トータルの鋼材量を減らせる、③ダイアフラムがいらないので鉄骨製作時に高度な技術を要する突合せ溶接個所を少なくできる（＝柱梁の加工については監理を簡略化できる）、などの長所がある。

ただし、これらのメリットを享受する代わりに、開口部や間仕切壁の配置は、ある程度制限される。

壁面ブレースに用いる部材

中小規模の鉄骨造建築物で用いられる壁面ブレースは、丸鋼、平鋼（フラットバー）、山形鋼（アングル）、溝形鋼の4種類が主なものである［**33頁図1**］。これらは、引張力のみに利く「引張ブレース」として用いられることが多い［※2］。引張力のみに利くとは、言い換えれば一方向の揺れにしか利かないということである。そのため、引張ブレースは一般にX型に配置して、両方向の揺れに対し引張力で抵抗できるよう設計する。

一方、H形鋼、鋼管、角形鋼管のブレースは、引張力、圧縮力、どちらにも抵抗できる［**写真**］。ただし、圧縮力に利かせるブレースは座屈耐力［※3］によって部材断面が決まるため、引張ブレースに比べて断面は大きくなる［※4］。

写真｜角形鋼管のブレース。一方向だけで引張、圧縮どちらにも抵抗できる

ブレースの納め方

1 最大厚さの確認

壁面ブレースは、原則として柱梁の芯に設置する。ということは、同じような位置に取り付けられる壁下地用の胴縁とブレースが干渉する可能性が高くなる。外壁用胴縁は壁の下地材としての役割だけでなく、壁面に受ける風荷重に抵抗する役割も果たす。したがって、干渉するからといって安易に切断するわけにもいかない。

ブレースの納まりで気をつけたいのが、こうした他部材との

※2：山形鋼、溝形鋼は、材長・配置によっては圧縮力に利かせる場合もある（トラス梁、トラス柱の斜め材などで使用するとき）｜※3：座屈とは部材に圧縮が加わったとき材料強度に達する前に横方向にたわんでしまう現象をいう。よって、断面形状や材長（座屈長さ）によって座屈耐力は異なる｜※4：しかも、鉄は材長を長くすると長さの2乗に反比例して座屈耐力が小さくなるため、ブレースの幅と厚みをかなり大きくしなければならない。圧縮ブレースは材長をあまり長くできないブレースといえる

図7｜ブレース面に開口を設ける場合の注意点

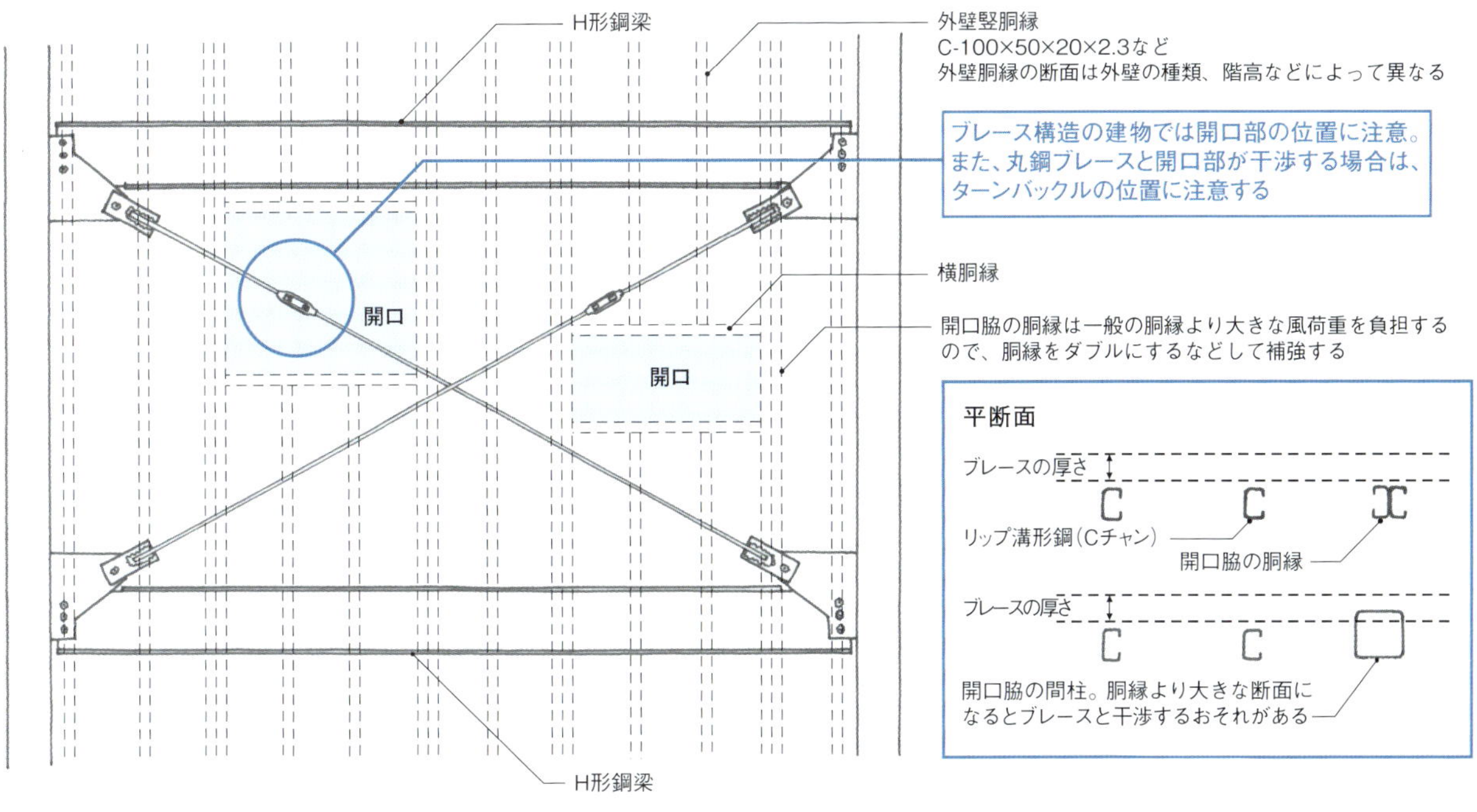
H形鋼梁
外壁竪胴縁
C-100×50×20×2.3など
外壁胴縁の断面は外壁の種類、階高などによって異なる
ブレース構造の建物では開口部の位置に注意。
また、丸鋼ブレースと開口部が干渉する場合は、
ターンバックルの位置に注意する
開口
開口
横胴縁
開口脇の胴縁は一般の胴縁より大きな風荷重を負担する
ので、胴縁をダブルにするなどして補強する
平断面
ブレースの厚さ
リップ溝形鋼（Cチャン）
開口脇の胴縁
ブレースの厚さ
開口脇の間柱。胴縁より大きな断面に
なるとブレースと干渉するおそれがある
H形鋼梁

干渉だ。干渉予防のためにはまずブレース自身の寸法を把握するところから始めたい。

たとえば、丸鋼や平鋼などの小断面の引張ブレースは、両端部のボルト部分やターンバックルの寸法がブレース面の最大厚さとなる。ただ前述のように、引張ブレースはX型に配置するパターンが多いため、最大厚さは当然ダブルで計算しておかなければならない［**34頁図2**、**35頁図3**］。

2 開口部廻りの留意点

ブレース面に開口を設けるプランでは、さらに別の点にも注意が必要になる。

一般に、開口部廻りは胴縁のピッチが広がってしまうため、開口だけ胴縁断面を大きくしたり、別の補強材（間柱）を追加したりして風荷重への抵抗力を高める。このとき補強材の断面が胴縁より大きくなれば、ブレースに干渉する可能性は高まる［※5］。また、開口に取り付けるサッシの受け材（アングルピース）や、取り付け方によってはサッシ自体も干渉相手となり得る。

ブレース壁面に取り付く部材は、その断面と位置をすべて確認しておきたい［**図7**］。

ターンバックルの選択

ブレース構造でありながら開放的なプランにしたいときは、あえてブレースを露出させて使用してもよい［※6］。特に丸鋼の引張ブレースは、ほかのものに比べて部材断面を小さく抑えられるため、露出用として使われることが多い。

丸鋼ブレースには、ブレースのたるみをとるためのターンバックル［※7］が必要になるが、露出の際はその形状も気になるところだ。ターンバックルにはいくつかの種類があるが、最も多く使われているのは、廉価な「割《わり》枠《わく》式」のものである。ただ、どの製品もそろって形状が無骨なため、もう少しすっきり見せたいときは、「パイプ式」のものを用いるとよい［**33頁図1**］。

ターンバックルではないが、丸鋼両端部にねじ切りを施してたるみを取る接合方法もある［**図8**］。だが、この方法は、割枠式に比べて比較的高価で流通量も少ないため、採用に当たっては予算や納期などとの相談になる。

忘れがちな水平ブレース

ブレースが取り付く個所は、壁面だけとは限らない。設計によっては、床面や屋根面にも取り付ける。いわゆる水平ブレースと呼ばれるものだ。これは、床面や屋根面の剛性を確保し、ねじれを抑え、壁面ブレースや柱・梁に水平荷重を伝達する役割を果たす。

構造的に重要な部位であるにもかかわらず、意匠設計者のなかには、水平ブレースの存在を忘れたまま設計を進めてしまう人が少なくない。特に多いミスが、「天井懐内におけるブレースやガセットプレート」と「ダクトや設備機器」などとの干渉だろう。もちろん、ブレースが入ることで、天井高の設定も影響を受ける。壁面ブレース同様、その配置、レベル、他部材との干渉には十分注意が必要である［**35頁図4**、※8］　［望月泰宏］

図8｜ブレース両端部でたるみを取る方法

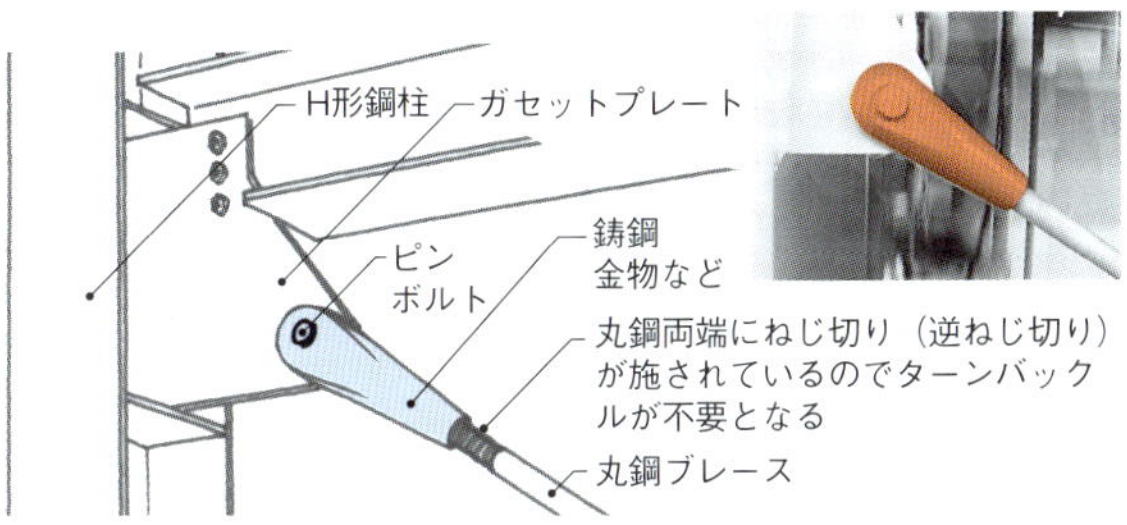
H形鋼柱
ガセットプレート
ピン
ボルト
鋳鋼
金物など
丸鋼両端にねじ切り（逆ねじ切り）
が施されているのでターンバック
ルが不要となる
丸鋼ブレース

鋳物金物はメーカーの既製品や鉄骨加工工場が独自に製作しているものなどさまざまあり、かたちは微妙に違う

※5：大開口の場合、胴縁だけでは風荷重を負担できないため、断面の大きな間柱を入れることがある｜※6：開放的で自由度の高いプランとしたい場合は、柱・梁で架構を構成するラーメン構造のほうが本来は適している｜※7：丸鋼ブレースにターンバックルを使用するのは、ブレースの両端部をボルト接合しただけではブレースがたるみ、想定した剛性を地震時に発揮できなくなるためである。ターンバックルで丸鋼を締め付けることで、初期張力（人為的に導入する引張力）が導入され、たるみがなくなる｜※8：水平ブレースの注意点については416頁「内装下地」の「天井懐内のレイアウト」を参照のこと

意外と知らない　工場・建方の知識

鉄骨加工工場へ行こう

　意匠設計者が鉄骨加工工場へ足を運ぶとしたら、工場で製作された鉄骨部材が建築現場へ搬入可能かどうかを確認する、いわゆる「製品検査」のときくらいではないだろうか［**写真1**］。しかしできれば、建築工事ごとにベストの工場を選択するところから意匠設計者自身がかかわって、工場を訪問することが望ましい。工場には規模やグレードだけでなく加工技術の得意不得意もあるため、たとえば、小さな工場でも緻密で複雑な加工に応じてくれるところがあるなど、実際に見学してみないと分からない部分は多い。

　では、工場を訪れる際は、どのような点に注意すればよいのだろうか［**40頁表1**］。

規模、周辺環境

　まずは、工場全体の大きさ、奥行、幅、間口などを確認する。工場の大きさに関する公の規定はないが、自分が計画している建物の部材寸法と照らし合わせれば、最適な工場の大きさは自ずと明らかになる［※1］。工場の前面道路やトラックの出入口の広さ・大きさも、製作できる製品のサイズを測る重要な判断材料となる。

　また周辺環境として、高速道路、高架、学校施設の有無なども確認しておきたい。

　大きな工場ではあまり問題にならないが、比較的規模の小さな工場では、部材搬出の際に前面道路を封鎖せざるを得ない、あるいは周辺道路の交通を封鎖しないと積み込みができないといった制限もある。さらに、近所に学校などがあると積み込みの時間帯に制限が出るなど、工事予定を左右しかねない事項は少なくない。

写真1　製品検査の様子。工場側が用意した資料にもとづいて製品についての説明が行われる(上)。その後工場内で製品をチェックする(下)　DVD

設備・作業環境

　工場内の設備では、まず部材を移動させるクレーンに注目する［※2］。その許容荷重を確認すれば製作可能な製品の大きさが分かる。切断機、孔あけ加工機、作業台の大きさなどからも、その工場で加工できる部材のおよその大きさは読み取れる［※3］。

　設備と併せて、工場の設えにも注目したい。溶接作業は屋内で行っているか、床はコンクリートか、なども大事な判断材料となる。もし、屋外で作業を行っている工場であれば問題だ。溶接作業中に舞い上がった土埃

※1：3階建ての場合、柱の長さは9m程度となるため工場内の作業スペースは最低でも9m以上必要になる｜※2：3階建て程度の建物では、2.5〜5t程度の許容荷重をもつクレーンを備えていれば製作可能である｜※3：たとえば、200×200㎜の角形鋼管の最大板厚は12㎜なので、板厚20㎜くらいの鋼板の切断、孔あけ、開先加工が自社内でできる設備が整っているとよい

鉄骨加工工場の内観［T3グレード］

ロータリーバンドソー
H形鋼、山形鋼など 大きな部材の切断に使う
山形鋼
この帯鋸で切る
メタルソー切断機
比較的小さな部材の切断に活躍
手で押し切る
クレーンを操作するリモコン
・上から「上・下・東西・南・北」のボタンが計6個付いている
・この工場のクレーンは大2機、小1機
工場内の方向は東西南北で管理
東
北
西
南
天井に付いている
トップライトで明るい
作業用のライトが付いている
「安全第一」「整理整頓」は工場の大原則
安全第一
整理整頓
扇風機
道具類のコーナー
交流アーク溶接機
液化二酸化炭素のボンベ
炭酸ガスシールドアーク溶接で使う
ジョウバン
溶接などを行う作業台のこと
鉄板でできている
仕口のブラケットが入る穴があいている
ここで山形鋼 丸鋼をカット
ポンチング機
孔あけ、山形鋼のカットなどができる万能な機械
ここで孔あけ
溶接棒
番線カッター
棒鋼などを切る
片口スパナ
メガネスパナ
シャックル
シャコマンカ
（通称 シャコマン）
部材どうしを固定する道具
道具類
東京都鉄骨加工工場登録書
工場のグレードの認定書
日本溶接協会（JWES）の証明書（免許書）
半自動溶接・アーク溶接など さまざまな種類がある

表1｜鉄骨加工工場のチェックポイント

項目	チェックポイント
1｜規模、周辺環境	・工場の幅、奥行、間口、高さ（3階建て程度以上あるとよい） ・工場の前面道路幅、トラック出入口の幅 ・工場周辺の高速道路、高架、学校施設などの有無
2｜設備・作業環境	・クレーンの許容荷重 ・切断機、孔あけ加工機、作業台の大きさ ・作業場（屋内で行っているか） ・床面（土埃の舞うような環境は溶接欠陥を招きやすい） ・工場内の明るさ（手元が暗いと製品の品質に影響する） ・道具類が整理・整頓されているか（喫煙スペースは作業場外にあるか）
3｜工場の証明書・実績	・グレード（S〜J［全構協］、T1〜T3［東京都］） ・過去の実績写真
4｜有資格者の確認	・溶接はWES（日本溶接協会規格）の免許取得者 ・超音波探傷検査は㈳全国鐵構工業協会建築鉄骨超音波検査技術者
5｜工事物件との関係	・工事現場からの距離 ・建築現場までの搬送ルート

表2｜鉄骨加工工場のグレード区分（㈳全国鐵構工業協会）

グレード	製作可能な建物規模	鋼材種別
J	・鉄骨溶接構造の3階以下の建築物 ・延べ面積500㎡以下 ・建物高さ13m以下かつ軒高10m以下	400N級鋼 板厚16㎜以下
R	・鉄骨溶接構造の5階以下の建築物 ・延べ面積3,000㎡以下 ・建物高さ20m以下	400Nおよび 490N級鋼 板厚25㎜以下
M	・鉄骨溶接構造の建築物 ・延べ面積制限なし ・建物高さ制限なし	400Nおよび 490N級鋼 板厚40㎜以下
H	・鉄骨溶接構造の建築物 ・延べ面積制限なし ・建物高さ制限なし	400N、 490Nおよび 520N級鋼
S	・すべての鉄骨溶接構造の建築物 ・延べ面積制限なし ・建物高さ制限なし	制限なし

などは溶接個所に付着すると溶接欠陥を起こしやすいためで、それが屋内であっても土埃の舞うような環境であれば品質に影響する［※4］。

なお、仮組台、作業台、溶接資材などの保管庫、材料置場、製品置場の整理整頓具合を見れば、その工場の体制や作業員の勤務態度、経営思想に至るまで想像できてしまう。これも、製品の精度や品質に大きく影響する部分である。DVD

工場の証明書・実績

工場は、製作することのできる建築物の大きさや作業の内容によって5つのグレードに分けられている［**表2**、※5］。ただし、同じグレードをもつ工場でも技術力の差は大きいため、グレードはあくまで目安の1つにしか過ぎないことを念頭に置いておくこと。

工場の技術力、得意不得意については、事務所内の壁などに掛けてある過去の実績写真などからも判断可能である。どのような建築物を多く手掛けているか、また得意としているのかを知れば、工場関係者とも話がしやすい。もちろん、工場関係者に直接質問するのもよいだろう。

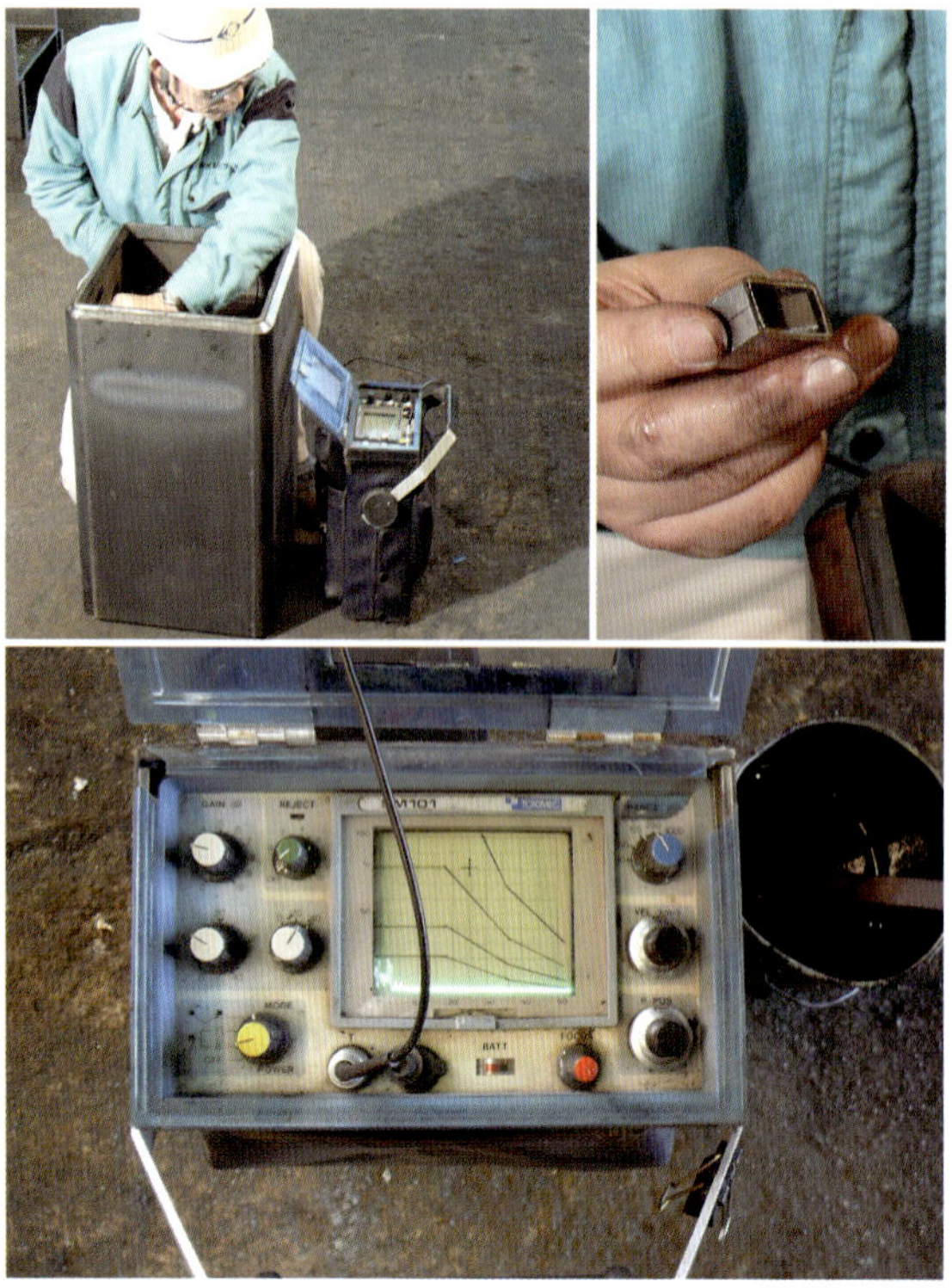

写真2｜超音波探傷検査の様子（左上）。被検査個所にグリセリンを塗ったあと探触子（右上）で溶接部分をなぞりながら欠陥の有無を調べる。結果は検査器本体の画面（下）にグラフ状に表れる DVD

有資格者の確認

工場での溶接作業は、「WES」［※6］の免許取得者でなければ行うことができない。また、製作過程で行う、超音波を利用した溶接個所の探傷検査は、「建築鉄骨超音波検査技術者」の資格者でなければ行えない。きちんと資格をもっている人が作業しているかどうかも確認しなければならないポイントである［**写真2**］。

工事物件との関係

工場の所在地はもちろんだが、建築現場からの距離や搬送ルートも確認する。

工場から現場までの距離は近いに越したことはないが、昨今は搬送距離の遠近で搬送費用はそれほど変わらないため、大型の物件などでは、たとえ遠方でも技術力のある工場を選定することも多い。もちろん、工場により鉄骨製作費（工事請負価格）や、納期への対応力、資材の確保に能力差がある。

防錆処理の基礎知識

鉄は素地のままではすぐに錆

※4：土間床は土埃が舞いやすい｜※5：これは筆者の経験であるが、製品検査のために工場へ出向こうとすると、製作要領書に記載された工場ではなく、まったく別のグレードのない工場へ連れて行かれそうになり、その場で製品検査を取りやめたことがある。グレードは、工場一つひとつに与えられるもので、グレードの違うほかの工場では代替できないものなので注意されたい｜※6：Welding Engineering Society（日本溶接協会規格）｜※7：ケレンとはクリーンがなまったものといわれる

びてしまい、所定の構造性能を発揮できなくなる材料である。そこで鉄骨造建築物に欠かせないのが鉄骨の防錆処理だ。

防錆の方法として代表的なものは、塗装とメッキである。

防錆塗装はなぜ必要？

防錆塗装とは、簡単にいえば鉄骨表面に皮膜をつくり、発錆の原因となる空気や水分を鉄骨表面から遮断する塗装のことである。鉄骨造の建築現場にある赤茶色やオレンジ色の鉄骨は防錆塗装を施したもので、塗装は一般に工場内で行われる。

防錆塗装（皮膜）は剥がれやすくては意味がない。そこで、塗装の際は被膜が剥がれにくくなる処理を鉄骨表面に施しておく必要がある。

写真3｜防錆塗装の様子。ボルト接合部は現場での接合後に個別に塗装する

素地調整の方法

1｜ケレンとは

防錆塗装前に塗装面の下地から異物を取り除き、表面を整える処理をケレン（素地調整）という［※7］。ここでいう異物とは、汚れ、油、旧塗膜のほか、鉄骨の流通過程で付く黒皮（ミルスケール）などである。

特に黒皮は、除去しないまま塗装すると、塗装付着不良による塗膜の割れ、剥離などの危険性があり、塗装の性能を大きく損なう。塗装の性能は下地で決まるといってもよい。

ケレンにはいくつか方法があるが、可能ならば「ブラスト」を用いるとよい。

2｜ブラストとは

塗装面に高速で小さな粒を当ててさびなどを除去する方法をブラストという。ブラストは、鉄骨表面に当てる材料により、サンドブラスト（砂）、ショットブラスト（鉄粉）、グリッドブラスト（鉄片）に分類されるが、現在はブラストといえばショットブラストを指すことが多い。

作業は、ブラスト処理設備まで保有している鉄骨加工工場が少ないため、工場からブラスト処理工場に持ち込んで行うか、工場にブラスト処理業者が出張して行うことになる。

なお塗装の耐久性は、下地にどのようなケレンを施すかで、異ってくるため、特に鉄骨躯体の露出部に施す下地処理については確認しておきたい［※8］。

塗装できない場所

防錆処理は鉄骨の表面すべてに施されているのが望ましい。しかし、ボルトや溶接によって部材どうしを接合する鉄骨造では、接合面への塗装は避けたほうがよく、特に高力ボルトで接合する継手部分には注意する。

高力ボルトは部材接合面に生じる摩擦力を利用して応力を伝達する仕組みのため（摩擦接合の場合）、接合する部材の表面がつるつるしていると力が伝わりにくい。ましてや、接合面に塗装が施されていると、鉄と鉄の間で塗装が剥離し、接合性能が確保できなくなる。したがってボルト接合面は、適度にさびていたほうがよいと言える［**写真3**］。

また、溶接のために設ける開先への塗装も好ましくない。溶接の際、溶着金属内に塗装の成分が混入すると溶接欠陥が生じやすくなるからである。

ただし、無塗装のままでは開先が錆びて欠陥の原因となるため、開先加工後すぐに溶接しない場合は、溶接可能な特殊な塗料を用いて開先面を保護する。

耐火被覆との相性

防錆塗装は、採用する塗装材によっては、耐火被覆材と相性の悪いものがある。それぞれの仕様を決定する前に工場や施工業者に確認しておきたい。具体的には、防錆塗装を施した鉄骨の上にロックウールを吹き付けると、塗装材と化学反応を起こして剥離（剥落）することがある。これまでも、そうした事故例は数多く報告されている。ただ、これらの相性については未確認部分も多いのが現状である［※9］。

メッキ処理を行うとき

メッキは、鉄骨部材に高い耐久性が求められるときや、海岸地帯の建物で塩害が予想されるときなどに利用する防錆処理の一種である［**写真4**］。

メッキにはいくつかの方法があるが、一般的には溶融亜鉛メッキ（どぶ漬けメッキ）が利用される。これは、亜鉛が溶けた高温のメッキ槽のなかに鉄骨部材を投入し、表面に堅固な酸化皮膜を形成するものである。ただし、高温のメッキ槽に投入するため、メッキする鉄骨部材には以下のような制約が生じる。

まず、通常ならば運搬用トラックや現場の揚重機の条件から決められる加工部材のサイズが、メッキ槽の大きさに合わせて決められることになる。また、メッキ槽内の高温が鉄骨の歪みの原因となるため、板厚の薄い部材はメッキ槽に入れられない［※10］。これは、母材に取り付ける補助部材なども同様である。

さらに、高力ボルトにメッキする場合は、メッキ時の高温によりボルト1本当たりの強度が下がるため、接合に使用する本数を増やさなければならない。

なお、防錆塗装と同じように溶接する部分や高力ボルトによる接合部分にはメッキできない。

［よしだきんじ＋江尻憲泰］

写真4｜溶融亜鉛メッキ後の柱。メッキ後の溶接はできないため、柱と仕口をメッキ前に溶接している。2つの丸い孔は仕口内部をメッキするためのもの

※8：ブラストは1種ケレンといい旧塗膜やさびを徹底的に除去する（ピカピカにする）。ディスクサンダーやワイヤーブラシを使う2種ケレンは、旧塗膜を除去するが活膜（素地としっかり密着している旧塗膜）などはそのままである。3種、4種まであり、数が増えるほど簡易なケレンとなる｜※9：鉄骨に耐火被覆を行う場合や気密性の高い仕上げで覆う場合は、防錆塗装は建方終了までの一時的な処理として考えることもある｜※10：メッキの処理温度は450～480℃。JISH8641-2種HDZ50・55では板厚を5㎜以上と規定している。国内最大級のメッキ槽で16.1×2.1×3.3（深さ）m。常温メッキであれば板厚の制限はない

建方の一日

朝7時半、快晴
鉄骨部材を積んだトラック、揚重機が到着した
建方の開始を待つ1

揚重機は敷地内に入れるスペースがないため前面道路（歩道）に設置。アウトリガー3の一方は車道に伸ばした4

建方時は周辺環境への配慮も必要

まずは柱の荷下ろしから。揚重機がアームを伸ばしてトラックに積まれた柱部材を1つずつ下ろしていく5

揚重機で吊り上げた柱は、柱に引っ掛けてあるロープをつかんで着地点まで誘導しながら下ろす

敷地周辺に架空電線がある場合には、揚重機の操作はいつにも増して慎重さが求められる

ひととおりの準備が終わるといったん下ろした柱の上部に改めて揚重機からのワイヤーを固定し、柱を立てていく

柱の荷下ろしと並行して、下ろし終わった柱にボルトをねじ込んでいく。柱面にはあらかじめナットが溶接してある［**28頁**参照］

柱頭のブラケットにはスタンションを設置しておく

マメチシキ｜1 現場は3層の住宅を建てる約20坪の敷地。この規模であれば、トラックは4t車を使用することが多い 2 敷地は、間口、奥行、敷地内の状態を事前に確認しておくのが基本。特に、鉄骨造の建方では揚重機の設置が重要になる。揚重機の設置場所に障害物はないか、アウトリガーを伸ばすスペースは確保できるか、隣に鉄骨部材を積んだトラックを併設できるかなどを見ておく 3 揚重機の転倒を防ぐための支えとして、車体から腕のようにはね出させる部分

よし
入った

柱をアンカーボルトにセット。アンカーボルトはナットで仮締めして固定する［**16頁参照**］

オッケー
柱脚の固定が終わると…

水平器で垂直の精度を確認

スタンション
命綱
安全ブロック5

…すぐさま柱頭まで登っていき、柱に固定していた揚重機のワイヤーを取り外す。同時に命綱となるロープをスタンションに引っ掛けてから下りる

はい
梁上げてー
ブラケット
梁

外周の柱を建て終わると、今度は梁の荷下ろしに移る。必要な梁を敷地内に下ろし、柱と接合するため再び揚重機で吊り上げる

スプライスプレートを介して、梁とブラケットをボルト接合

ボルトは
半分くらいしか
留めないよ

とりあえずこのくらい留める

ワイヤー

建方時には建入れ直しのためのワイヤーを付けておく

ノープロ
ブレム

これら一連の作業を計画的に進められれば、建方は順調に進む

マメチシキ｜**4** 一般に、市街地では敷地周辺に揚重機を設置できるスペースが十分になく、隣地や隣接道路に配置したり路上で荷取りをせざるを得ないケースも多い。そのために交通規制や通行止めを行う場合は、所轄警察署の道路使用許可を受けておく必要がある。また、敷地周辺の環境も建方前にチェックしておく。ポイントは接道する道路の幅員、時間帯ごとの交通状況、電柱など道路設置物の位置など。実際に、道路幅が狭くて敷地前までトラックが入れず、当日になって建方を中止したという笑うに笑えない失敗例は少なくない

建方完了。だが、この時点では柱は垂直に建っていない。そこで…

翌日──

建入れ直しを行う

建入れ直しとは鉄骨柱の垂直精度を修正するための作業のこと。別名「ゆがみ取り」。建方時の柱は仮組みの状態であるため、建入れ直しによって建物の精度を出してから高力ボルトの本締めを行う

具体的には、柱脚や柱・梁の交差部などにワイヤーを引っ掛けてブレース状に張り渡し、柱が垂直に近づくようワイヤーを少しずつ緊張させながら柱のゆがみを矯正していく

建入れ直し後は、柱がその建物にとって高さ方向の基準（定規）となるため、ここで精度が狂っていると後々の作業に支障をきたすことになる 6

柱
アンカーボルト

鉄骨躯体を矯正するワイヤー（この部分は鎖）をアンカーボルトに引っ掛ける

ワイヤー

ワイヤーのもう一方は斜め上の仕口へ引っ掛ける

ここでチェックします

ゆがみをチェックしながらレバーブロック（万能牽引機）でワイヤーを締めていく

柱の精度は柱面に付けた定規の目盛りを見て判断する。目盛りとは、上階からの下げ振り糸が定規と交差する位置のこと

同じ通り（たとえば×2通り）の柱面それぞれに外側に向けて定規を付けておき、柱面から下げ振り糸までの目盛りがどちらも同じになる位置を探りながら、少しずつワイヤーを引っ張っていく 7

うーん
もう少し
引っ張るか…
そうだね

定規
下げ振り

この柱は内側に1㎜傾いた位置で精度を確保した

X方向・Y方向共に少しずつ柱のゆがみを矯正していく

レバーブロック。これを回すとワイヤーが締まる

ゆがみが取れたら高力ボルトの本締め作業に入る。仮締めは人力で行う

このあとの作業は29頁で紹介しています

マメチシキ｜5 作業する人の動きによってワイヤーロープが自動的に繰り出されたり巻き込まれたりする墜落防止器具。ワイヤーが急に引っ張られると繰り出しが止まる 6「建入れ直しはうまい人と下手な人がいて、うまい人はワイヤーを必要最低限の回数引っ張るだけで、ピタッと精度を出してきます。下手な人は右に傾いたり左に傾いたりして、いつまでたっても精度が出ません。これはもう経験と勘の世界なんですよね」（現場監督談） 7 階数が高くなるとトランシットを利用して精度を確認する

床

建方後、ボルトの本締めが終わると、すぐさま床工事に移る。
床の張り方にはいくつかの方法があるが、中小規模の鉄骨造建築物であれば、
現在は「合成スラブ工法」の採用が圧倒的に多い。
合成スラブはデッキプレートだけでもある程度の剛性を有するため、
支保工なしでもコンクリートが打設可能。
しかも、デッキとコンクリートの「合成効果」で、より高い剛性の床が形成される。
施工的にも構造的にも優れた工法といえる。

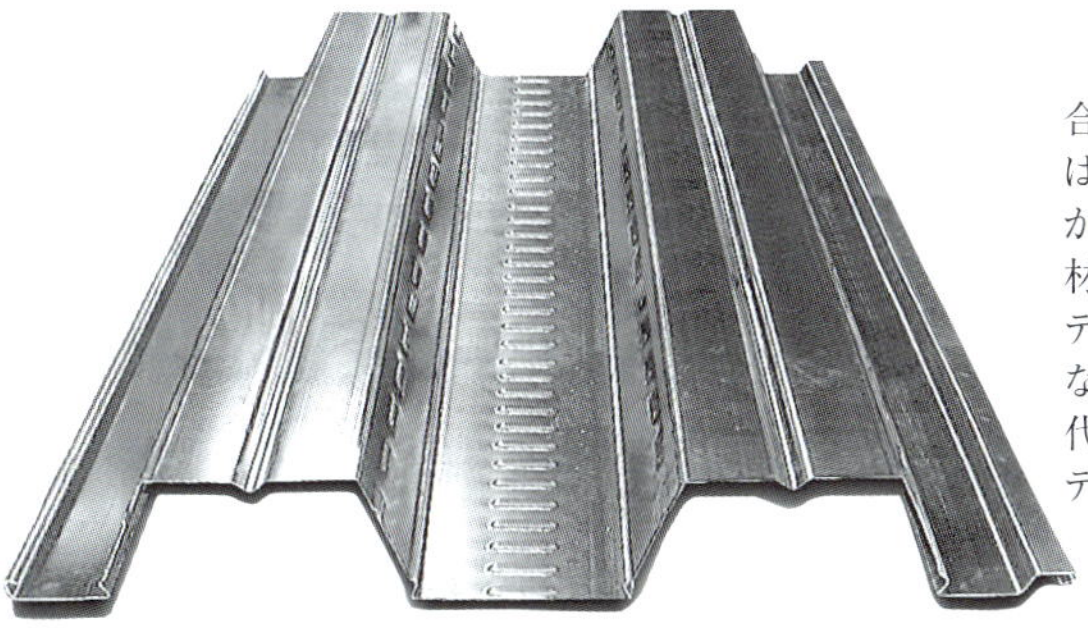

合成スラブ用のデッキにはさまざまな種類があるが、「QLデッキ」(JFE建材)や、「日鐵スーパーEデッキ」(日鐵住金建材)などの大臣認定品がその代表格 2。写真はQLデッキ

合成スラブの工事
まずはデッキプレートを建方時に搬入、仮置きしておく 1

図1｜高さ75㎜のデッキプレートの寸法(QLデッキ)

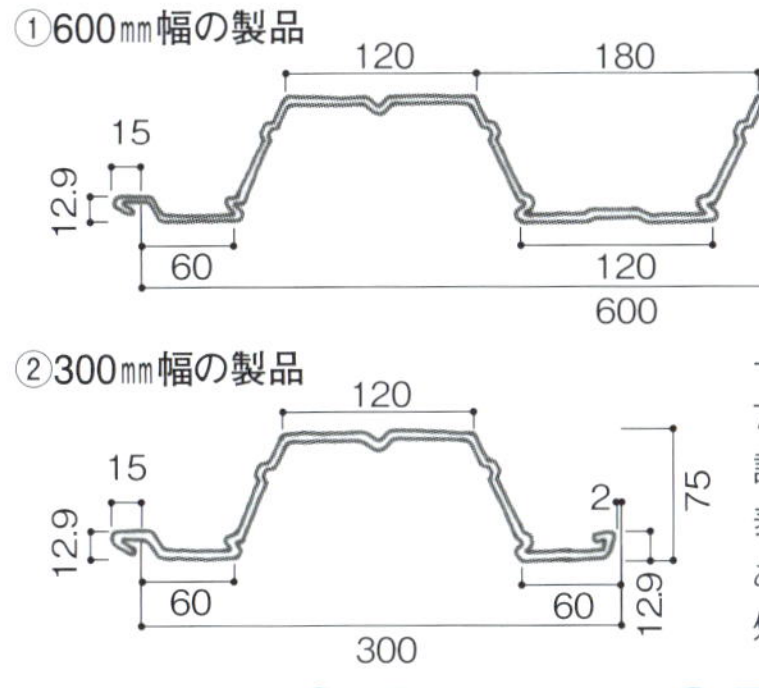

一般に、メーカー、製品を問わず幅600㎜、高さ75㎜のデッキを使用する場合、割付け時の幅調整用として山が1つの幅300㎜も用いる。
表面をメッキ処理したものと、していないものがあるが、通常は防錆効果のある溶融亜鉛メッキ処理をした製品を使用する

マメチシキ｜1 合成スラブとはデッキプレートがコンクリート打設時に型枠となり、コンクリート硬化後はコンクリートと一体になるスラブ工法の一種(詳細は解説頁を参照)
2 合成スラブ用デッキには、そのほかにも植木USデッキ(植木鋼管)、明治アデバルAデッキ(明治鋼業)などがある

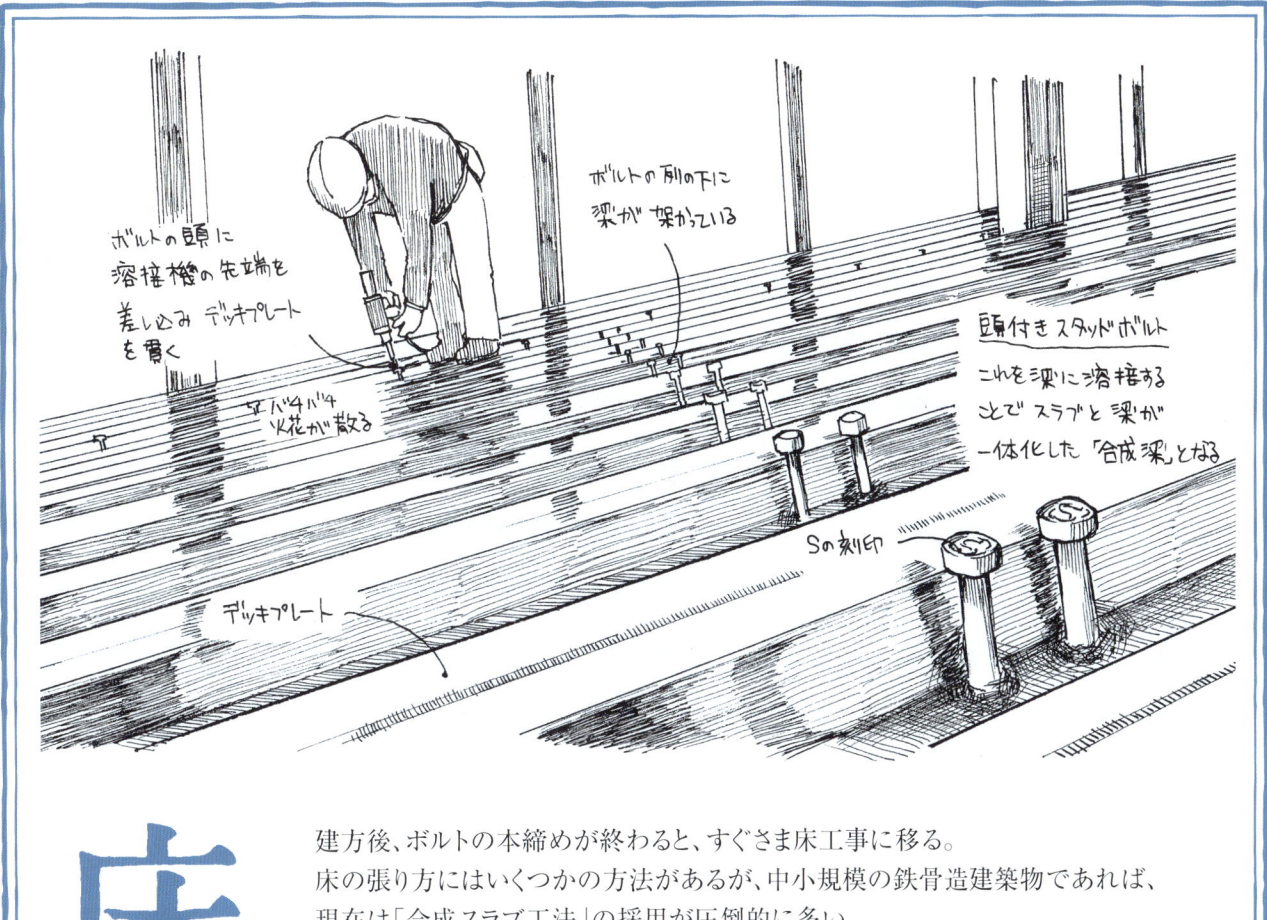

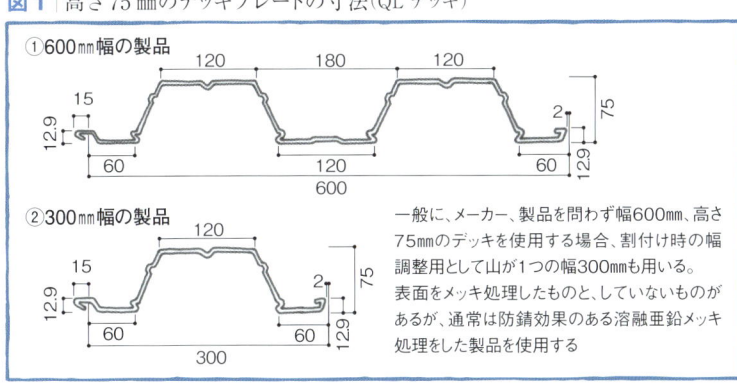

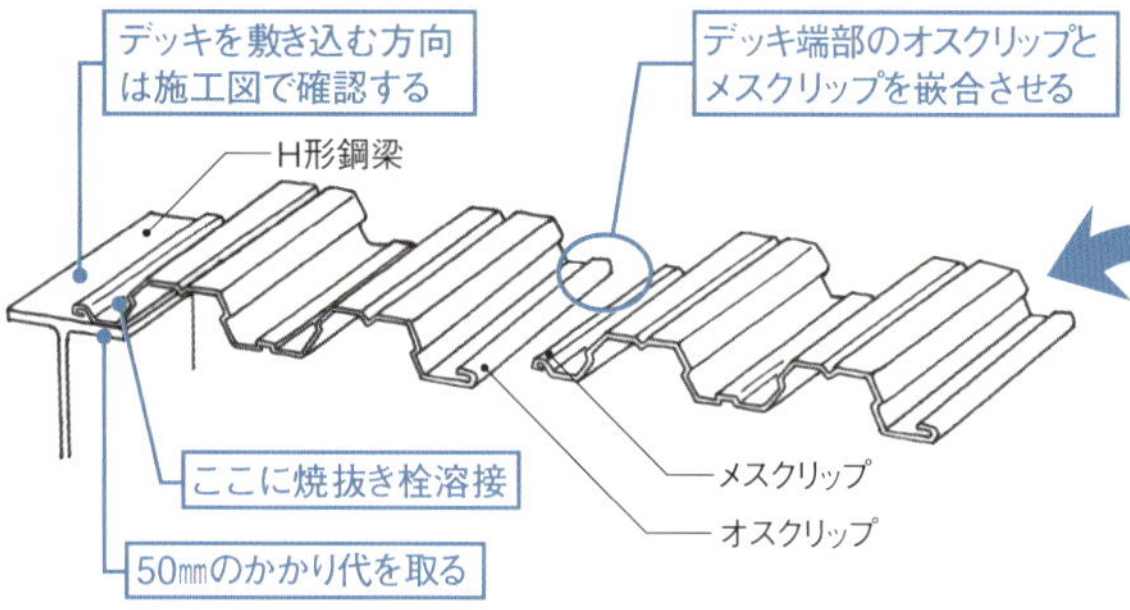

図2 | デッキ受けの設置

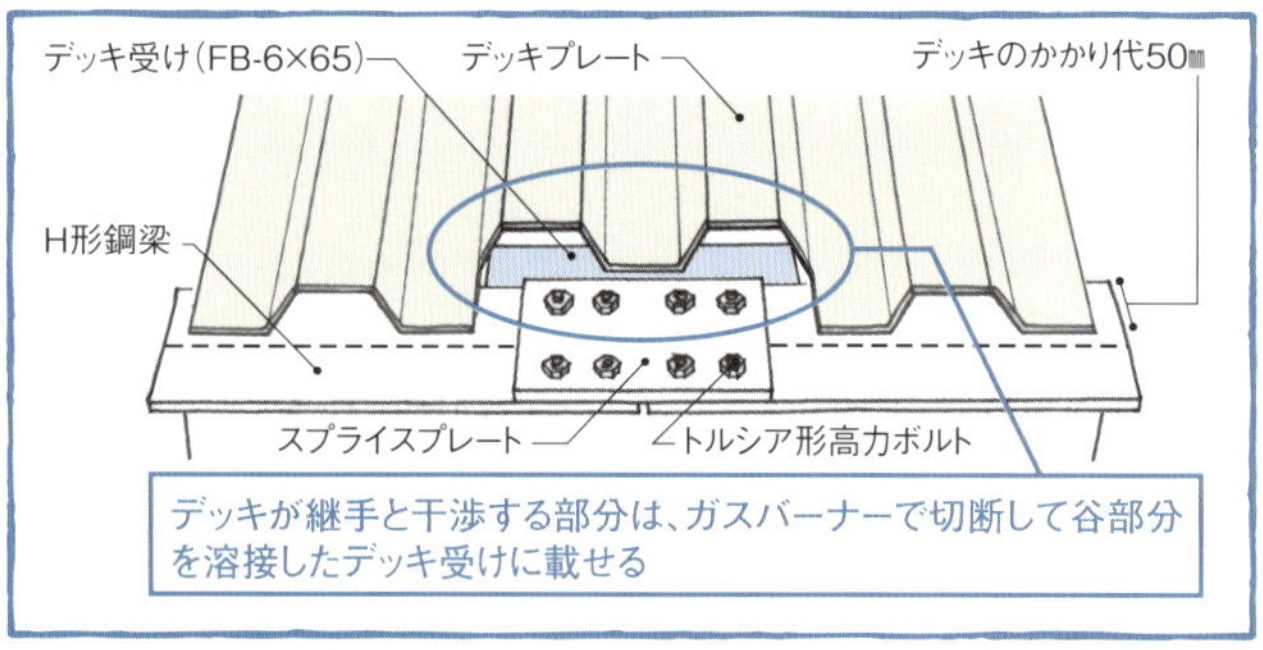

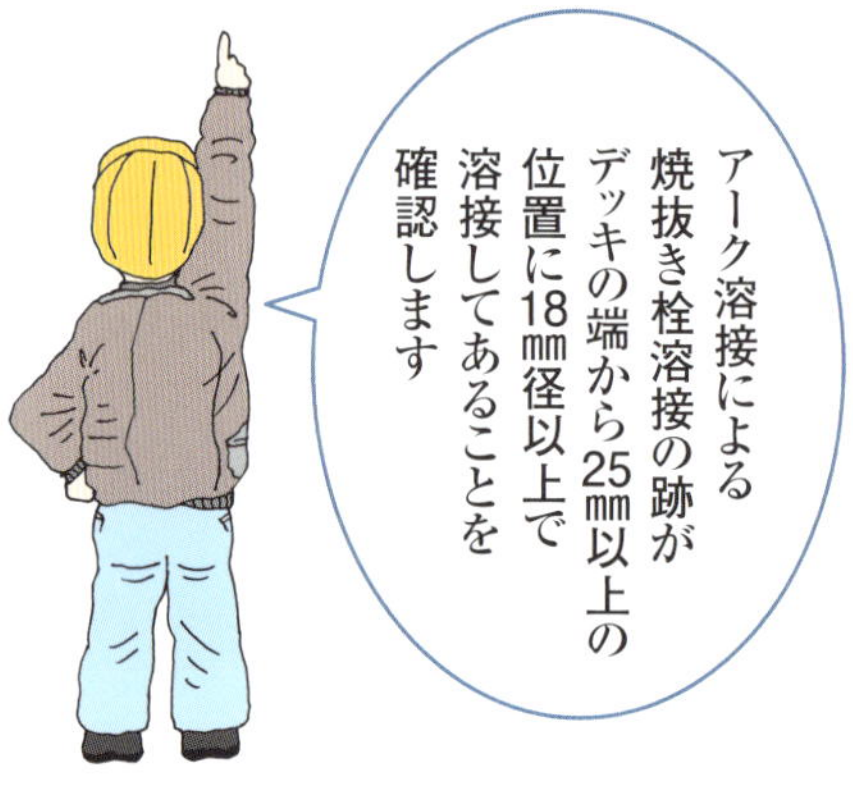

マメチシキ | 3 デッキプレートの嵌合部分は、コンクリートの重量で若干開いてくることがある 4 通常の設計では梁幅より柱幅のほうが大きくなるので、柱と干渉するデッキ部分も切り欠き、ブラケットに溶接したデッキ受けに切り欠いたデッキの谷部分を載せる 5 焼抜き栓溶接とは、デッキプレートの谷部と梁フランジをアークスポット溶接するもの。アークスポット溶接とは薄板の点溶接をアーク溶接で行う方法で、重ねた鋼板の上に数秒間アークで小孔をあけ、そこが溶接棒からの溶融金属で埋められることによって接合される。なお、溶接の跡は梁フランジの裏側にも見えるため、デッキを露しにする場合は要注意

スタッドを打つとき、打たないとき

デッキに頭付きスタッドボルトを立てるのは、コンクリートと鉄骨梁を緊結したいときである。スタッドボルトは、スラブ面内の荷重を鉄骨梁に伝達するとともに、スラブと鉄骨梁との一体化を図る。適切な数のスタッドボルトを用いると、コンクリート硬化後に鉄骨梁とスラブが一体化する「合成梁」の形成が可能となる。

合成梁は通常の梁に比べ、より大きな重量に耐えられ、たわみも小さくなり、梁せいも抑えられる。

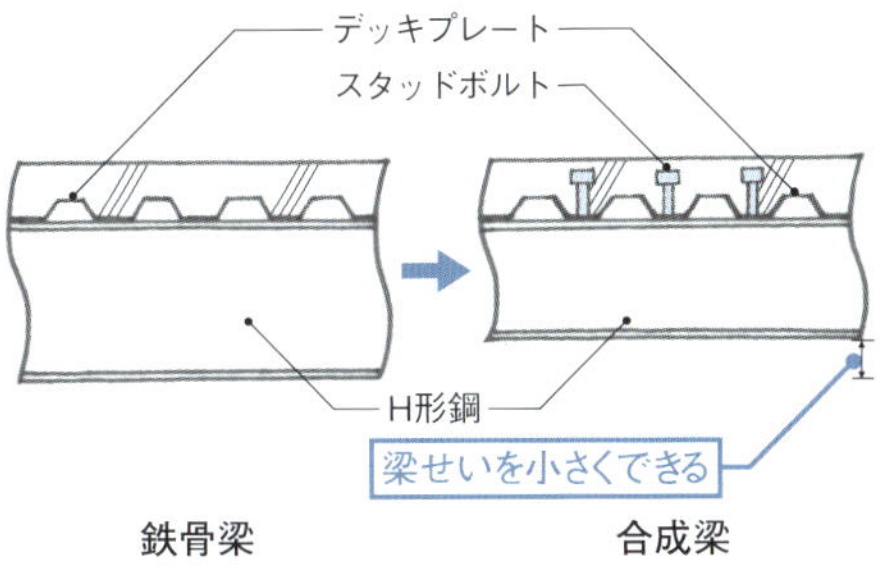

デッキプレート
スタッドボルト
H形鋼
梁せいを小さくできる
鉄骨梁
合成梁

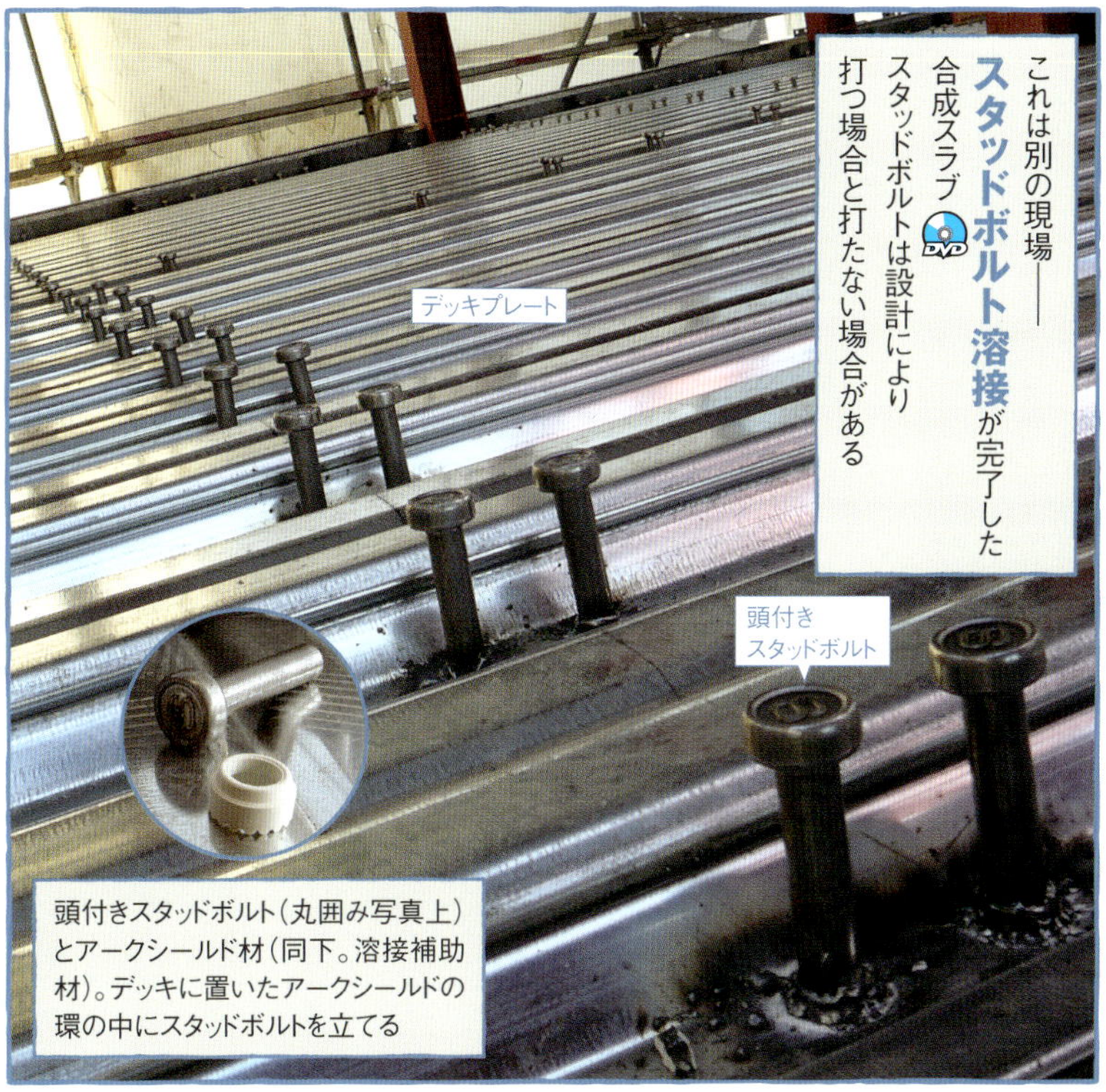

これは別の現場――
スタッドボルト溶接が完了した
合成スラブ DVD
スタッドボルトは設計により
打つ場合と打たない場合がある
デッキプレート
頭付き
スタッドボルト
頭付きスタッドボルト（丸囲み写真上）とアークシールド材（同下。溶接補助材）。デッキに置いたアークシールドの環の中にスタッドボルトを立てる

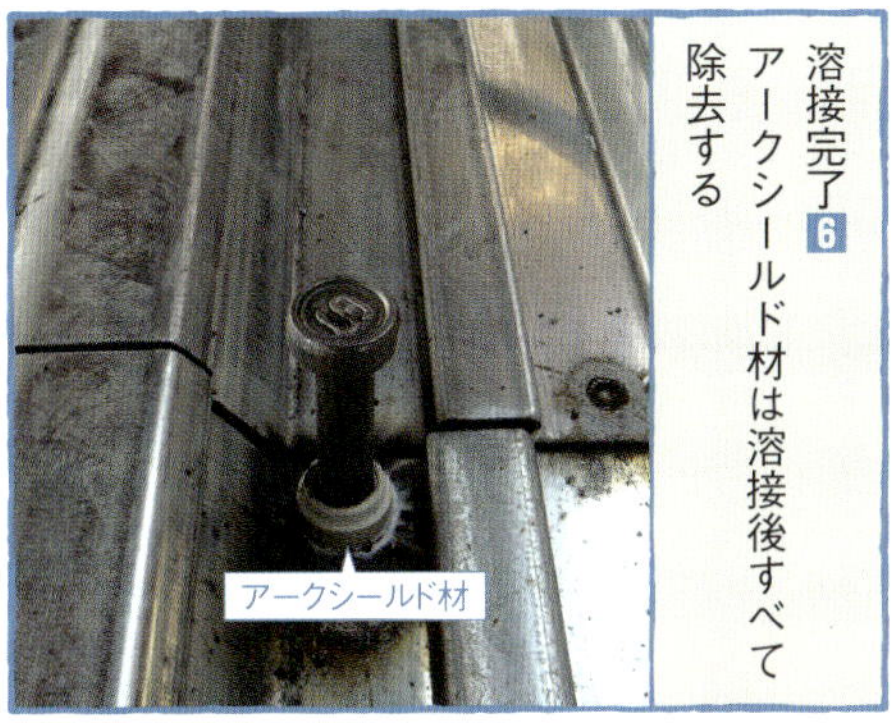

溶接完了 6
アークシールド材は溶接後すべて除去する
アークシールド材

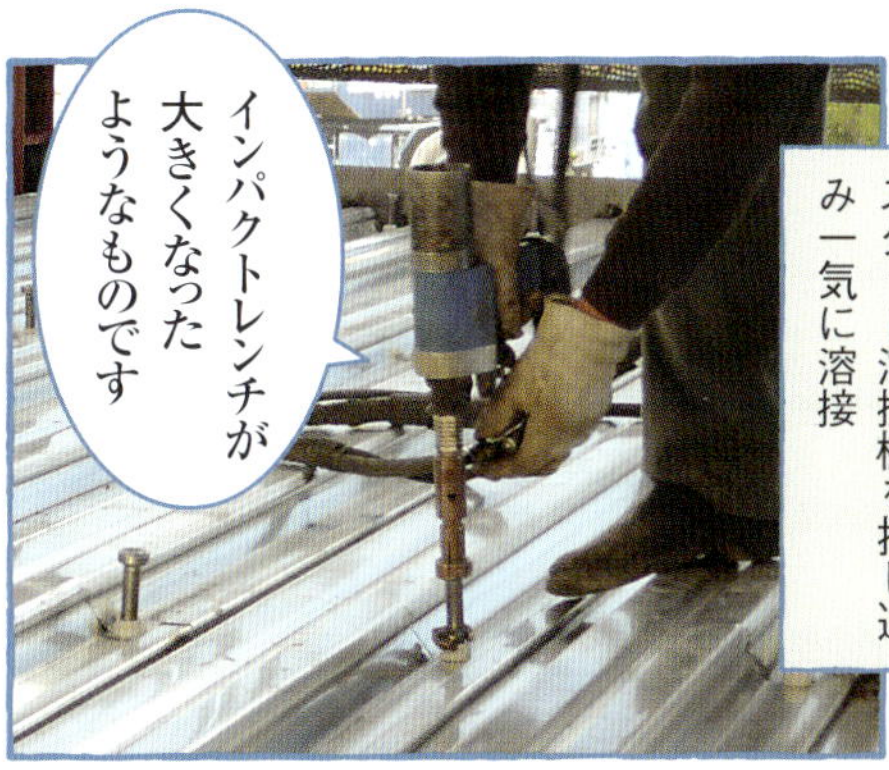

インパクトレンチが
大きくなった
ようなものです

立てたスタッドに専用のスタッド溶接機を挿し込み一気に溶接

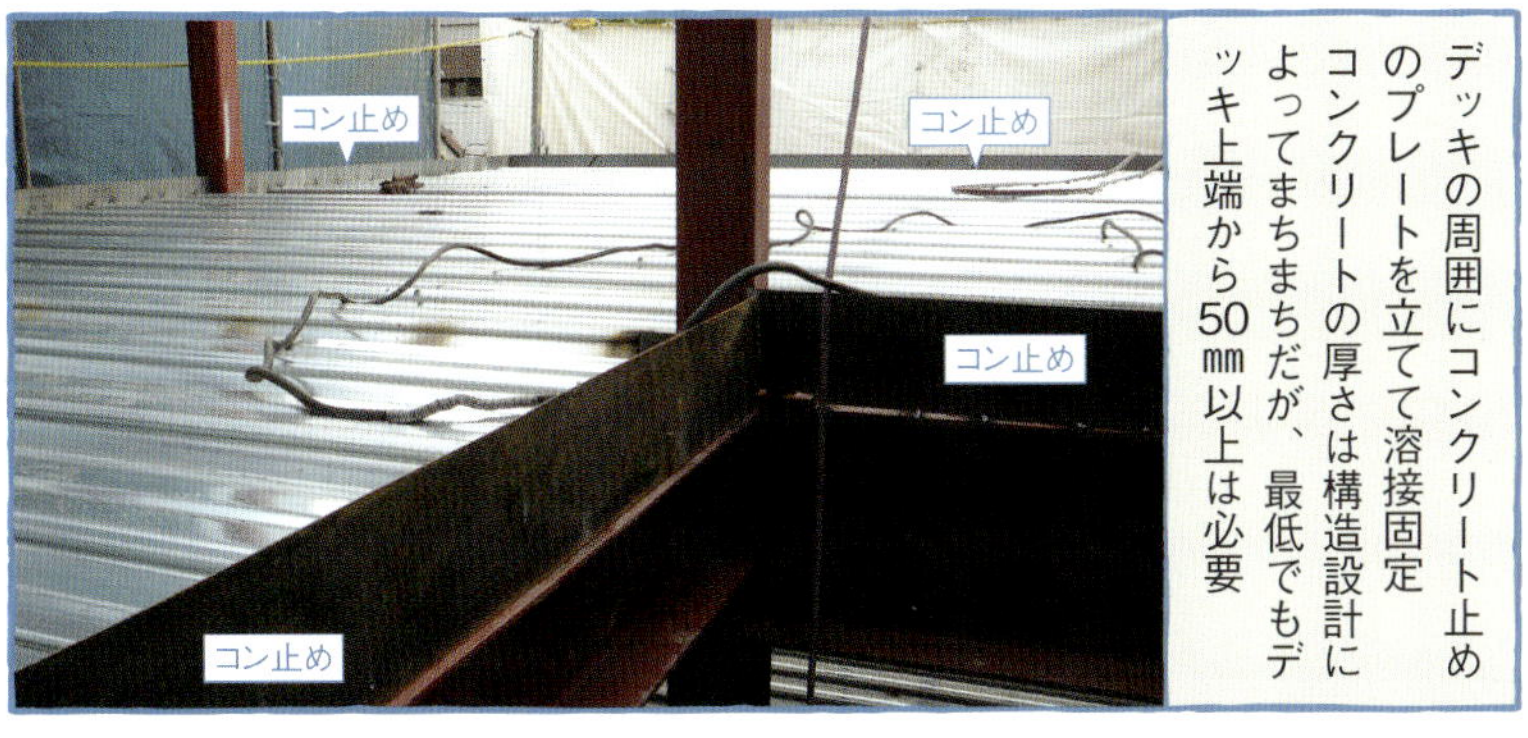

コン止め
コン止め
コン止め
コン止め
デッキの周囲にコンクリート止めのプレートを立てて溶接固定
コンクリートの厚さは構造設計によってまちまちだが、最低でもデッキ上端から50㎜以上は必要

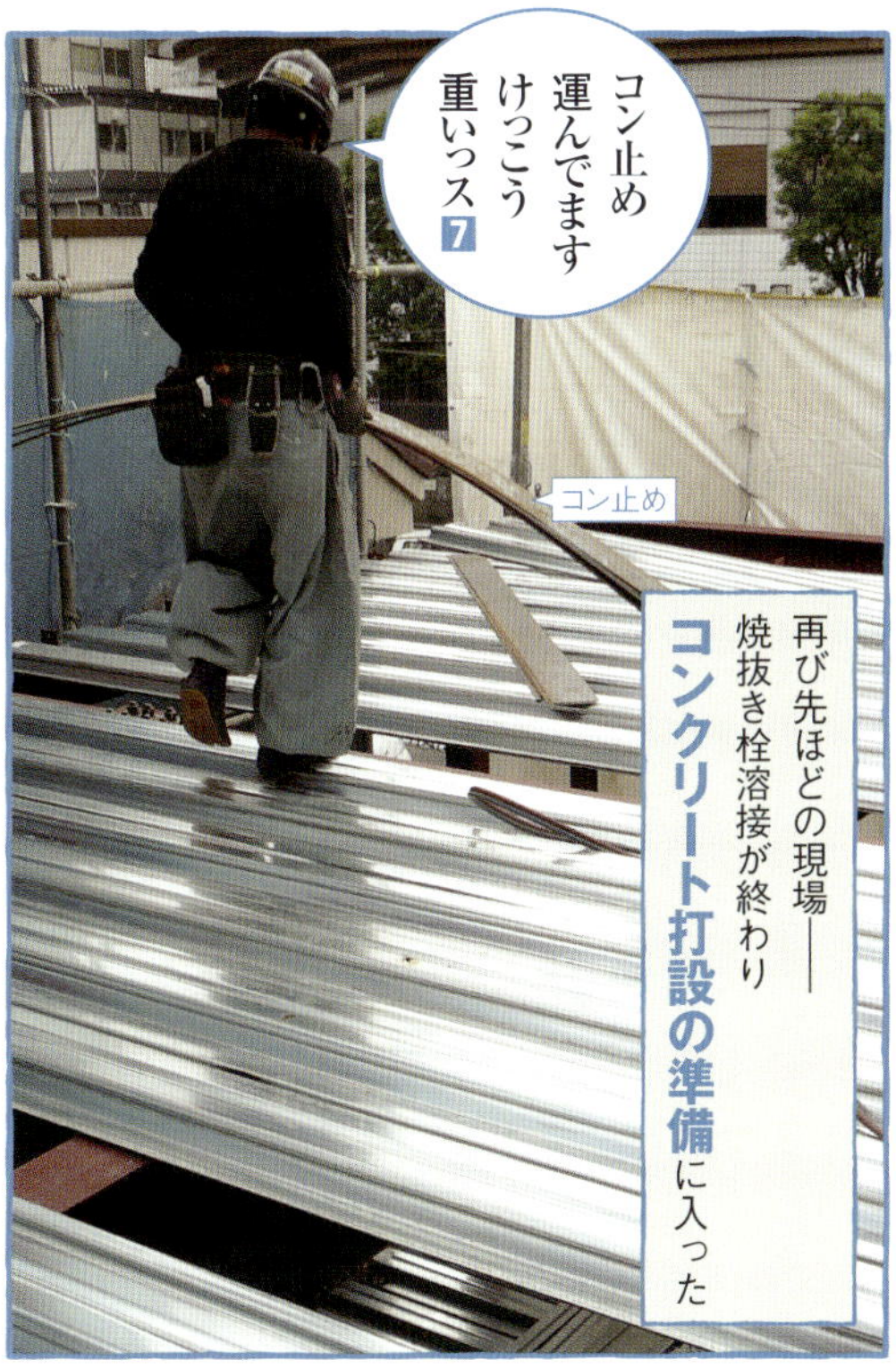

コン止め
運んでます
けっこう
重いっス 7
コン止め
再び先ほどの現場――
焼抜き栓溶接が終わり
コンクリート打設の準備に入った

ガセットプレート
コン止め
コン止め
階段や
ガセット廻りは
コン止めも
細かく入れます
階段の側桁

デッキの山が
きちんと
ふさがれて
いないと
溝孔から
コンクリートが
漏れてきます

マメチシキ | 6 スタットボルトが正しく溶接されているか否かは、打撃試験によって確認する 7 コン止めとは「コンクリート止め」の略

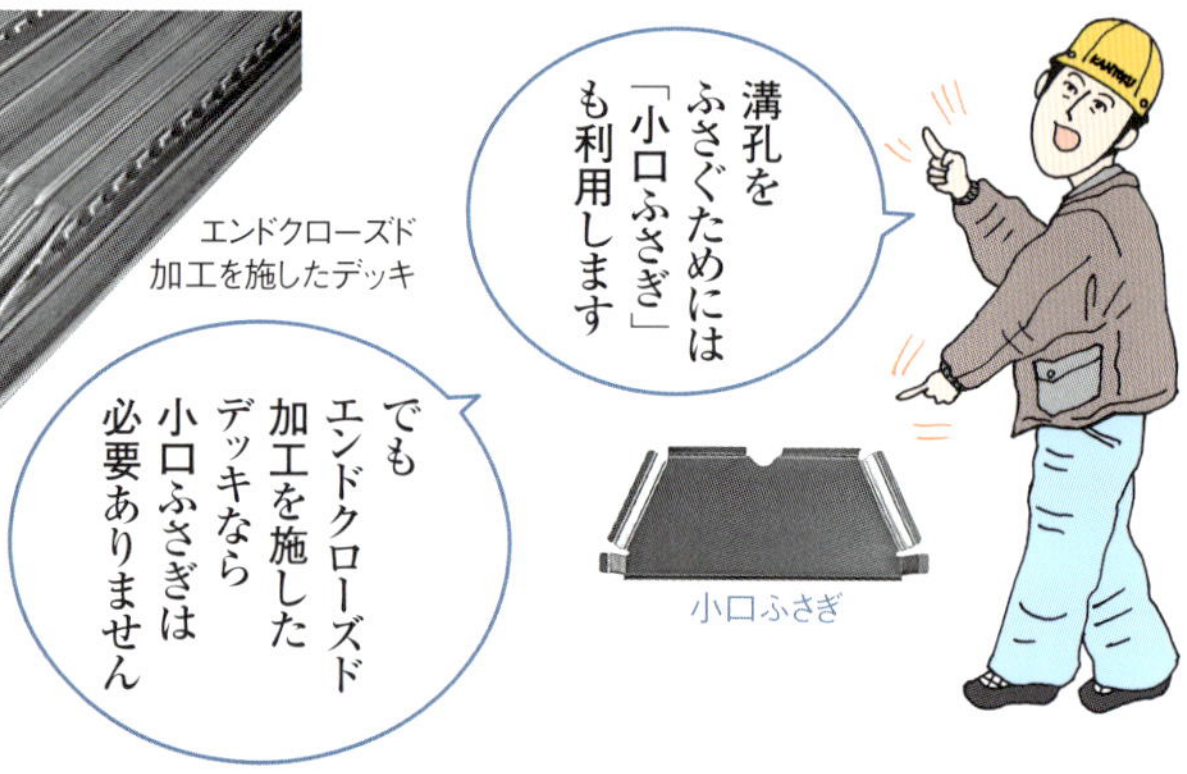
溝孔をふさぐためには「小口ふさぎ」も利用します
小口ふさぎ
でもエンドクローズド加工を施したデッキなら小口ふさぎは必要ありません

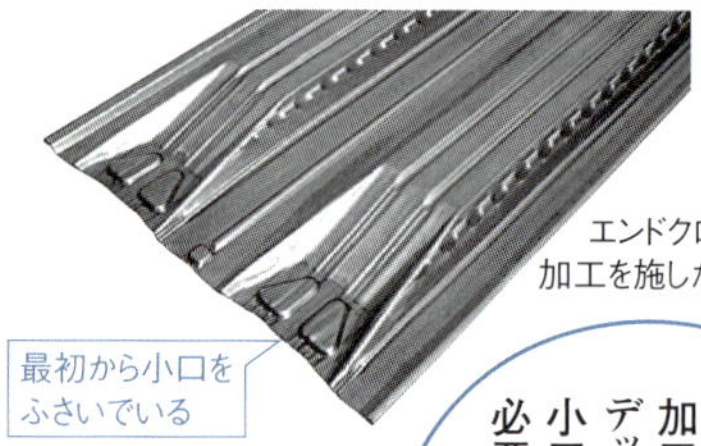
エンドクローズド加工を施したデッキ
最初から小口をふさいでいる

もちろん、梁の継手廻りもコンクリート漏れの要注意個所
ここは防水テープでふさがないとナ
防水テープ

お次はひび割れ防止筋の敷き込みだな 8

スペーサーで適切なかぶり厚を取りながらひび割れ防止筋を敷いていく
スペーサー
特に梁上のコンクリートは割れやすい。梁上まできちんとひび割れ防止筋を敷くこと

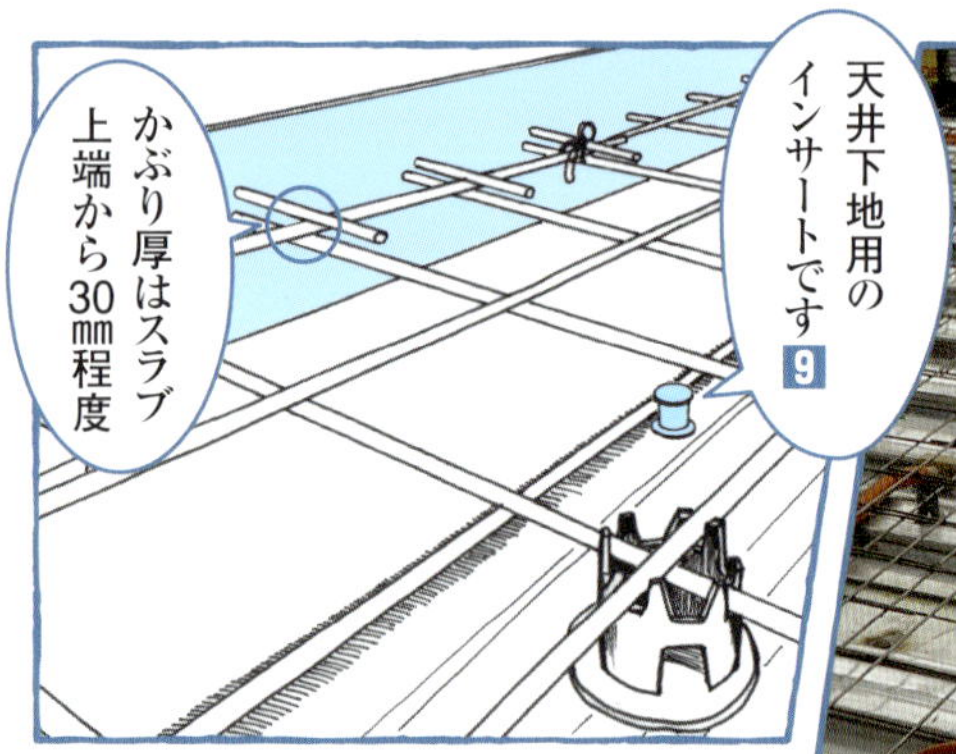
天井下地用のインサートです 9
かぶり厚はスラブ上端から30㎜程度

CD管
打設前にCD管を設置し忘れると一大事 10

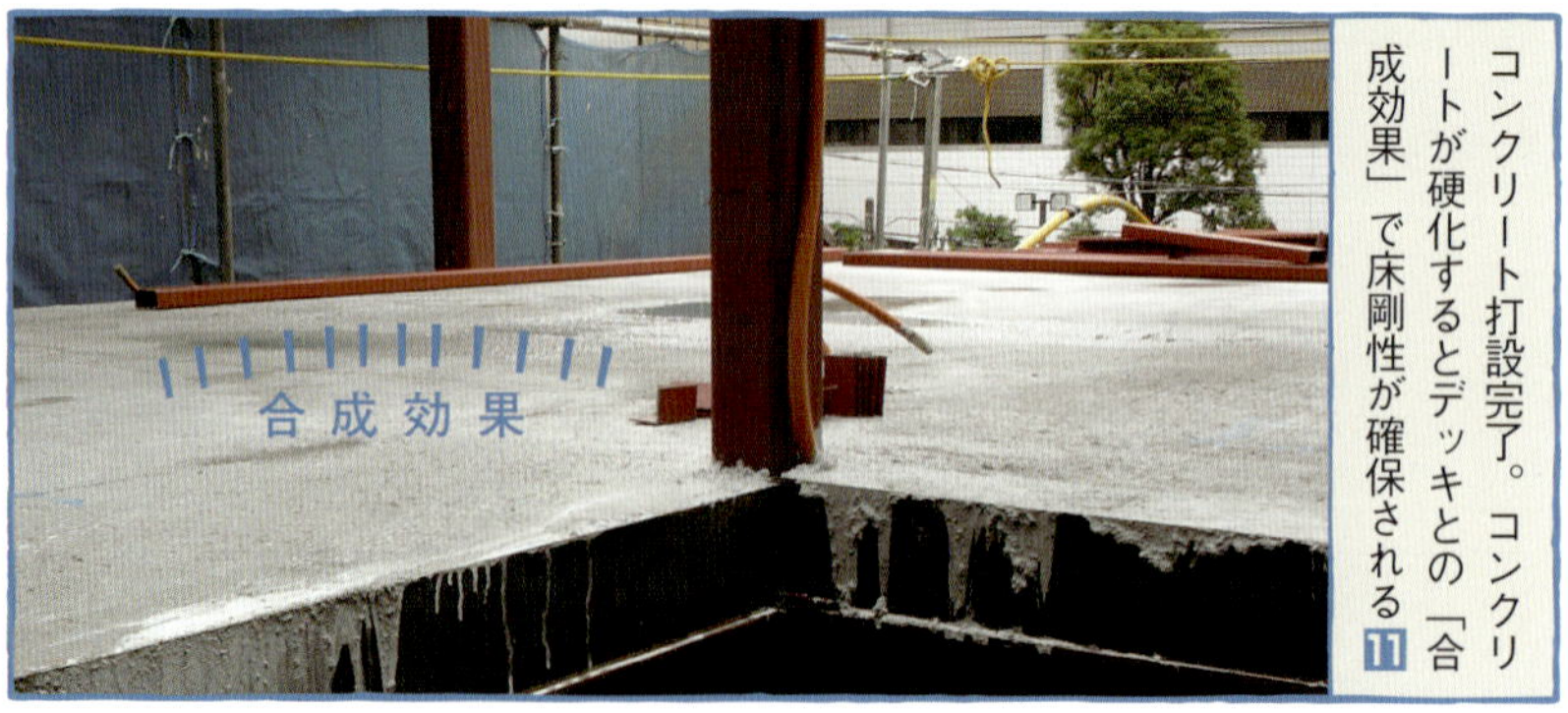
コンクリート打設完了。コンクリートが硬化するとデッキとの「合成効果」で床剛性が確保される 11
合成効果

ところで… コン止めは梁端部に付けないこと
打設前
コン止め
設計方法によっても異なるが、梁上に胴縁用のピースアングルなどを付ける場合は、事前にそのクリアランスを見越した位置にコンクリート止めを取り付ける。間違えると、打設後ではピースを付けるところがなくなる

打設後
コン止め
ピースアングル

鉄骨造は軽くない？

合成スラブ工法を採用した鉄骨造建築物は、建物全体の重量に占める床重量の割合が思いのほか大きくなる。積載荷重を含めた建物自体の重量はおよそ6～8kN（0.6～0.8t）／㎡程度、そのうち合成スラブの自重が占める割合は3～4割程度となる。

同規模であればRC造より軽量の鉄骨造は、さほど状態のよくない地盤（軟弱地盤など）で採用されることが多い。しかし、合成スラブの重量によっては躯体重量が増大するため、地業形式（直接基礎、地盤改良、杭基礎など）を変更せざるを得ないケースも出てくる。

さらに、デッキプレートより凸凹が小さいキーストンプレートであれば、打設するコンクリート量がデッキプレートよりも多くなるため、床重量はより増大することになる。

たかが床重量といえどもあなどれないということだ。

マメチシキ 8 ひび割れ防止筋は「ワイヤーメッシュ」「溶接金網」とも呼ばれる 9 天井下地用の吊りボルトを取り付けるためにスラブ下端に埋め込む金具。この時点で設置しておく 10 CD管のCDとはCombined Duct（コンクリート埋設専用合成樹脂可とう電線管）の略 11 コンクリートが硬化したら、1度床の上で飛び跳ねてみよう。建物が揺れたり、小さな揺れでもそれがいつまでも続くようであれば、後々クレーム化する可能性大。早めに対応策を考えなければならない

図3｜これが合成スラブだ

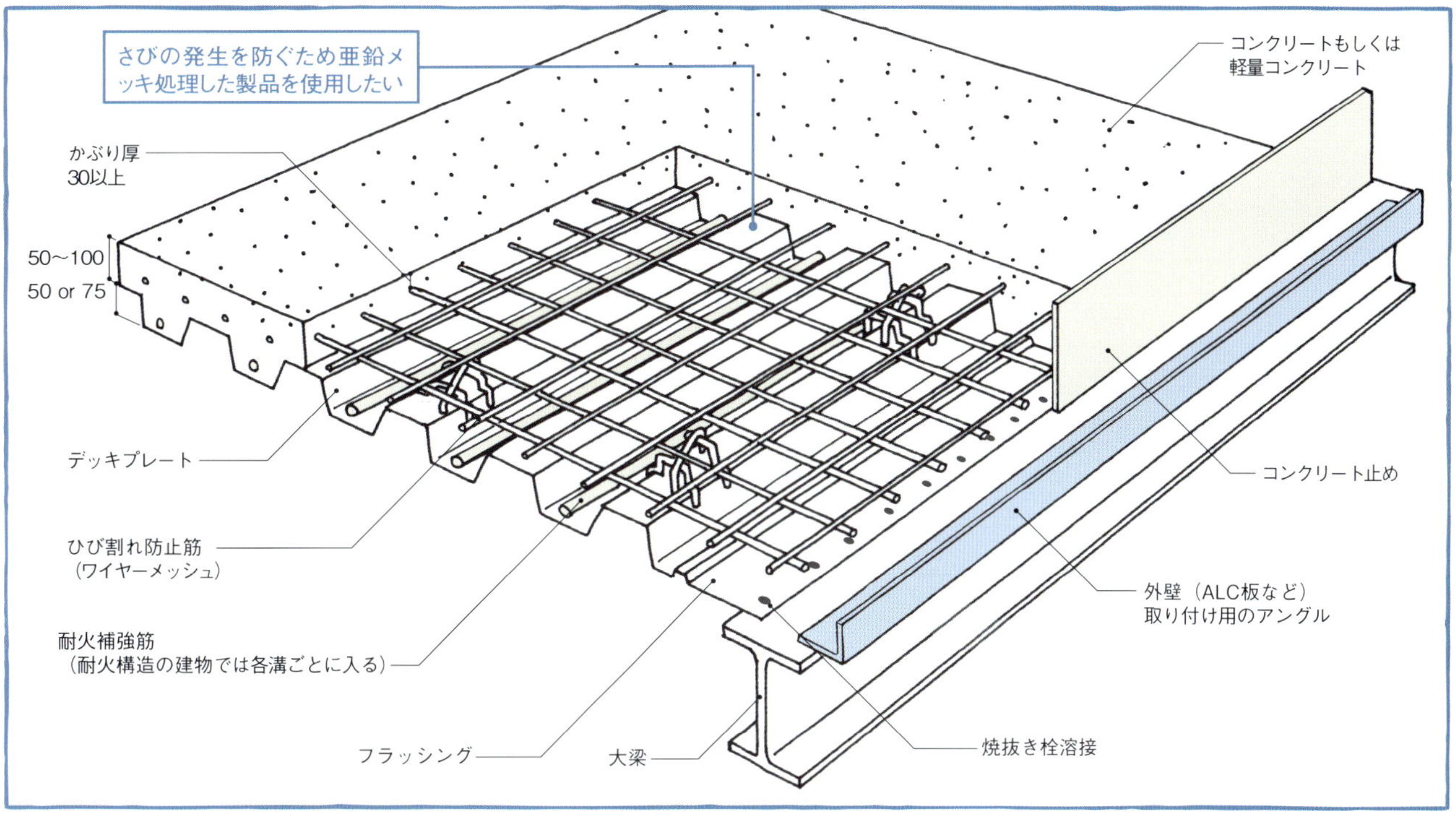

合成スラブはなぜ多い?

中小規模の鉄骨造建築物を代表する床構造が、合成スラブである。50〜75㎜の高さで凹凸状に加工されたデッキプレート（1.2〜1.6㎜厚）を梁上に敷き、その上にコンクリートを打設する工法をいう［**図3**］。

合成スラブのメリット

合成スラブは、デッキプレート自体がRC造におけるコンクリート型枠と鉄筋の役割を同時に果たすため、施工は比較的容易である。また、デッキが載る小梁のピッチが3m程度であれば、支保工なしでも施工が可能。頭付きスタッドや焼抜き栓溶接によって梁と接合することで、合成スラブ自体が床面の剛性を確保するので、水平ブレースも省略できる。

さらに、耐火性能が要求される建物では、デッキプレート上に80㎜程度コンクリートを打設すれば無被覆耐火床構造となり、床下側デッキプレート面の耐火被覆を省略できる［※1］。

合成スラブ工法を採用する建物では、以下の点を考慮しながら設計する。

意匠設計上の工夫

1｜スラブ厚さ・標準スパン

合成スラブのスラブ厚さを決めるのは、荷重条件、スパン、施工条件などである。デッキプレートの凸凹が大きいものを使用したり、デッキの板厚やコンクリートを厚くすれば、大きなスパンでもスラブだけで小梁を入れずに飛ばすことができる。ただし、その分自重も大きくなり、コンクリート打設時にデッキプレートがたわみやすい。

中小規模であれば、約2.5mピッチで小梁を設け、その間を合成スラブで架け渡すのが、構造的・経済的に最も効率がよい。

2｜床段差を設けるなら

スラブは、原則として段差のないフラットな形状で施工したい［※2］。しかし、水廻りなど配管の関係から床レベルを下げたいケースは少なくない。

そこで、床段差をつけたい場合は、梁のウェブや下フランジにデッキ受けを設け、その上にデッキを載せてコンクリートを打設する［**50頁図4、写真1・2**］。

3｜スラブ厚の抑制は可能か

法規による建物高さの制限から、階高を抑えるために床スラブ厚を最小限にしたい意匠設計者は少なくない。しかし、大臣認定品である合成スラブには規定のデッキ高さがあるため、意匠設計者が自由にデッキ高さを設定することはできない（コンクリート厚さは決められる）。さらに、スラブ厚を抑えることは、構造的強度や居住性能（遮音・振動）にとってはマイナスである。

どうしても階高を抑えたいのなら、エンドクローズド加工を施したデッキ［**48頁写真上**］を上下逆にして用いたり、前述の床段差の処理方法を応用するなどして、納まり上の工夫で見掛けの厚さ（スラブ天端から梁下までの高さ）を抑えるしかない［**50頁図4**］。

なお、梁上に打設されるコンクリートは引張応力が生じる部分であり、ひび割れが常に発生しやすい。したがって、コンクリート厚さは最低でもデッキ上端より50㎜以上は確保し、ひび割れ防止筋は必ず梁上にも配置する［※3］。

4｜床開口が欲しいとき

合成スラブは、「一方向スラブ」（鉛直荷重がデッキの溝方向にだけ伝達されるスラブ）であるため、床開口の大きさ、位置には注意が必要である。荷重、デッキスパンにもよるが、開口が600×900㎜

※1：必要なコンクリート厚さは荷重、支持条件、スパン、製品、耐火時間によって異なり、耐火構造とする建物では、ひび割れ防止筋だけでなく、耐火補強筋も配筋しなければならない。詳細については各製品の認定内容を確認のこと｜※2：合成デッキスラブは、床の積載荷重を支えるだけでなく、床面の面内剛性を確保する役割も果たす。また、鉄骨の製作・施工上、複雑な工程が必要になるため、なるべく段差は設けないほうがよい｜※3：これ以外にも梁上のコンクリート部分にスリットを設けて、ひび割れを抑制する方法がある

図4｜床段差の処理方法

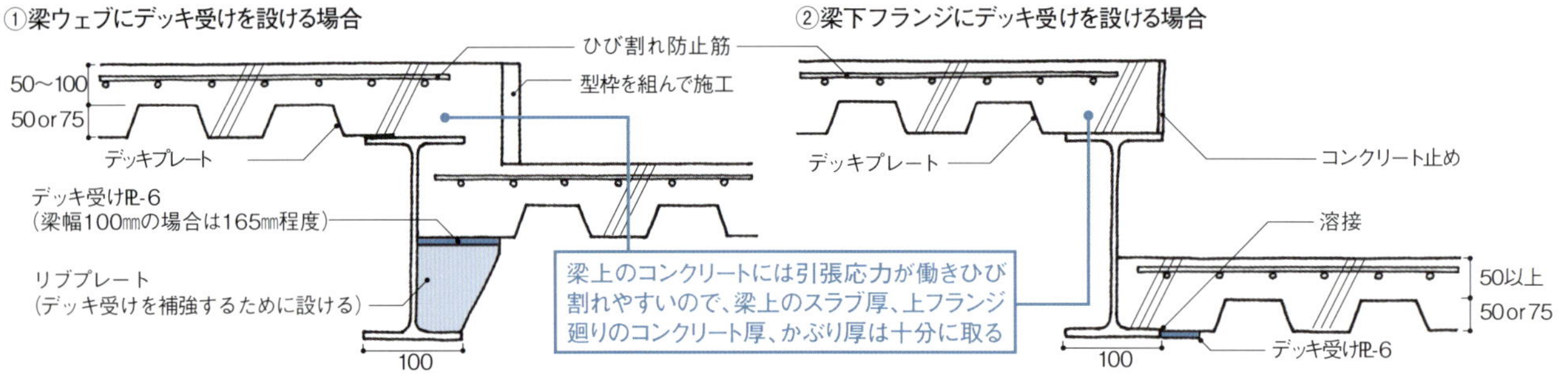

写真2｜H形鋼梁の上下フランジの間にデッキを納めて見掛けのスラブ厚を抑える

写真1｜段差を設けた床スラブの例（左）。この建物ではデッキ受けを付けずに梁せいを変えることによって床段差を設けている（右）

を超えるような場合は、小梁の追加を計画しなければならない［**図5**］。

図5｜床開口の制限

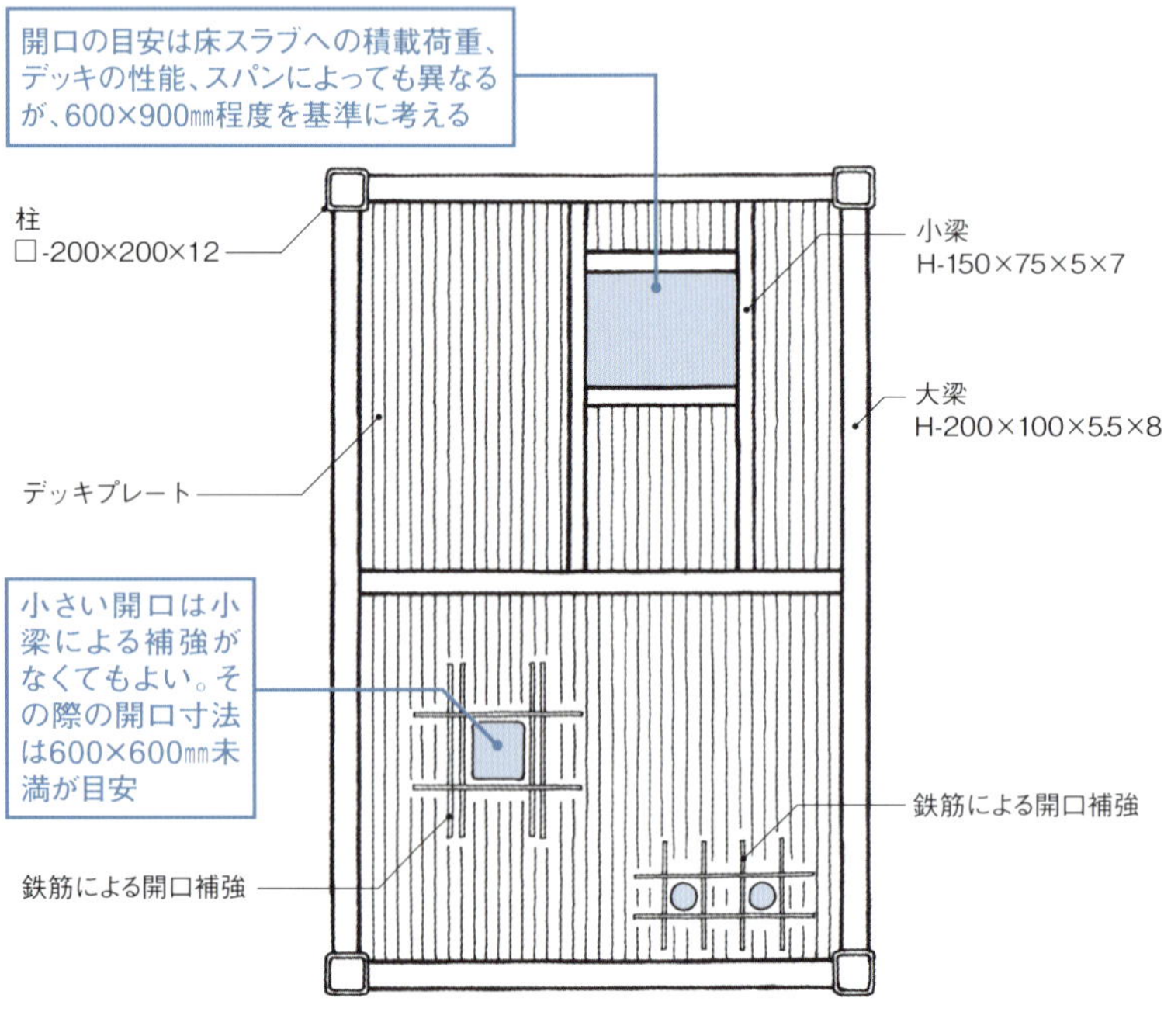

現場でチェックすべきこと

1｜デッキの割付

意匠図レベルではあまり問題にならないが、念のためデッキプレートの割付は確認しておきたい［※4］。特にスラブを露出天井とする場合は、施工図段階でデッキの見え方の確認が必要である。同様に、露出天井ではデッキ受け［**46頁図2**］も見えてしまうので、形状、位置などを施工図で確認しておきたい。割付の最後が半端になったり、デッキプレートでは割り付けられない部分（梁継手など）が必ず出るのでフラッシング（幅調整板）を用いて調整する［**46頁写真**］。

2｜コンクリート止めの位置

梁上に載せ掛けたデッキプレートには、打設前にコンクリート止めのプレート（コン止め）を設置する。梁上でデッキが分断される場合などは、溝孔一つひとつをふさぐ小口ふさぎ（クローサー、クローザーなどと呼ばれる）を取り付ける［**48頁写真**］。

打設の際、溝孔からのコンクリート漏れは若干量であれば問題ないが、構造材を露す計画であれば、梁や柱にコンクリートの漏れた跡が残るとその美観は著しく損なわれる。コン止め、小口ふさぎの施工精度は、打設前に必ず確認しておきたい［※5］。

3｜ひび割れ防止筋の意味

合成スラブは、デッキプレートがRC造における型枠・鉄筋の役割まで果たす。ただし、ひび割れ抑制のための鉄筋（ワイヤーメッシュ）だけは敷き込んでおかなければならない。

しかし現場によっては、スペーサーを用いず、デッキプレートの上にひび割れ防止筋を直接載せている状態のものを見かける。これではひび割れの抑制となっているか心許ない。

たとえ、ひび割れ防止のためだけであっても、コンクリートのかぶり厚は30㎜厚程度を確保し、スペーサーは適正な位置で保持するよう現場担当者に指示しておきたい［**48頁写真**］。

※4：一般に、デッキプレートの幅は600㎜と300㎜の2種類だが、デッキをスパンの中央から割り付けるか、スラブの端から割り付けるかが意匠上のポイントとなる｜※5：エンドクローズド加工を施したデッキであれば小口ふさぎは必要ない

その他の床工法の使い分け

1 ALC板を用いる工法

ALC板を床構造に用いる工法で、3m程度のスパンであれば、ALC板の厚さは150㎜程度となる。材料自体に耐火性能があるALC板は、耐火床構造とすることも可能である[図6①]。

2 キーストンプレートなどによる型枠工法

合成スラブのようにコンクリートとプレートが一体にならない工法。天井露しなど意匠上の目的でキーストンプレートなどを用いるものだが、コンクリート重量をキーストンプレートのみで負担することになる。

後述のCチャン根太の代わりに凸凹の小さいキーストンプレートなどを用いる場合もある[図6②]。

3 リップ溝形鋼（Cチャン）などで根太を組む工法

木造と同様の根太組工法だが、根太まではCチャンなどで鉄骨工事とする。それ以降の下地と仕上げは木造と同様の納まり、工程となる[図6③]。

4 木根太を使用する工法

床組をすべて木造とする工法である。木造の大引や根太など鉄骨部材が取り合うので、接合方法には注意する[図6④]。木材と鉄骨部材は溶接できないため、鉄骨側にはあらかじめ木を留める受け材やボルトを付けておく必要がある。

これら**1**～**4**の工法のポイントは、どこまでが鉄骨工事で、どこからが木工事かという工種の切り替えにある。一般に木工事が得意な工務店では木工事の多い工法を選択したがる傾向にある[※6]。

また**1**～**4**の工法は、合成スラブ工法とは異なり、床単体で水平剛性を確保できないため床下には必ず水平ブレースを設置しなければならない（水平ブレースに関する注意点は**90頁図5**参照）。

屋根工法は床の延長?

鉄骨造建築物の屋根は、床と同様の工法が可能であるが、人が載らない屋根であれば合成スラブを用いずに、鋼製の母屋と水平ブレースで屋根を構成するのが一般的だ。

形状がシンプルな屋根であれば、折板を用いると母屋なしの屋根が可能となりコストも抑えられる。折板と同形状のタイトフレーム（下地材）を梁上に溶接したのち、折板を載せてボルト留めする。折板屋根も折板自体には水平剛性がないため、屋根面には水平ブレースを取り付ける必要がある[図7]。［望月泰宏］

図6｜代表的な床工法

①ALC板を用いる工法

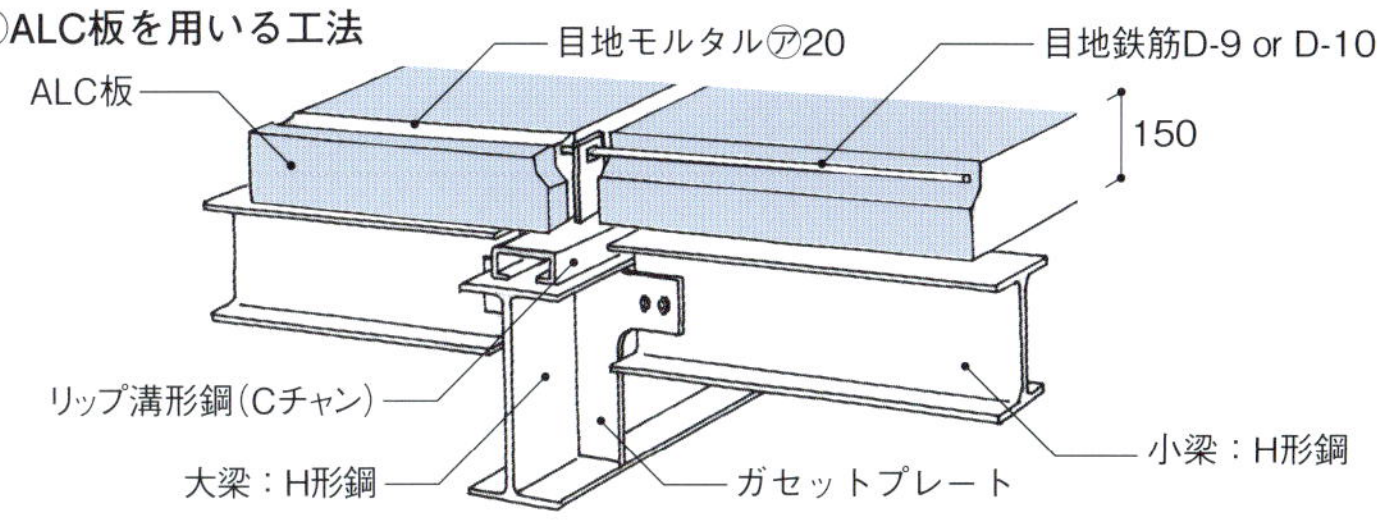

②キーストンプレートなどによる型枠工法

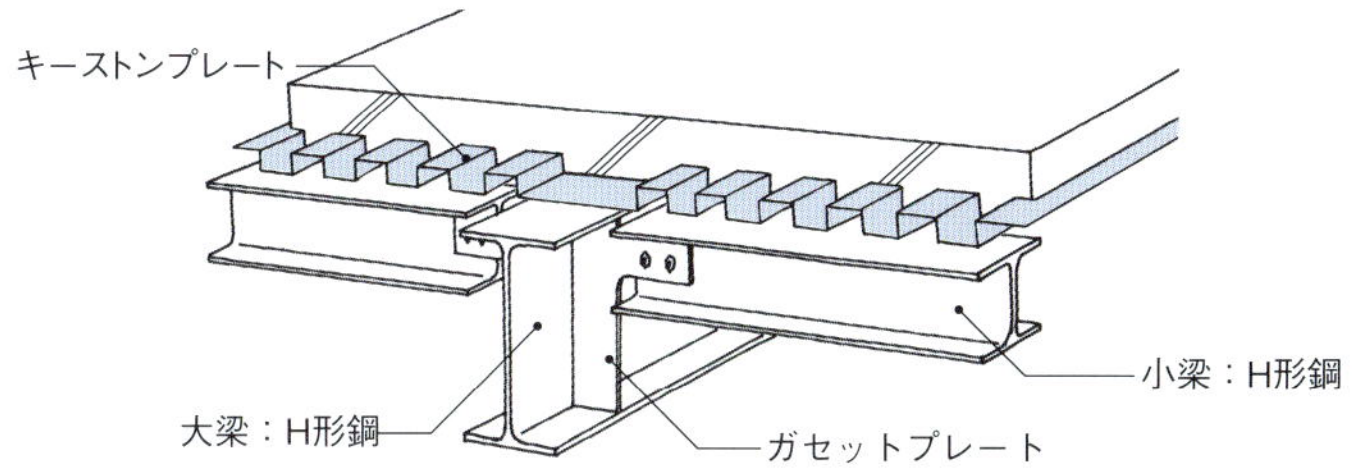

③リップ溝形鋼などで根太を組む工法

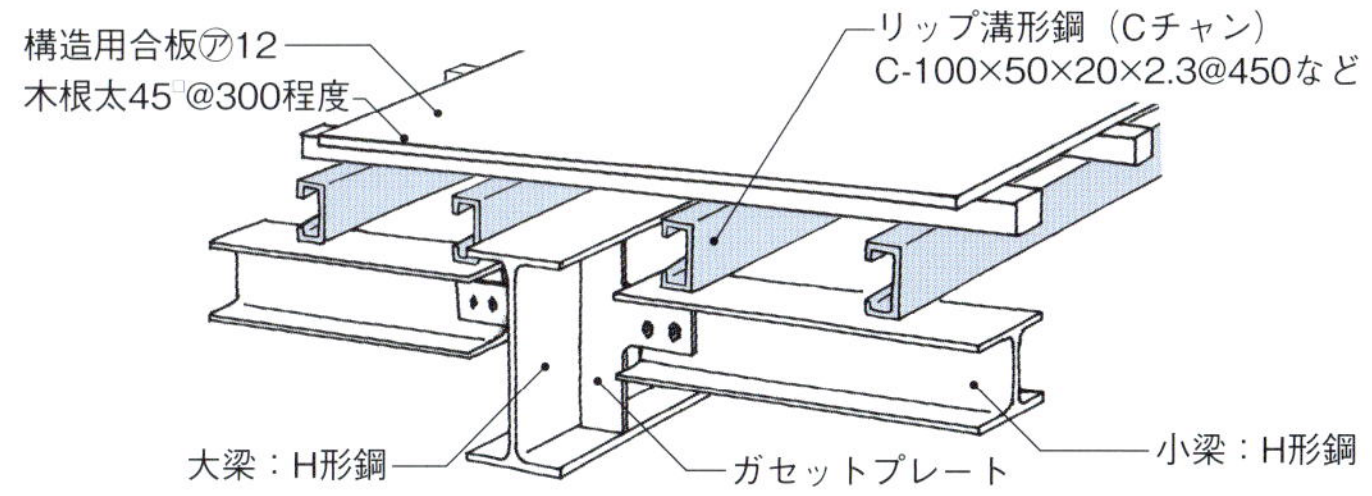

④木根太を使用する工法

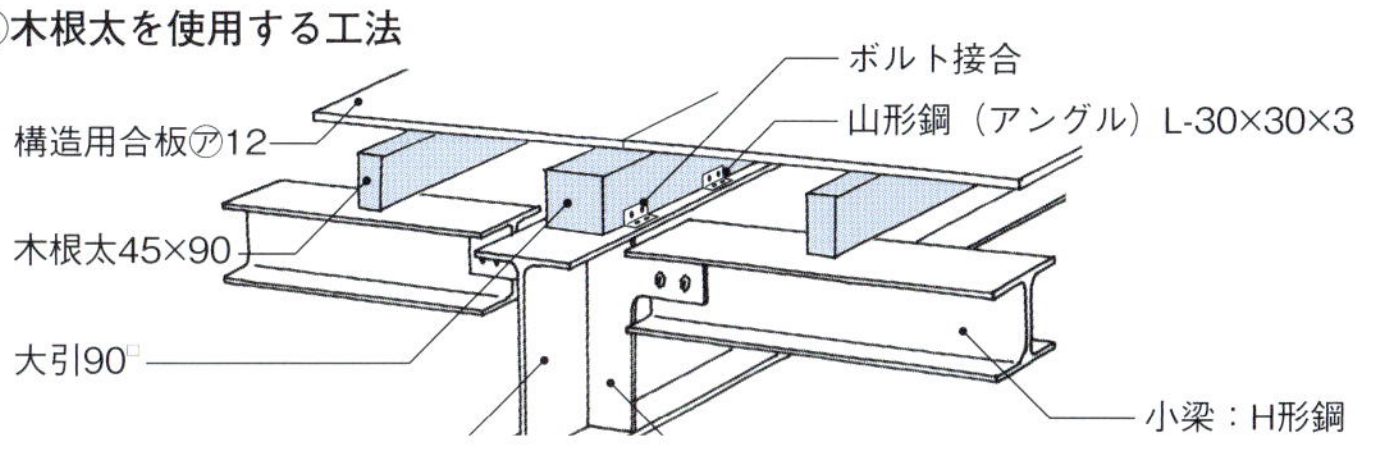

図7｜代表的な屋根工法

①鋼製の母屋で構成する屋根

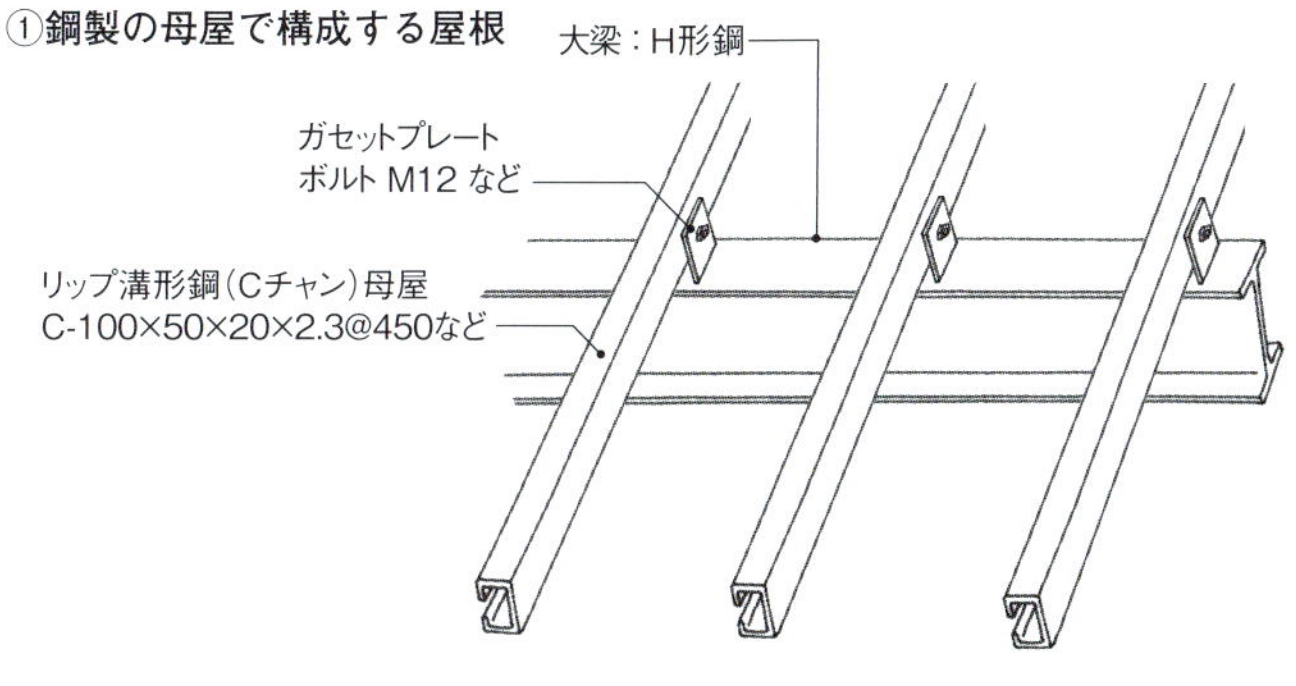

②折板屋根

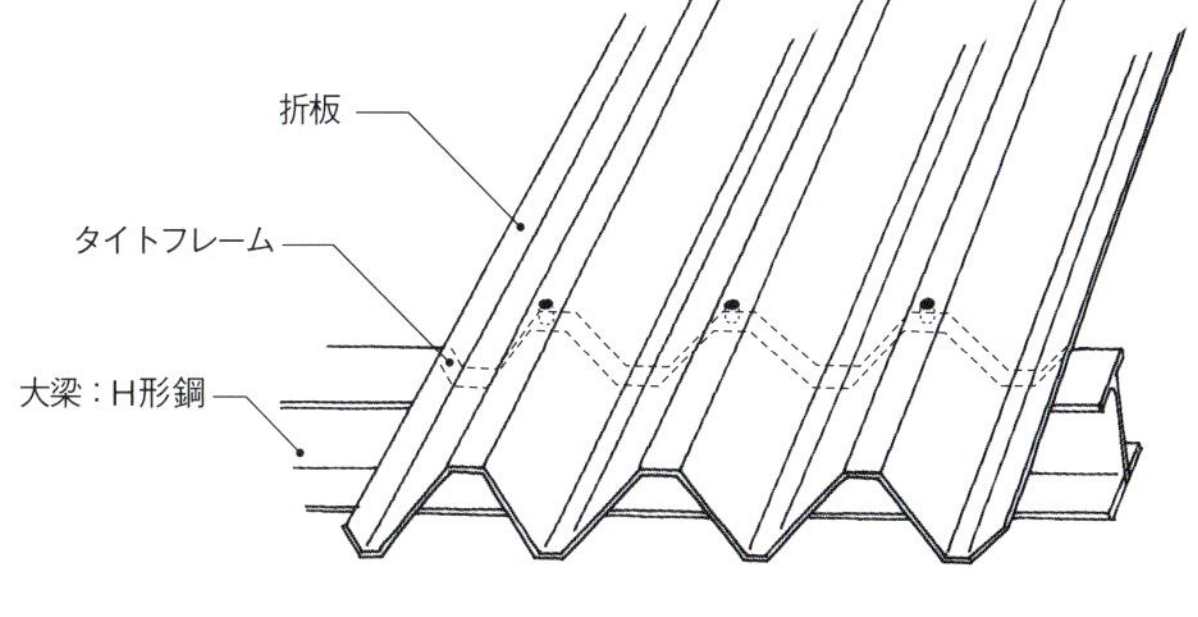

※6:筆者の場合、居住性・構造性能を考えると、合成スラブ工法をお勧めしたい。ただし、1～4の工法を採用する場合は工務店ごとに工事の得手不得手があるため、見積金額も変わってくる。したがって、採用する工法はコストも含めて総合的に判断する

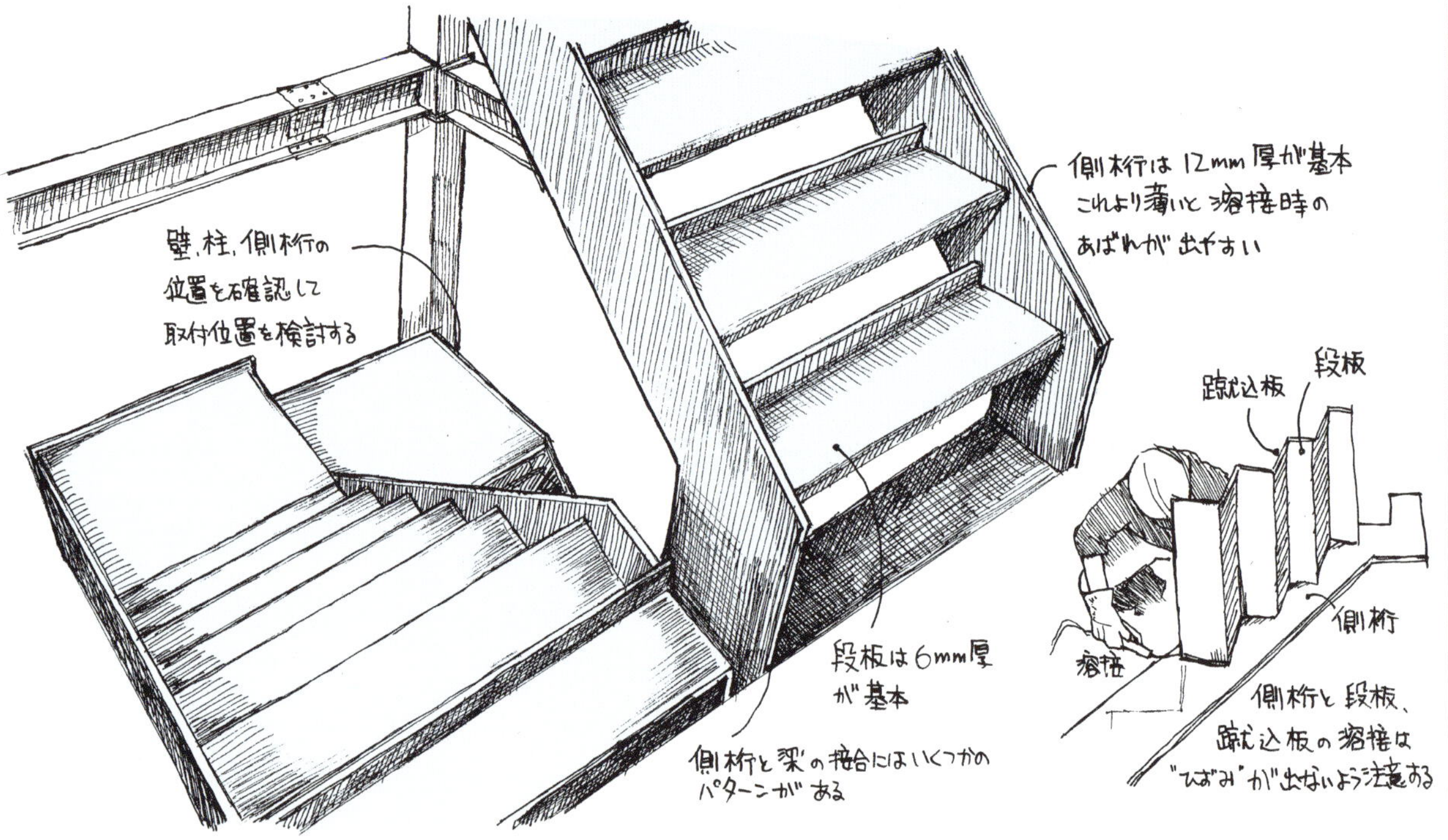

階段

鉄骨階段は精度が命である。
直接表面に現れることの少ない構造躯体なら、
多少の精度の悪さは仕上げで吸収することができるだろう。
しかし階段は、鉄骨そのものが仕上げとなるため、
精度の悪さは即仕上げの悪さへとつながる。
精度の高い階段をどうやってつくるか。
これは鉄骨加工工場の腕前だけでなく、
そうしたことに配慮した階段を設計できるか否かという、
設計者の力量の問題でもある。

階段の製作

まず、側桁のプレートを組み立てて溶接。溶接部分はグラインダで平滑に仕上げる

段板・蹴込み板を溶接する位置を、実寸図をもとに、側桁にけがいていく

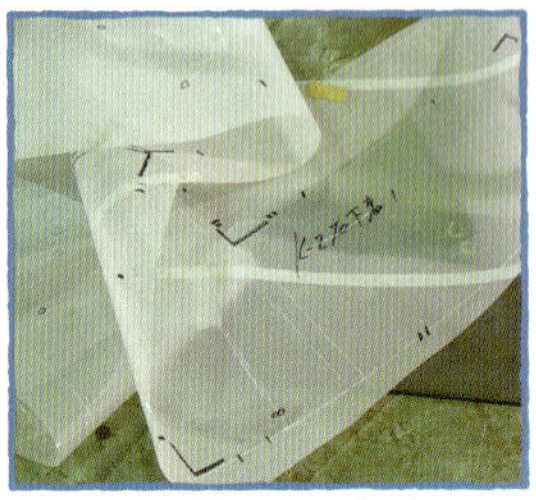

フィルムに描かれた実寸図

けがいた上から段板・蹴込み板のかたちを石筆（せきひつ）1で引いていく

段板・蹴込み板の溶接準備完了

マメチシキ | 1 チョークの形をした石の筆記具。材質はろう石で、形状や大きさにはさまざまな種類がある。ろう石はろうのように半透明で柔らかい石のこと。熱に強く、溶接などで加熱されても消えにくい

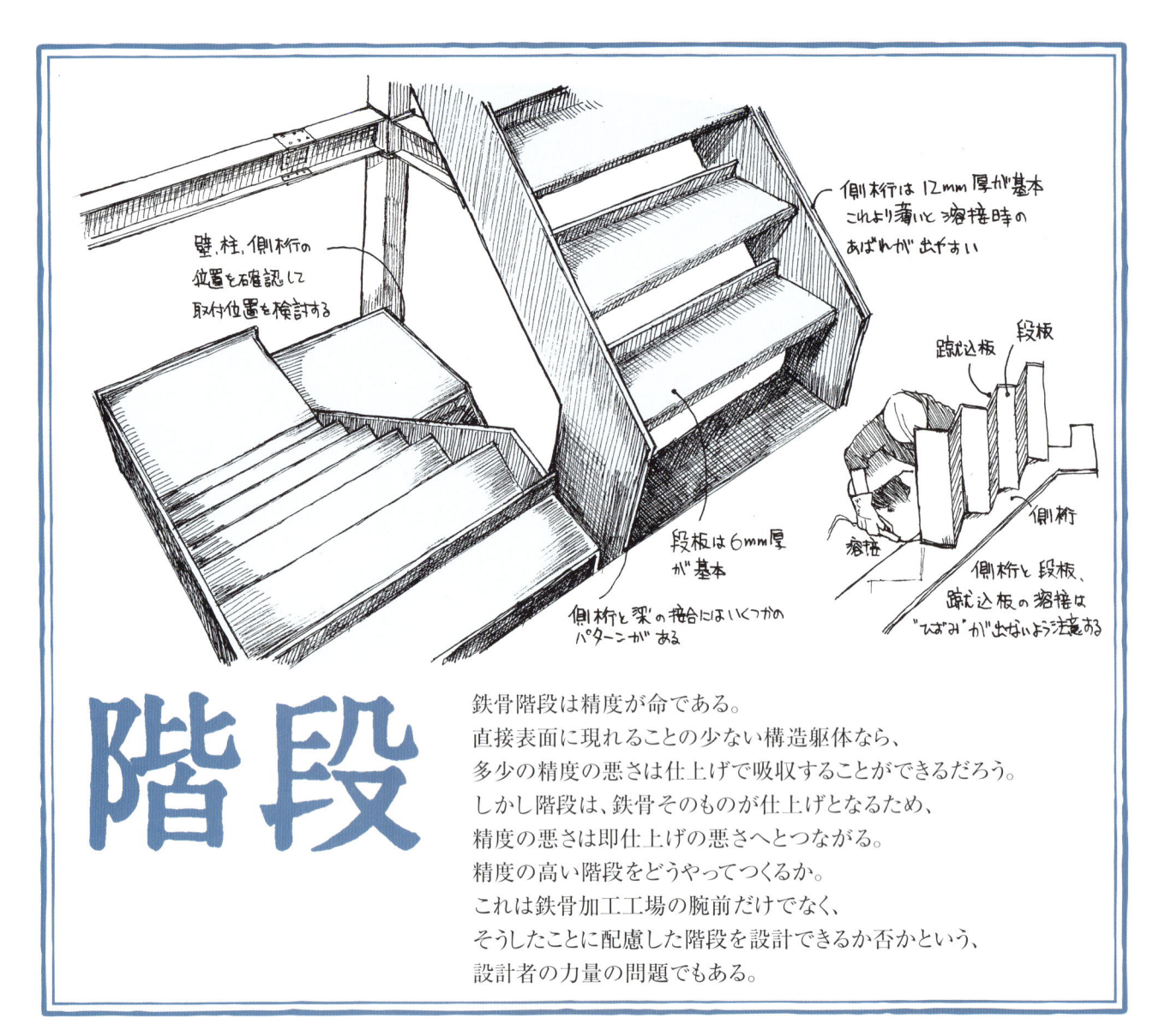

これは、折り曲げ加工された回り階段の段板・蹴込み板のセット

段板・蹴込み板は組み立ての精度を上げるため、側桁との溶接前にプレートの縁を削るなどの微調整を行う

側桁に引いた線に合わせて段板・蹴込み板を配置。いよいよ溶接に入る

側桁に段板・蹴込み板を溶接

溶接方向、位置、順序を工夫してひずみが出ないように注意する 2

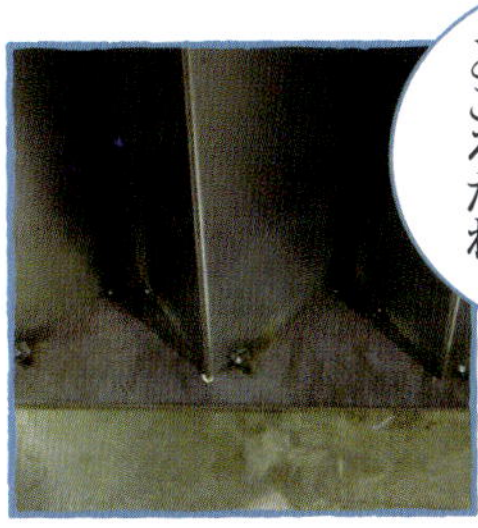

溶接後の状態。まずは仮固定している

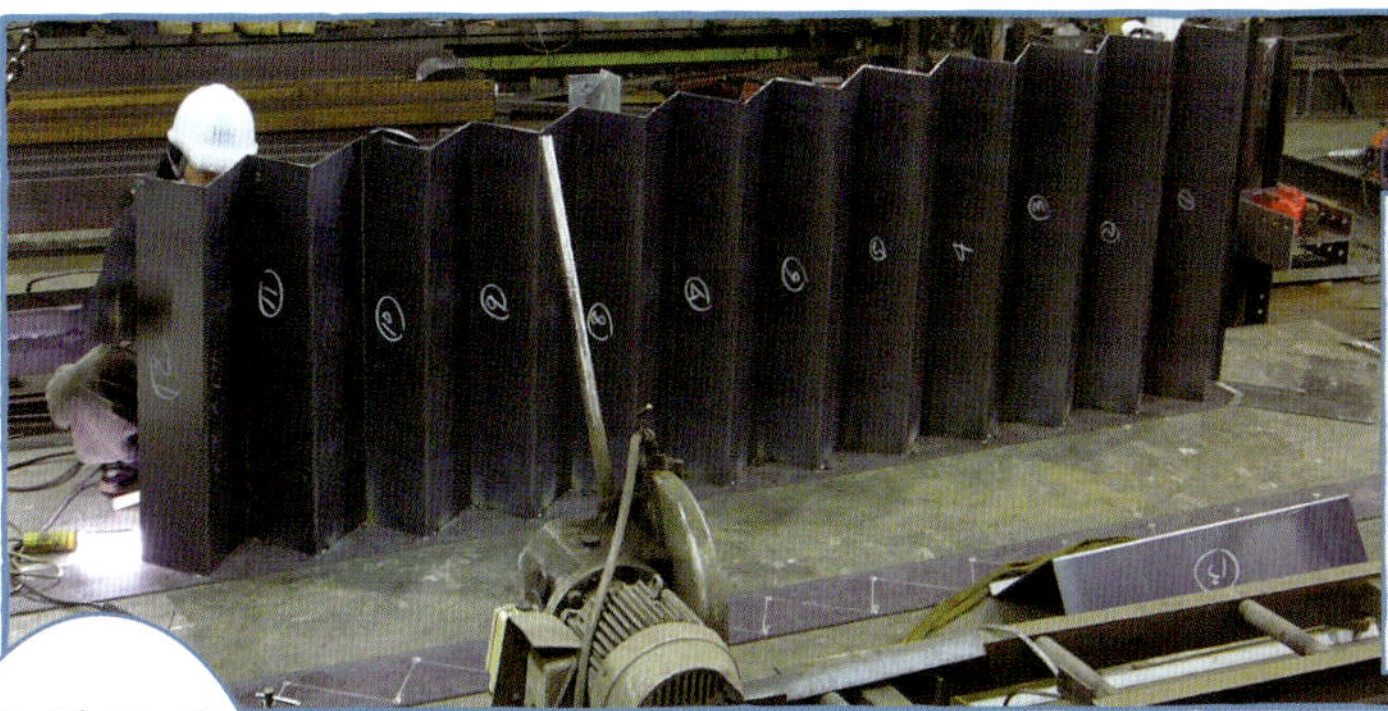

片側の溶接はほぼ終了

もう一方の側桁を溶接する前に、正確な寸法を取りながら段板と蹴込み板を固定

正確に寸法をチェック

ひととおり組み立て溶接が終わると、段板と側桁、段板と蹴込板の本溶接に移る

基本的には隅肉溶接の連続溶接とするが、この階段のように小さいものは断続溶接にすることもある

完成後、設置された様子

マメチシキ | 2 階段の製作過程で最も配慮したいのは、溶接によって生じる変形の制御である。鉄骨加工工場の力量にもよるが、溶接による変形を見込んだ板取りや設置角度を考慮するとともに、溶接順序を工夫すれば、変形を発生させずに組み立てることができる

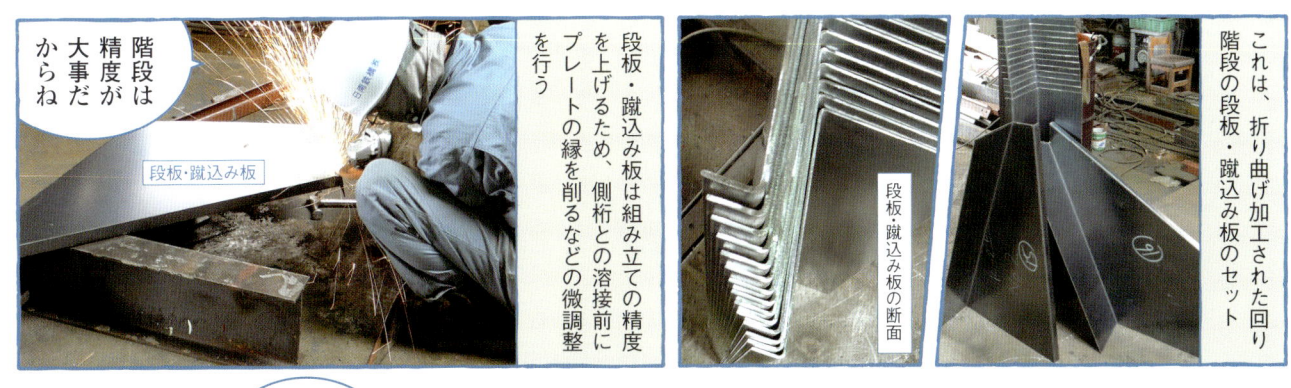

これは別の現場——1層分が1ユニットの折り返し階段を現場に搬入して建方を行う 3

現場によっては仮ボルトがきちんと入らないところもあるよ

側桁脚部のボルト締めは、本体の本締めが終わってから。ただし、建方時に仮留めはしておく 4

この階段は側桁を梁に直接載せています
側桁
梁
段板

踊り場の取り付け

側桁
リブプレート

側桁の位置によって、取り付け方法や形状を検討する。柱からの取り付け距離が長いときはリブプレートなどで補強する

KANTOKU
鉄骨階段は木造の建具工事と同じです精度が命

鉄骨階段のスタンダード

筆者の経験では、これまで鉄骨階段の意匠図が細部にわたって綿密に検討されていた例はほとんどない。階段設計の難しさを考えれば、それはある意味では仕方のないことだと思うが、せめて施工図の確認だけは意匠設計者の側でもしっかり行えるようになっておきたい。

階段の施工図は、意匠図と構造図の整合性や現場での施工性を確認するための、非常に重要な図面である。施工図をチェックする際のポイントを知っておくだけでも、階段の設計に十分役立つはずだ[※1]。

ここでは、階段設計の基本となる寸法と併せ、施工図のチェックポイント、鉄骨階段の勘所を押さえていきたい。

意匠上のポイント

階段の形式にはさまざまなバリエーションがあるが、鉄骨造の住宅や事務所ビルなどでは、折り返し階段の採用が多い。

ひと口に折り返し階段といってもその意匠はさまざまだが、ある程度基準となる考え方、寸法は存在する。以下は、筆者が折り返し階段で基準としているもので、特に意匠設計者とのやり取りで頻出する基本的なものを挙げた[**図1**]。

1 側桁は12㎜厚以上

一般に、建物全体に占める階段の平面的、立面的スペースは、建築基準法施行令に規定された最低限のスペースしか確保されないことが多い[※2]。少しでも居室の面積を確保したいとの配慮からだろう。そうなると、階段スペースにゆとりがなくなり、設計・施工上のわずかな狂いが決定的なミスとなりかねない。特に、側桁に近接する壁面との精度の悪さは許されなくなる。

たとえば、側桁を幅木として壁を仕上げる場合[**56頁図2①**]、あるいは、壁との間に若干の隙間を設ける場合[**56頁図2②**]、側桁は12㎜厚以上のプレートを使用するとよい。ワンサイズ下の9㎜でも応力的には問題ないが、溶接や組み立て時にプレートがあばれやすいため、仕上げとの誤差が目立ち美しい納まりとはなりにくい。

2 床レベルとの整合性

これは非常に多いミスだが、意匠図のなかで建物本体と階段部の床レベルが食い違っていることがある。そのときは、構造図との整合性も取れていない可能性が高い。これらは施工図段階で再度の確認を行うようにする。ポイントは、側桁の終わる位置（側桁を梁に取り付ける位置）で、側桁上端と床仕上げレベルの位置に食い違いがないかどうかを見ることである[**56頁図3**]。

3 天井の納まり

階段裏面は、天井を張る場合と張らない場合があるが、天井を張るのであれば、天井の下地・仕上げが、段板下と側桁下端のあきにきちんと納まるかどうかを確認しなければならない[**56頁図4**]。天井を張らない場合は、溶接位置や溶接方法を含め、段板や蹴込み板の意匠的な見栄えがよいかなどを確認する。

構造・施工上のポイント

1 側桁の段ずらし

側桁は階段の構造上最も重要な部分であるため、まずはその形状の確認を行う。特に折り返し階段の内側にくる側桁は、踊り場部分で段をずらすと段裏の見栄えがよく、すっきりするのだが（これを「段ずらし」という）、代わりにプレートのせいが小さくなるため、その部分が応力を

マメチシキ | 3 鉄骨加工工場としては1層分を一体で組み上げるほうが効率がよい。その場合、搬送、搬入、組み立てが可能かどうか事前の確認が必要。また、溶融亜鉛メッキ仕上げの場合はメッキ槽の大きさを確認しておく 4 構造躯体の管理許容差は階高で ±5㎜、梁の水平度はL/1,000、柱の倒れはH/1,000となっており、この誤差を階段でどのように吸収するかが課題となる。ガセットプレート、または側桁のボルト孔を縦横のルーズホールにするという方法もあるが、階段の支点は構造設計上一般にピン接合で解析していることが多いので、構造設計者への確認が必要となる。できれば、ボルト孔のクリアランスの最大合計4㎜以内の誤差で処理したい

図1｜折り返し階段の寸法と納まりの注意点(階高3.5m程度)

①基本的な納まり

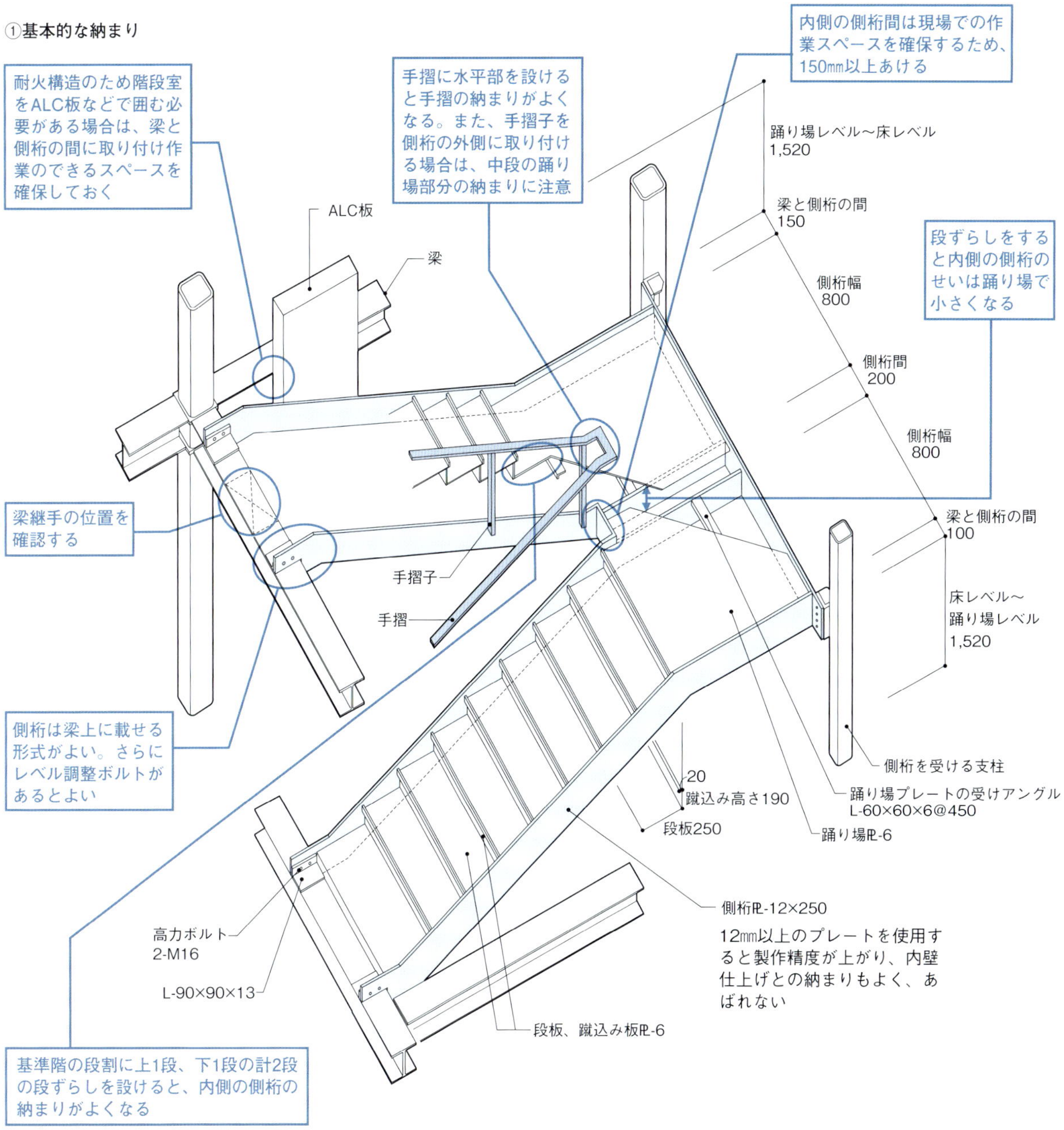

②段ずらしの注意点

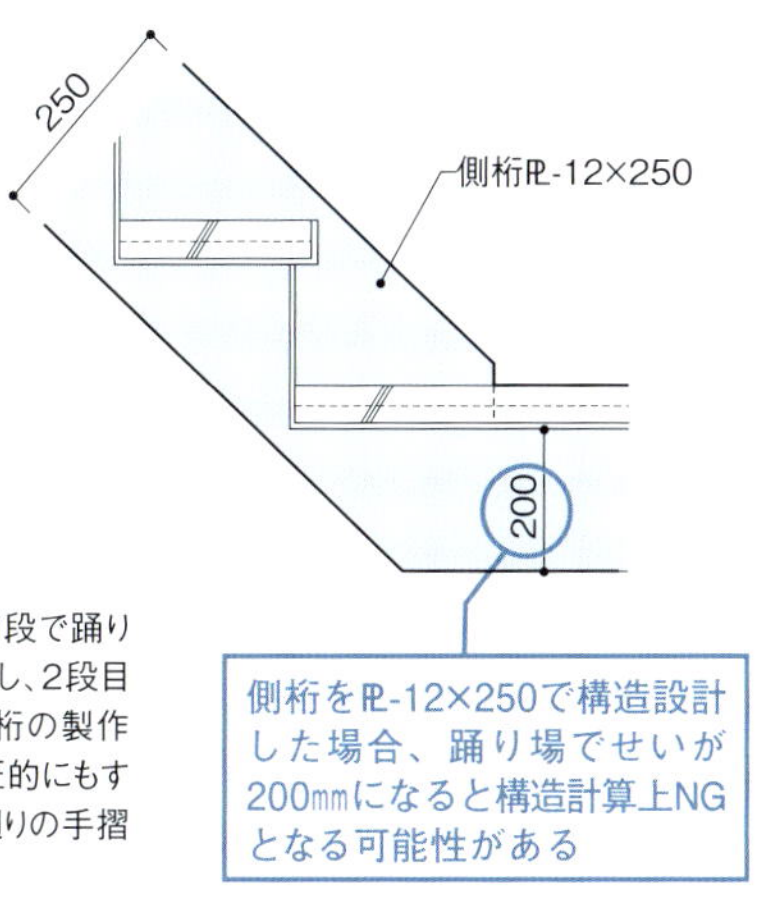

段ずらしとは鉄骨の回り階段で踊り場から登りの1段目を省略し、2段目から始める形式のこと。側桁の製作工程が減るだけでなく、意匠的にもすっきりした納まりとなり、内廻りの手摺も滑らかに廻すことができる

③段ずらしをしない場合の注意点

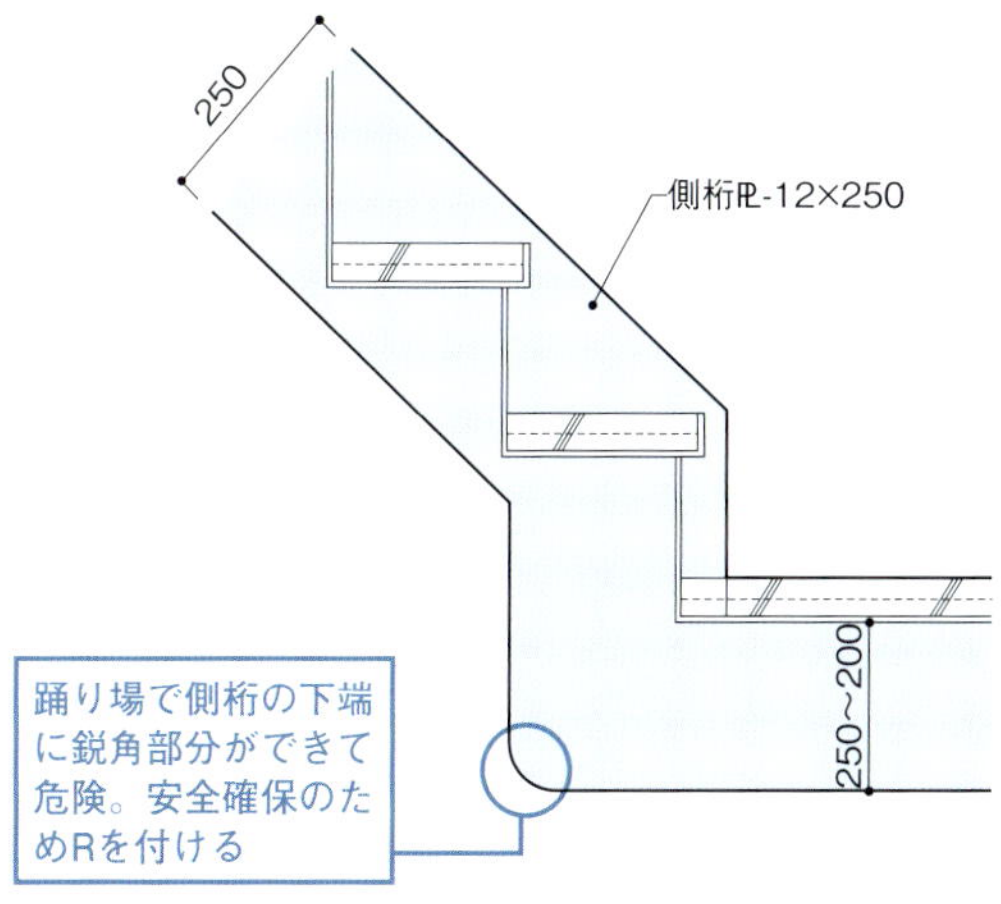

※1：最近は階段専門の鉄骨加工工場に外注することが多い。その場合は、切り板・折り曲げ加工も外注となるので、意匠図、構造図、施工図の事前の確認を詳細かつ綿密に行っておく必要がある。さらに、現場監督のレベルが低くなり、的確な指示ができなくなっている現状を考慮すると、意匠設計側のより一層の入念なチェックが必要といえる｜ ※2：建築基準法施行令23〜27条、120条、121条、124条

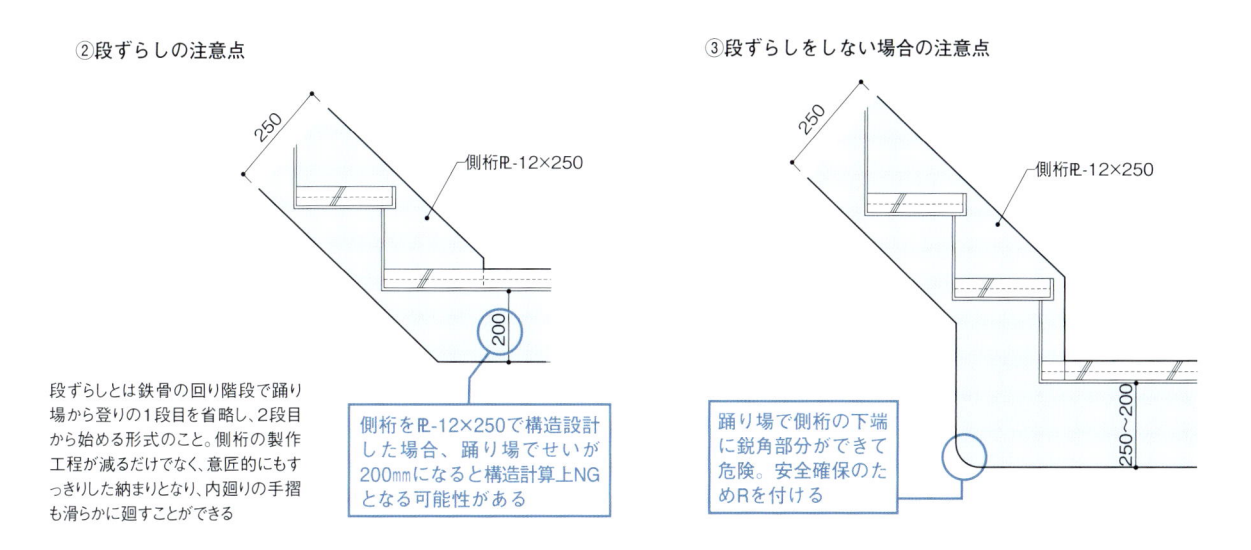

図3｜側桁と床レベルの関係

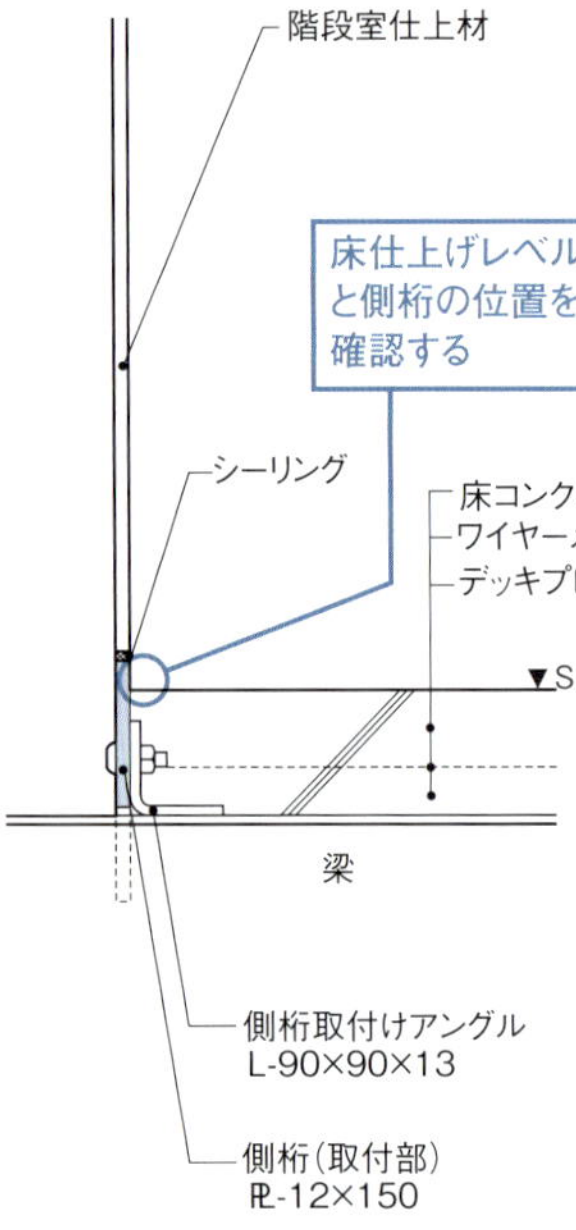

図2｜側桁の厚さと納まりの注意点

①側桁を幅木とする場合　②側桁と壁が近い場合

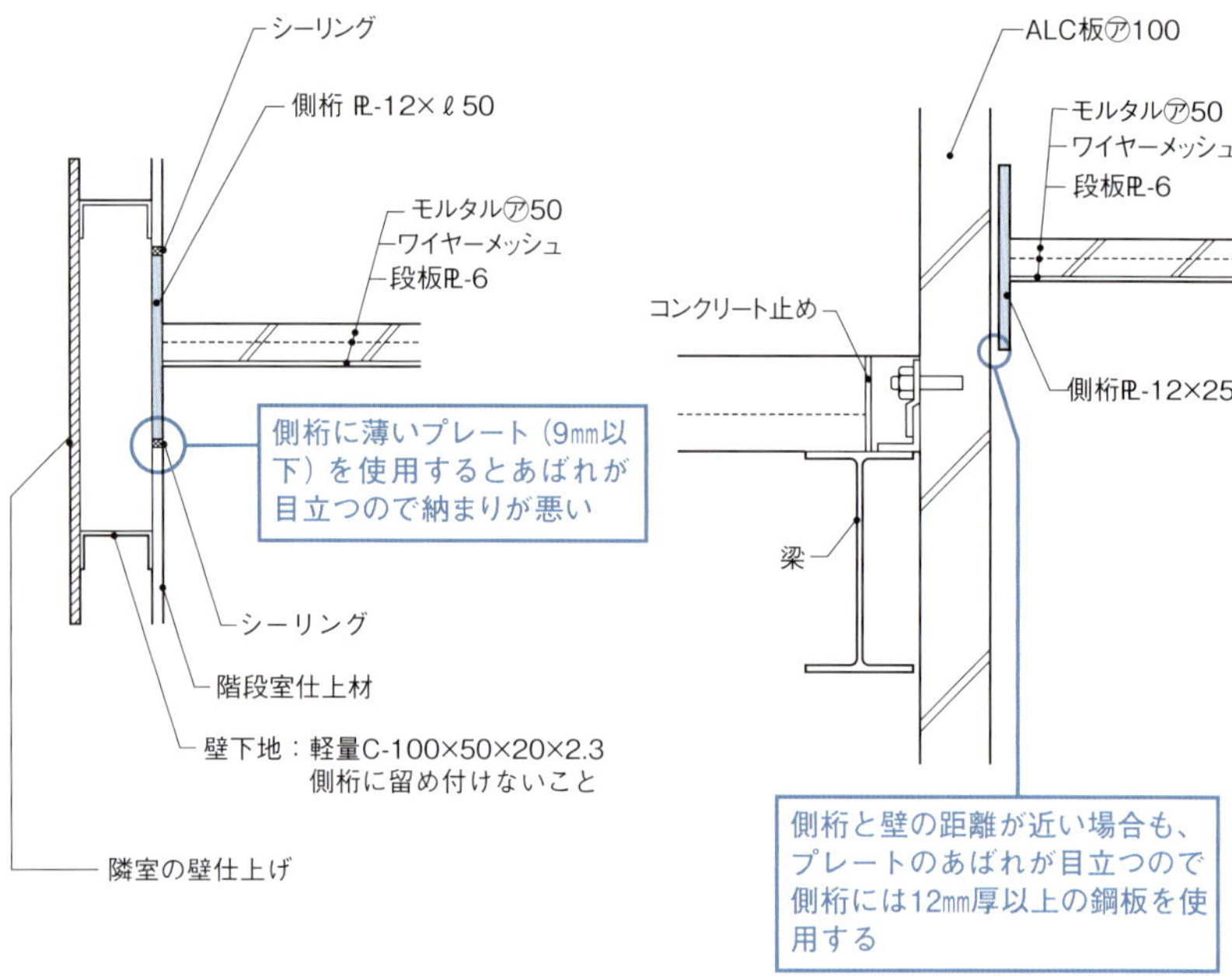

図4｜階段に天井を張る場合の注意点

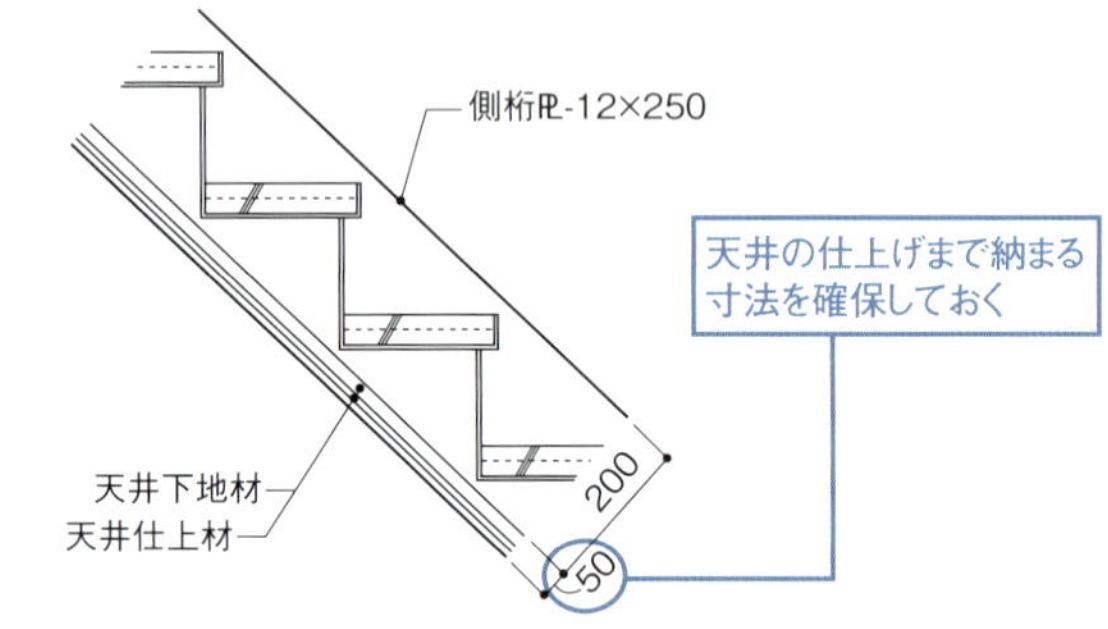

伝達できる形状であることを確認する必要がある[55頁図1②]。

一方、「段ずらし」をしない場合、すなわち踊り場の側桁に段を設ける場合は、段数によっては折り返し部分の側桁の高さが非常に高くなってしまう。そのとき、側桁下端の出隅部分は、通常はプレートをカットしたままの形状になるため非常に危険である。したがって、この部分にはRを付け、作業時だけでなく実際の使用時の安全性も確保できるようにしておかなければならない[55頁図1③]。

2｜側桁と梁の接合

側桁と梁(柱)との接合は、現場組み立て時の安全性を確保するため、梁上に載せられる形状にする。これは、ガセット方式、アゴ掛け方式、上載せ方式に大別される[図5、※3]。

ガセット方式は一般に行われている方法だが、ガセットプレートと側桁に接合ボルトをセットするまで階段をクレーンで吊り上げた状態を保たなければならず、作業に危険が伴う[図5①]。また、クレーンの占有時間が長く、工事全体に負担がかかる。

そこで、同じガセットプレートを使用するものでも、側桁の一部を梁上に掛けられるように工夫しておくと、作業性が上がり安全である[図5②]。

一方、上載せ方式は階段を梁の上に載せて支持するため、物理的に落下しない構造となる。クレーンによる作業も短時間で済むうえ、作業性もよい。即時にボルトセットを行う必要がないので、設置後はただちに仮設通路として利用できるというメリットもある[図5③、※4]。

3｜側桁の間隔

折り返し階段の内側(踊り場部分)にくる側桁どうしは、その間隔を150㎜以上確保する。これは、現場組み立て時のボルト締めや溶接作業、仕上げ塗装や清掃可能なクリアランスを確保するためのものである。

4｜手摺形状、位置

側桁の外側に手摺子を取り付けて手摺を設ける場合は、階段の折り返し部分で手摺どうしが干渉しないか、手摺を握るスペースが確保されているかを確認する。手摺子の現場溶接は美観上避けたほうがよく、できればステンレスボルト接合を選択したい。なお、折り返し部分で手摺に水平部を設けると、納まりがきれいになる[55頁図1]。

5｜階段ユニットのサイズ

鉄骨加工工場で製作した階段の輸送が可能か、現場での搬入・組み立てに問題はないかを検討する。鉄骨加工工場の立場からすると、階ごとに1ユニットとすると製作加工時の精度が上がり現場組み立てが楽になる。

搬入できないなどの理由からそれが困難な場合は、踊り場から上部と下部に分けて製作し、現場で組み立てることになる。現場での組み立ては溶接ではなくボルト接合としたい。

外部階段・螺旋階段

次に外部階段を解説する。

※3：これらの方式の名称は筆者独自のものであり、統一した呼び方があるわけではない｜※4：小規模の建物ではあまり関係ないが、スパンの大きい建物などでは、側桁と梁との接合部にレベル調整ボルトを設けておくと精度を確保しやすくなる｜※5：メッキ槽は工場によりさまざまなサイズがあるため、あらかじめ確認しておく｜※6：鋼管を穿孔することにより溶接による継目をつくらない円形鋼管

図5｜側桁の設置方式

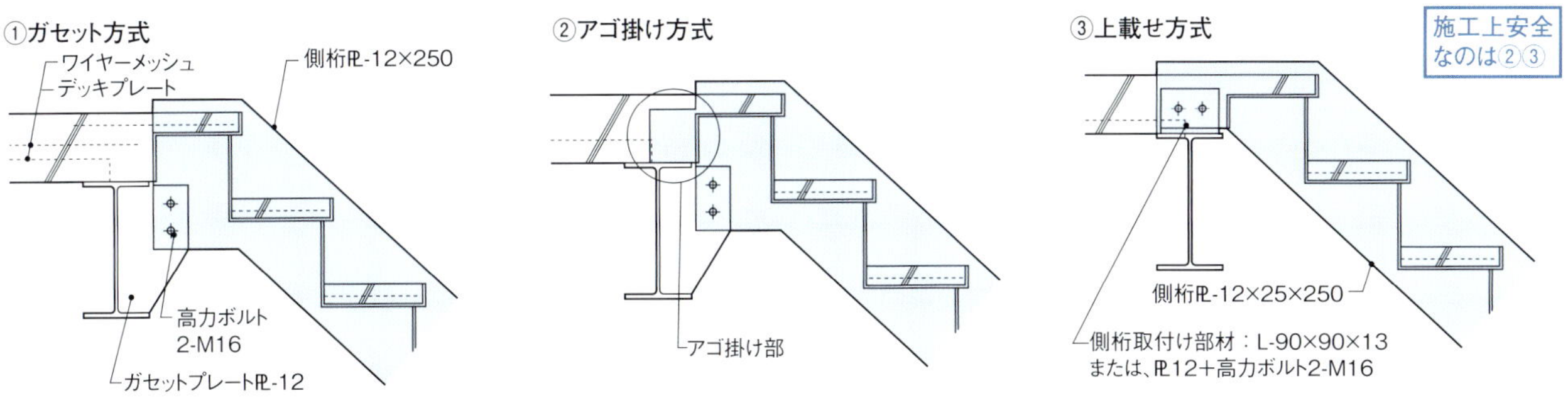

図6｜外部階段の注意点

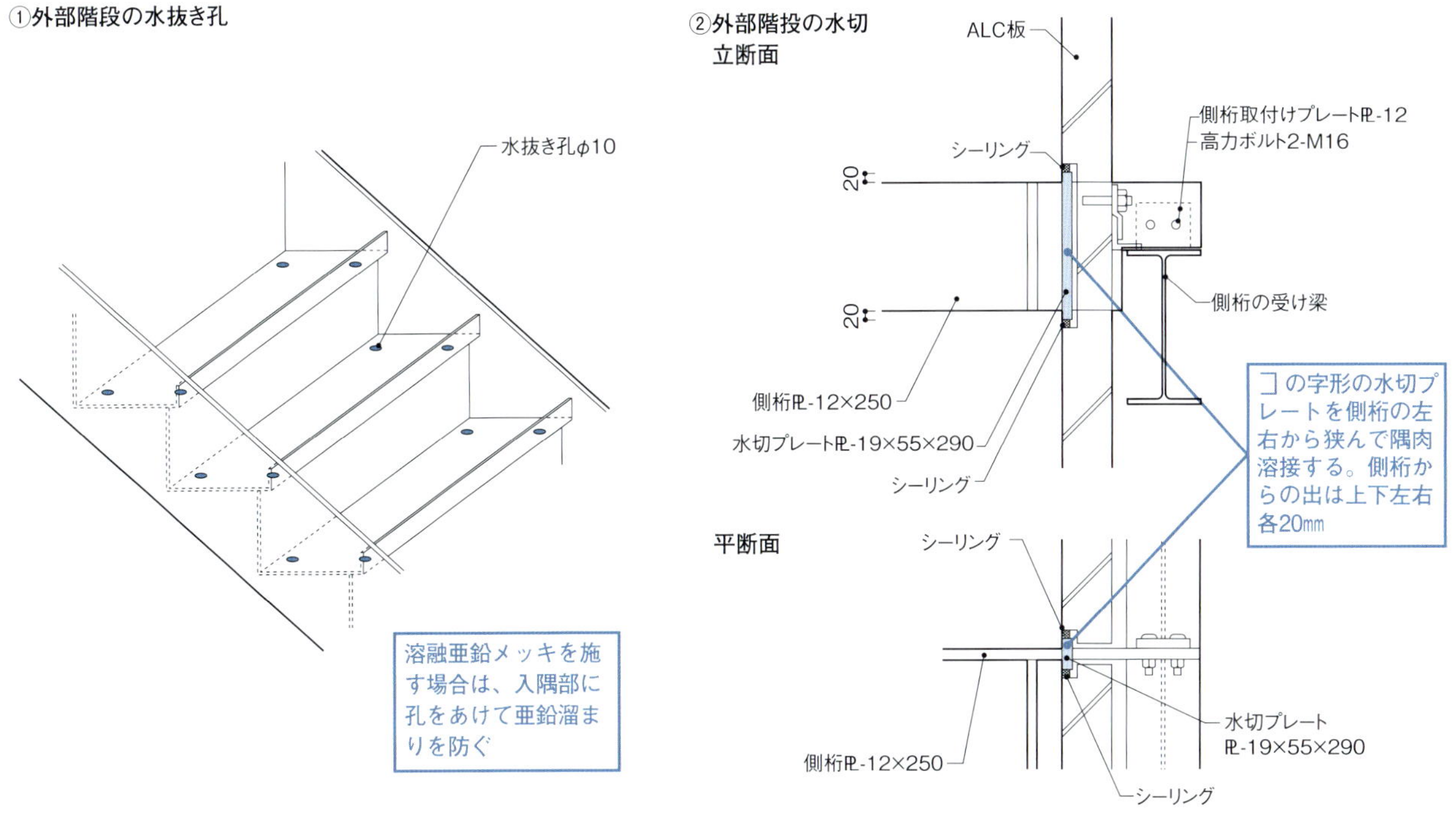

外部階段の注意点

これは、施工図段階での確認が主になるが、外部階段の設計において、階段設計の基本的な部分以外での注意点を以下に挙げる。

1 雨水対策

外部階段は腐蝕の原因となる雨水にさらされやすい環境にあるため、水抜き孔を設けて段板に雨水などが溜まらないようにする［図6①］。

段板をそのまま露出させる場合は、段板の奥（蹴込み部分）を少し上げ、手前に勾配を付ける。これも水抜き孔同様、入隅部分に雨水などが溜まらないようにするためである。

2 接合部の雨仕舞

階段と鉄骨躯体との接合部には、十分な雨仕舞を行う。具体的には、側桁と梁との間で水切プレートを側桁に鍔状に溶接して、外部からの雨水の浸入を防ぐ［図6②］。

3 溶融亜鉛メッキ処理

外部階段は、腐蝕対策として溶融亜鉛メッキを施すことが多い［41頁参照］。その場合の注意点は以下のとおりである。

・階段のユニットはメッキ槽に入る大きさとする［※5］
・メッキの際、隅に亜鉛が溜まらないように入隅をなくした形状とする
・亜鉛溜まりを意識して、雨水対策同様、段板の奥に2カ所（または四隅）に水抜き孔を設ける［図6①］
・接合用には、通常の高力ボルトではなく、亜鉛メッキ用のボルトを使用する

なお、溶融亜鉛メッキではなく、防錆塗装とする場合は、鉄骨面を全面ショットブラスト下地にすると、さび止めの効果が上がる。

螺旋階段

平面的スペースが狭い場合や、デザイン性を求める場合には、螺旋階段が採用される。

中央の支柱を細い径で設計する場合は、溶接の継目がないシームレス鋼管［※6］などの厚めの鋼管を使用するが、鉄骨加工上の観点でいえば鋼管は190㎜径以上が望ましい。

また、支柱の頂部は踊り場部分で鉄骨躯体と連結するが、変形量の違いを吸収し、精度よく取り付けるためには、ボルト穴は水平のルーズホールとしておくとよい。

［岡本憲尚］

見積りに関する注意｜階段は見積り段階では詳細に描かれていないことも多く、拾い落としが多い。そこで、鉄骨加工工場では次の2つの対応を取ることになる。1つは見積り落としがないように積算し、高めの金額を提示する対応。もう1つは設計図書に表現されている部品のみを積算し、安めの金額を提示、施工が始まってから追加予算を提示する対応である。設計者側はもちろん前者を希望したいところであるが、鉄骨加工工場は受注のために後者を選択することもあるので、設計者はその見極めが大切。積算の誤差となる代表的項目は以下のとおり。メッシュ筋用のスペーサー、側桁プレート出隅部分のR加工、塗装のためのショットブラスト加工、など

わたしの大失敗——1

第三の男はどこから来たか

ずいぶんと昔の話になるが、ある鉄骨造の現場で地方行政機関の中間検査を受けたときの話である。

鉄骨造では、溶接部の内部欠陥を調べるために超音波を利用した探傷検査を行うが、そのとき中間検査にやってきた建築主事は、探傷検査を行った会社を「第三者として適切ではない」と言った。理由を訊ねると、検査の発注者が鉄骨加工工場であることが問題だという——。

当時はまだ私も経験が浅く、鉄骨造自体も1件か2件目くらいのときだったため、その後の対応にはずんぶんと苦労させられたように記憶している。

そもそも、そのような状況になったのは以下のような経緯がある。

まず、私（設計監理者）も施工管理者も、検査会社との付き合いがなく、どこに連絡を取ればよいのかを知らなかった。加えて、予算上の都合から鉄骨加工工場に第三者検査までも請負金額内で請けてもらっていたため、鉄骨加工工場になじみのある第三者検査会社が鉄骨加工工場の発注というかたちで、検査を行うことになったのである。

本来、第三者検査とは、第二者（購買者）が調査・選定し依頼するのが前提だが、民間の検査会社は第一者（供給者）との関係のほうが強いという現実がある。

ということは、今でも同じような指摘をされている設計者は多いのではないだろうか。そう疑問に思って、改めていくつかの地方行政機関に問い合わせてみた。

東京都：建築鉄骨の第三者検査は建築主などが検査費を直接負担して実行するように指導している

A区：誰が検査の発注をしたかは問わない（建設会社や鉄骨加工工場の発注が多いらしい）。ただし、確認申請時に㈳日本溶接協会のCIW認定［※1］を受けた検査会社を指定するよう監理者に要請している。

行政機関によってその扱いに違いがあるようだが、要は、「施主・監理者の発注による、CIW認定を受けた検査会社」であれば問題ないわけである。ただし、それ以外の場合もまったく認められないわけではなさそうなので、事前に地方行政機関に確認のうえ決定したほうが無難であろう。

［よしだきんじ］

わたしの大失敗——2

揺れる生活

鉄骨造は「揺れる」というクレームが多いと聞く。

われわれ構造設計者は、そもそも鉄骨造は揺れるものだと思って設計しているので多少の揺れは気にならないが、利用者にしてみれば、木造に比べて柱も梁も太い鉄骨造には、頑丈でビクともしないイメージがあるのかもしれない。

建築基準法施行令の告示には、床や梁の変形量が規定されている。それによると、鉄骨造の梁であれば1/250以下の変形量なら使用上の支障は起こらないとしている。小梁なら1/300以下を推奨する解説書が多い。私の場合は、さらに上をいく1/500を目安に設計しているのだが、そのせいか自分の設計した建物で揺れるというクレームを受けたことは一度もない。

と、安心していたら、「ちょっと揺れますね」とある意匠設計者に言われた。私が事務所を構えるビルの1室で打ち合わせ中の出来事である。あろうことか、そのビルは私が設計したものであった。

それ以来注意していると、たしかにバタバタと駆けていく人がいれば、その振動がかすかに感じられた。あらためて計算してみたが、このビルは70kgの人間が梁の中央に載ったときの変位は0.6㎜程度である。数値としてはまったく問題ないが、実感としては想定したものより大きな（といっても微小ではあるが）変位であった［※2］。

人並みかそれ以上の設計経験を自負していた私だったが、揺れに対する判断力はそれほど養われていなかったかなと少々反省した次第である。

揺れを実感するには自分の設計した建物で生活してみるのが一番である。だが、その「実験」を経験できる人は、そう多くはない。自分の設計した床の揺れを体感できる私は、運がよいのかもしれない。

［岡本憲尚］

※1：㈳日本溶接協会（JWES）が実施する検査会社の認定制度。「非破壊検査事業者技術認定」のこと｜※2：実際の設計においては1／500以下で設計しつつ、人の移動による変位量（変形角ではない）も確認しておくとよいだろう

外壁

鉄骨造の外壁には、カーテンウォールをはじめさまざまな種類がある。なかでも、中小規模の建物ではALC板がその代表格である。内部に気泡を含んだ軽量なコンクリートパネルであるALC板は、戸建住宅から工場・倉庫まで用途、規模を問わず、多くの建物に使われている。ここでは、ALC板の縦張り、押出成形セメント板の横張りを例に鉄骨造外壁のポイントを見ていきたい。

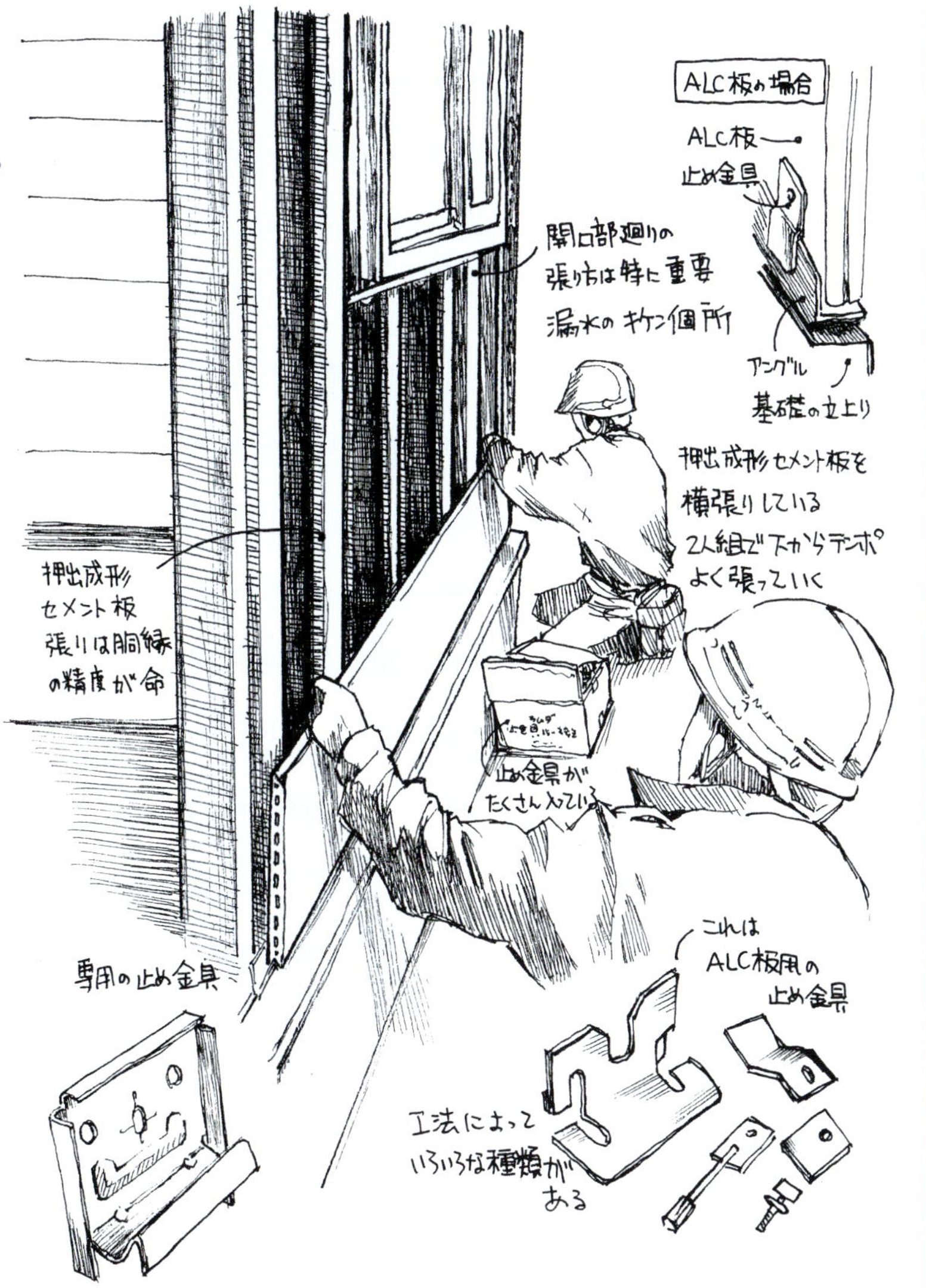

ALC板［縦張り］の現場 1

まずは、基礎廻りの施工から。基礎立上りにALC板を受けるアンカー金物を入れ、ピースアングル 2 、定規アングルの順で溶接していく［60頁図1参照］

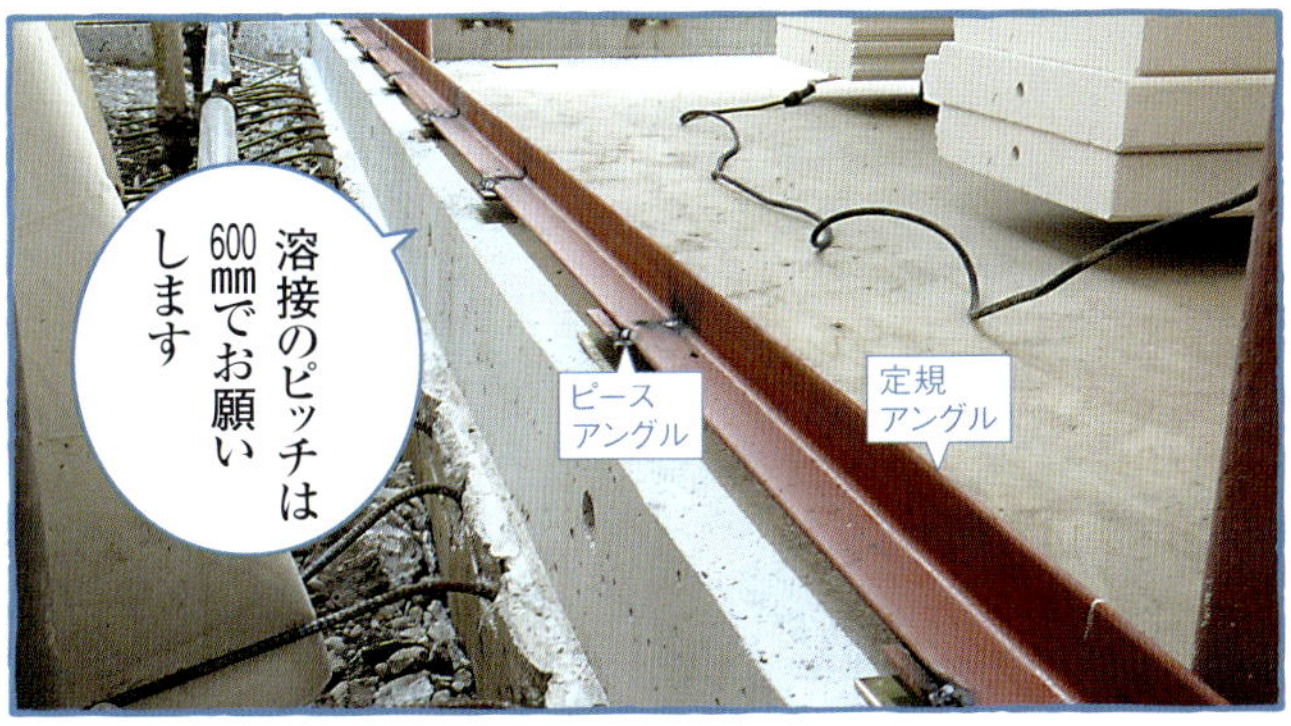

溶接したところには、必ずさび止めスプレーを吹き付ける

搬入されたALC板。幅は600㎜が基本。長さは10㎜単位で指定することができる

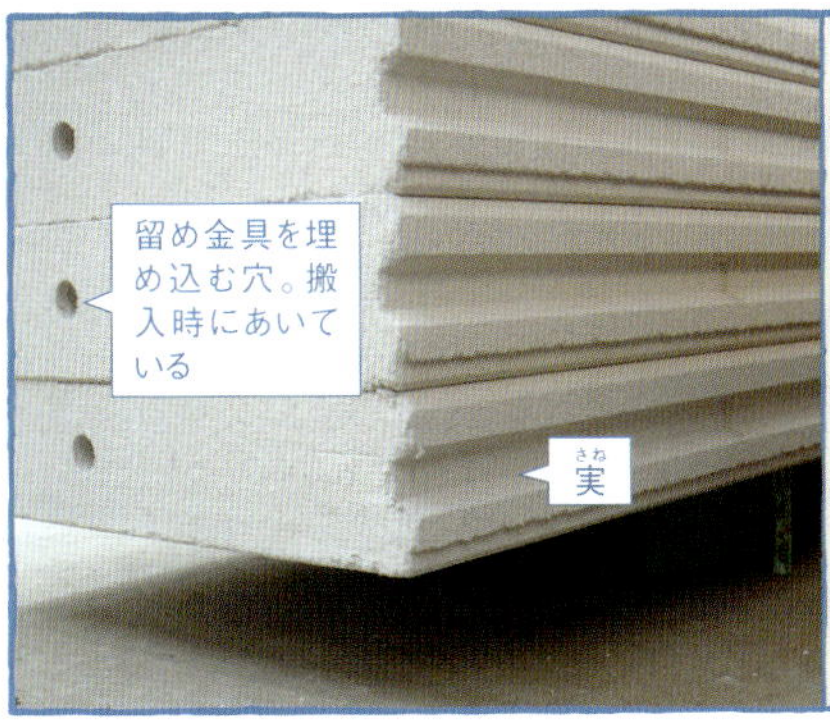

マメチシキ | 1 ALC板外壁にはメーカーごとにさまざまな工法があるが、本稿で紹介している現場写真もいくつかの工法が混在している 2 アングル（山形鋼）を小さく切断したもの。アングルピースともいう

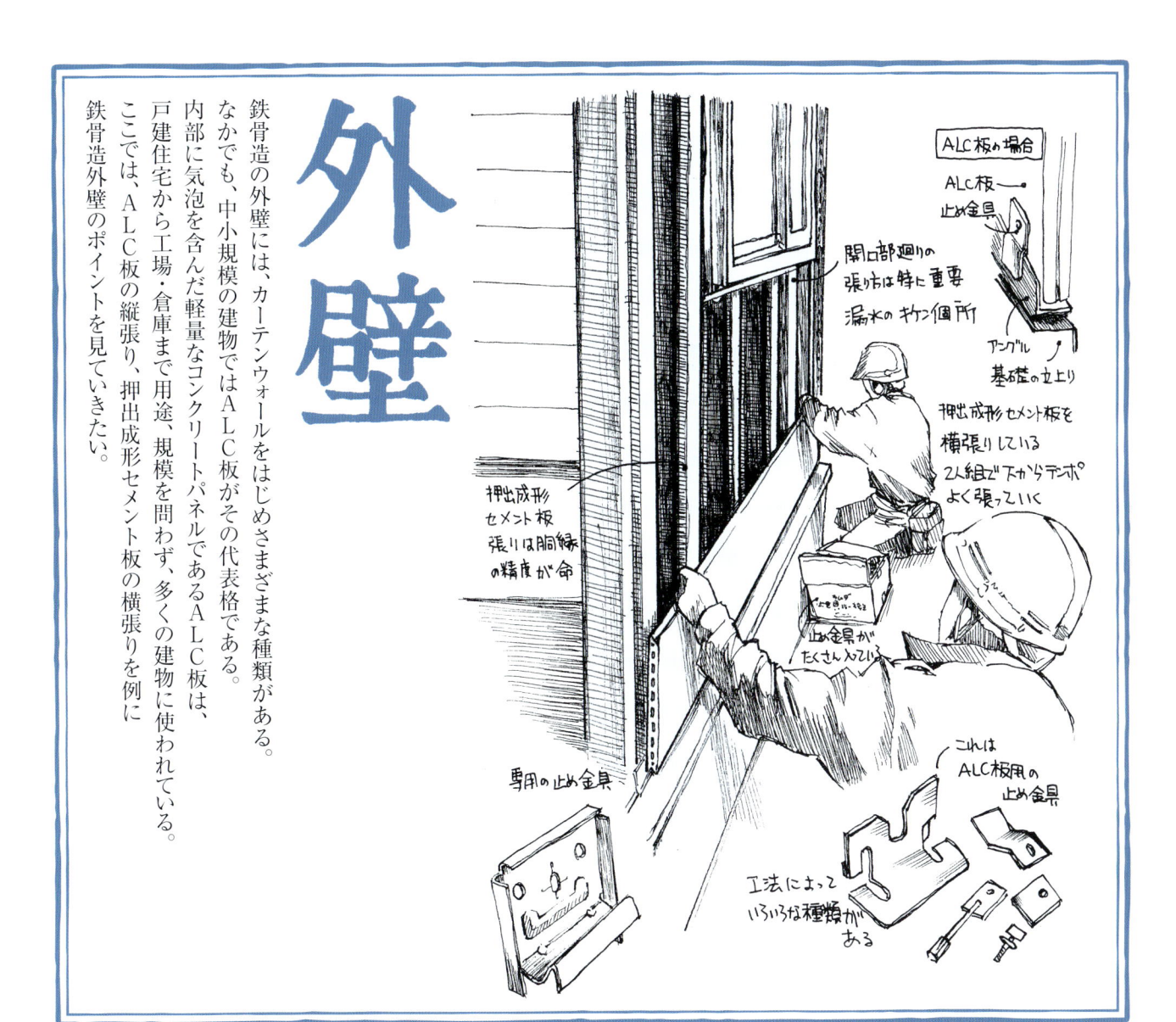

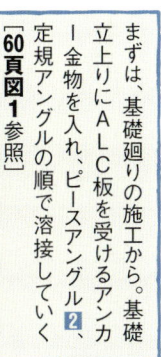

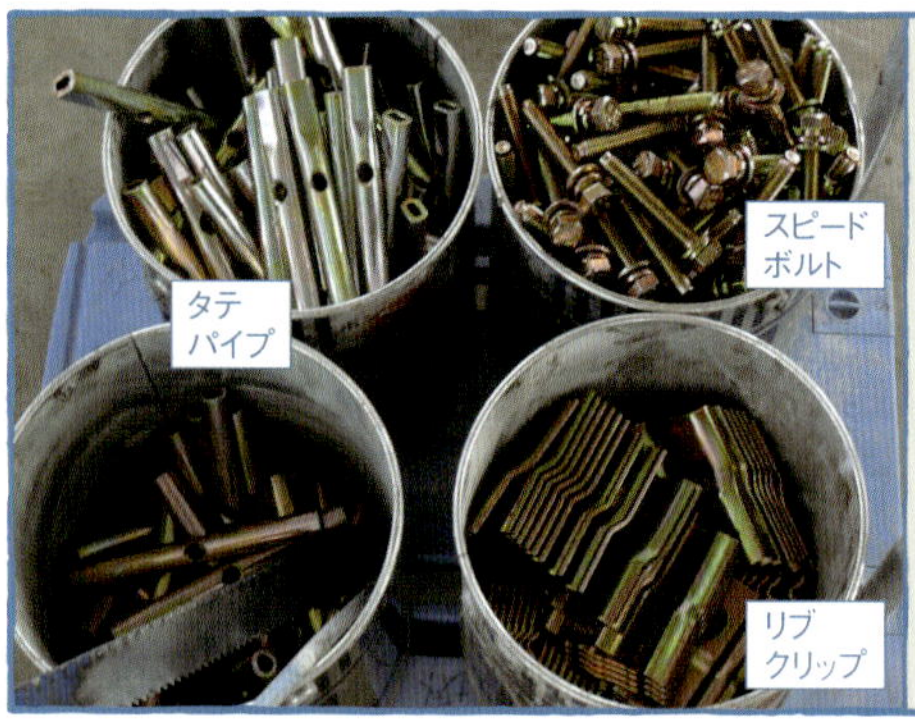

ALC板を留め付ける金具類 3

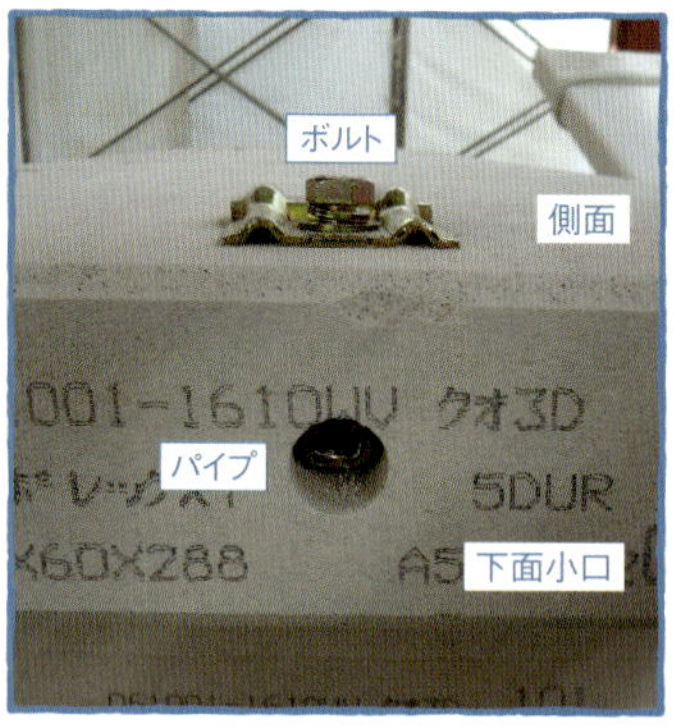

専用の留め金具を付けるため、ALC板側面下部に穴をあける。ここにALC板と定規アングルを固定するためのボルトを差し込む

パネル上下の固定が終われば建込み完了

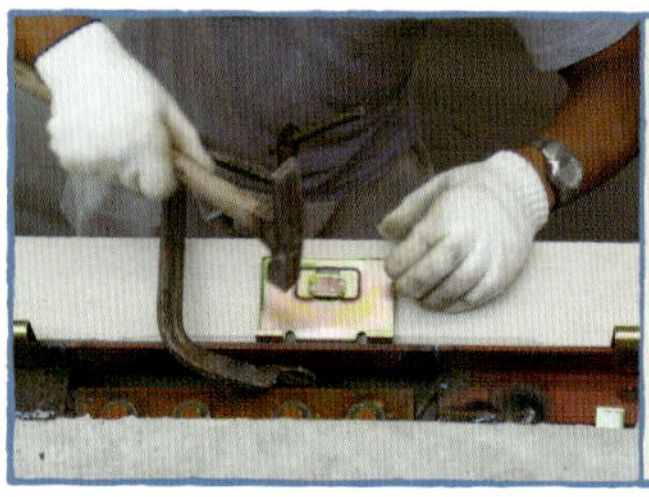

ALC板上部の留め金具は立てた後で固定

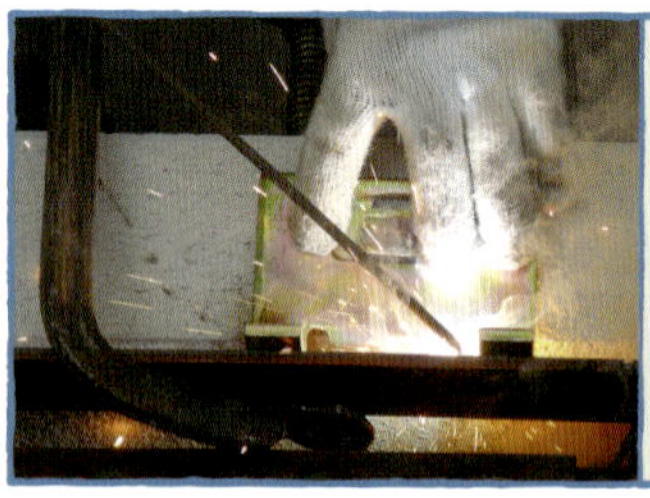

その後、アングルと溶接

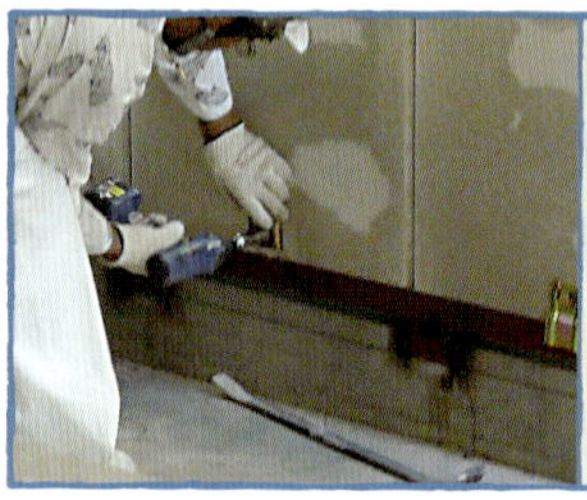

下部のボルトとクリップはインパクトレンチで締める

必要な留め金具を取り付けたALC板をクレーンで吊り上げて建て込んでいく。下部はピースアングルに溶接した定規アングルと、上部は梁に溶接したアングルと、それぞれ固定

図1 | ALC板の納まり例［S＝1:15］

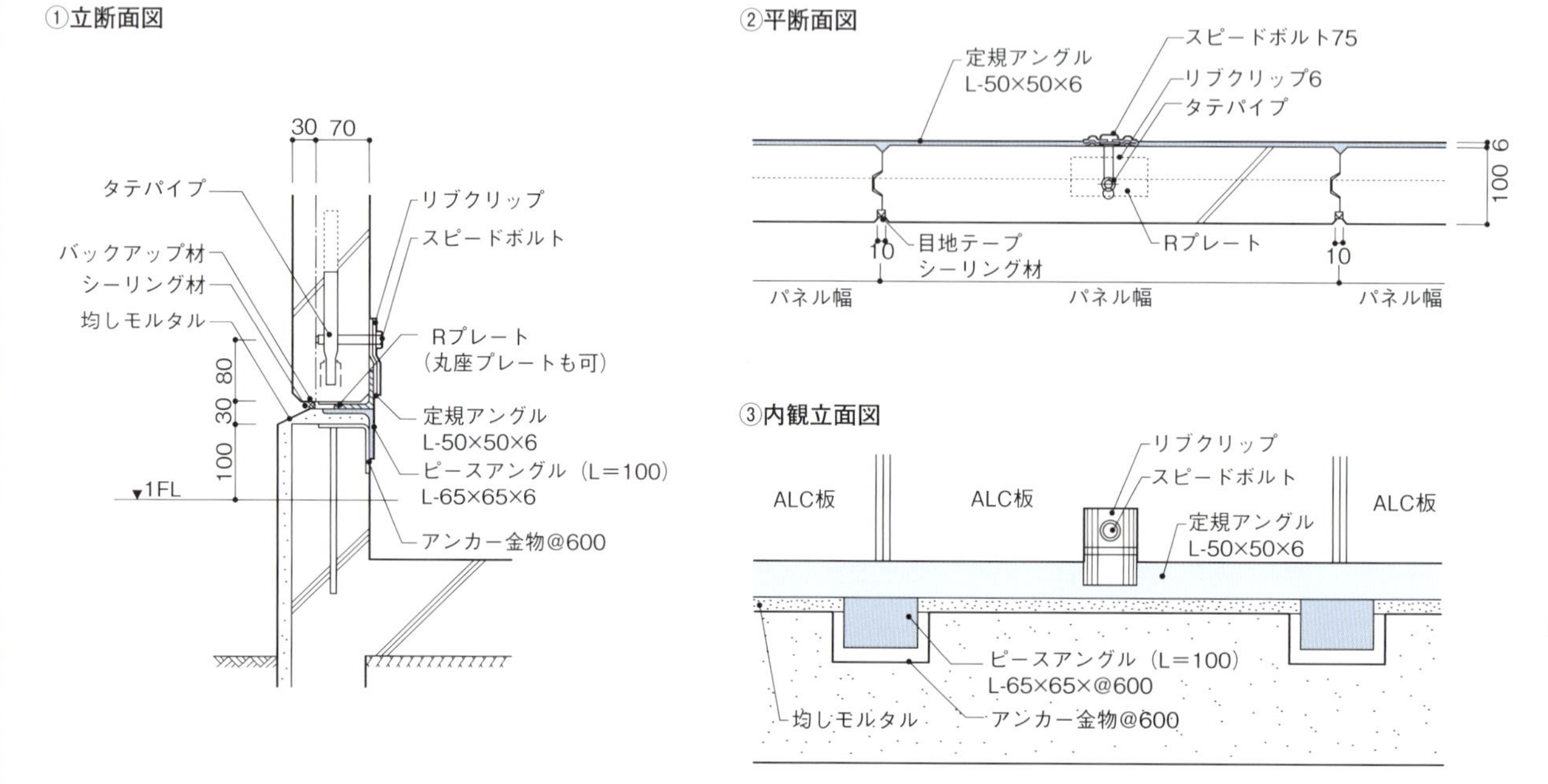

マメチシキ | 3 金具類の名称はメーカー独自のもので、形状などもメーカーごとに異なる

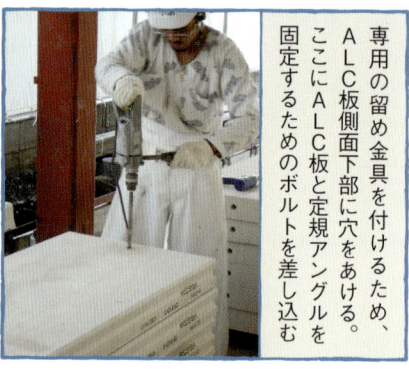

開口部を設ける

開口部は山形鋼(アングル)を躯体に溶接して設ける。そのアングルの廻りに適切なサイズにカットしたALC板をはめ込んでいく

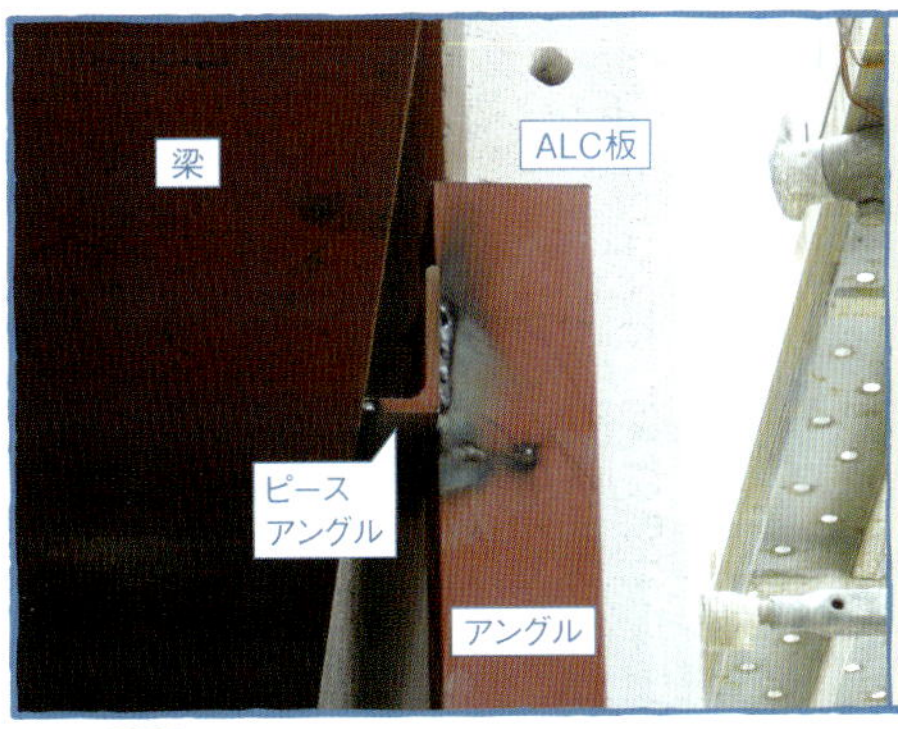

縦方向のアングルはピースアングルで梁に溶接して固定

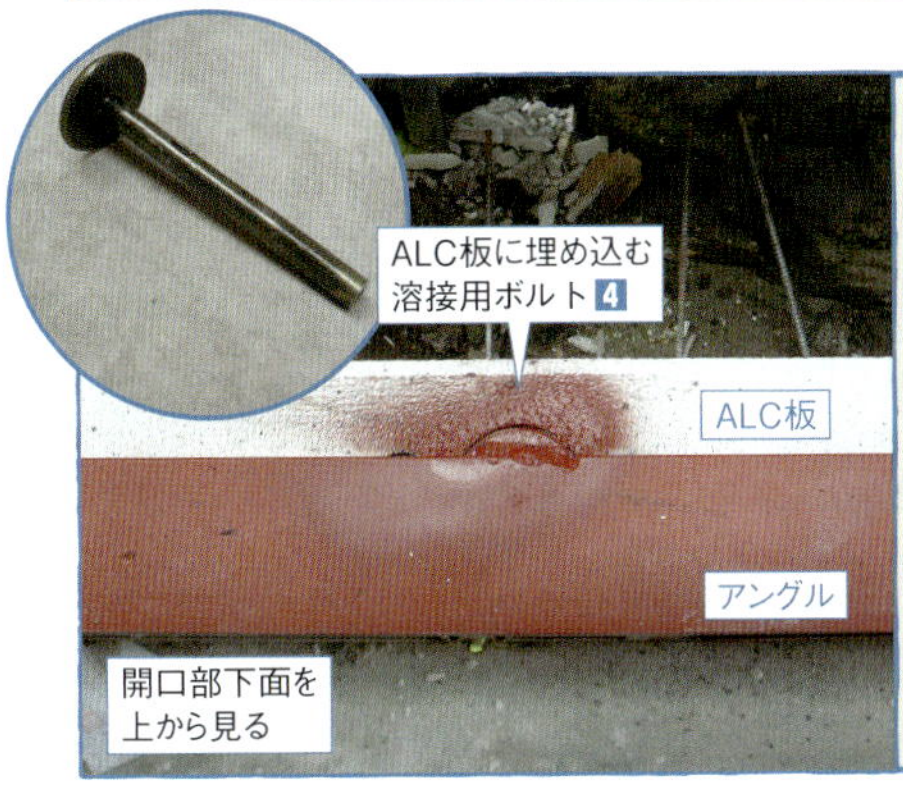

横方向のアングルの両端は縦方向のアングルに溶接。中間はALC板に埋め込んだボルトに溶接する

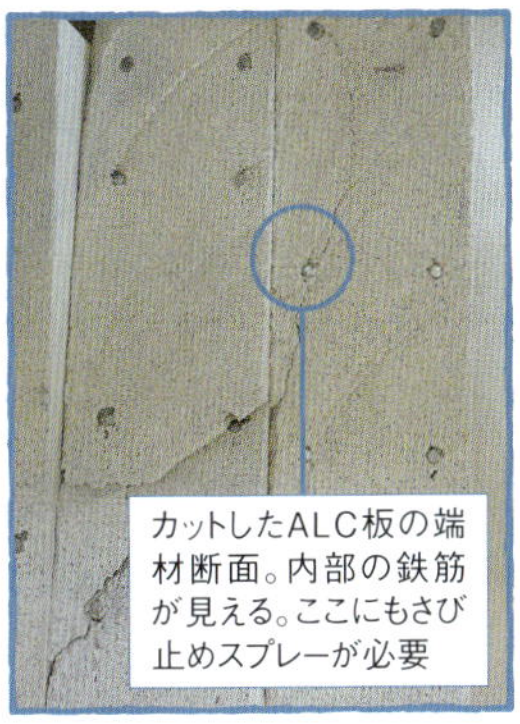

開口部廻りにはめ込んでいく

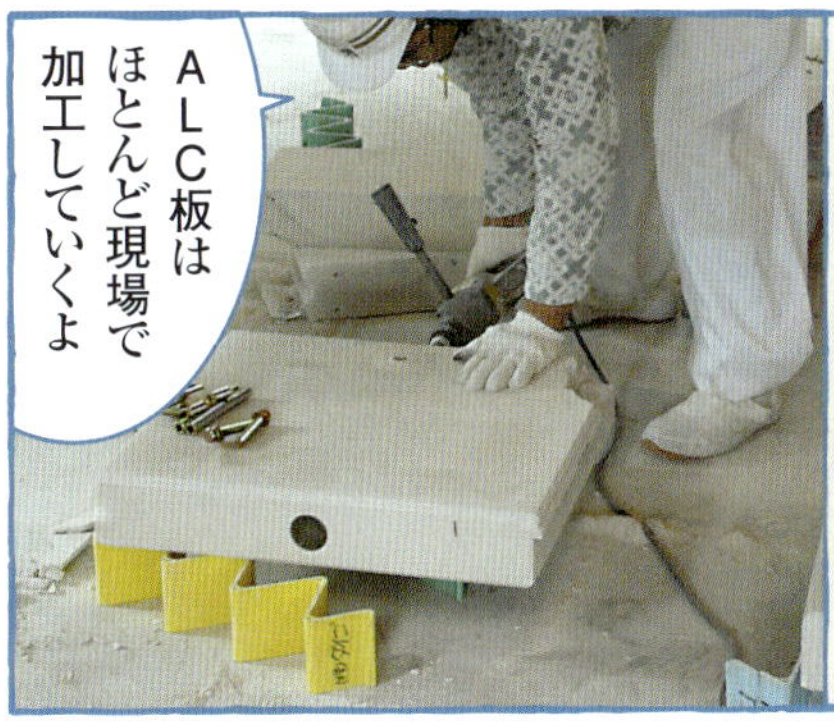

開口のサイズに合わせて、ALC板を適切なサイズにカット

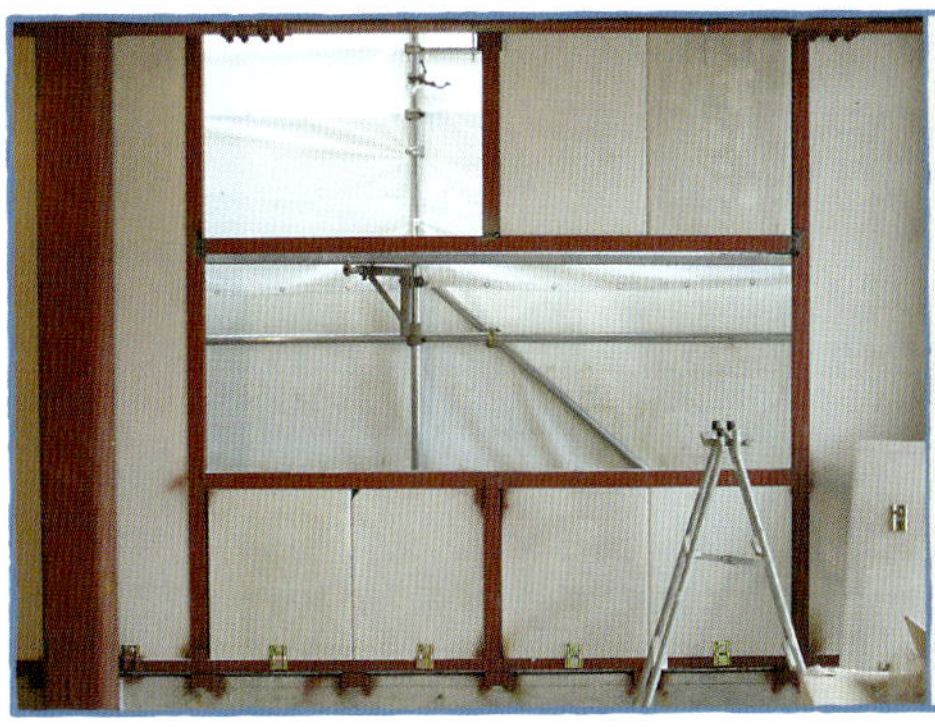

施工中の開口部の状態(内部)

図2 | ALC板仕上げの開口部の納まり例[S = 1:15]

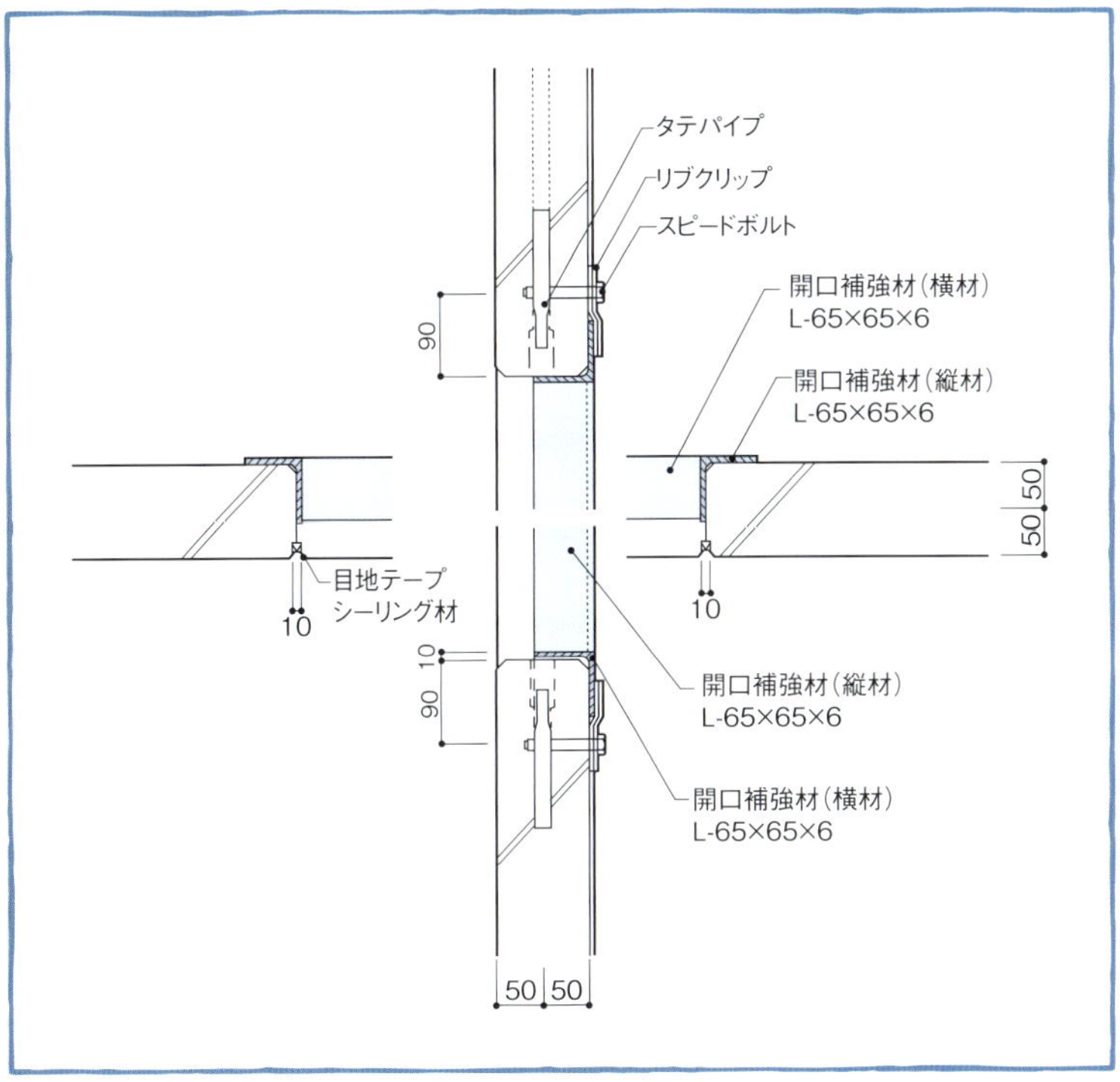

外部から見たところ。サッシは基本的にALC板の厚みのなかに納まることになる

マメチシキ | **4**「正式には『CLコネクター』(クリオンの場合)などというようですが、職人さんたちは『パブボルト』と呼んでいますね」(現場監督談) **5** ALC板の重量は650kg/m^3

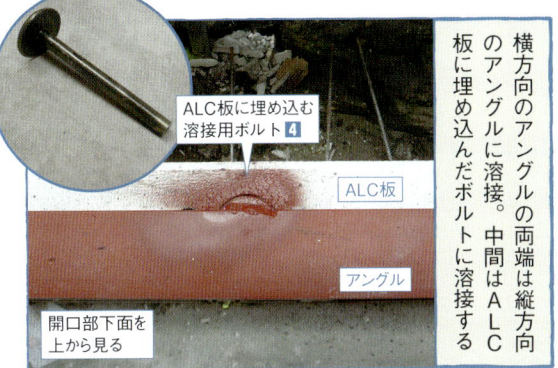

前頁までとは違う現場だが、ここも同じくALC板外壁の建物

サッシ枠のはめ込み工程を見てみよう

ここでは鉄骨用のスチールサッシを使用する

開口部に設けた補強用のアングルがサッシの受け材の役割を果たす。若干大きめにつくられた開口部に、サッシを仮留めする

サッシの正確な位置を決めるため、レーザー墨出し器でレベルを出して寸法を取る

サッシ枠にすべて溶接し終わったら工事完了

位置の調整は、サッシとアングルとの間にクサビを打ち込みながら少しずつ行う

位置が決まったらサッシアンカー（ここでは短く切られた鉄筋）でアングルとサッシ双方を溶接して固定

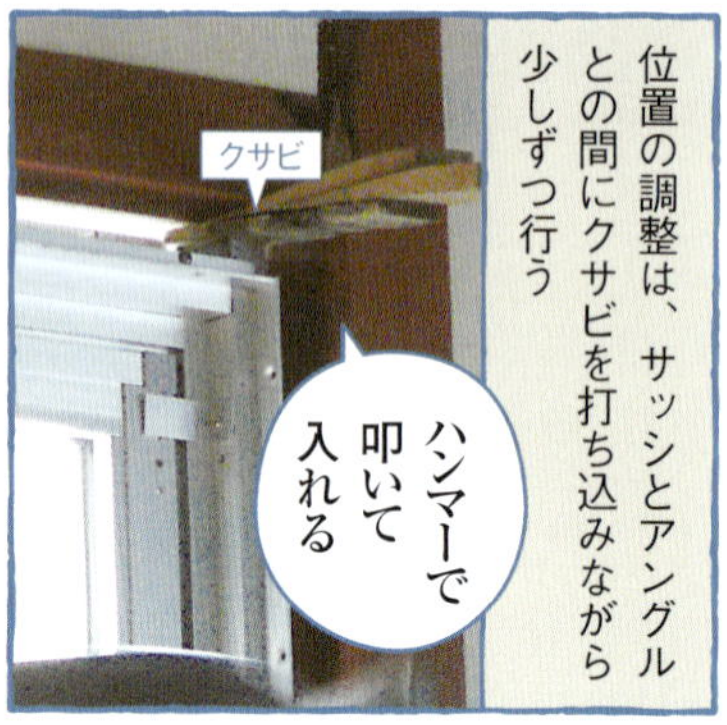

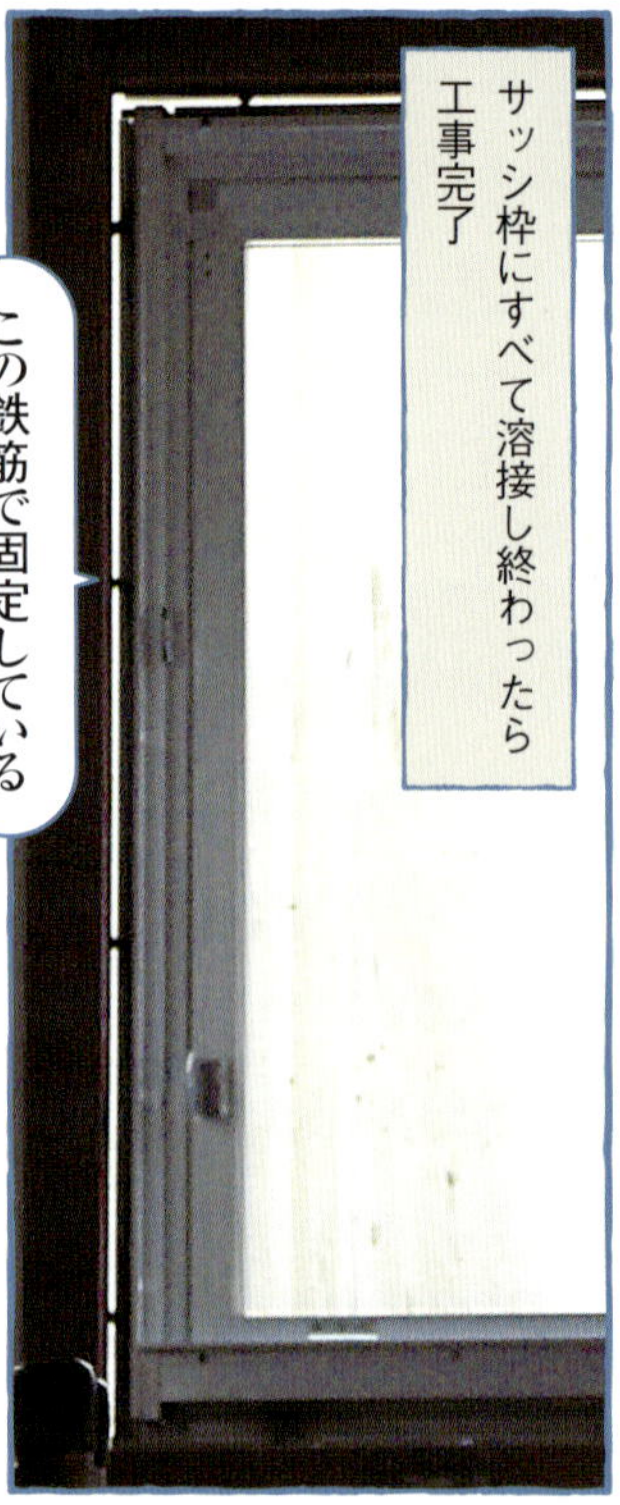

図3｜ALC板用サッシの一例[S＝1:8]

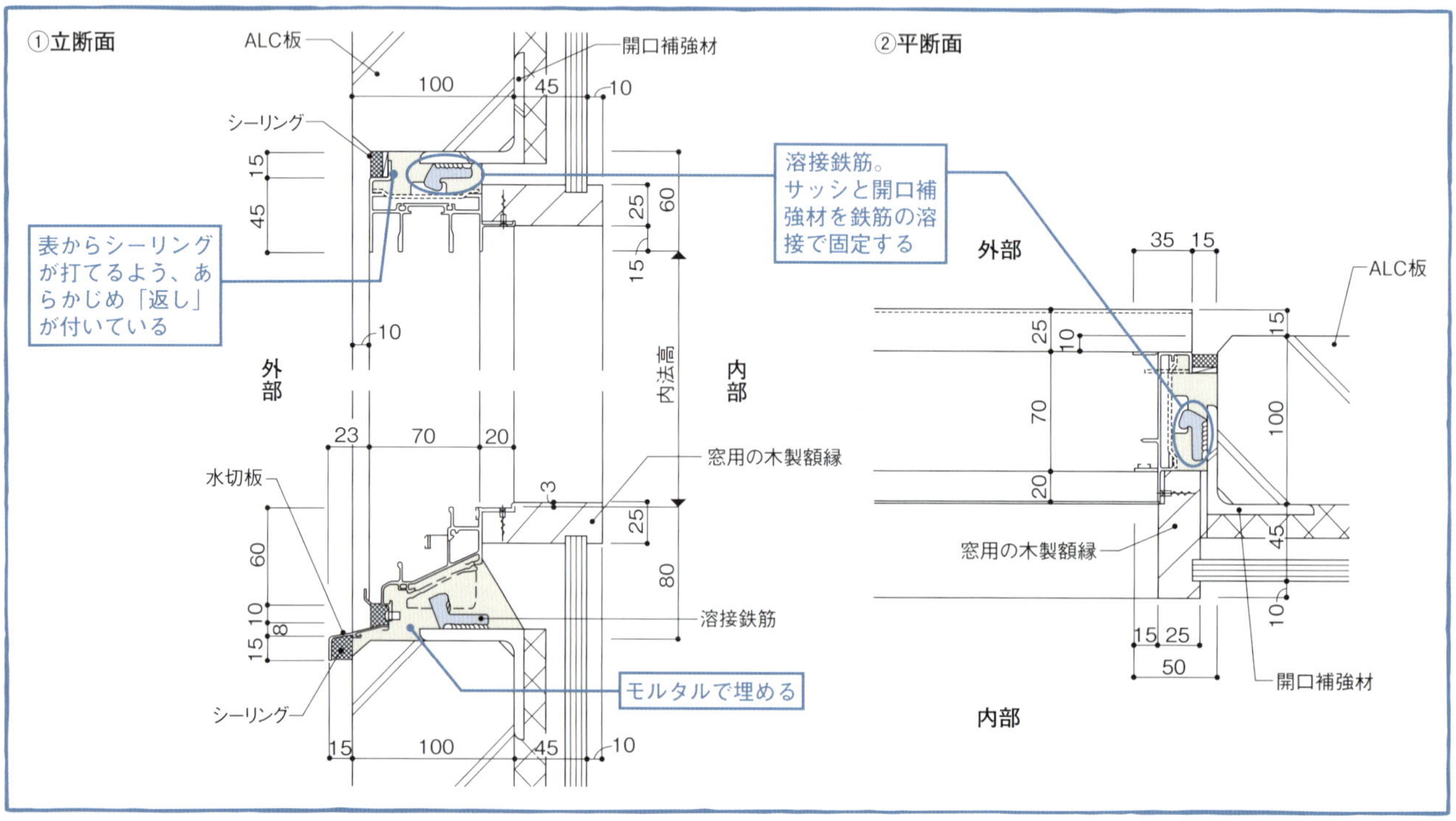

押出成形セメント板［横張り］の現場 6

押出成形セメント板張りの外壁はALC板とは違い、胴縁に留め付けていく形式。作業は**胴縁の取り付け**から始まる

胴縁となるCチャンは適切な寸法を測りライトカッターで切断

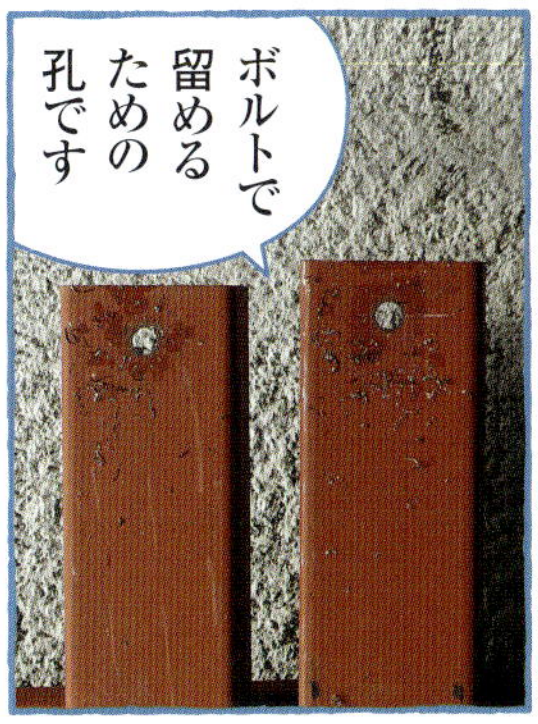

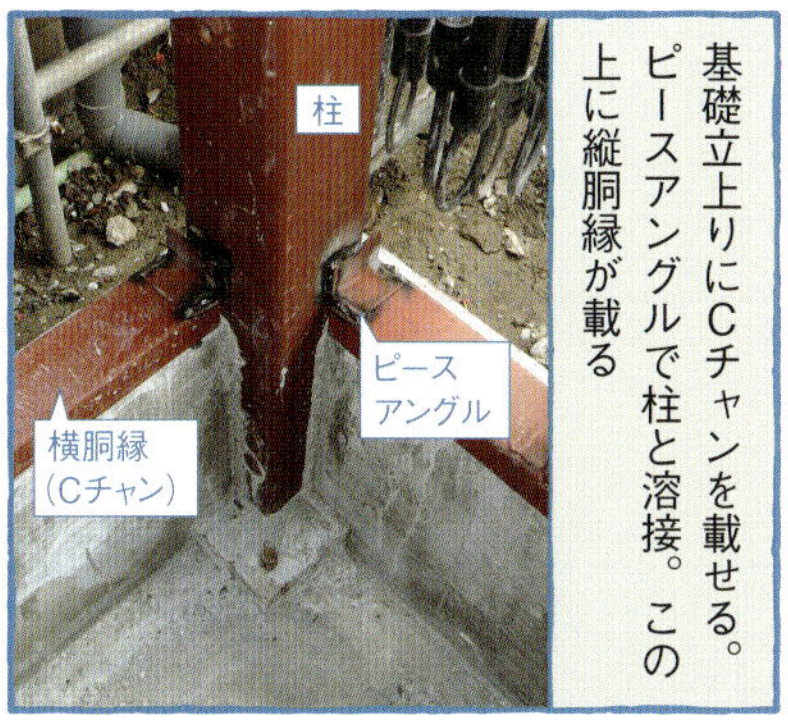

基礎立上りにCチャンを載せる。ピースアングルで柱と溶接。この上に縦胴縁が載る

梁上に立てる胴縁は梁に溶接されたピースアングル（ピース）と固定する。ピースはできれば鉄骨加工工場で溶接するのが望ましい

基礎立上りの上に固定した横胴縁に、縦胴縁を立てる。ピースは横胴縁は溶接、縦胴縁はボルト接合

このように外壁工事の準備を整えていく

図4｜押出成形セメント板仕上げで木造用サッシを使用する場合の納まり［S＝1:8］

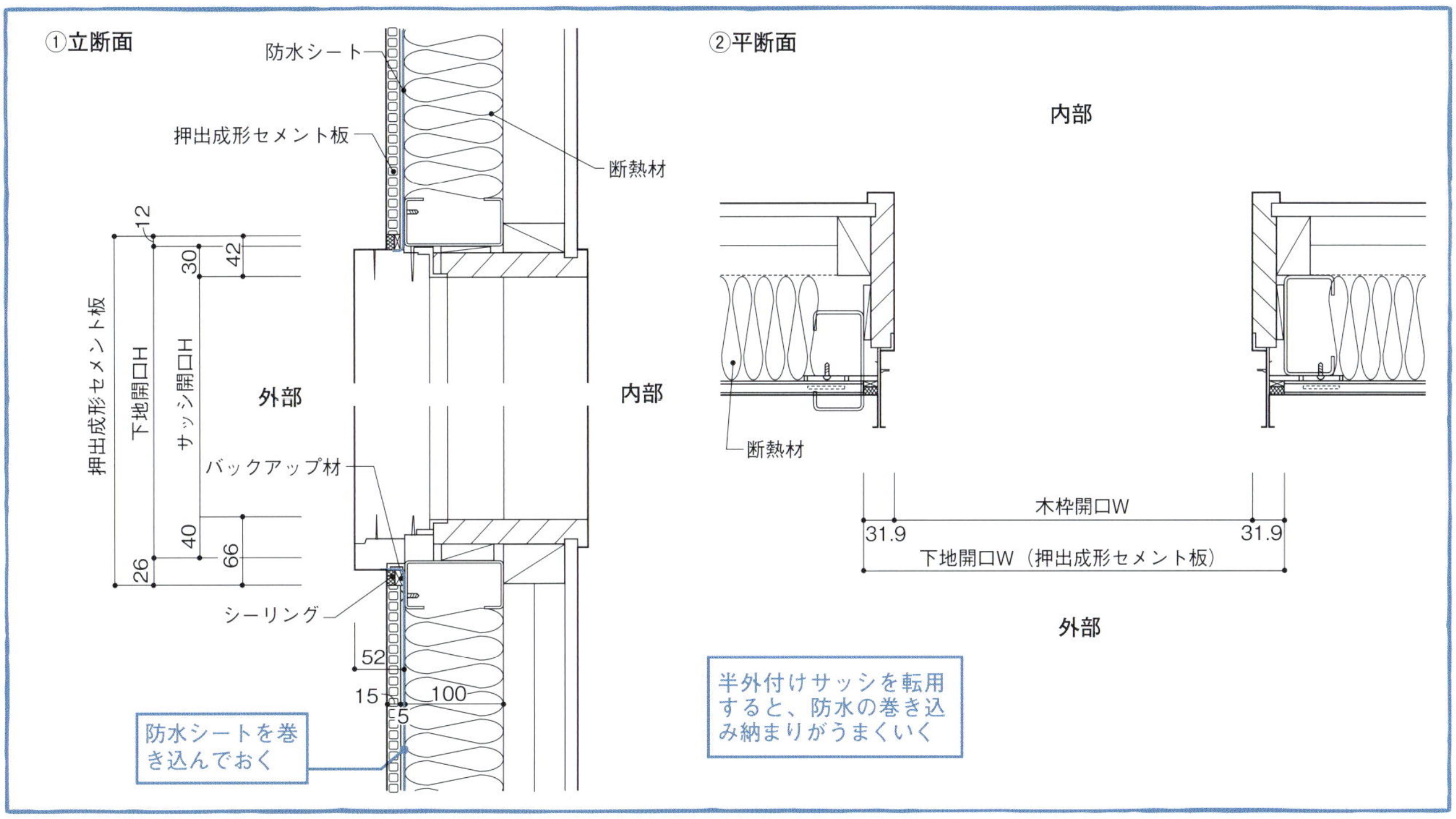

マメチシキ｜6 この現場は押出成形セメント板のラムダ（昭和電工建材）の横張り工法を使用している 7 押出成形セメント板などのように板厚の薄い外壁材の場合は、サッシ枠を溶接で固定する鉄骨用サッシを使用すると、外壁からの出幅が大きくなり、納まりが悪い。その場合、薄くて軽量な木造用のアルミサッシを採用すると、きれいに納まることが多い。この現場も木造用のアルミサッシ（防火認定品）を使用している 8 それだけに胴縁の正確な取り付けが重要になる

サッシの取り付け

ALC板の外壁ではALC板に取り付けた開口補強材（山形鋼）がサッシを支持するが、押出成形セメント板のように胴縁を立ててから外壁を張るタイプのものは、サッシは胴縁が支持することになる 7 ［63頁］

サッシ位置を確定するため、枠廻りにクサビやスペーサーを入れていくのは、鉄骨用サッシの現場と同じ。ただ、こちらはサッシと胴縁をビス留めにするため、遊びは少ない 8 ［63頁］

クサビに使用しているのは薄い合板である

サッシの位置が確定したら、あらかじめサッシにあいている孔から胴縁に向けてインパクトドライバーでビス留め

すべての孔のビス留めが終われば完成

押出成形セメント板を張る

横張りは下から張り上げていく。そのため、まずは基礎立上りの横胴縁に水切を設置する 9

押出成形セメント板は留め金具の上に載せ掛けて張る。専用の留め金具は胴縁にビス留めしていく

留め金具の上に押出成形セメント板を載せ掛ける 10

1枚載せたらその上に次の留め金具を引っ掛ける。さらに押出成形セメント板を載せる。それを繰り返す

現場監督（本物）

マメチシキ｜9 構造躯体の変位に対応するためルーズなディテールを取らざるを得ない鉄骨造は、最終的にシーリングを打つことで、その対策とすることが多い。しかし、一般にシーリングは紫外線による硬化が進むと、弾性が失われ破断しやすい。そこで、シーリングに頼らない二重防水のディテールを心がけるようにしたい。たとえば、ALC板の下に納める水切用の水平材にシーリングを打つのであれば、水平材はALC板裏に立上りを付け、防水テープで留めておくといったことである。この立上りがあるだけでも水返しの効果は絶大である

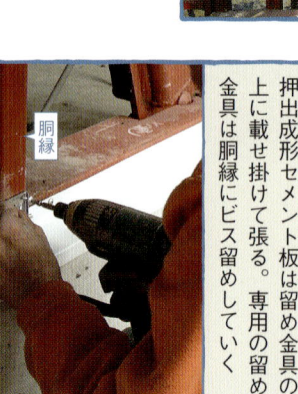

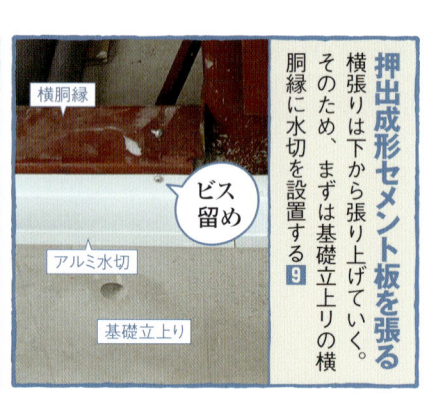

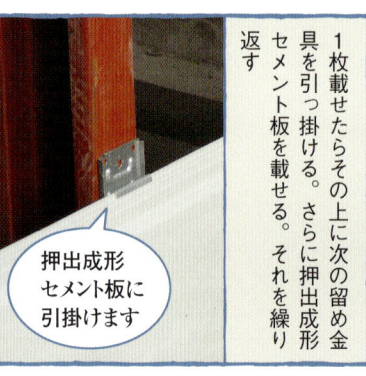

れる個所である

必要な大きさに合わせて押出成形セメント板を切断

開口部の下は胴縁にパッキン（ゴムライナー）を張って押出成形セメント板とのクリアランスを調整12

開口部下部の押出成形セメント板を張る

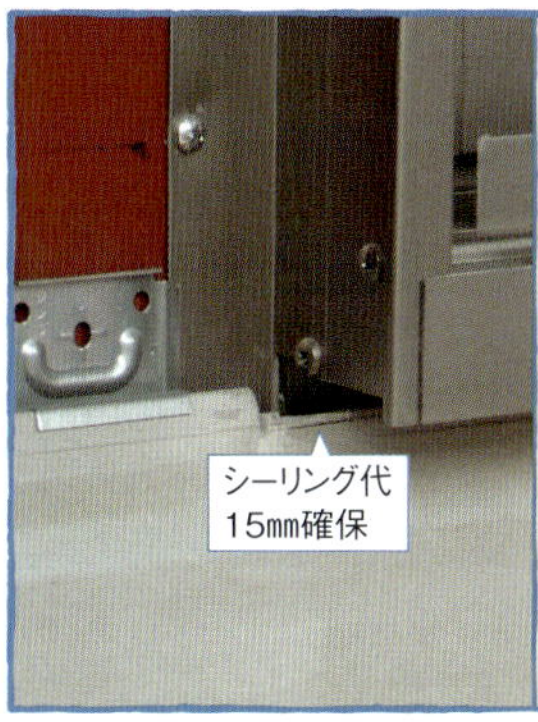

サッシ枠下にシーリング代を取るため、押出成形セメント板をわずかに欠き込んだ

これは別の開口部廻りの施工後。開口部下部の押出成形セメント板は、1枚板を切り込まない。必ず開口部に沿った目地を取る

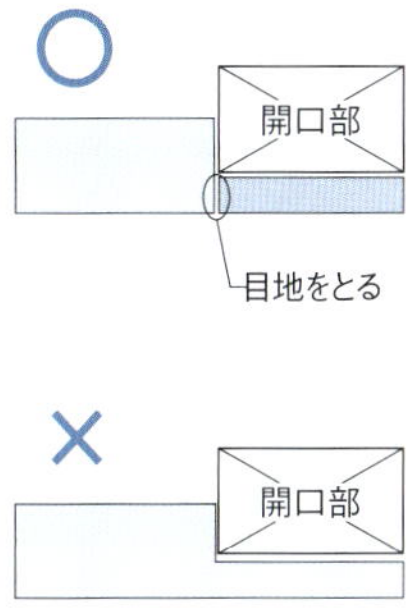

図5｜押出成形セメント板の納まり例［S = 1:12］

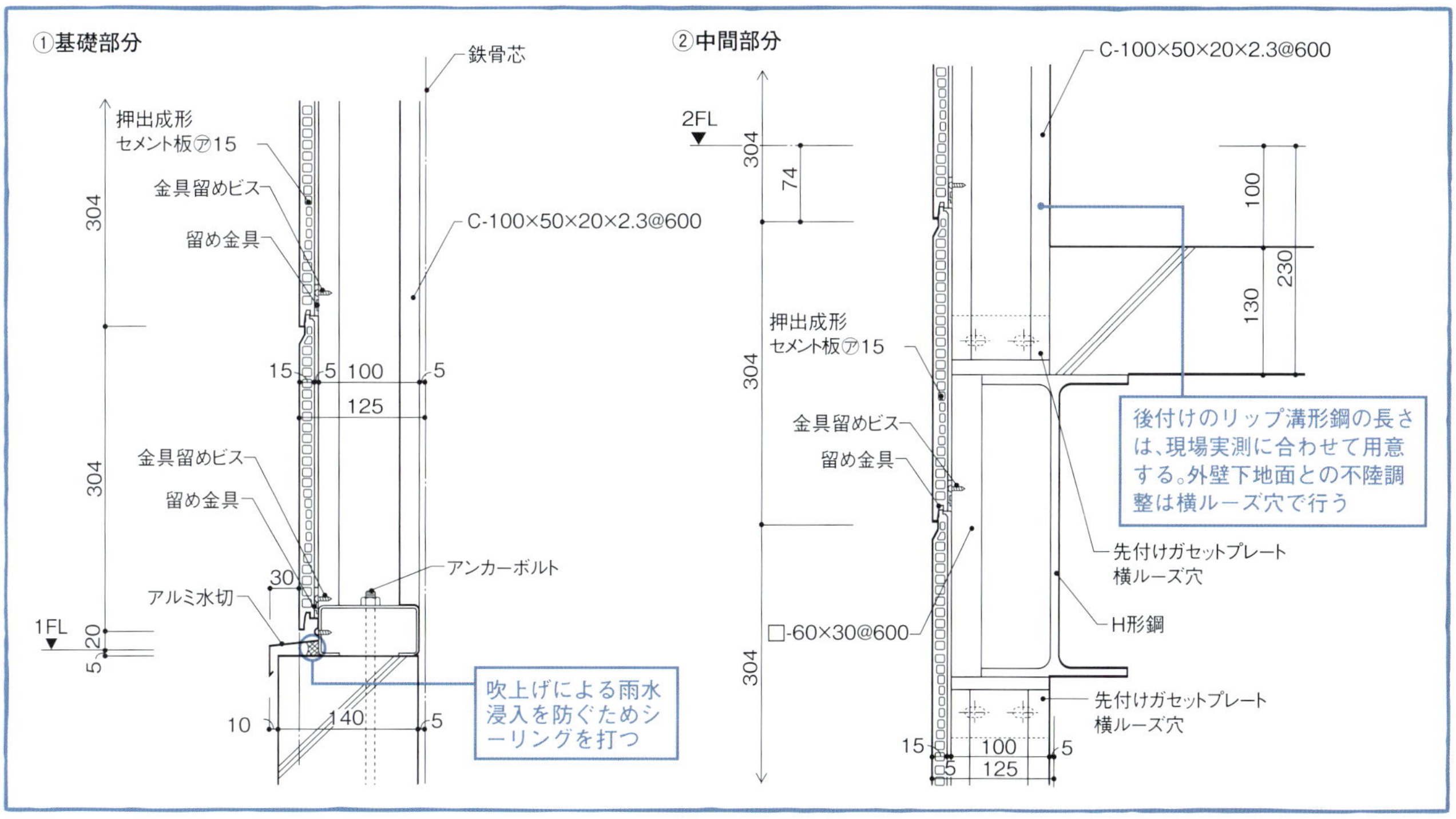

マメチシキ｜10押出成形セメント板の下端と水切との間は10mm以上確保する 11「特に横張りの場合は押出成形セメント板の重量で微妙に位置が下がってくるから、設計どおりの割付位置に納まらないことがあるよ。1枚ごとに寸法をチェックしながら張っていかないとね」（職人談）12パッキンは、胴縁の施工精度が悪く押出成形セメント板を真っ直ぐに（垂直に）張れないときの調整にも用いる。ただし、胴縁が5mm以上ずれていたらパッキンを張っても調整できないため、胴縁工事のやり直しとなる。わずかでも下地がずれてると、クラックの原因となりやすい。サイディング工事は胴縁の施工精度が命といえる

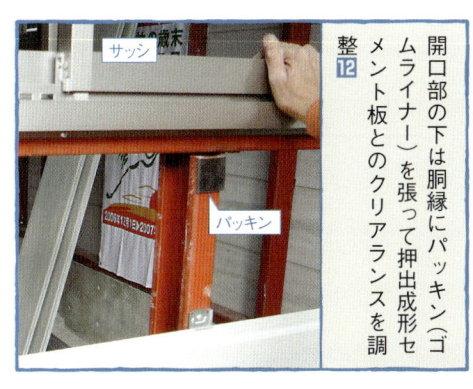

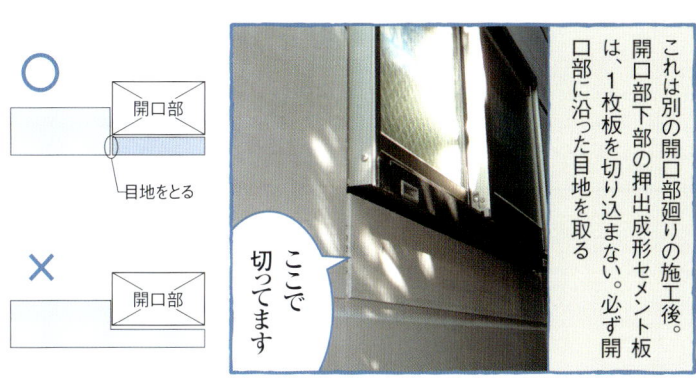

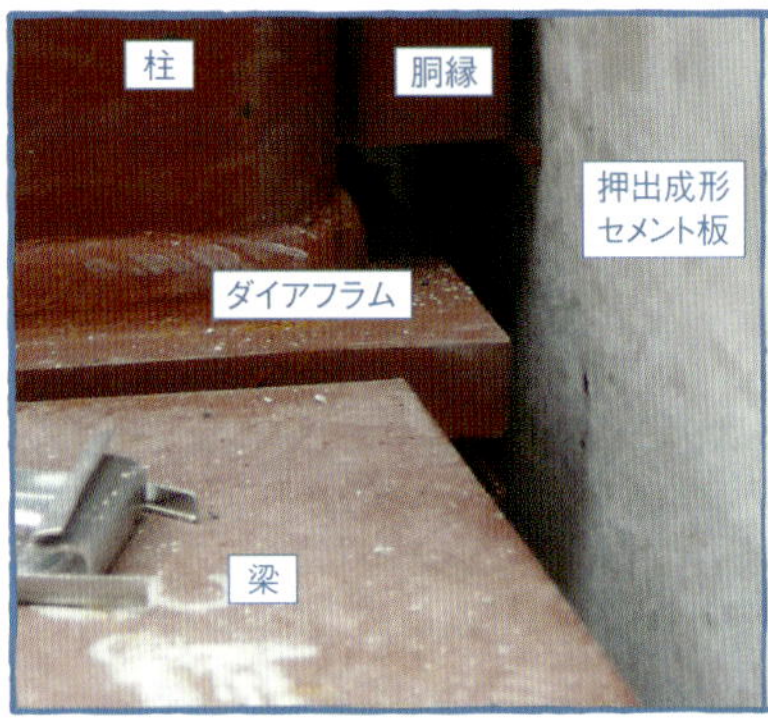
柱
胴縁
押出成形セメント板
ダイアフラム
梁

押出成形セメント板と柱のクリアランス。ダイアフラムからわずかに逃げているのが分かる

あんな小さい金具で壁が張れるっていうんだからすごいもんだよナ

上階まで張り上がってきた

コーナー役物

コーナー

コーナーにはあらかじめコーナー用の役物を入れておく

ラスト1枚でーす

サッシです

サッシは外付けか、半外付けを使用する 13

押出成形セメント板の工事完了

ルーズなディテール

RC造の打放しであれば、躯体と外壁は一体なので、躯体工事が同時に外壁工事でもある。一方、鉄骨造は木造の軸組構法と同様に、外壁は躯体と異なる別の部材を組み合わせてつくられる。

木造であれば柱・梁に構造用合板などを留め付けて面剛性を発揮させる方法がある。これに対し鉄骨造はたわみやすいため、外壁と躯体を一体化すると、地震などによる躯体の変形に外壁が追随できない。躯体と外壁の縁を切り、互いにルーズにして動きのずれを吸収するのが鉄骨造の基本となる[※1]。そこに、鉄骨造外壁の面白さと難しさがあるといってよいだろう。

取り付け方は2種類

外壁の取り付け方は、基本的に次の2つの方法に大別される[**図6**]。

①躯体（床・柱・梁）に直接ファスナー（取り付け金具）を設け、そこに外壁材を留め付ける方法

②胴縁や方立などのサブフレーム（下地フレーム）をスラブ間あるいは躯体外に設け、そこに外壁材やサッシなどを留め付ける方法

①は外壁材そのものに強度があり働き幅も大きな場合で、層間に設けるALC板の縦張りやPCパネルなどがそれに当たる。②はそれ以外のすべてが該当する。いずれにしても、構造躯体の動き（揺れ）と外壁やサブフレームとの動きやずれを吸収する仕組みが、すべてのディテールに影響することを理解しておきたい。

ALC板を賢く使う

鉄骨造の外壁材として一般的なのはALC板である[※2]。

ALC板とは、内部に細かな気泡を含んだコンクリートパネルのことで、軽量なうえ耐火性能・断熱性能があり、縦使い・横使い両方の対応が可能など多くのメリットをもつ。流通量も多いため使用しやすい。また、性能面・施工面でのコストメリットも大きいことから、鉄骨造外壁の定番仕様といえる。

ロッキング工法

縦使いの場合は基本的に、地

マメチシキ | 13 内付けサッシは押出成形セメント板の小口の処理ができない（ラムダの場合）

※1：厚鉄板を組み合わせる構造など、特殊例がないわけではないが、基本的にはルーズなディテールで設計することになる | ※2：ALCとはAutoclaved Lightweight aerated Concrete panelsの略で、「高温高圧蒸気養生された軽量気泡コンクリートパネル」のこと。国内では旭化成建材（へーベル）、住友金属鉱山シポレックス（シポレックス）、クリオン（クリオン）の3社が生産・販売している

図6｜鉄骨造外壁の取り付けパターン

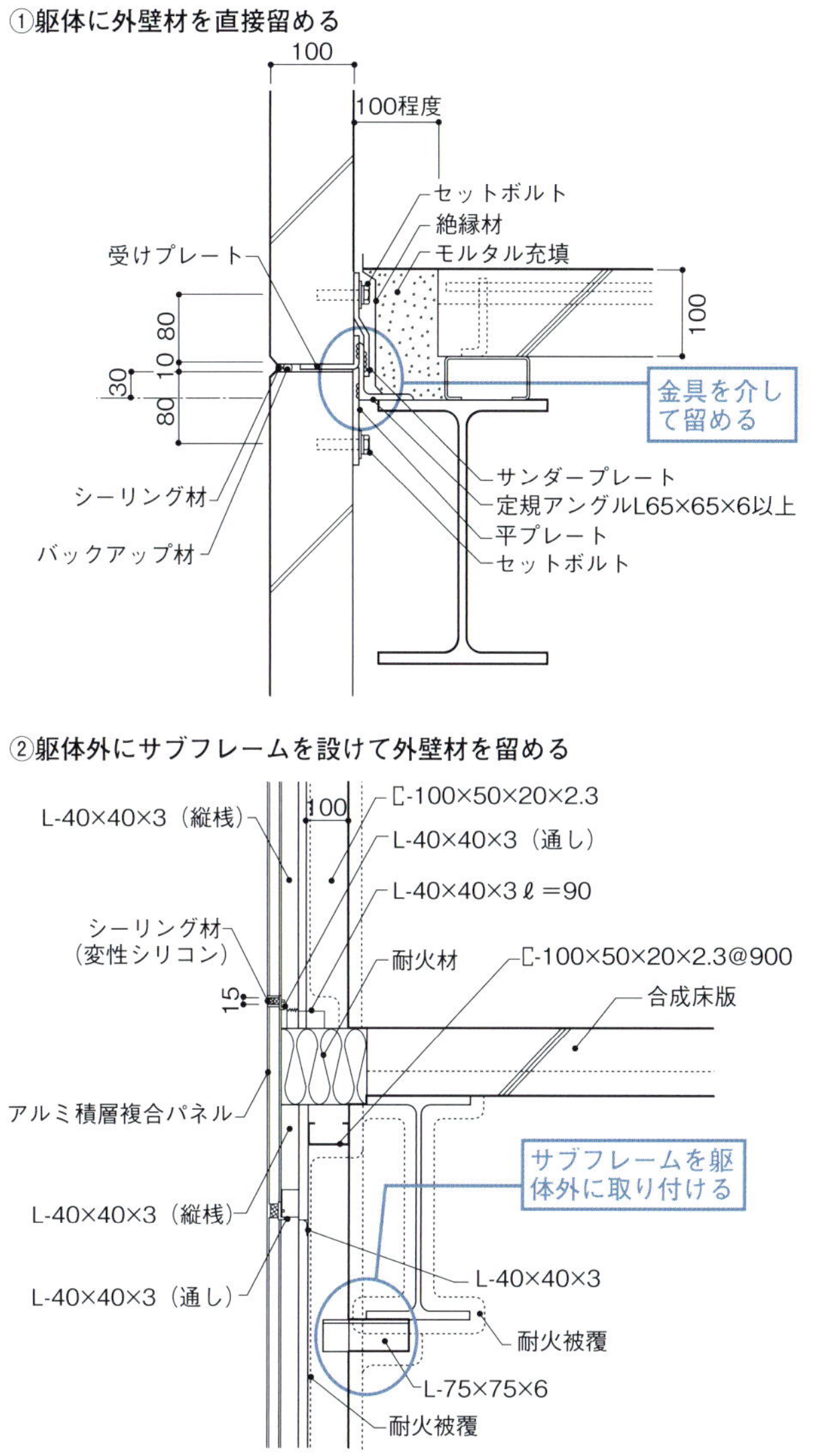

②躯体外にサブフレームを設けて外壁材を留める

図7｜ロッキング工法の仕組み

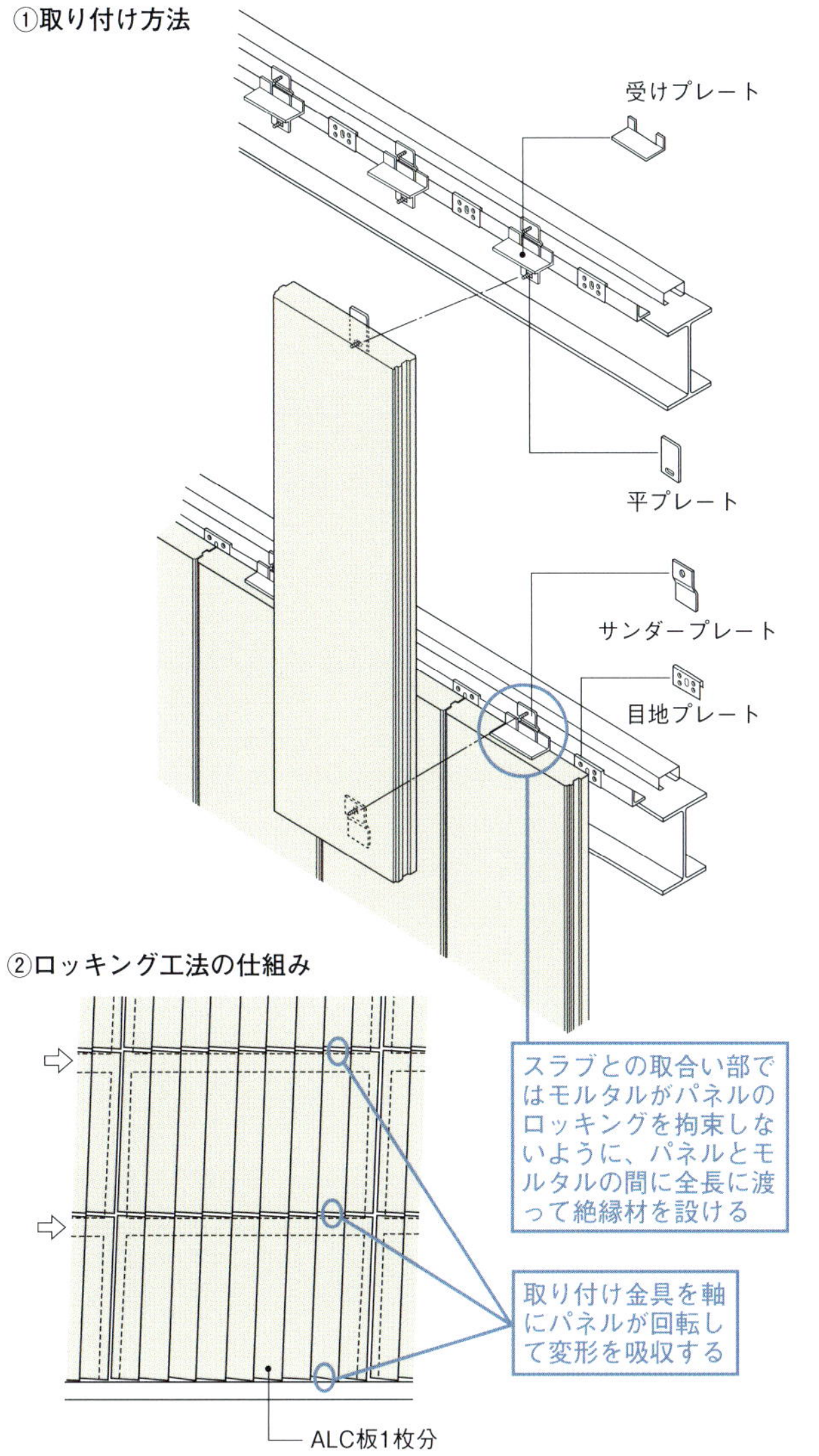

震時に躯体が変形してもＡＬＣ板が取り付け金具を軸に回転（ロッキング）することで壁面全体の変形を吸収する「ロッキング工法」で取り付ける。横使いにする場合は、パネル単位のスライド、あるいは「ずれ」で変形を吸収させる方法を取る。

これらの工法については、各メーカーに工法別の取り付け金具が用意されているので、条件に合ったものを選定する[図7]。

モジュールを意識した設計

1 基本寸法

ＡＬＣ板の製品幅は、原則600㎜に統一されている。長さ方向は厚みによって上限が違うが、600㎜～6000㎜の間で10㎜ピッチの指定が可能である[※3]。

厚さ50㎜以下のものは「薄型パネル」と呼ばれる。一方、75㎜以上のものは「厚型パネル」と呼ばれ、住宅、事務所ビルなど広く一般に使用されている。パネルの種類は、耐火・耐風圧性能あるいは荷重条件、仕上厚の要件など、設計・構造条件により選択する。

2 縦使いか横使いか

ＡＬＣ板は縦使い・横使い共に可能である。その決定や割付の根拠は、建物のプロポーション、開口部の計画など条件によってさまざまだが、構造躯体のモジュールや開口部（サッシ）などとの整合性は計画の初期段階で考えておきたい。

たとえば縦使いの場合、ＡＬＣ板の材長を階高に合わせれば、開口部以外の部分では下地（ＡＬＣ板を取り付けるための山形鋼など）が不要になるため、内装の設計は非常に自由度が高くなる。用途によっては内装をすべてＡＬＣ板の露しとして考えることもできる。同様に、開口部もＡＬＣ板の寸法に合わせた縦長のものにして開口の支持材をすっきり見せればシンプルな空間を構成できる[68頁図8、※4]。

横使いの場合も、柱のピッチとＡＬＣ板の材長、あるいはＡＬＣ板の支持点の間隔を合わせれば、中間の下地材は不要になる。開口部を横連窓などにして、開口のための補強材を柱間に渡すように入れれば、柱以外の縦部材をなくすことも可能となる。

なお、一般には縦使いのほうが横方向の目地が少ない分、雨仕舞には有利である。

仕上げの選択

ＡＬＣ板は、素地のままでは吸水率が高く防水性能をもたな

※3：厚さはメーカーによって違いがあるが、おおむね50㎜、75㎜、100㎜、120㎜（クリオンのみ）、125㎜、150㎜が一般的である。なお、クリオンには幅1,500㎜という大判パネルもある｜※4：縦使いにすると施工上有利な点もある。たとえば、外壁と隣地境界との離隔距離がとれないケースでは、あらかじめ仕上げを施したALC板を縦使いにして、奥から1枚ずつ順次シーリングをしながら施工していくと比較的楽に施工できる

図8｜ALC板を縦使いする際のポイント

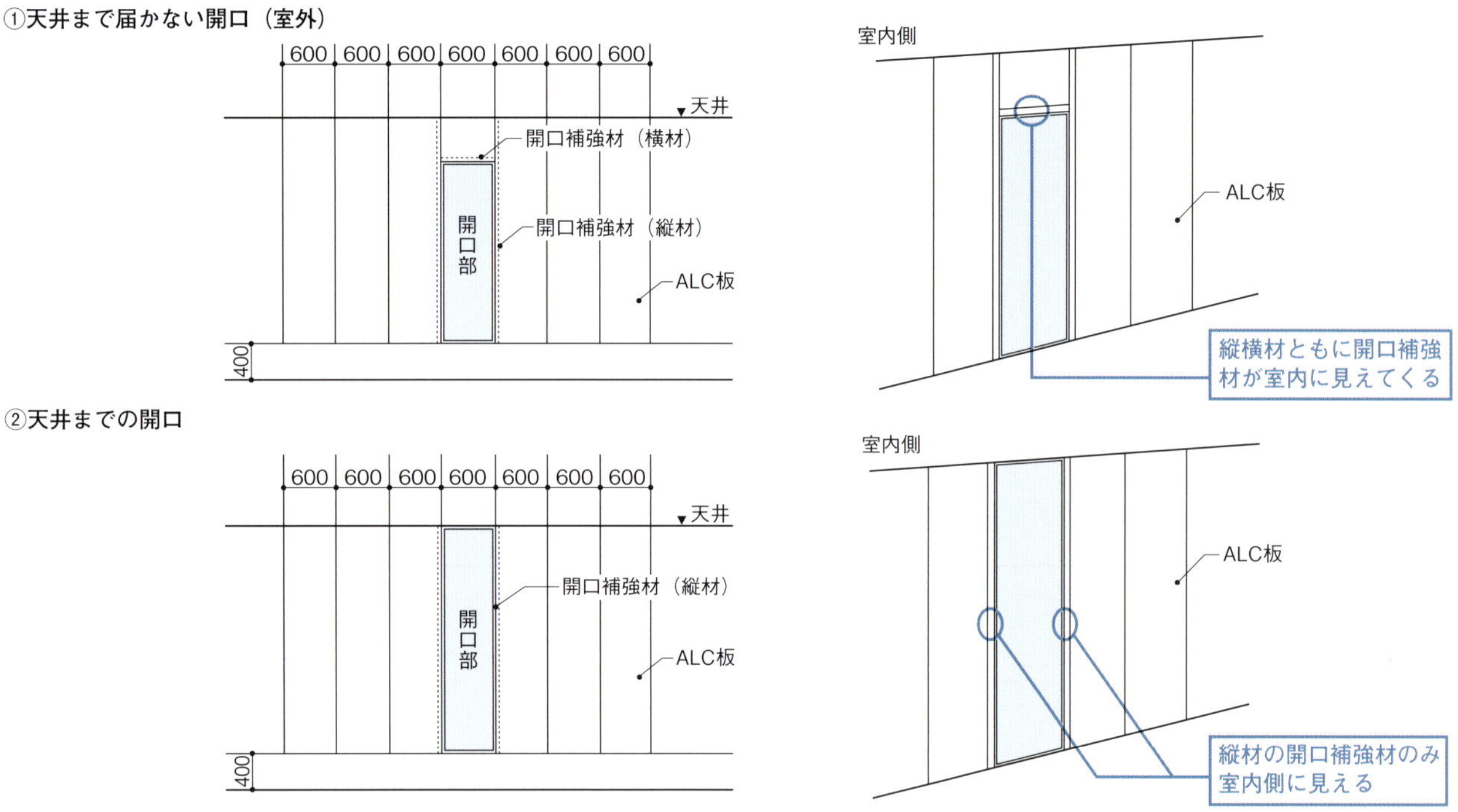

いため、必ず防水性能をもった仕上げを施す必要がある。

1｜塗装仕上げ

ALC板は、湿気を吸いやすい特性をもつ。そこで塗装仕上げの場合、ALC板内部に湿気が溜まらないよう各メーカーの仕様で透湿防水性の高い塗装材を選択するよう勧めている。

また、ALC板は気泡を含む多孔質[※5]な材料というだけでなく、製造時にピアノ線を使ってパネルをカットするため、表面に細かな凹凸が多い。そのため、薄い塗膜仕上げや艶のある平滑な仕上げには向いていない。まったく不可能ではないが、そのためには下地処理に手間をかける必要があるため、仕上げの精度を上げようとすると相当なコストと技術力が必要となる。

ただ、近年表面の凹凸を工場で下地処理し、比較的平滑な塗膜面をつくることのできる既製品がいくつか発売されている［図9］。

2｜タイル張り、石張り

ALC板はコンクリートよりも表面強度が弱いため、大きな接着保持力を期待できない。したがって、石張りなど重量の大きなものを使った仕上げは適さない。タイル張り、石張りなどを行う際は、各メーカーの仕様を考慮して設計するか、設計当初からメーカーに相談するのがよいだろう。

3｜大版のメリット

ALC板は、ボード状のいわゆる「平板」に加え、あらかじめ表面に溝加工やパターン加工を施したもの、あるいはタイル仕上げを施した製品がある。さらに、大版の製品もある。大版はPC（プレキャストコンクリート）の感覚に近く、目地部分にALC特有の大きなテーパーによる甘さをもたないというメリットがあるので、使い方次第では意匠的に重宝する。

外壁材とサブフレームの関係

ALC板以外の外壁材で代表的なものは、セメント系（押出成形セメント板、PCパネルなど）、窯業系（各種サイディングなど）、金属系（アルミ、スチール、ステンレスやそれらのサンドイッチパネルなど）、ガラスである。

さらに、それらを下地材と考えると、その上に別の仕上材（石・左官材など）を多様に展開できる。もちろん、金属によるカーテンウォールも、既製ではなく製作を前提としているので自由度は高い。

図9｜平滑な塗装仕上げが可能なALC板の既製品

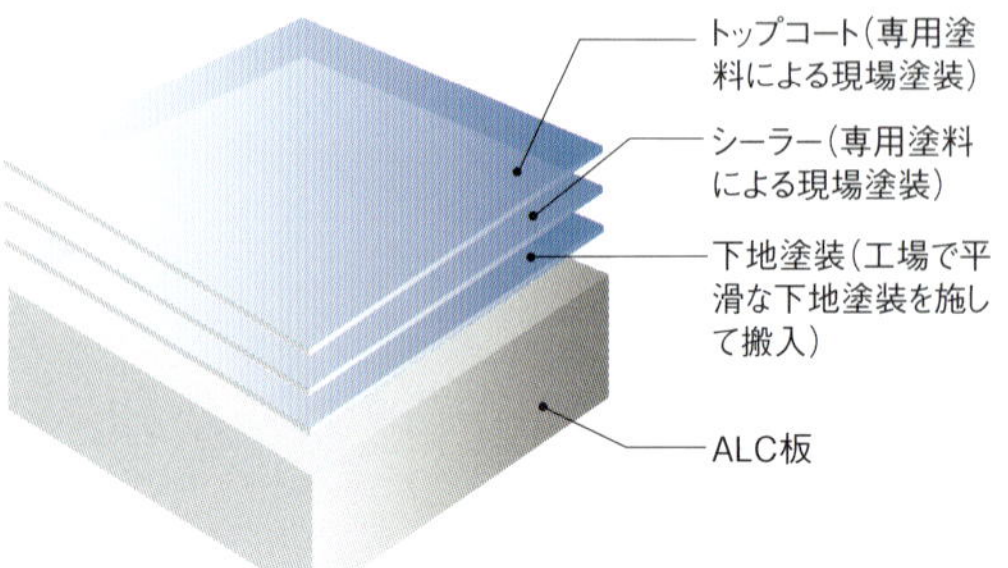

「アートミュール・フラット」（旭化成建材）

ただし、目地材の幅や材料、あるいはピッチの検討などはALC板同様、複合化する条件をクリアしなければならない。ここでも基本は、構造躯体の変位に対する追随性を十分に考えることである。

サブフレームの設定

1｜どこに設けるか

外壁材に何を選択するにしろ、設計上、胴縁や方立などのサブフレームを設ける必要がある場合は、構造躯体の芯（通常は柱・梁の中央）に対してフレームの芯をどこに設定するかが最も重要になる。

※5：多数の細孔をもつこと。木炭などにみられ吸着能力にもその性状が関係する

図10｜サブフレームを意匠的に処理した例［S＝1:15］

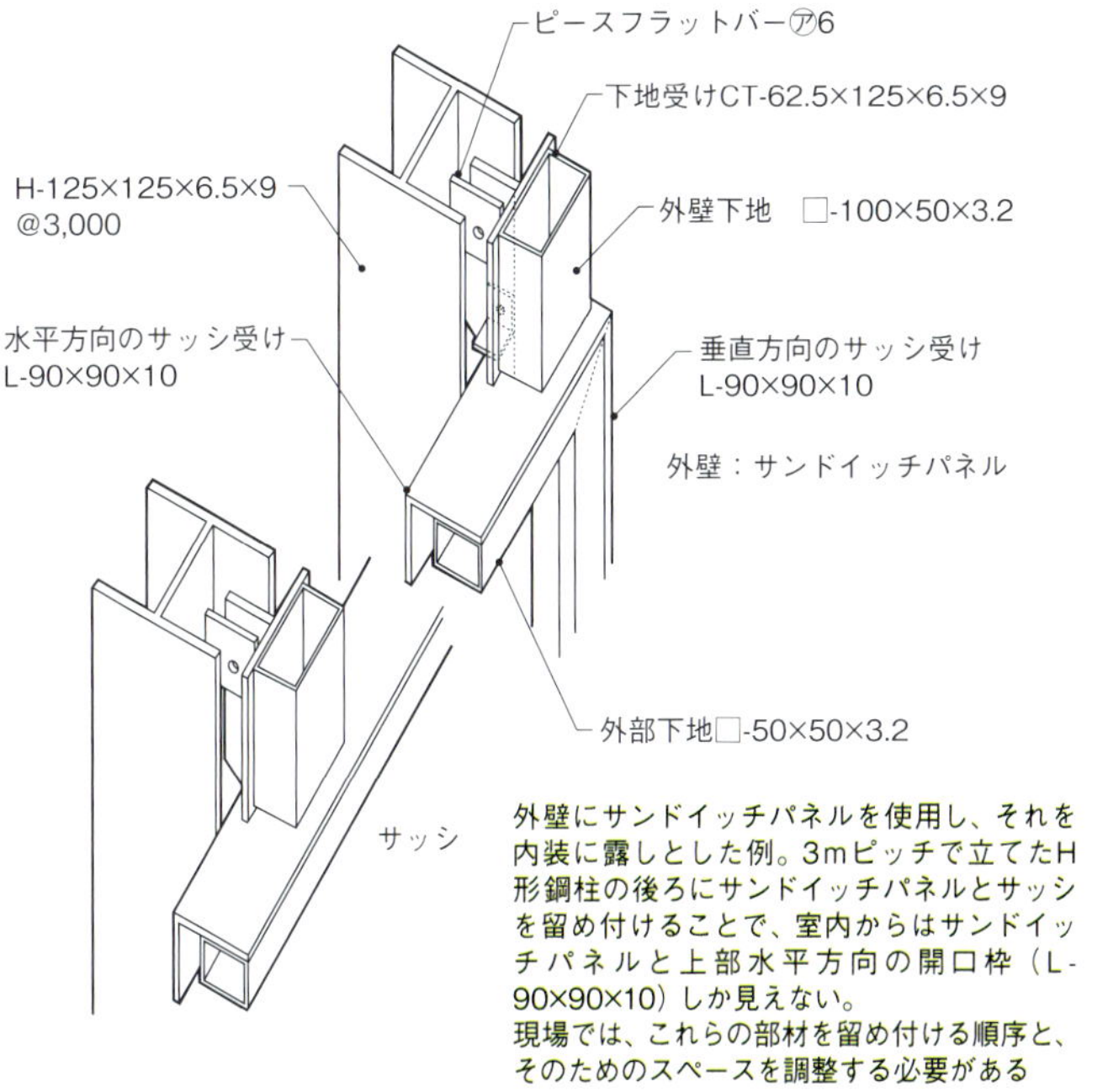

外壁にサンドイッチパネルを使用し、それを内装に露しとした例。3mピッチで立てたH形鋼柱の後ろにサンドイッチパネルとサッシを留め付けることで、室内からはサンドイッチパネルと上部水平方向の開口枠（L-90×90×10）しか見えない。
現場では、これらの部材を留め付ける順序と、そのためのスペースを調整する必要がある

写真｜（上）開口部廻りの外観。開口補強としての山形鋼自体が開口枠と外壁材の見切を兼ねている。（下）室内からは柱と水平方向の開口枠（山形鋼）、露しにしたサンドイッチパネルしか見えない

サブフレームを構造躯体の外に設置（アウトセット）すれば、納まり上の問題の多くは回避できる。しかし、狭小敷地などで内法の有効寸法を大きく取りたいときなどは、構造躯体からの外壁の出を少しでも抑えたいため、サブフレームは柱や梁の外面より内側に設けることになる。もちろん、サブフレームの位置によって意匠表現も変わり、法規上の床面積も影響を受ける。

2｜現場で気づく盲点

サブフレームを躯体外面の内側に設ける場合、部材どうしの干渉を防ぐため設計上はぎりぎりの数値を考えざるを得ない。しかし、フレーム廻りのクリアランスを標準的な部分（接合部以外のフラットな部分）で設定していると、現場で部分的に納まらないケースがある。

比較的多いのが、胴縁とブレースとの交錯、ダイアフラムとの干渉などで、これらは設計段階では見落としがちな意外な盲点といえる［26頁・34頁参照］。

鉄骨造の設計に不慣れな人は、最初のうちは条件の変わる部分、特に接合部周辺はなるべく洗い出し、すべて図面化することをお勧めしたい。メーカーによっては外壁材をアウトセットする場合の寸法をカタログに掲載していることもあるので、それを前提に設計をスタートしてもよいだろう。だが、なかにはあまりに安全側に寄った数値にしている場合や、逆に特殊なケースをカバーできない寸法もあるので、あくまで参考程度にとどめておきたい［図10、写真］。

開口部と外壁材

開口部のサッシは外壁材に直接支持させず、補強鋼材を設けて支持させるのが原則である［※6］。ただし、小口径のダクト貫通などはその限りではない。

サッシの選択

サッシは風圧や重量を考慮した取り付けフレームを、山形鋼（アングル）などで組み、それに溶接するのが一般的である。

外壁がALC板の場合は、サッシ自体にALC板専用のものがある。これは、フレームとの間に裏込めをして表からシーリングができるよう、あらかじめ「返し」のついた断面としていることが多い［62頁図3］。

ALC板以外の外壁材では、その材厚や防水処理の仕方によって、どういう断面のサッシが最も適切なのかを判断しなければならない。現実にはサッシメーカーとよく打ち合わせ、部品を組み合わせて、使用する材料に適した合理的な納まりにしていく。

たとえば、材厚の薄いサイディングの場合は、各所の納まりが木造と同じになるため、木造用の半外付けサッシを転用すると防水の巻込み納まりが非常にうまくいく［63頁図4］。

美しい割付け

開口のために外壁材を切り欠くことは、どんな材料にでもできるわけではない。ALC板であれば1枚板への切り欠きは原則として1カ所、600㎜幅に対して切り欠いた残りの寸法は450㎜以上にする、などといった制限ルールが各メーカーにある［70頁図11、※7］。

サッシを納めるための切欠きが意匠上中途半端な残り寸法を出すくらいなら、サッシを板幅のモジュールにきっちり合わせたり、逆に目地から均一に振り分けたり、といった全体の割付をしながら開口計画を確定したほうがよい［70頁図12］。

なお、サッシ同様、換気や設備機器のための外壁貫通にも制限があるので注意したい［※8］。

［小林真人］

※6：外壁にPCパネルを使用する場合はその限りではない｜※7：メーカー、製品、切り欠く場所など条件によって寸法は異なる｜※8：板材の長辺方向では極力中央部に寄せたり、板幅に対して径が大きければ、2枚にまたがる位置に配置したりと、外壁材の性能を損なわないような配慮は欠かせない。住宅などではあまり問題にならないが、業務用の大口径のものが必要になる場合などは、設備計画とともに処理しなければならない問題である

図11 | ALC板への切り欠き

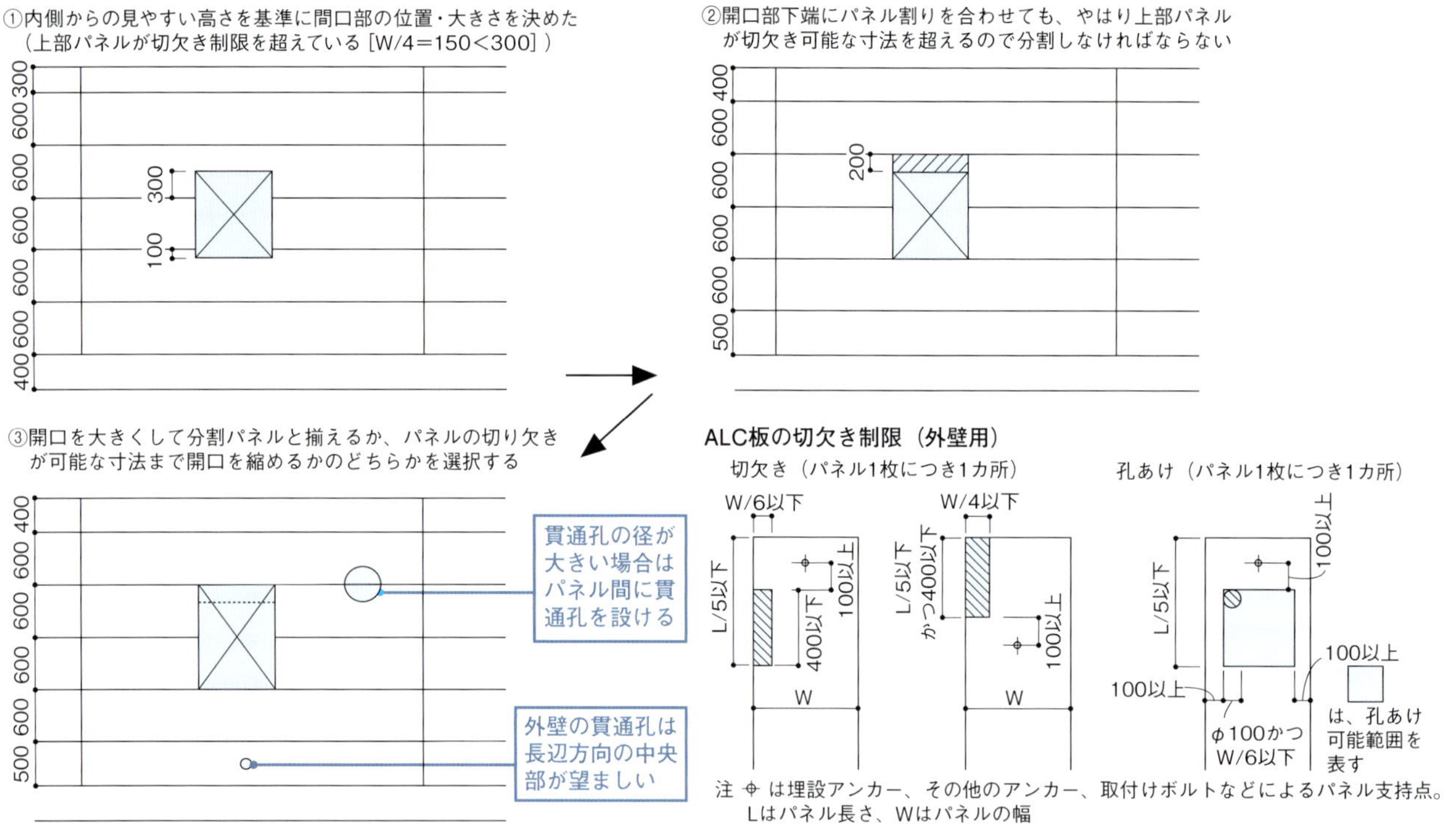

図12 | 外壁パネル割付の考え方

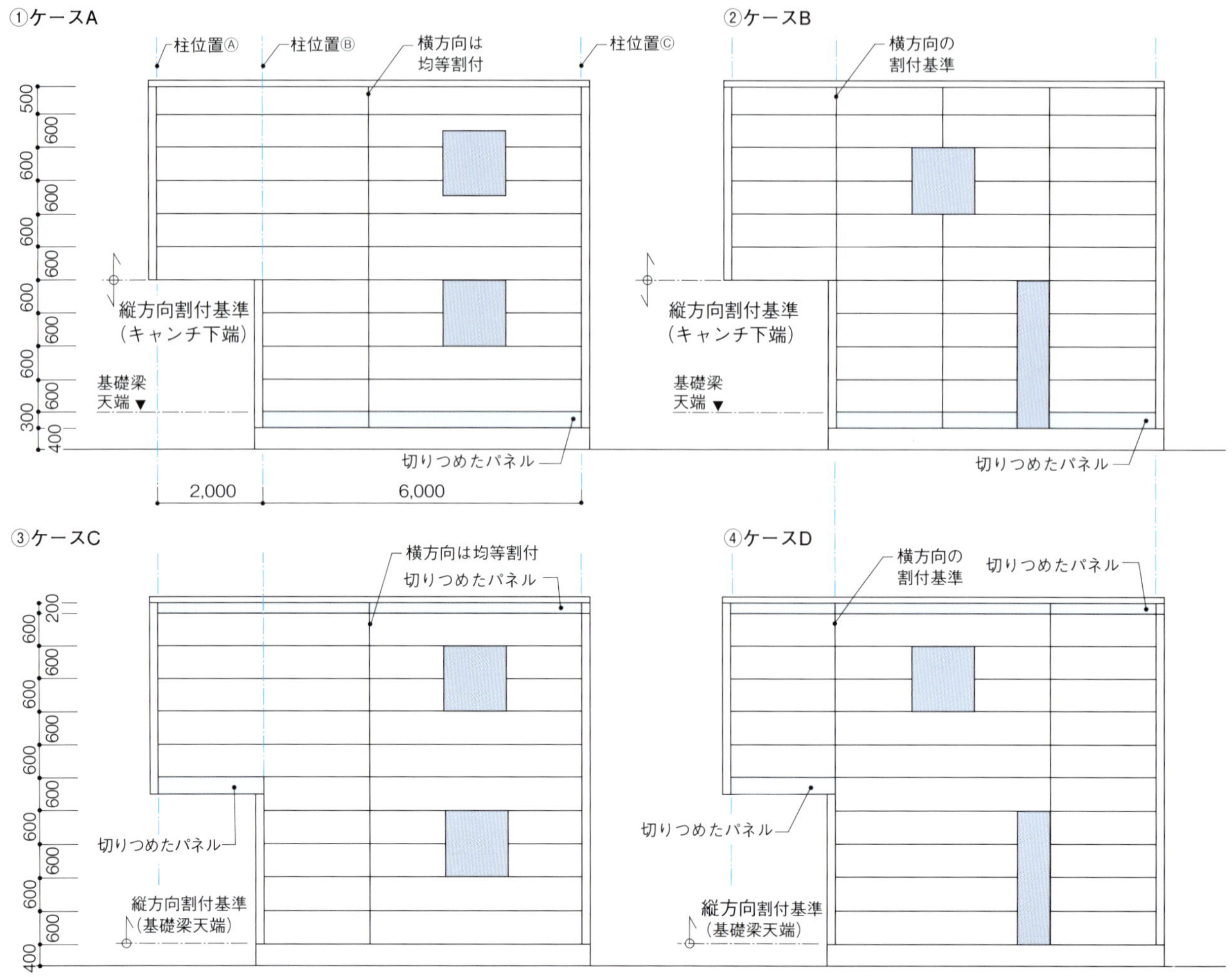

単純な横張りのケースでもパネルの割付はいくつかのパターンが考えられる。ケースA・Bの縦方向の割付基準はキャンチ下端だが、ケースC・Dは基礎梁天端である。また、ケースA・Cの横方向は左右均等にパネルを割り付けているが、ケースB・Dはキャンチの幅を基準にパネルを振り分けている。いずれも開口はそれぞれに割付によって調整されている。このうちどれに決定するかは、構造、設備、法規、内装など、それぞれとの関係で一番よいものを選択する

耐火被覆 いまさら訊けないQ&A

Q1 なぜ、耐火被覆は必要か？

鉄骨材料は、加熱されると耐力が大きく低下し、500℃のときで約1／2になる。そのため、火災への対策を施していない鉄骨躯体は倒壊などの被害を招きやすい。これを防止するために鉄骨に熱を伝わりにくくする処置が耐火被覆である。

主に地域指定や建築物の規模によって、必要とされる耐火時間が法令で定められているが［※1］、一般には、耐火時間が長くなれば被覆材の厚みも厚くなる。この仕様もまた、法令で「耐火・準耐火・防火構造」として部位ごとに詳細が定められている。

Q2 耐火被覆材には何がある？

耐火被覆材といえば、かつてはロックウール（吹付け）がほとんどであったが、最近では、施工性、作業環境、意匠性などの観点から、多種多様な耐火被覆材が使われるようになった。

耐火被覆材は、耐火被覆として単一の機能をもつものと、内外装仕上げとしての機能を併せもつものに分類できる［**72頁表**］。

1 耐火吹付け材

吹付け材の代表格・ロックウールは、主にコストを安く抑えられるという理由から、戸建住宅から大規模建築物まで多くの現場で使用されている。しかし、吹き付けたままでは仕上げとして適切でないため、一般に見え掛かりでない個所に使う。

同じ吹付け材でもセラミック系（耐火左官材と同材質）は、コストは上がるが、薄く仕上げられるうえに硬度もあるため、そのまま内装の仕上げ下地とすることもできる。

2 耐火板

ケイ酸カルシウム板など、文字どおりボード状の被覆材で、耐火機能を主としつつも内装仕上げ・下地の機能も併せもっている。ペイント仕上げやクロス仕上げの下地材に適する。

3 耐火左官材

モルタルや軽量モルタルは旧通則の耐火被覆材であるが、耐火被覆機能に特化して開発されたセラミック系の耐火被覆材は、モルタルよりも仕上げ厚をより薄くできる左官材料である。直接塗装とすることやクロス張りにすることも可能。

4 耐火塗料（熱発泡型）

耐火塗装材は、鉄骨などの複雑な形状に直接塗布でき、1～5㎜厚程度とたいへん薄く仕上げられるため、ほとんど被覆材と意識されない。

主に1時間耐火の屋内、見え掛かりの躯体に使用される。施工後の維持管理が必要だが、最近は条件次第で耐火時間が1時間以上となるものや、屋外で使用できる製品もある［※2］。

5 耐火布（巻付け）

塵の飛散もなく、施工も容易な布状の被覆材である。吹付け材に比べ厚さが多少薄く、均一なため仕様厚さを確保しやすい。効率上、鉄骨梁を袋状に覆うように耐火布を設置するため、全体としてはやや大きな外寸となる。

Q3 耐火被覆材の選定・使い分けはどうすればよい？

耐火被覆材の選定は、建築基準法に適っていることが大前提となるため、選定の際はまずその仕様と耐火認定番号を押さえる。言い換えれば、物理的な耐火性能があっても耐火認定番号のないものは仕様規定上使用できないということである。

使い方については、①1種類の被覆材で被覆するパターン、②数種類の被覆材を部位ごとに使い分けるパターン、③1つの部位に対して数種類を複合して使用するパターンなど、さまざ

※1：耐火時間は防火・準防火地域、階数、延べ面積などによって、主要構造部や屋根などの部位ごとに30分、45分、1時間、2時間、3時間と設定されている。鉄骨造では防火地域で延べ面積100㎡超、および準防火地域で地上階数4以上か1,500㎡超は耐火建築物（1時間耐火以上）となる。広範に指定される準防火地域の地上3階建てで1,500㎡以下は、すべて準耐火建築物（45分か1時間耐火）としなければならない ｜ ※2：耐火塗料と同じメカニズムの材料をシート成型した「耐火シート」もある。1～5㎜厚の薄いシートながら、火災時の熱で発泡し耐火性能を発揮する。仕上げ材の下に張ったり、配管のスリーブ貫通個所に巻きつける際などには便利である

表｜代表的な耐火被覆材一覧

被覆材の種類	製品名／メーカー名	材質	厚さ（mm）／耐火の部位・時間	特徴
耐火吹付け材	吹付けロックウール	ロックウール（不燃）[※1]	25／梁1 45／梁2 60／梁3 25／柱1 45／柱2 65／柱3	最も多くの現場で使用されている被覆材の代表選手。コストの安さが魅力だが、施工性、作業環境面などの点でやや難がある
耐火板	ニュータイカライト／日本インシュレーション	ゾノトライト系ケイ酸カルシウム（不燃）	15／梁1 25／梁2 15／柱1 25／柱2	耐火石膏ボードでは必要な下地の中骨なしで、柱形、梁形が組め、コストメリットがある。丸柱用にR成型された耐火板もある
耐火左官材	タイカ・アロック／スチライト工業	エトリンガイト[※2]、水酸化アルミニウム、炭酸カルシウム	15／梁1 25／梁2 15／柱1 25／柱2 25／柱3	通常のモルタル（軽量モルタル）に比べると、セラミック系のモルタルは塗り厚を薄くできる。同材質の耐火板もある
耐火塗料	SKタイカコート[※3]／エスケー化研	発泡性アクリル系樹脂塗料	1〜2.5／梁1 3.7／梁2 0.75〜4.5／柱1 3〜4.5／柱2	塗り厚1〜5mmにもかかわらず、火災時の熱で20〜30倍に発泡して、炭化層を形成し耐火性能を発揮する。塗り厚は必要耐火時間、鋼材の断面積あたりの熱容量により決定され、肉厚の厚い鋼材ほど塗り厚は薄くなる
耐火布（巻付け）	マキベエ[※3]／ニチアス	ジオファイバー（高耐熱ロックウール）	20／梁1 40／梁2 60／梁3 20／柱1 40／柱2 60／柱3	吹付け材に比べ飛散もなく施工が容易な布状の被覆材。屋内駐車場、機械室などの簡易な仕上げにも適する。旧通則の吹付け耐火被覆材より耐火性能が強化されているので厚さは薄くて済む

※1　セラミック系の耐火吹付け材では、たとえば梁の1時間耐火は10mm厚となる（セラタイカ2号／エスケー化研）
※2　高硫酸塩型カルシウムアルミネート
※3　耐火時間と被覆厚さは鋼材、工法などの条件により異なる。詳細はメーカーに確認のこと

図1｜耐火被覆材の使い分けと寸法上の注意点[S＝1:15]

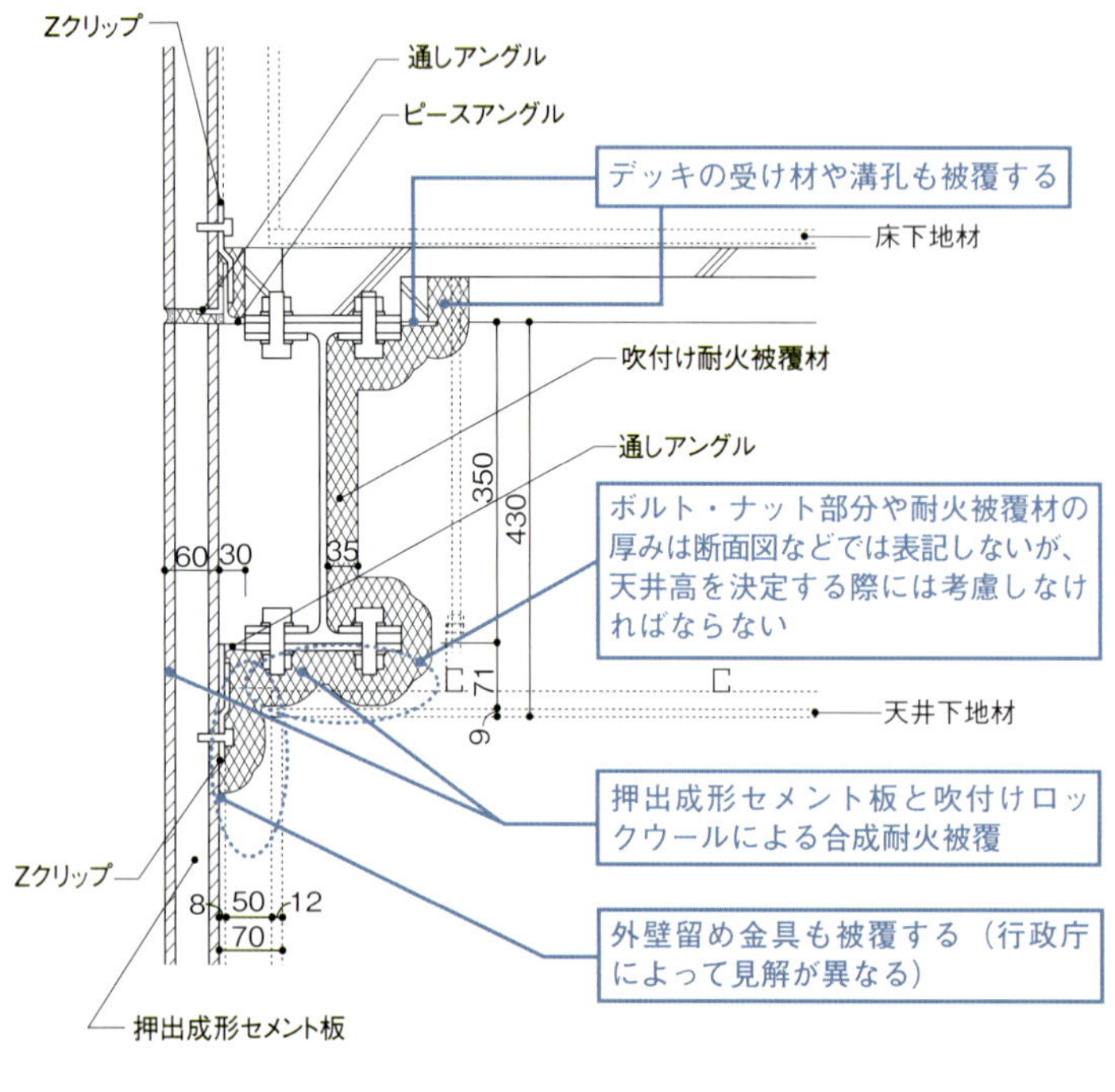

まな組み合わせが考えられる。

たとえば、外壁沿いの柱や梁には、耐火機能をもつ外壁、床板を使用し、残りの部分は吹付け材により複合的に被覆していくというような組み合わせ方である[**図1**]。

トータルコストで考える

耐火被覆材を比較したもののなかには、耐火機能とその材料コストのみで吹付けロックウールを推奨しているものが少なくない。しかし、耐火機能だけでなく仕上げ機能まで含めつつ、意匠性、施工性、コストという観点から評価すると、ほかの被覆材も選択肢に入ってくる。

たとえば、梁下に天井材を張る仕上げであれば吹付けロックウールが適当だろうが、梁形を出す場合や床のデッキを露出させる場合は、ケイカル板のほうが有利である。ロックウールであれば、①梁に吹き付ける、②LGS（軽量形鋼）で下地をつくる、③石膏ボードを張る、という3工程が仕上げ下地をつくるまでに必要になるが、ケイ酸カルシウム板は梁に張るという1作業だけで下地までの工程が完了するからである。工事費全体に占める施工費の割合が高まっている昨今では、工程の合理化こそコストを考えるうえで重要ともいえる[※3]。

Q4 耐火被覆はどこに施す?

基本的には、耐火が要される鉄骨の構造躯体すべてが耐火被覆の対象となる。ただ、火災時は躯体に接する部分にも熱が伝わることを考えると、そこにも耐火被覆が必要ではないかという疑問がわく。

これについては、成文化されている一部を除き不確定なところが多く、各行政庁で見解が異なるというのが実情である。

1 外壁下地

外壁材の留め金具、通しアングルなどの下地胴縁は、構造躯体に接しているが耐火被覆は必要ないという見解が主流である（外壁材メーカー各社の見解）。しかし、行政庁によっては見解が異なるところもあるので注意したい。筆者としては、留め金具は熱橋（熱が伝わる部分）としては小さく躯体との距離もあるので、各自の判断に任せてよいが、躯体と接する部分が大きい通しアングルなどは大きな熱橋となるので被覆すべきだろうという見解である。

2 内装下地

LGSの内壁下地・天井下地

※3：鉄骨露し仕上げなどのように、意匠性を重視した建物の場合は特殊な耐火被覆に頼らざるを得ないことも多く、そういった意味でもコストだけに縛られない選択方法は、耐火被覆材選びの重要な視点といえる

では、鉄骨に吊りボルトなどを溶接するが、断面が小さく熱橋としても小さいため、被覆しないのが一般的である。

3 ブレース

鉛直力を負担しないブレースについては、耐火被覆は不要である。ただし、構造躯体との接合部であるガセットプレートには被覆することが多い。

4 構造躯体から持ち出した手摺など

手摺など構造躯体にしっかり固定しなければならないものは、鉄骨本体ではないので耐火被覆の必要性は明確にされていない。しかし、構造躯体との接点が大きい部分は、そこが大きな熱橋となるおそれもあるため、全部または断面が小さくなる部分まで被覆するのが望ましいだろう。

Q5 被覆厚さの盲点とは?

構造躯体に直に被覆する部分であれ、ある程度の隙間をとって被覆する部分であれ、耐火被覆は必要な耐火時間に応じた所定厚さを確保しなければならない。耐火塗料程度の薄さ（1～5㎜）であれば問題ないかもしれないが、この「被覆材の所定厚さ」は、設計上配慮しておきたいポイントである。

1 天井高の設定

たとえば、天井高を設定する際は、被覆材の厚みを天井高から引いておかなければならない。加えて、梁継手の多くは高力ボルト接合のため、その厚みにはボルトの出寸法もプラスしておく必要がある。すなわち、天井仕上げ面は、最低でも梁フランジ面＋ボルトの出＋被覆材の厚み分下がることになる［**図1**］。

2 梁貫通部有効開口寸法の確保

同様に、梁貫通孔にも注意を要する。所定厚さを確保するということは、貫通孔の径は被覆材の厚み分だけ小さくなる。すなわち、梁に要求される所定厚さを確保するには、それを見越したスリーブ径を確保しておかなければならないということだ。たとえば、呼び径100㎜の塩ビ排水管の場合、管外径は114㎜となるため、そこに吹付けロックウール35㎜を見込むと、鉄骨梁にあけるスリーブ径は200㎜程度となる［**図2**、※4・5］。

通常の断面図では耐火被覆の厚さまで表現しないため、忘れがちだが重要なポイントである。

［よしだきんじ］

図2｜梁貫通スリーブの納まり［S＝1:15］

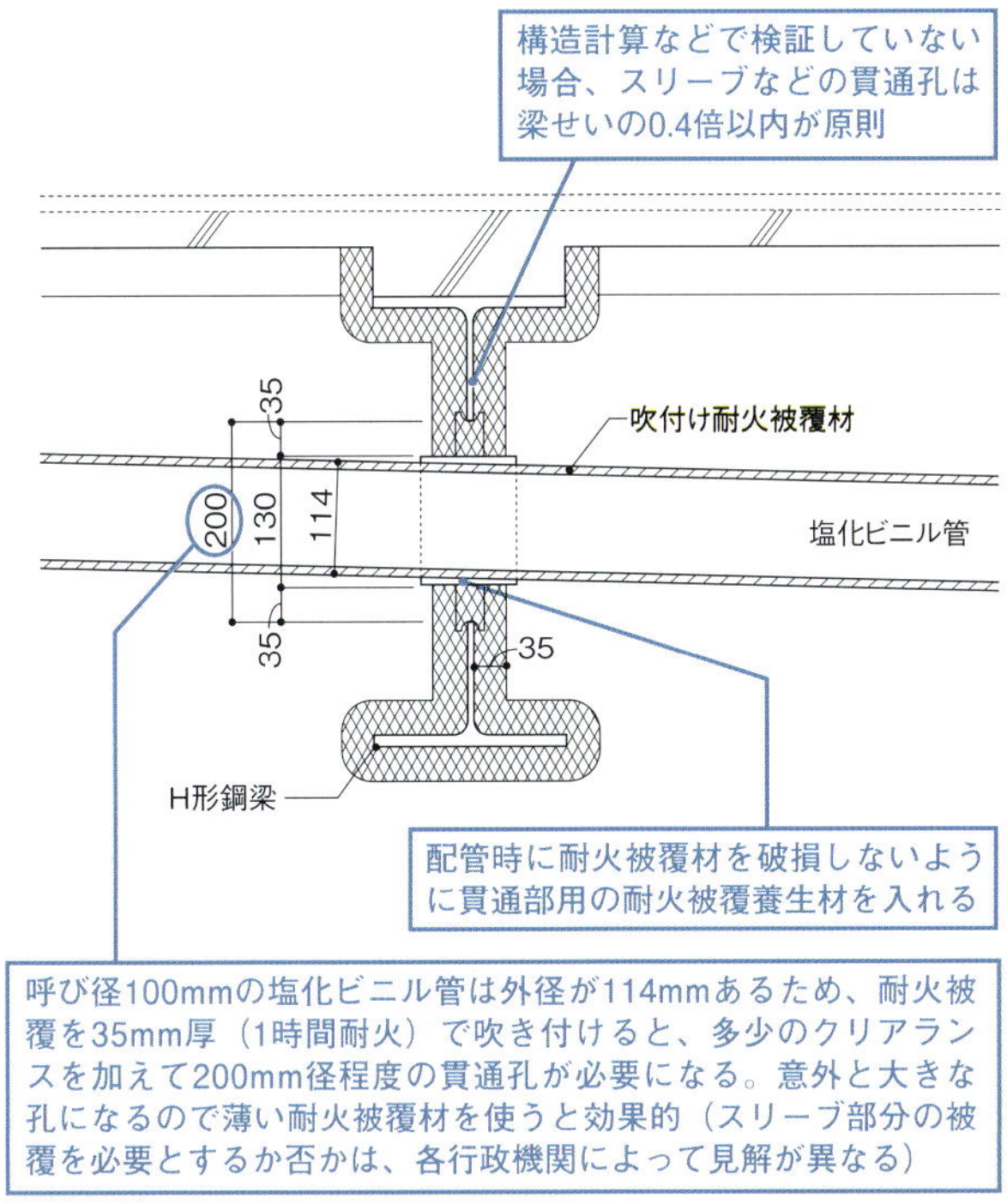

吹付けロックウール［半湿式］の現場

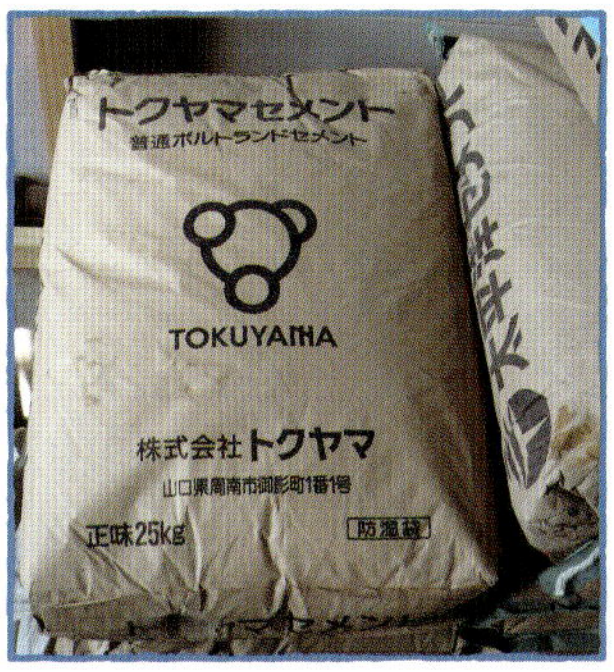

原料の1つである普通ポルトランドセメント

まずは、原料となるセメントをタンクに入れ水と混合する（混ぜたものをセメントペーストという 1 ）

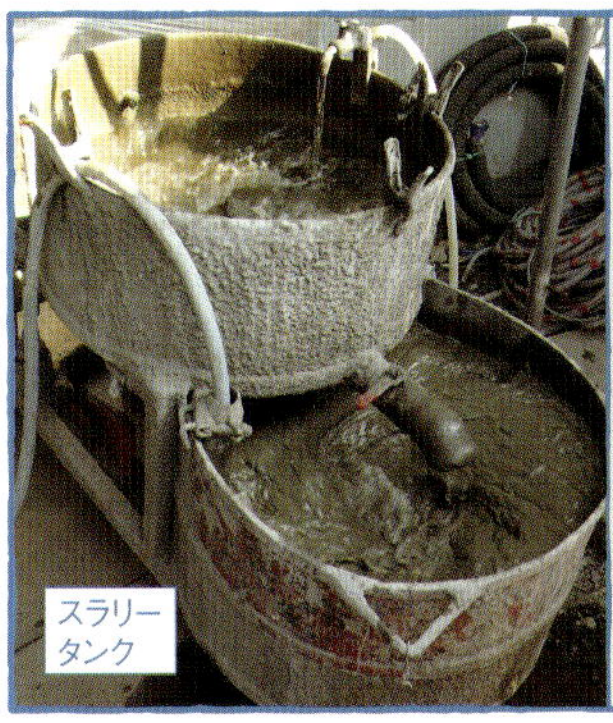

上のタンクで混ぜ終えたものを下のタンクに供給する。ここからホースで吹付け機へ送る

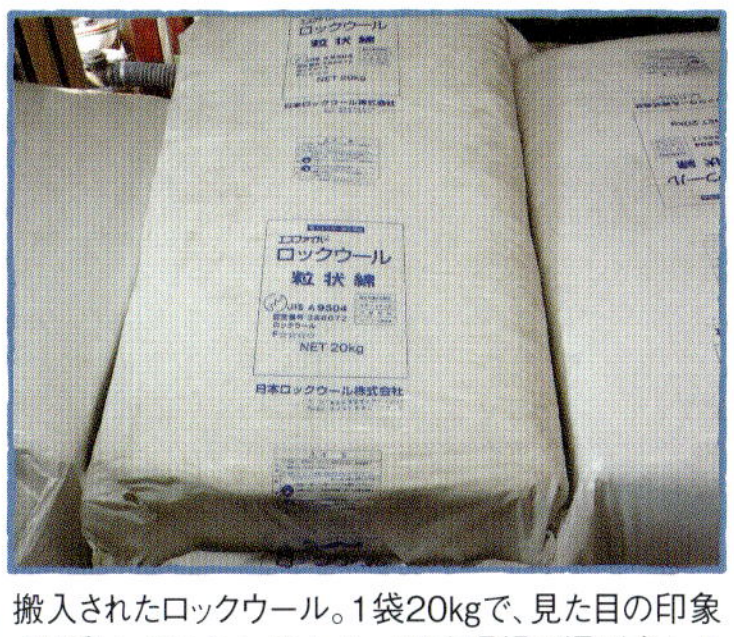

搬入されたロックウール。1袋20kgで、見た目の印象より重い。これとセメントペーストを現場で混ぜ合わせて、被覆個所へ吹付け機で吹き付ける

ロックウールを解繊機へ投入。適当な大きさにちぎりながら入れていく

細かくなったロックウールはセメントペーストとは別のホースで送られた後、吹付け機のノズル内で混合されてセメントペーストと同時に噴出される

※4：114㎜＋35㎜×2＋ α（クリアランス）≒200㎜｜※5：スリーブへの耐火被覆については各行政庁で見解が異なる場合がある。なお、スリーブ部分は配管施工時に吹付けロックウールなどの被覆材を損傷するおそれがあるので、保護管などを設置する場合も多い（ケイカル板では同質の管材がある）

マメチシキ｜1 セメントペーストは「セメントスラリー」ともいう。スラリー（slurry）とは「泥状の混合物」のことで、固体粒子が液体のなかに懸濁している流動体をいう

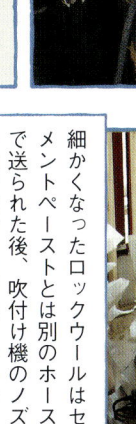

耐火板の現場

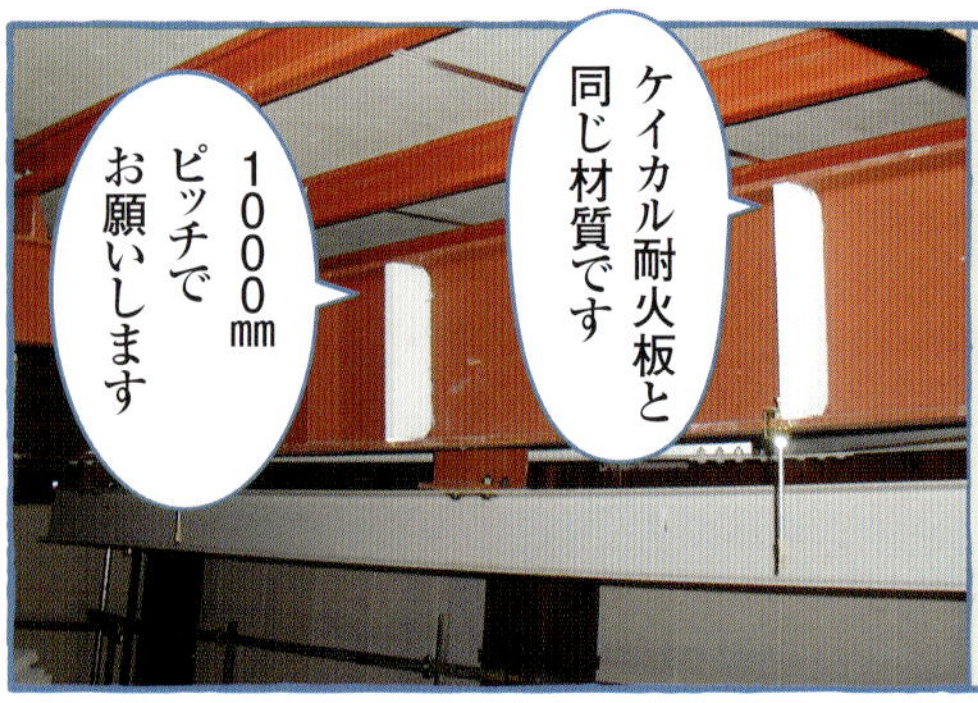
ケイカル耐火板と同じ材質です
1000㎜ピッチでお願いします
H形鋼梁のウェブに下地となるスペーサー（35㎜厚）を耐熱性接着剤で取り付ける

工場でプレカットされて来ます
適切なサイズにカットしたケイカル耐火板をスペーサーに釘で留め付けていく 3

コマ詰め用ピース
合成デッキスラブの溝にはコマ詰め用ピースを入れて釘留め

露しとする場合には、目地に補修用のパテを塗り付けていく

完成——15㎜厚で1000℃・3時間の加熱に耐える

ニュータイカライト（日本インシュレーション）

通称コマ
吹付けを待つ室内。被覆後では取り付けられない内装用の木下地などを先に取り付けている 2

ここでセメントペーストとロックウールが混合される
吹付けスタート
所定の厚みになるまでまんべんなく吹き付けていく

梁と外壁の隙間にも入念に吹き付けていかないとな 裏側は難しいんだけど

問題なければ被覆完了です
鏝
ホウキ
厚さ確認ピン
吹付けが終わったら鏝《こて》で押さえていく。所々にピンを挿して厚さを確認。余分な所はホウキで落とす

マメチシキ｜2 天井吊り木やエアコンなど設備の吊り木および吊りボルトなどは、被覆前に位置を指定し、溶接留めの工事を行っておく。被覆後では吹き付けたロックウールを掻き落とさなければならなくなる。またその場合、掻き落とした個所を補修しないと耐火上重大な不良個所をつくることになってしまう 3 ウェブ側のケイカル板はスペーサーに釘留め。フランジ側のケイカル板は、先に留めたケイカル板の側面から釘留め。これを「スペーサー工法」という。これ以外にも、梁に溶接したピンにケイカル板を直接固定する「固定ピン工法」もある（ニュータイカライト／日本インシュレーションの仕様）

耐火塗料の現場

エアレス塗装機
耐火塗料の主材

被覆はエアレス塗装機で行う。搬入された耐火塗料の主材は攪拌機に入れ1度混ぜてから使用する

厚さが均一になるように

ローラーで下塗りしたのち、通常の吹付け塗料と同じ要領で耐火塗料を吹き付けていく 5

この柱は3㎜以上ならOKだが…

塗り終わると、専用のデジタル計測器で塗り厚をチェックする

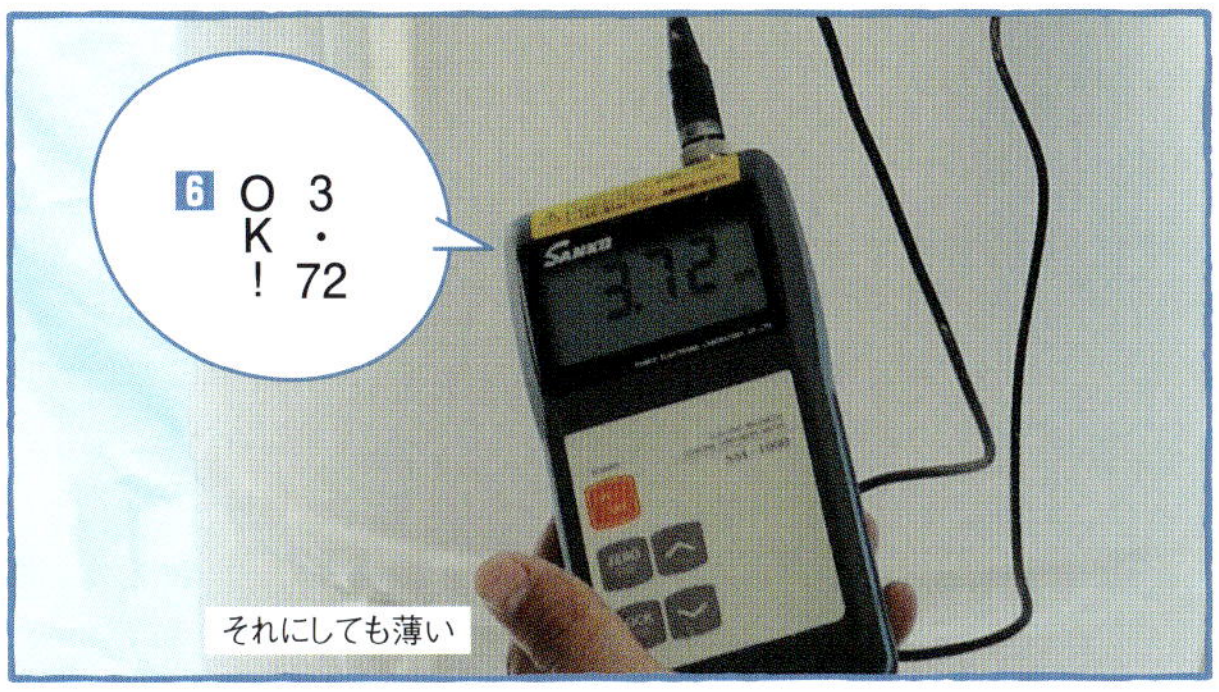
3・72 OK！ 6
それにしても薄い

発泡前です

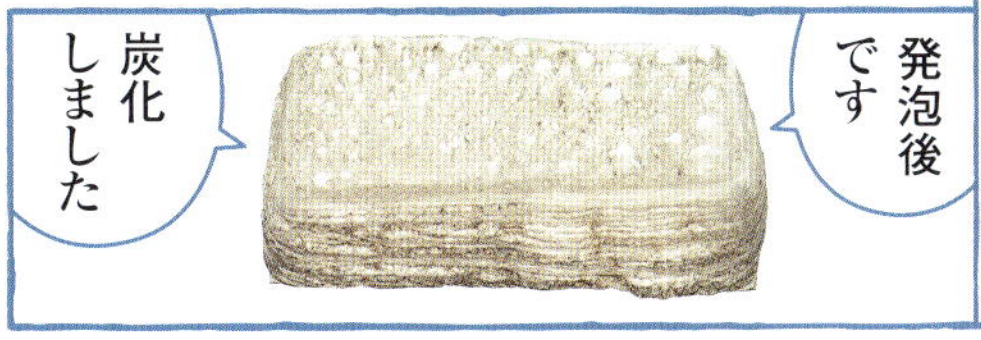
発泡後です
炭化しました

耐火塗料の実験写真。約250℃で発泡を始め、20～30倍に膨張して炭化層を形成する

SKタイカコート（エスケー化研）

耐火左官材の現場

まずは、モルタルの付着をよくするため、ローラーを使ってのプライマー塗りから

耐火被覆（タイカアロック）
アタリ出し
1時間耐火 15㎜厚

アタリ出し。所定の厚さを確保するための「定規」を耐火左官材で貼り付ける

下塗りは鉄骨に練り込むように塗るんだな

下塗り。アタリ定規の間を所定厚以下で塗っていく

角起こし。Rの面取り部分を所定厚まで盛り付けていく 4

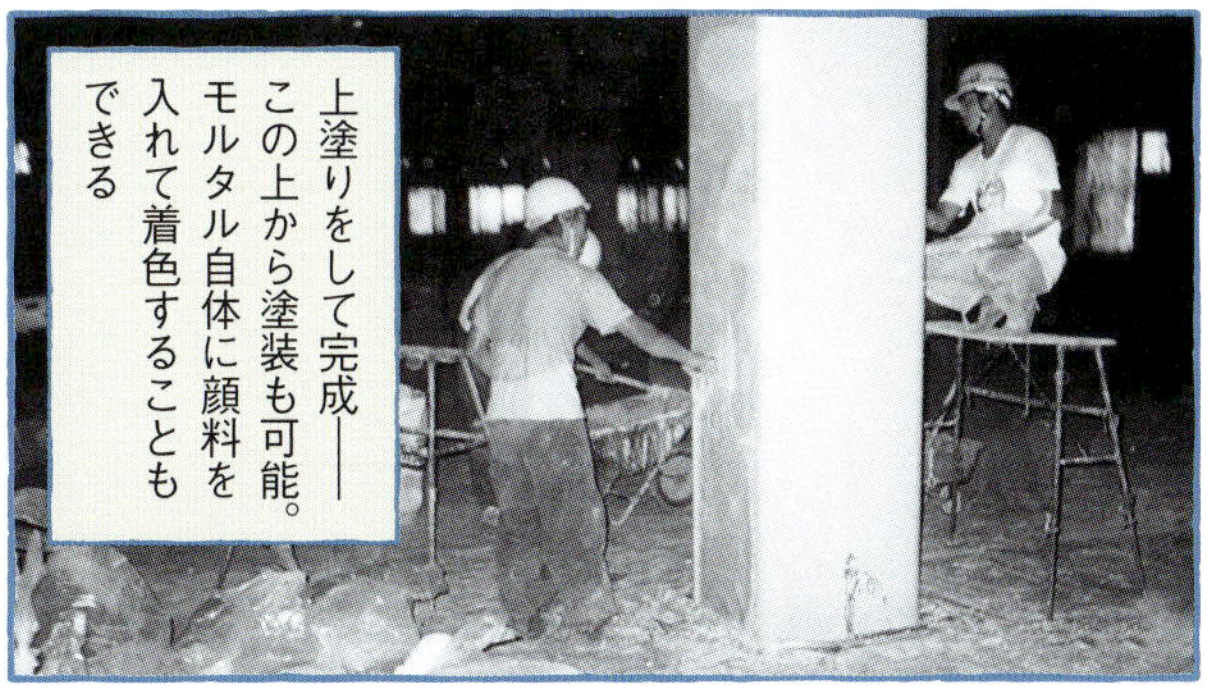

上塗りをして完成――この上から塗装も可能。モルタル自体に顔料を入れて着色することもできる

タイカ・アロック（スチライト工業）

マメチシキ 4 Rの面取りコテは数サイズあるが、角形鋼管であれば角形鋼管の面取りRサイズ以下のものを使用する。サイズが大きいと所定の塗り厚が確保されなくなる 5 下塗り、さび止め塗装は鉄骨工事段階で行われるので、ここでは中塗りから行う。耐火塗料の主材が中塗り材となる 6 余厚としては10％程度取る。所定厚2.75㎜であれば3㎜厚くらい吹き付ける

わたしの大失敗—— 3

鉄はお熱いのがお好き？

鉄骨とその熱伝導率の高さについて考えるとき、私にはいつも思い起こしてしまう苦い経験がある。

130×90mという平屋の工場を設計したときのことである。RCの立上りの上に、土台としてH形鋼を通し、その上に鉄骨躯体を組み、外壁には押出成形セメント板をはめ込んだ。土台のH形鋼とRC立上りの間は面《めん》落《お》ちのシーリングとしたのだが、竣工後しばらくすると南面のシーリングの一部が押し出されるように浮いてしまった。シーリングの施工に問題があったのではと、すぐさまその部分を補修した。だが、しばらくするとまた同様の現象が起こった。

これはおかしいとあれこれ考えたすえに辿りついたのが鉄骨の熱である。土台のH形鋼が太陽熱で温められると、シーリングの後ろのバックアップ材と空隙の空気も温められて膨張し、バックアップ材ごとシーリングを押し出してしまっていたのである。鉄と熱の問題を思い知らされた瞬間であった。

思わぬところで足元をすくわれるのは世の常だが、それは設計にも往々にして起こり得ることなのである。

もう1つ思い浮かぶのが、私の設計ではないが、ある公園に設けられたステンレスのアーチゲートのことである。

幅60cmほどのハシゴをアーチ状に組み、その足元はアイビーの植え込みにしていた。歩道の上に数メートルピッチで設けていたから、アイビーが成長したあかつきには「アイビーゲート」になると想定していたのだろう。しかし、炎天下の公園で熱くなったステンレスゲートにアイビーは這い上がらなかった。

数年経ったいまも裸のアーチがあるだけなのである。

［小林真人］

わたしの大失敗—— 4

白い恐怖の正体

ある9階建てのオフィスビルを設計したときのことだ。鉄骨が建ち上がり外壁工事もほぼ終わりに近付いたころ、現場に入ってみるとアルミサッシ下枠の表面にエフロ（白華）のようなシミが付いていた。何かと思い拭いてみたが、取れない。硬く絞った雑巾でよく拭いたが、取れない。よくよく見るとアルミの表面がガサガサに荒れた状態になっている。

すぐに現場主任を呼んで互いに原因を探っていくと、〈そういえば〉と思い当たる節があった。

その4日ほど前は、台風のような大雨が降った日であった。翌日の現場は吹き込んだ雨のせいで建物のなかまで水浸しの状態だったが、実はそれが原因だった。

一般的な工程でいえば、耐火被覆の施工は外壁工事後に行うものである。しかし、問題のサッシを取り付けた場所は外壁にアルミパネルを使用していたため、パネルを取り付ける前にロックウールの吹付けを終えていた。現場を水浸しにした雨はそのロックウールにも吹き込んだのだろう。ロックウールの成分である石灰質が流れ出しアルミサッシに到達、アルカリ性分に弱いアルミは、その石灰質に負けて腐食してしまったのである。

外壁工事が終わった後とあっては、いまさらサッシを取り替えるわけにもいかず、仕方なくタッチアップだけはしたものの、やはりほかのサッシと比べるとなんとなく質感が変わってしまった。

以後、その部屋に入ると真っ先にサッシに目がいくようになった。じっと目をこらして見ないと分らない程度ではあったが、私には、1つだけまったく別のサッシがはまっているように見えたものである。

［稲継豊毅］

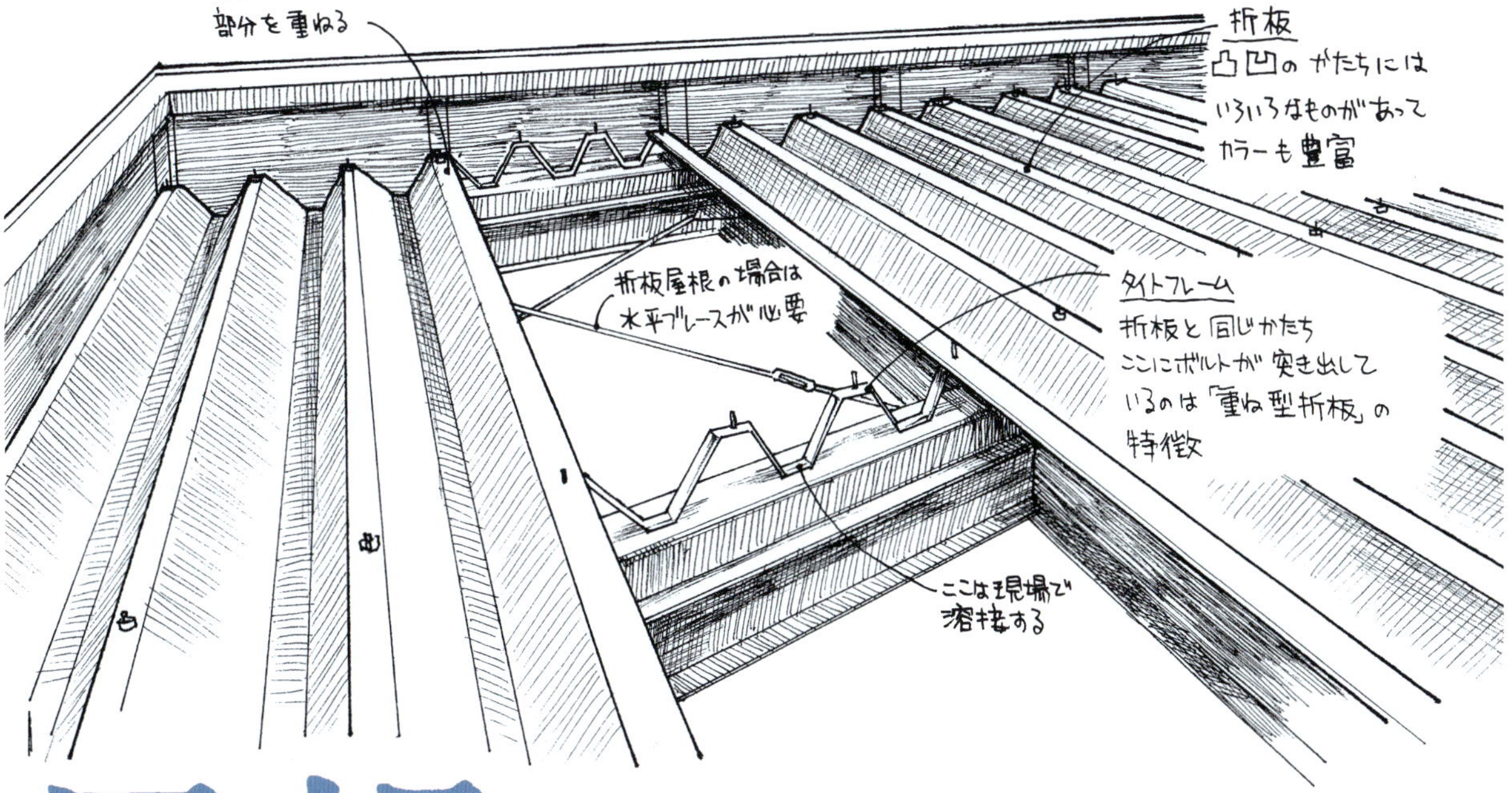

屋根

屋根にはさまざまな工法があるが、鉄骨造を代表する屋根といえば折板である。高い材料強度をもちながら、比較的軽量で施工性もよいため、規模・用途を問わず幅広く使用されている。ただし、鉄骨造は揺れやすく、たわみやすい。鉄骨特有の揺れやたわみに対してどれだけ有効な漏水対策が取られているか——鉄骨造における屋根設計のカギはそこにある。

折板屋根の現場

タイトフレームの一例（重ね型）

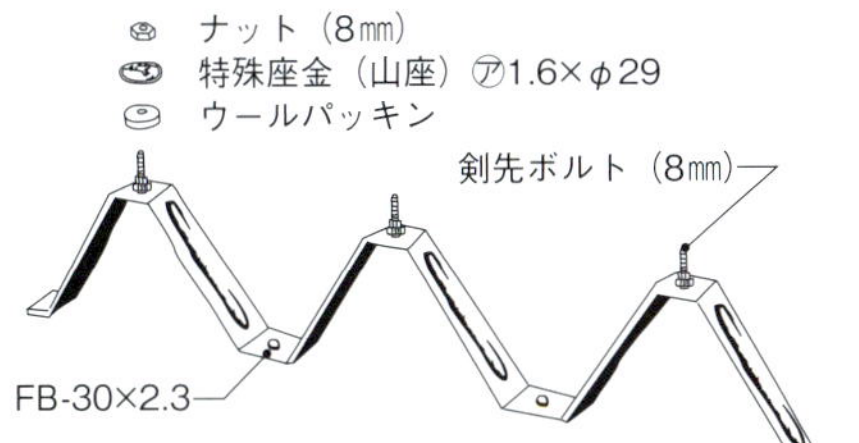

この上に折板を重ねて剣先ボルトを
折板上に貫通させる。
谷部を梁（母屋）に溶接

折板《せっぱん》屋根の工事は母屋に**タイトフレームを溶接**するところから始まる 1

オーバーフロー時の水の抜け道をつくるため、オーバーフロー受けの鋼板に接着剤でスペーサーを張り付ける

同じくケラバ面の鋼板もインパクトドライバーでビス留め

内樋を設置する
この内樋はオーバーフローに配慮した二重樋［**78頁図1**］。まずはオーバーフロー受けの鋼板を角パイプに留め付ける 2

マメチシキ | 1 本来、屋根工事は建方終了後いち早く終わらせるべき工事である。しかし、この現場では諸事情により外壁工事や耐火被覆工事の後に行われた。そのため、工事は天気のよい日を選んで行われた。なお、折板は「せつばん」を表記するが、現場では一般に「せっぱん」と呼称する 2 屋根のデザインを美しく見せるためには、軒樋のデザインが重要になる。既製の塩ビ製軒樋では意匠性が劣るため、板金でカバーをつくったり、軒樋自体を板金でつくるとよい。屋根工事と一緒に行えばそれほどコストは掛からない

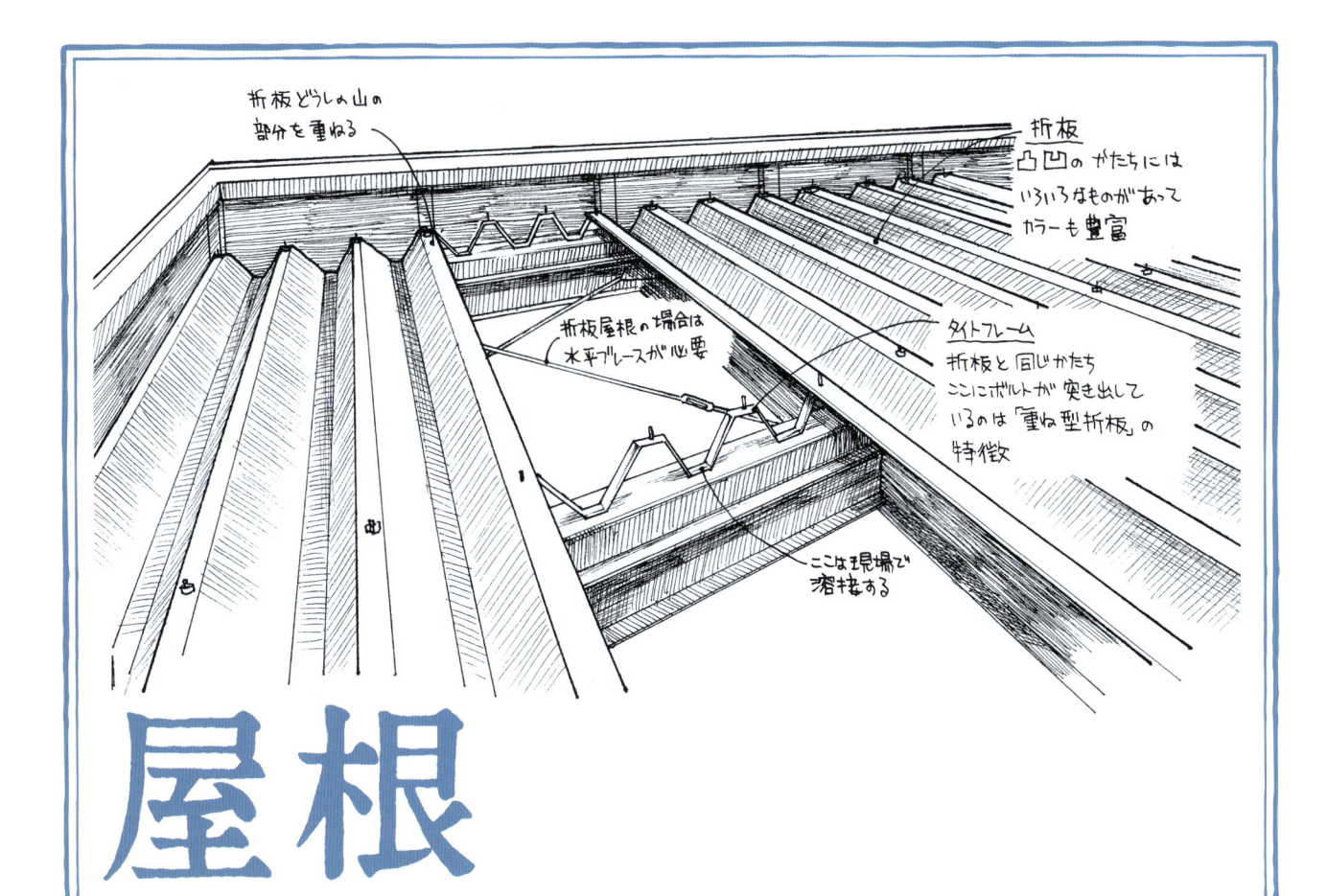

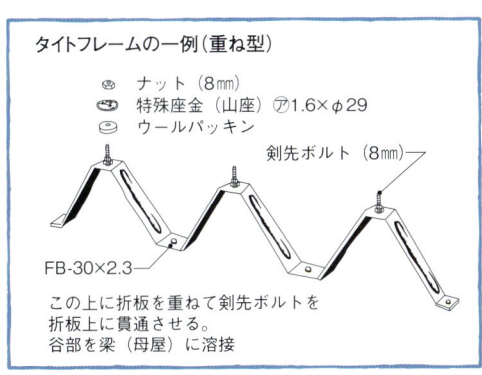

図1｜軒樋の納まり[S = 1:15]

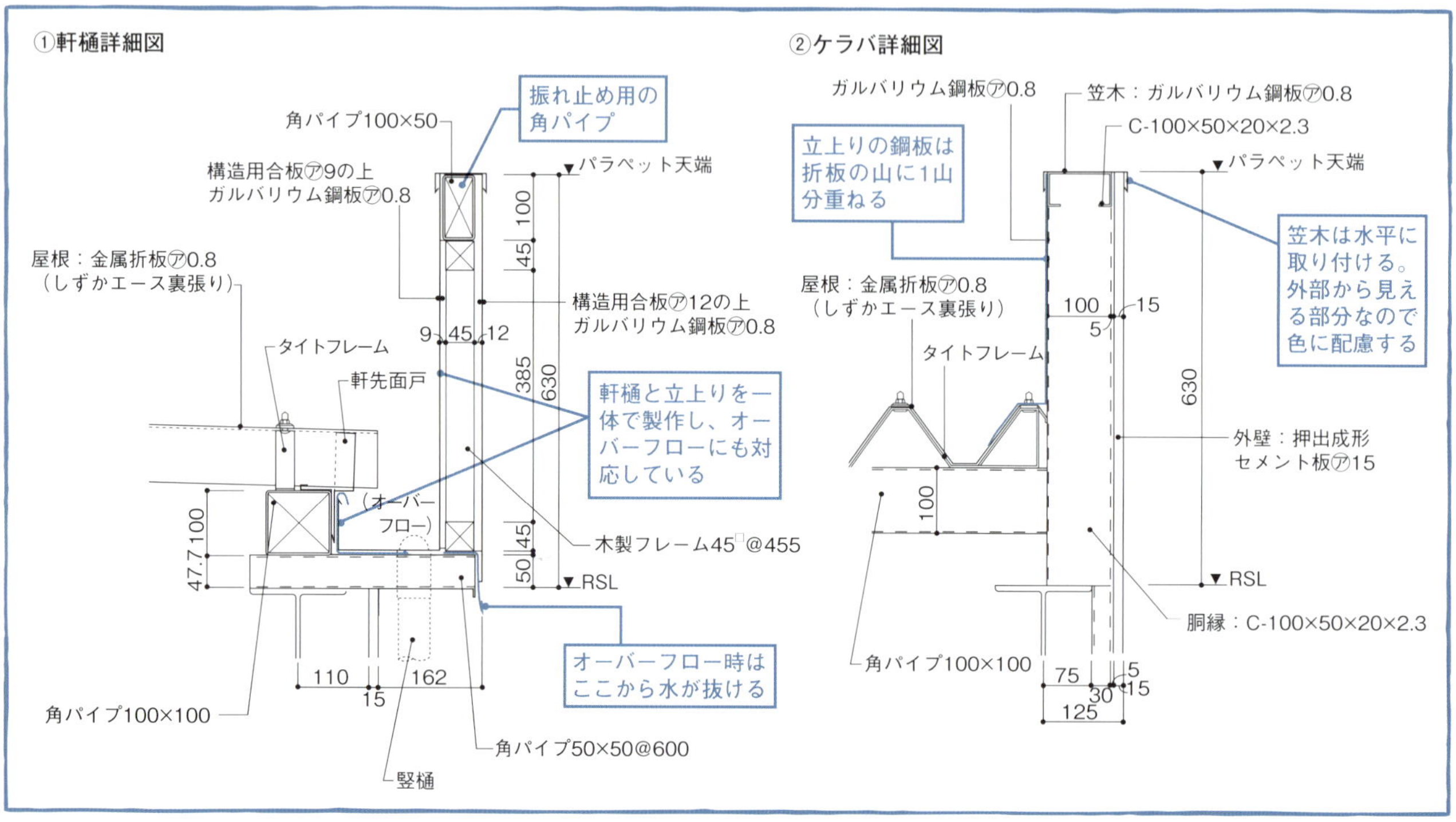

マメチシキ｜3 樋は現場搬入の都合上、1本の長い樋ではなく、搬入しやすい長さに分割して運ぶ 4 木下地のフレームは立上りを軽量化するためのもの。その後、構造用合板で下地を張り、カラー鋼板で仕上げ、その上に笠木を取り付ける

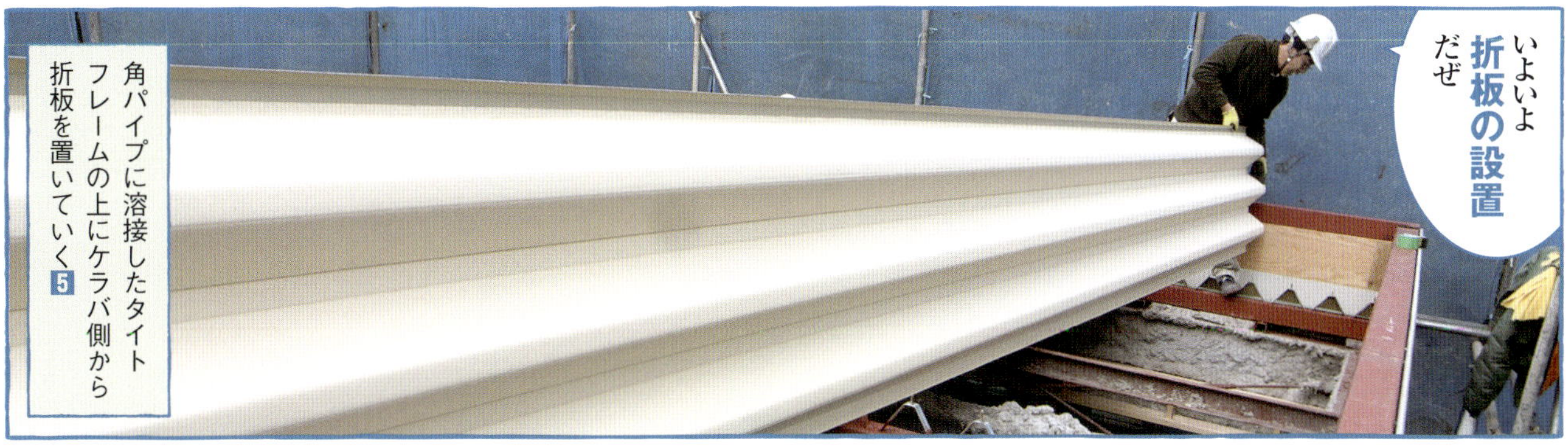

角パイプに溶接したタイトフレームの上にケラバ側から折板を置いていく 5

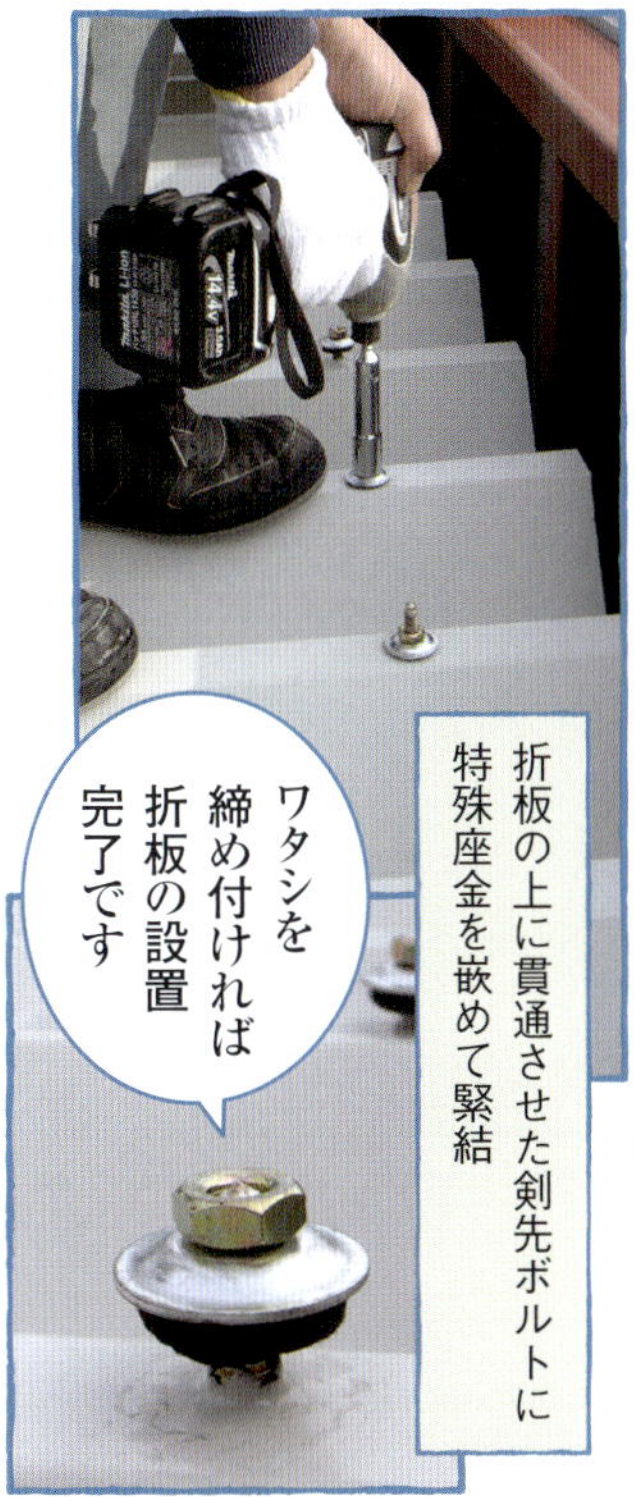

折板の上に貫通させた剣先ボルトに特殊座金を嵌めて緊結

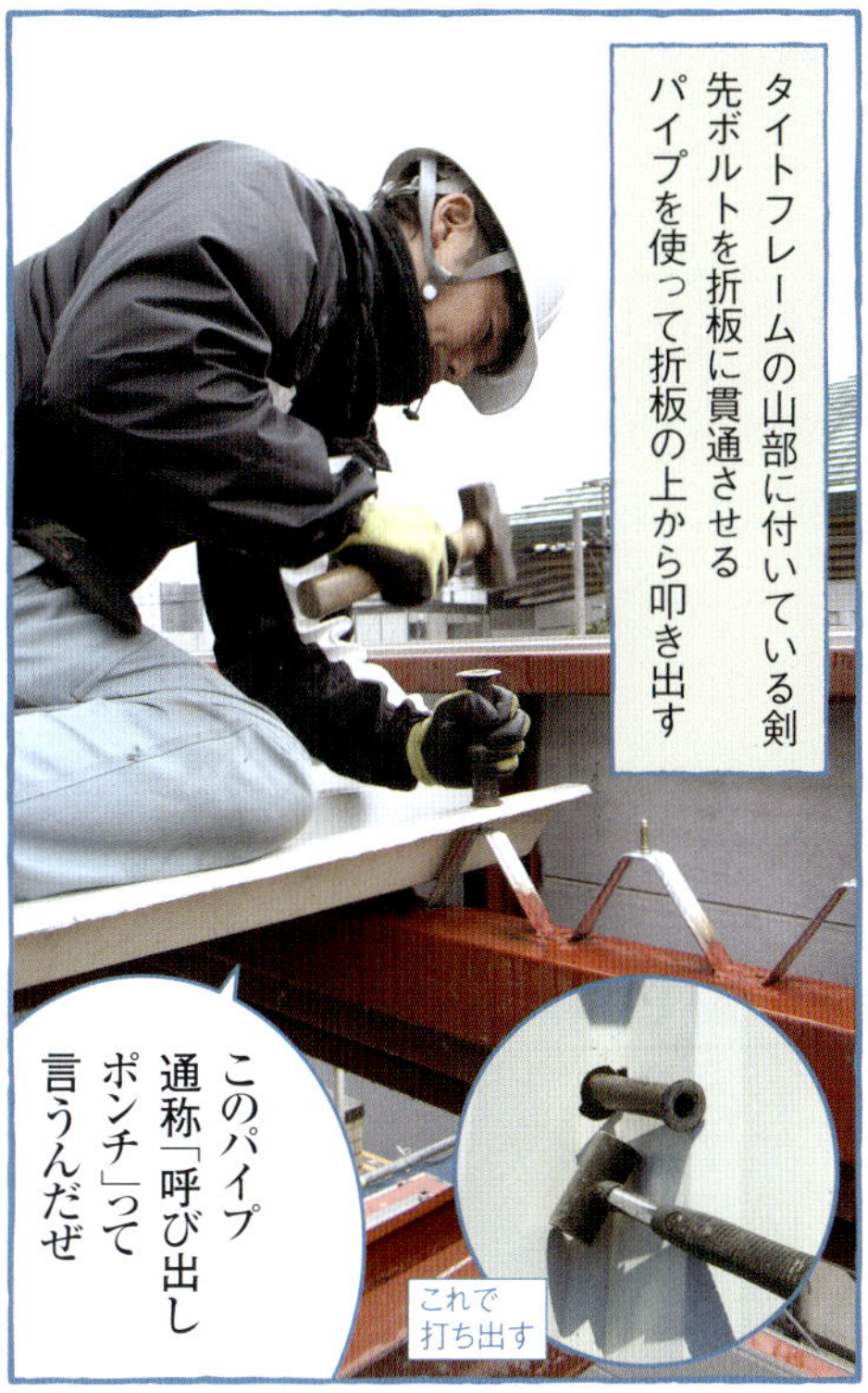

タイトフレームの山部に付いている剣先ボルトを折板に貫通させるパイプを使って折板の上から叩き出す

折板の設置と前後して、タイトフレームの端部に折板と同材質の水止め面戸をはめ込む 6

ザ・職人技

面戸をはめる代わりに折板の谷を折り返して端部をふさぐ方法もある。「八千代折り」という

パラペット廻りを処理する

パラペットの内側にガルバリウム鋼板をかぶせてビス留め

折板の種類

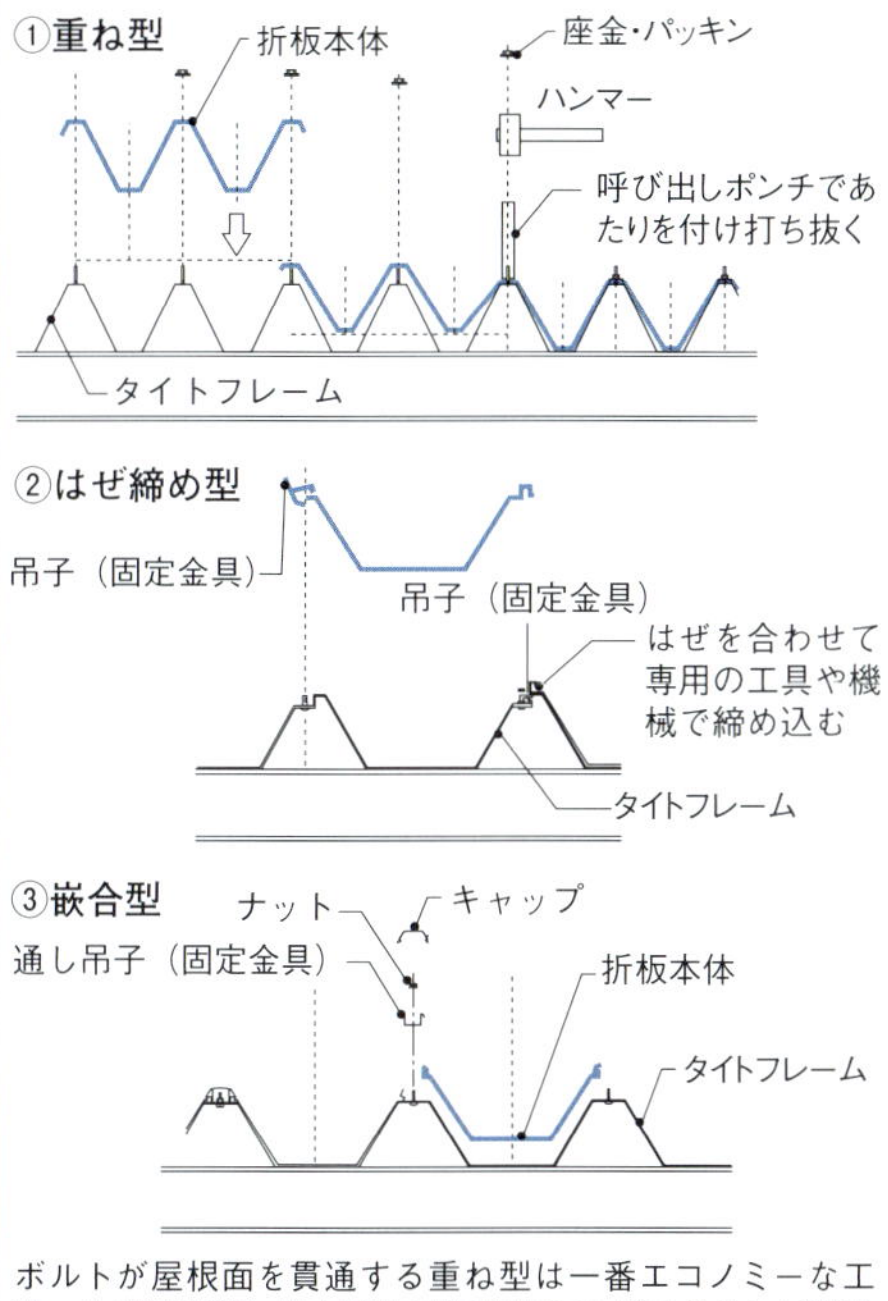

ボルトが屋根面を貫通する重ね型は一番エコノミーな工法。はぜ締め型と嵌合型は工事費は高めだがボルトが貫通しないため防水への信頼性は高い

マメチシキ 5 山高88㎜、働き幅600㎜のボルトタイプの折板。これは騒音・振動防止のために制振断熱材の「しずかエース」（古河電工）を裏張りしている 6 雨水が浸入しないように棟や壁に接する折板の端部に設ける止水板。折板端部にはめ込んでポンチング（叩き）で固定し、周囲にシーリングを施す。水上面戸、止水面戸、止め面戸ともいう。棟部の雨水の吹き込みを防ぐものをエプロン面戸と呼ぶ

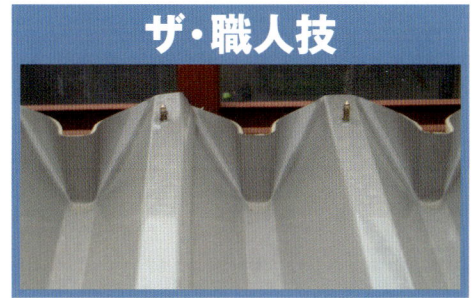

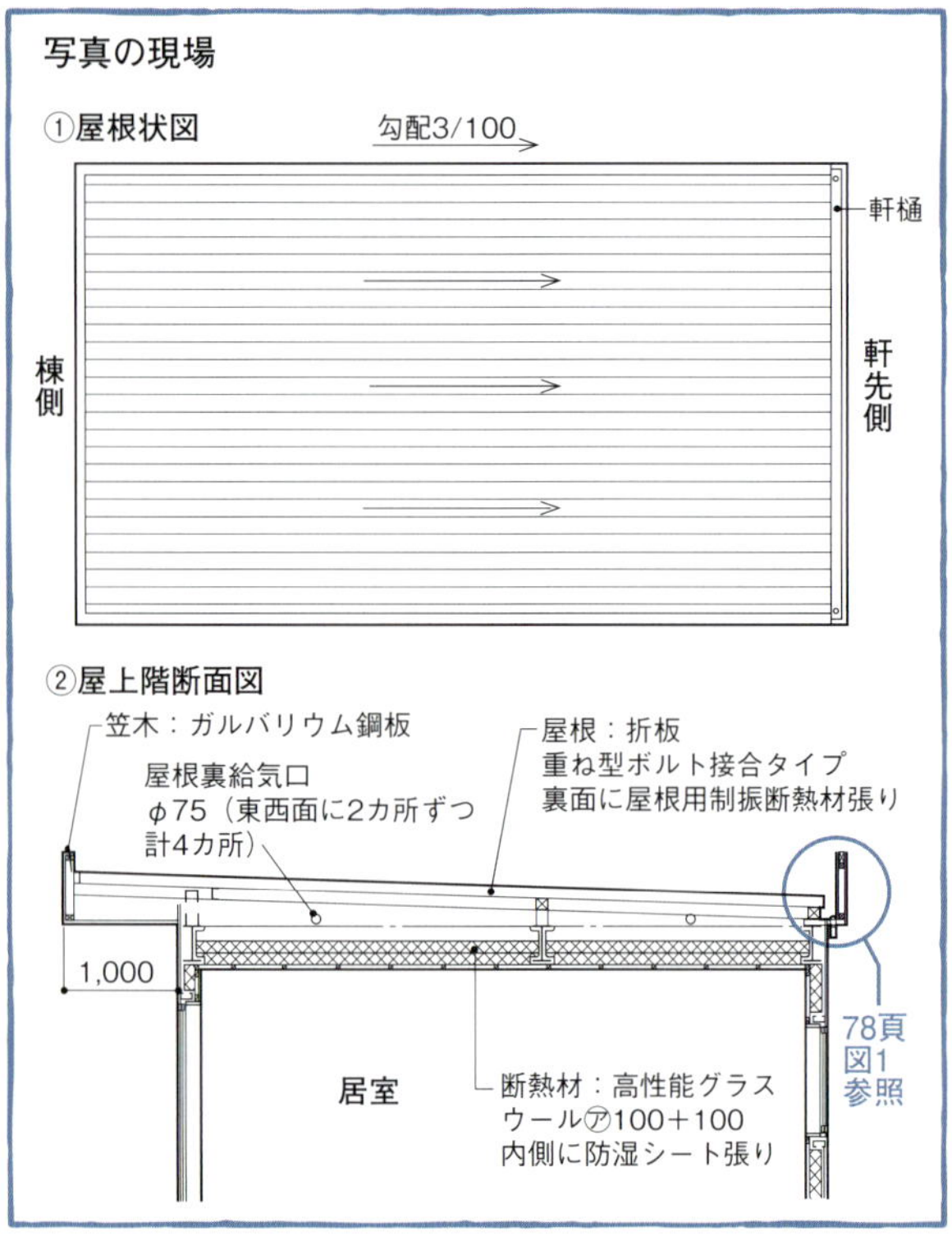

軒先側の処理

軒先に出したオーバーフロー受けの鋼板を角パイプにビス留め

笠木をかぶせる

笠木用に折り曲げたガルバリウム鋼板を現場でさらに加工 7

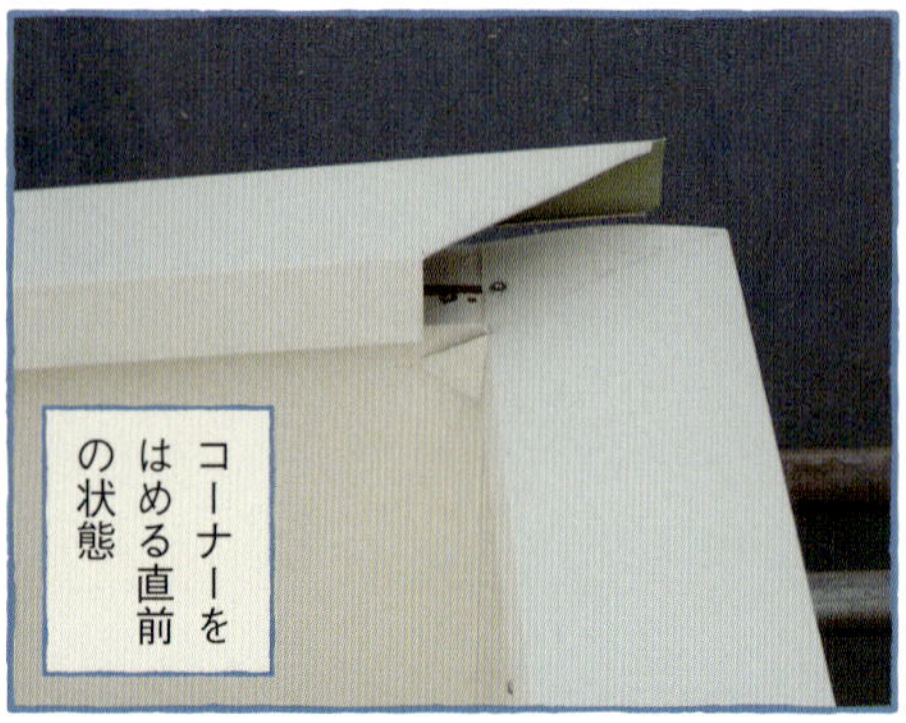

コーナーをはめる直前の状態

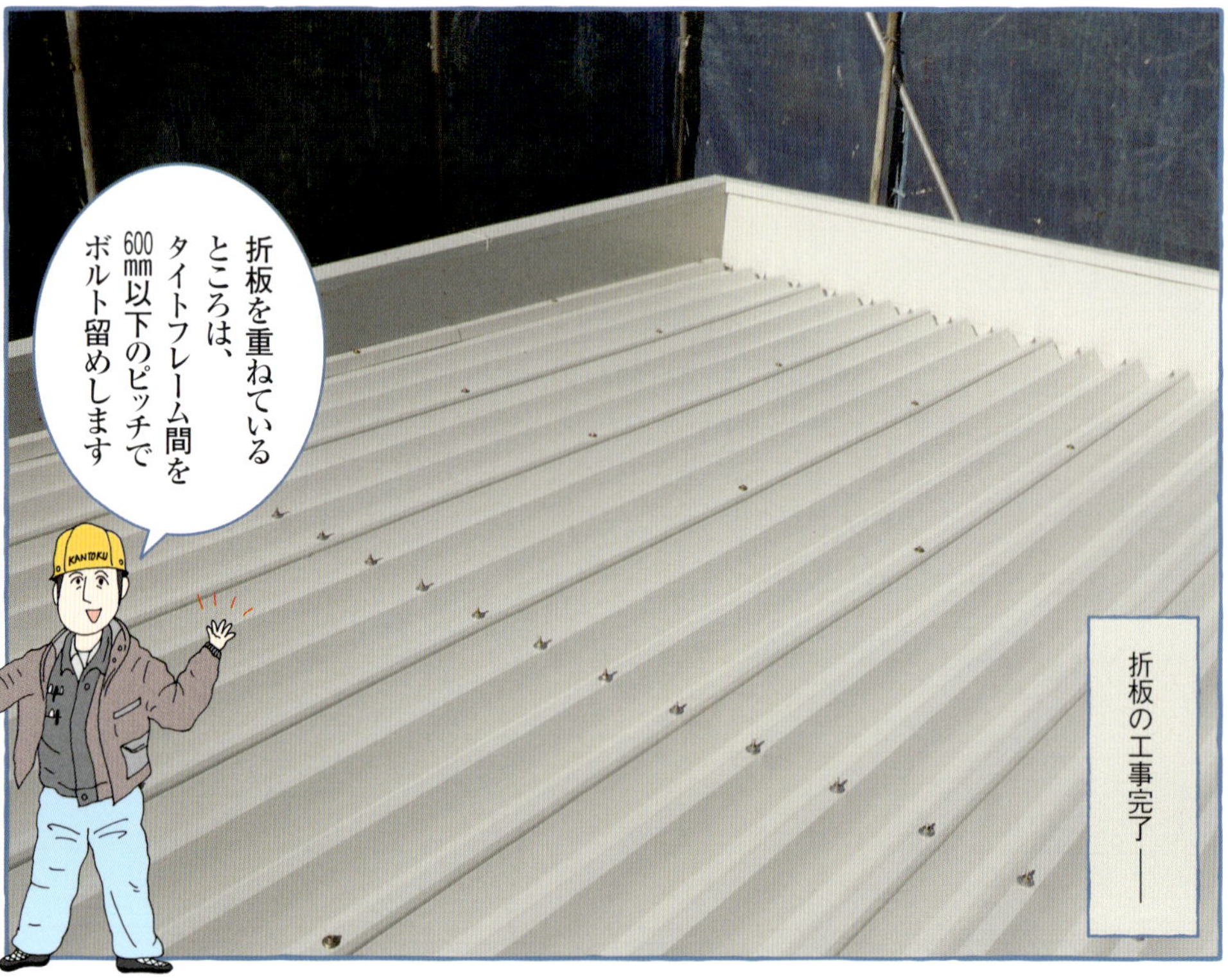

折板の工事完了——

マメチシキ 7 板金工事は工場で加工した鋼板を現場で組み立てるのが原則。そのため、樋の納まりは工事前にきちんと詳細図を描いておく必要がある。また、パラペットの笠木の色は意匠的には非常に重要である。筆者は既製のアルミ笠木ではラインが強く出すぎるため、外壁の色に合わせて板金工事として設計することが多い

FRP防水の現場

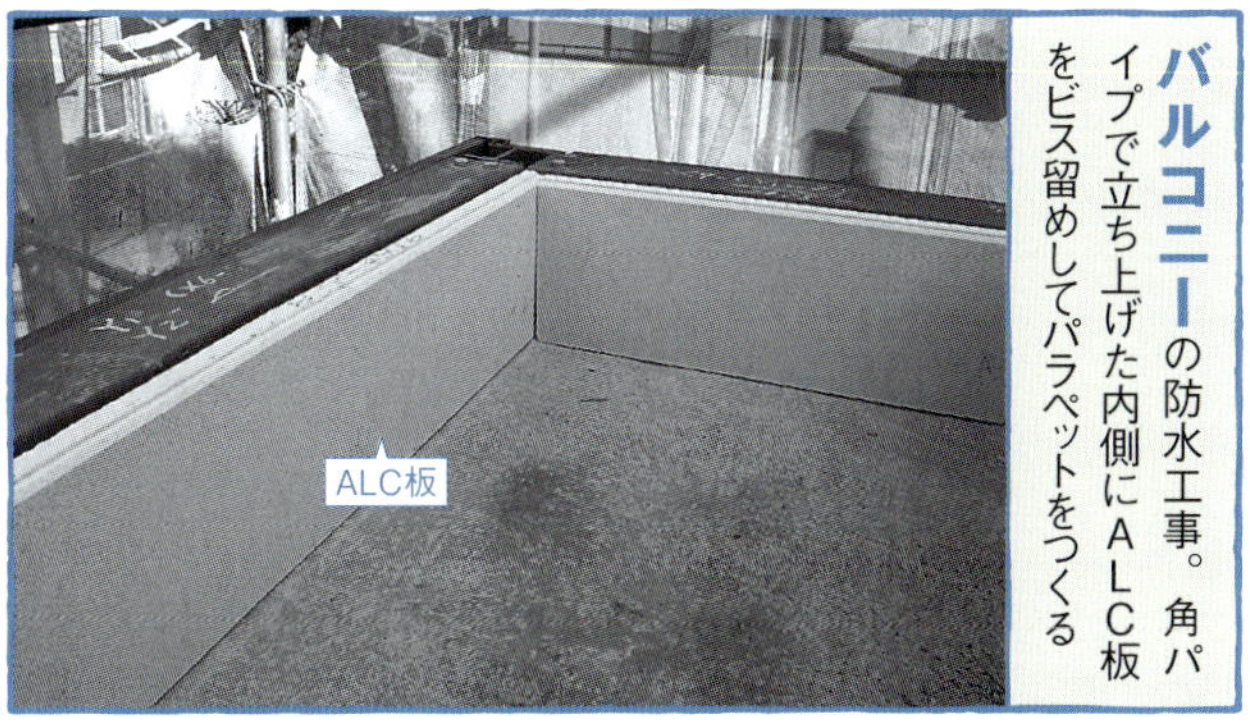
ALC板

バルコニーの防水工事。角パイプで立ち上げた内側にALC板をビス留めしてパラペットをつくる

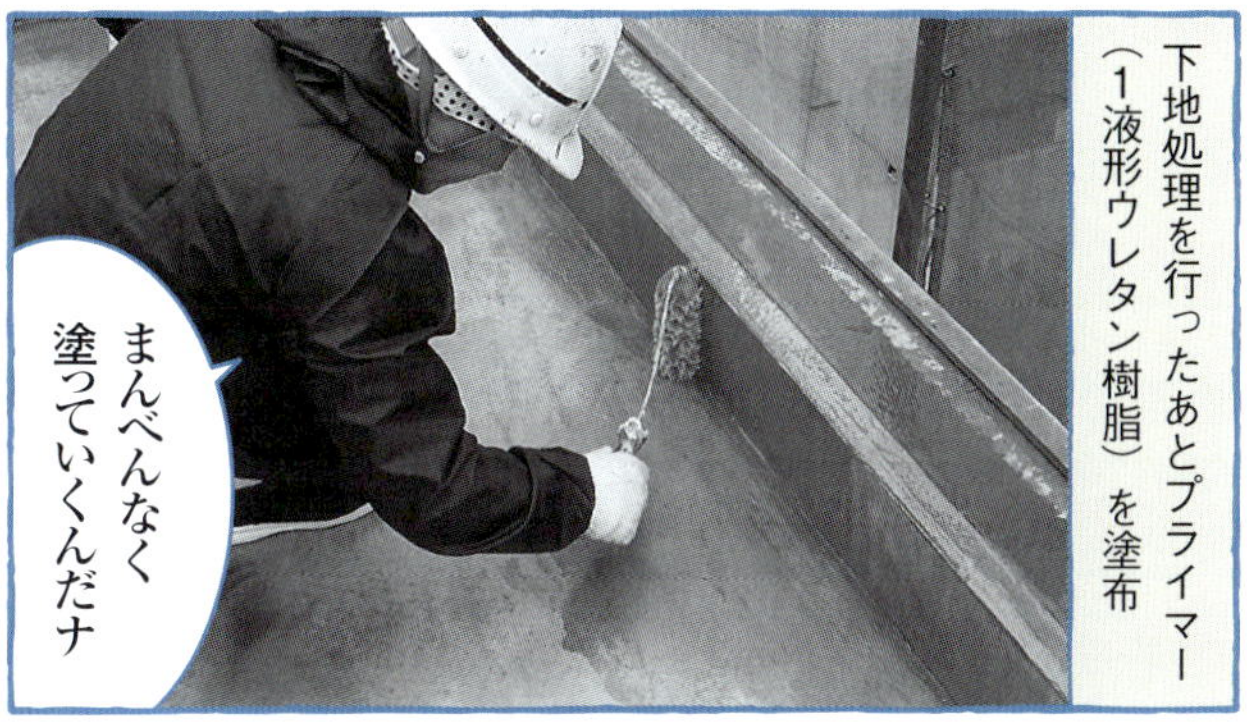
まんべんなく
塗っていくんだナ

下地処理を行ったあとプライマー（1液形ウレタン樹脂）を塗布

無駄が
出ないように

FRPマットを必要な大きさだけ切り取る

シューズの裏に
養生テープ!

50㎜以上の重ね代を取りながらFRPマットを張っていき、硬化剤を添加した下塗り材（2液形不飽和ポリエステル樹脂）を塗布

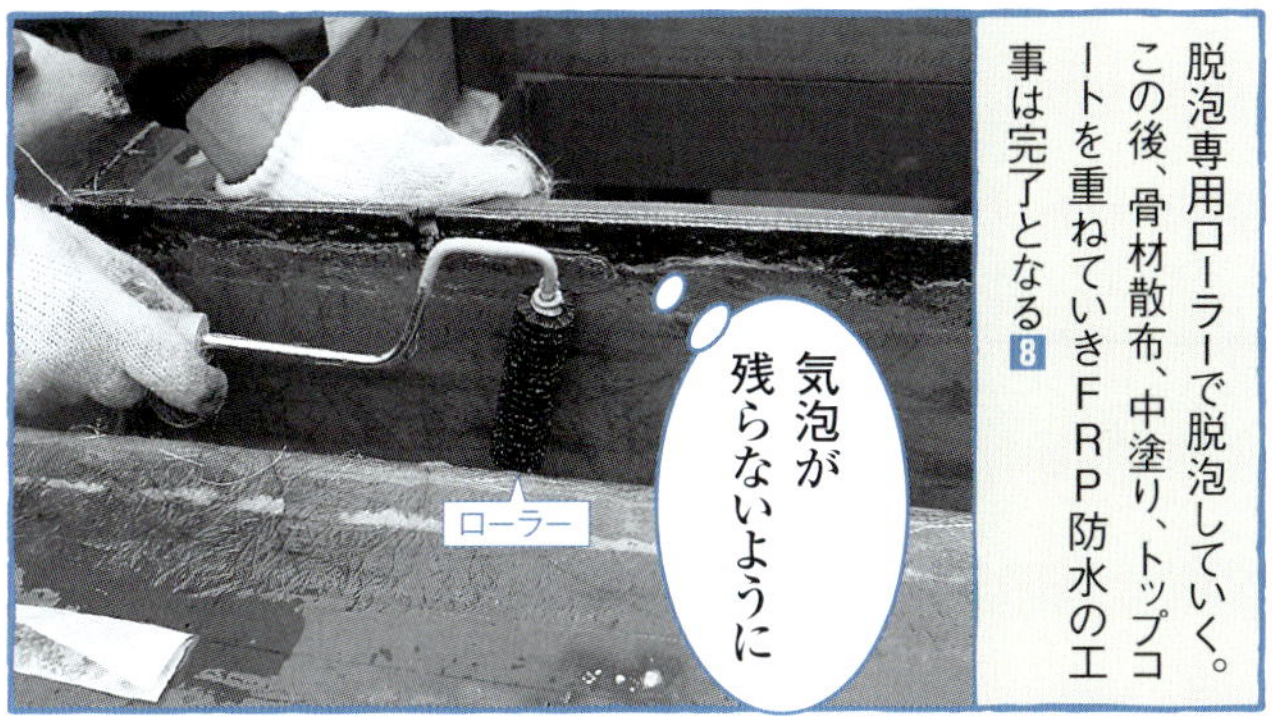
ローラー
気泡が
残らないように

脱泡専用ローラーで脱泡していく。この後、骨材散布、中塗り、トップコートを重ねていきFRP防水の工事は完了となる 8

揺れを想定した設計

鉄骨造の中低層ビルや住宅などにおける屋根の設計で、設計者がまず思い巡らすことは、屋根面そのものを外観として見せるか、または見せないかという点ではないだろうか。

住居系の用途地域内では、鉄骨造に限らず道路斜線や北側・隣地斜線などの制限から、斜線に沿った屋根形状となりがちで、それが外観の一部になることが多い。もちろん、屋根面を積極的に見せるデザインとして、それを選択することもあるだろう。逆に、都市部の商業系用途地域内にある箱形ビルなどでは、通常は立上り壁（パラペット）をつくるため、屋根面そのものは外観として見えてこない。

一方、構造的な観点から屋根をとらえてみると、躯体と一体で堅固な屋根（屋上）をもつRC造に比べ、躯体が動きやすく、各部材に揺れへの追随性が求められる鉄骨造は、その特性が屋根工法にも影響を与える。

意匠的には「見せるか見せないか」、構造的には「揺れの影響を受けやすい」という特徴にそれぞれ配慮していくことが、鉄骨造における屋根設計の要諦といえる。

屋根工法の種類

中低層規模の鉄骨造建築物における屋根工法は、金属系の勾配屋根と、防水工事を必要とする陸屋根に大別できる。前者は、雨仕舞を自然の水勾配で処理するのが基本で、後者はパラペットで囲い込み、水平に近い屋根面に防水層を施して、雨水処理を行うものである［**82頁図2**］。

1 勾配屋根（金属板葺き）

勾配屋根で一般に採用される金属屋根工法は、意匠性の高い立はぜ葺きや平葺きなどで仕上げることが多い。主にはぜで嵌合させて葺いていくため、下地の動きに対する追随性がある。基本的には小屋組の上に野地板、ルーフィング、金属板の順に張っていく［**82頁図3・4**］。

仕上材には、ガルバリウム鋼板や、耐候性が高い皮膜材で鉄板を被覆したものが多く使われる。近年は素材のカラーも豊富なうえ、耐候性も向上しているため選択肢は広い［※1］。

2 勾配屋根（折板）

折板屋根は、鉄骨造における屋根工法の定番といってよい。

マメチシキ | 8 屋上防水には10年程度のメーカー保証が入るので、適当に済ませておけばよいと考える人は多い。しかし、問題は防水保証が切れた後。その後の対応まで考えた信頼できる防水設計をしておかなければならない

※1：特にガルバリウム鋼板の一種「耐摩カラーGL」（日鉄住金鋼板）は、マットな素材感と豊富な色彩で意匠性が高く、筆者も使う機会が多い

図3｜勾配屋根（金属板葺き）

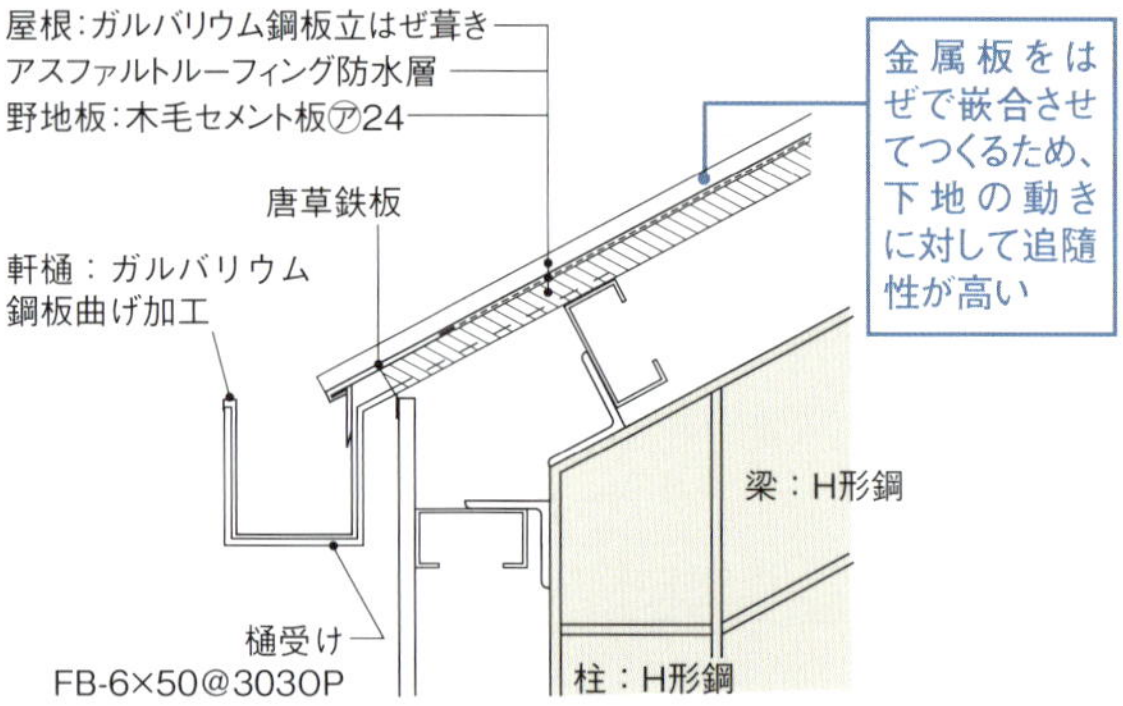

図4｜鉄骨と木部の取合い例

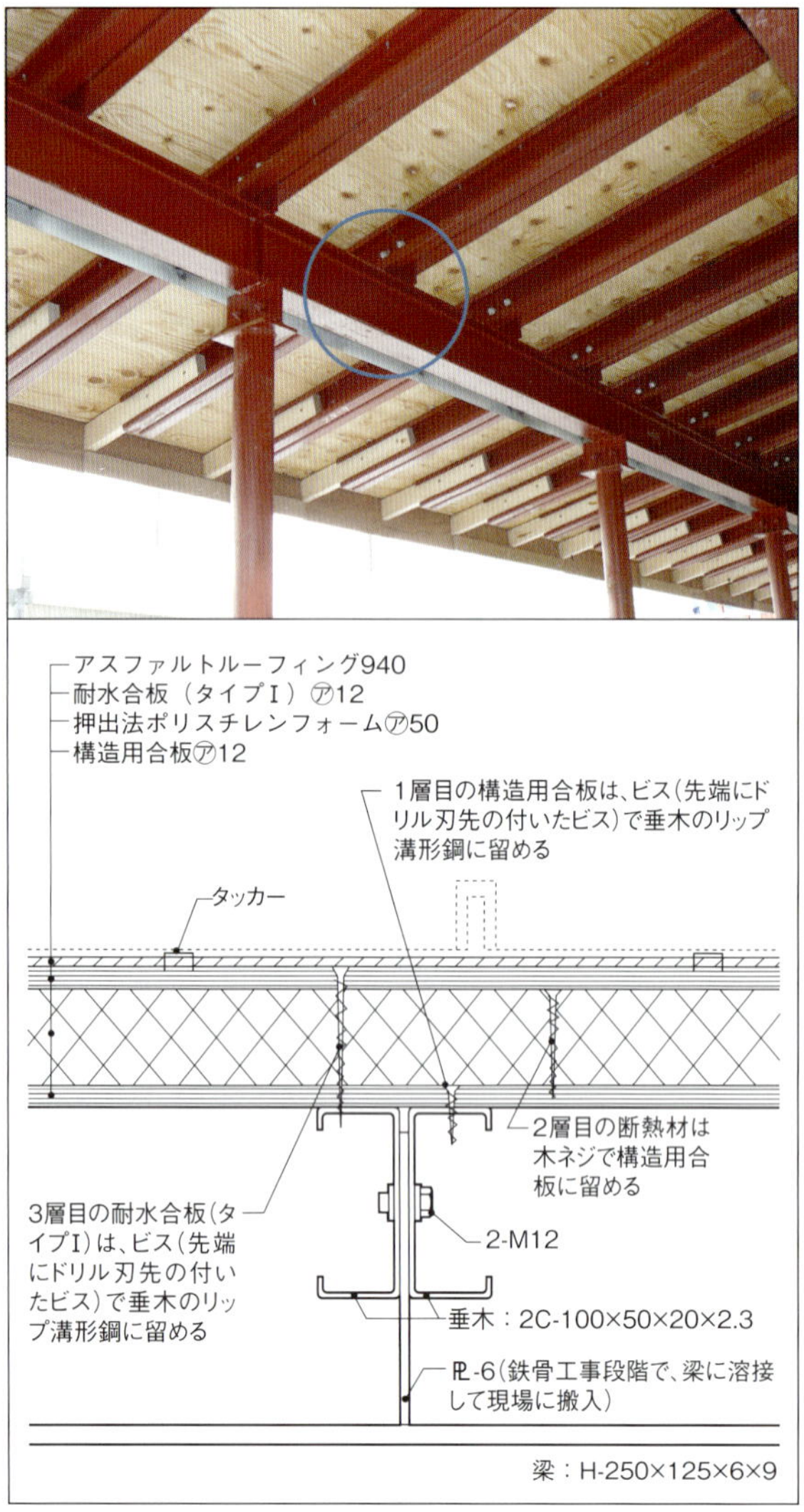

図2｜鉄骨造の代表的屋根工法

勾配屋根

- 金属葺き
  - 一般工法
  - 断熱工法［断熱・通気工法］
- 折板
  - 一般工法
  - 断熱工法［断熱・通気工法］

陸屋根

- アスファルト防水
  - 一般工法［軽歩行、非歩行用］
  - 断熱工法［軽歩行、非歩行用］
- シート防水
  - 一般工法［軽歩行、非歩行用］
  - 断熱工法［軽歩行、非歩行用］
- 塗布防水
  - ウレタン防水
    - 一般工法［軽歩行、非歩行用］
    - 複合工法－断熱工法［軽歩行、非歩行用］
  - FRP防水
    - 一般工法［歩行、軽歩行用］
    - 複合工法－断熱工法［軽歩行用］

注　軽歩行の定義はメーカー各社で多少異なる
塗布防水の断熱工法は複数の工法を重ねた複合工法であることが多い
陸屋根は屋根面における使用目的別の分類

一般に3／100以上の屋根勾配が必要だが、見た目には屋根ラインを水平近くに納められるため、箱型のデザインにはうまくフィットする。

折板は、その名のとおり短辺方向に対して山形の折り込みがあるので屋根自体に曲げ強度があり、野地板を必要としない。よって屋根を軽量化できる。また、小屋組や下地材として使用する部材も少ないため、非常に経済的な工法といえる。

ただし、野地板を入れないため、雨音が下の空間に伝わりやすいという弱点がある。そこで、住居系の建物で直下に居室を設ける場合には、折板の裏側に制振機能付き断熱材を張って雨音を抑える。

なお、折板屋根の断面形状はやや無骨なため、住宅などで意匠性を考えた設計を行うときは、周囲に立上り壁（パラペット）をつくり、断面を隠す納まりとすることもある［**78頁図1**］。

3 陸屋根

鉄骨造の陸屋根は、コンクリートスラブ＋乾式工法のパラペットで構成された下地の上に、防水層をつくるのが一般的である。防水工事は材料別に、アスファルト防水、シート防水、塗布防水に分けられる［**図2**］。

鉄骨造の場合、パラペットにはALC板を使用することが多いが、コンクリートスラブとパラペットは構造的に一体でないため、振動などで入隅部が動きやすく、防水層が断裂しやすい。そこで、防水材メーカー各社は、素材に柔軟性をもたせたり、動きを吸収するためのコーナー材を付加したり、防水層の下に中間層を設けるなど、さまざまな工夫を凝らしている［**図5**］。

各防水工法についてはそれぞれ特徴があるので、詳細は個別にあたっていただきたいが、基本的な仕様以外で考慮すべき点として、①屋根面利用の有無（人が載るか否か）と、加えて②断熱工法の採否、がある。

①については防水素材や表面仕上材の強度が問題となり、②では屋根面トータルでの硬度が問題となる。特に②の断熱工法については、一般に柔らかい断熱材の上に防水処理が施されるため、その上に人が載ることを考えると、屋根面全体がどの程度の硬さをもち得るかがシビアな問題となってくる。

断熱工法の標準納まり

現代は建築物に省エネルギー性能を求めることがもはや当然となり、それは屋根においても例外ではない。省エネ対策として良好な熱環境をつくるための断熱工法を考えると、次のよう

※2：筆者のこれまでの経験上、屋根の通気工法は夏季の遮熱にとても効果があると実感している。気温35℃の真夏日でも、小屋裏はそれほど暑くならない。ただし、そのためには屋根裏への断熱材の敷設や中間層が必要になることは言うまでもない｜※3：例えば「ロンシール工業 シート防水 LSN-125工法」は、シート防水と断熱材の間に、QNパネルという無機質強化板が入っている断熱防水工法である。この無機質強化板は、断熱材を荷重から保護する役目と躯体の動きを吸収する役目を担っている。また表面のシート防水には遮熱性能を持たせているので、夏期の暑い日射に対しても、遮熱効果を期待出来るものである。

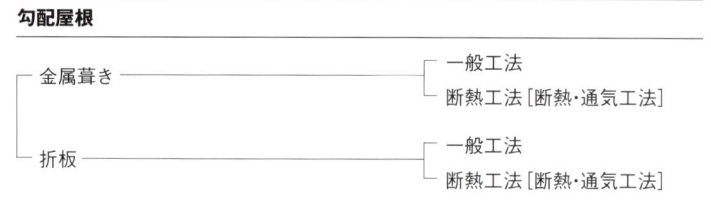

なディテールが基本となる。

1 勾配屋根（金属板葺き）

金属板の勾配屋根は、ポリスチレンフォームなどの断熱材を野地板の裏側と下地の間に納めるのが一般的である。

また、その上層に通気層をつくり、熱環境性能をさらに向上させる複合的な工法もある[図6、※2]。

2 勾配屋根（折板）

野地板のない折板屋根は勾配屋根に比べてやや遮熱性能に劣るという欠点がある。したがって、特に直下に居室がある場合は、何らかの対策を施したい。いちばん単純な方法は、天井懐を大きく取り、小屋裏換気を十分に行うことである。その際、断熱材は天井裏に設置することになるが、隙間のないよう密に設置することが必須。

そのほか、断熱材の入った複合板を使ったり、反射率の高い塗料（遮熱塗料）を塗ることも熱環境を向上させるためには有効である。

3 陸屋根

前述の防水工法には、それぞれ断熱工法も用意されているが、一般的な断熱工法は、柔らかいポリスチレンフォームなどの断熱材を柔らかな各防水素材の下に設置するため、その上に人が載ることはあまりお勧めできない。ただ、都市部の小規模住宅などでは、屋上を子供の遊び場にしたり、プランターを置いて庭代わりに使ったりすることへの要望が少なくない。

そこで筆者は、鉄骨造の場合は歩行可能なシート防水の断熱工法を採用することが多い。これは表面のシートと断熱材の間に硬い無機質強化板が入っていて、表面の硬さを確保しつつ、躯体の動きを吸収する役目を持たせたものである[※3]。

また、この工法であれば、屋根面に重量のある植木鉢などを置いても、物が沈まない硬さをつくることができる。また、万が一漏水が起きたとしても、FRPなら部分補修が容易である[81頁写真]。

ただし、FRP工法は現場での施工精度が品質を大きく左右するため、十分に管理された現場施工が必須となる[※4]。

屋根断熱を補完するもの

1 浮き床

浮き床自体は断熱工法ではないが、防水（断熱）工事を施した屋根面に専用の束を置き、ウッドデッキやPCパネルを張って仕上げると熱環境的に効果がある[写真1]。

ウッドパネルもPCパネルも、材料自体に硬度があることから屋上利用が可能になるうえ、太陽熱をいったんカットできるため、屋根面への熱の影響は軽減される[図7]。

2 屋根散水

屋根上に簡易な散水システムを設置し、気化熱で夏季の屋根面温度を下げるのも効果的である。水道から直接給水することも、雨水タンクから給水することもできる。比較的簡単に設置できるうえ、効果も目に見えて高いためお勧めである[写真2、※5]。

[大戸浩]

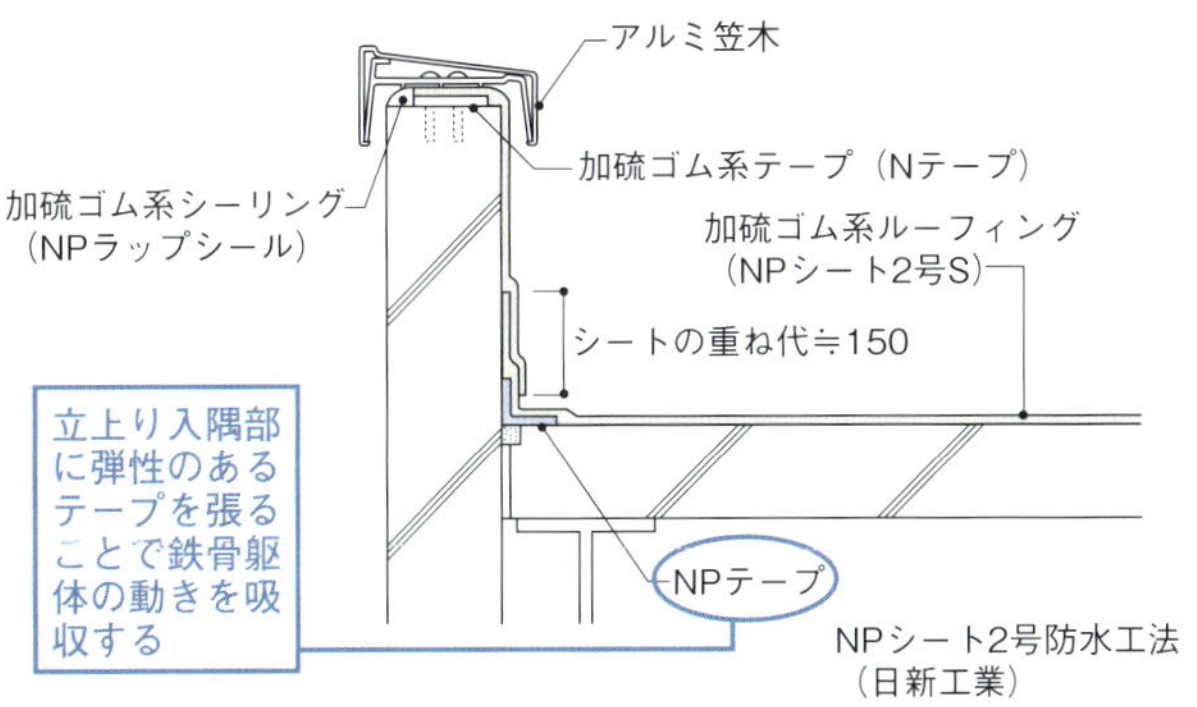

図5｜揺れに対応した陸屋根のディテール

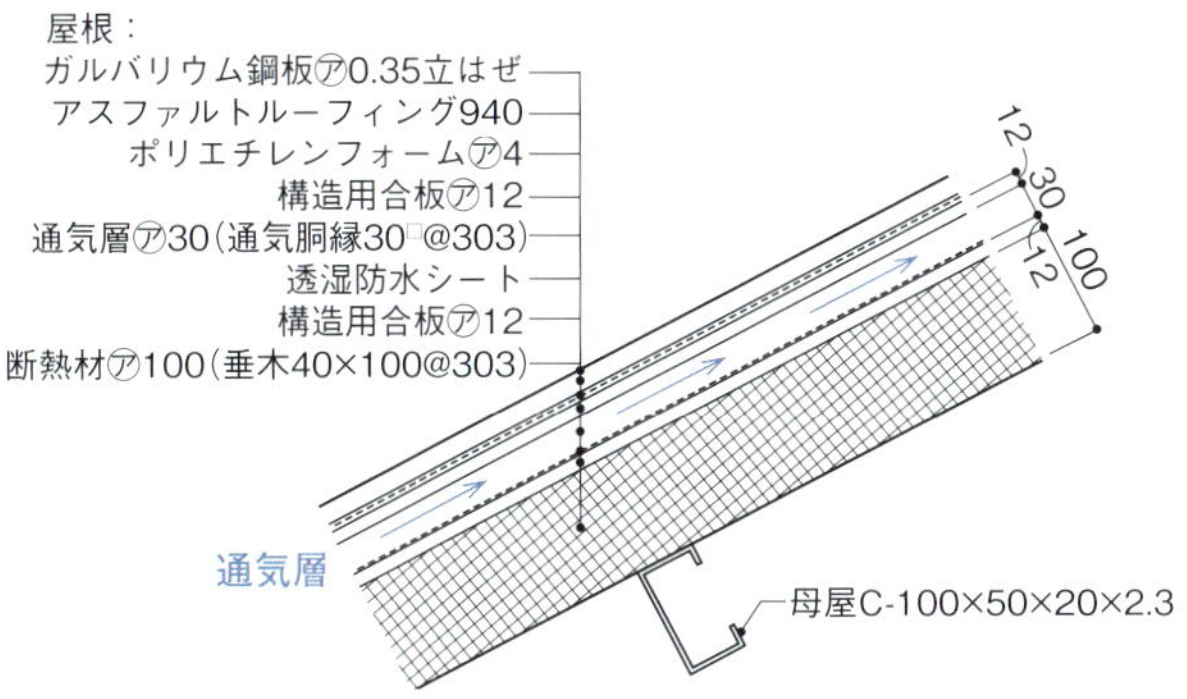

図6｜勾配屋根の断熱工法

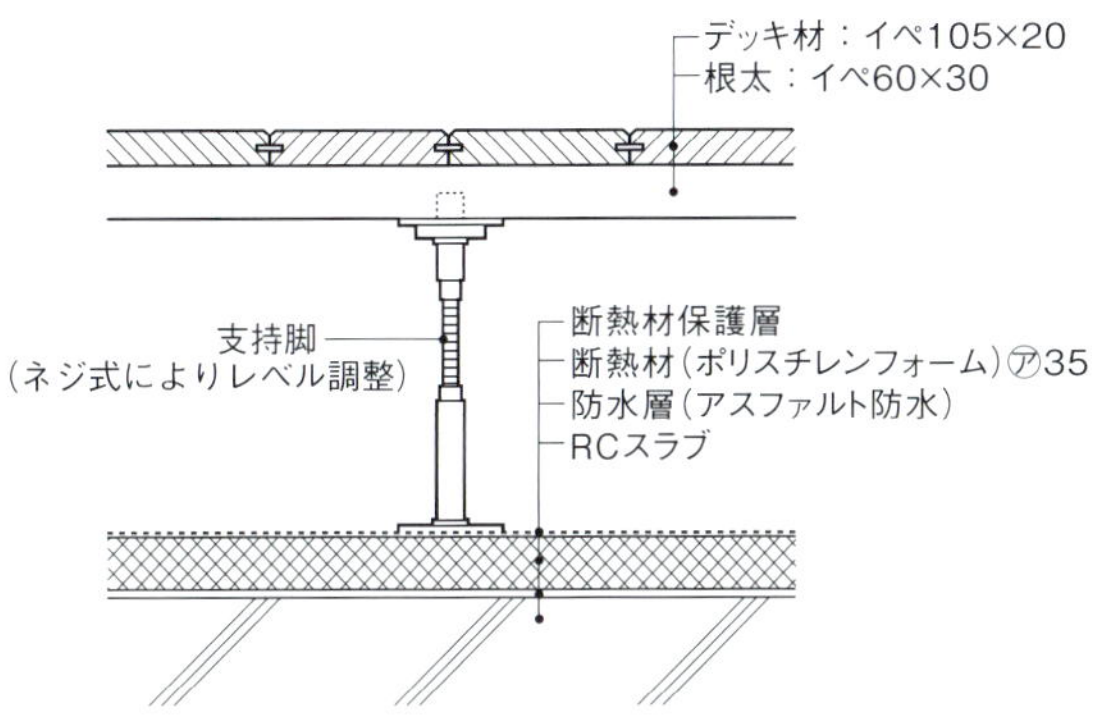

図7｜浮き床による断熱効果

写真1｜浮き床施工中の様子。ウッドデッキだけでなくPCパネルを使用しても同様の断熱効果を得られる

写真2｜屋根散水の様子。気化熱により屋根面の温度を下げるものだが、簡単な設備で効果抜群

※4：採用規模はあくまで小規模住宅を前提にしている。大規模なものまでこの工法が適用できるか否かは筆者に経験がないため断言できない｜※5：そのほか、植栽は防水層の上に施すと太陽熱をカットする工法となり得る。全面的に土を敷いて植栽する工法のほか、金属屋根の上に乾式のトレイを使ってセダム（耐乾性に富んだ多肉植物）などを植える工法もある。また、遮熱塗料を塗布すれば太陽光熱による夏季の温度上昇を抑える効果がある

内装下地

鉄骨造の内装下地はＬＧＳ下地と木下地の二者択一といってよい。どちらも一長一短あるため、設計する建物の規模・用途、施工者の技量などを考慮しながら適宜判断していく。内装のデザインは建築主にとって気になる部分だけに打合せも大いに盛り上がるところだが、それを支える下地についても仕上げ同様の配慮が必要。甘く見ていると思わぬクレームを招くことになる。

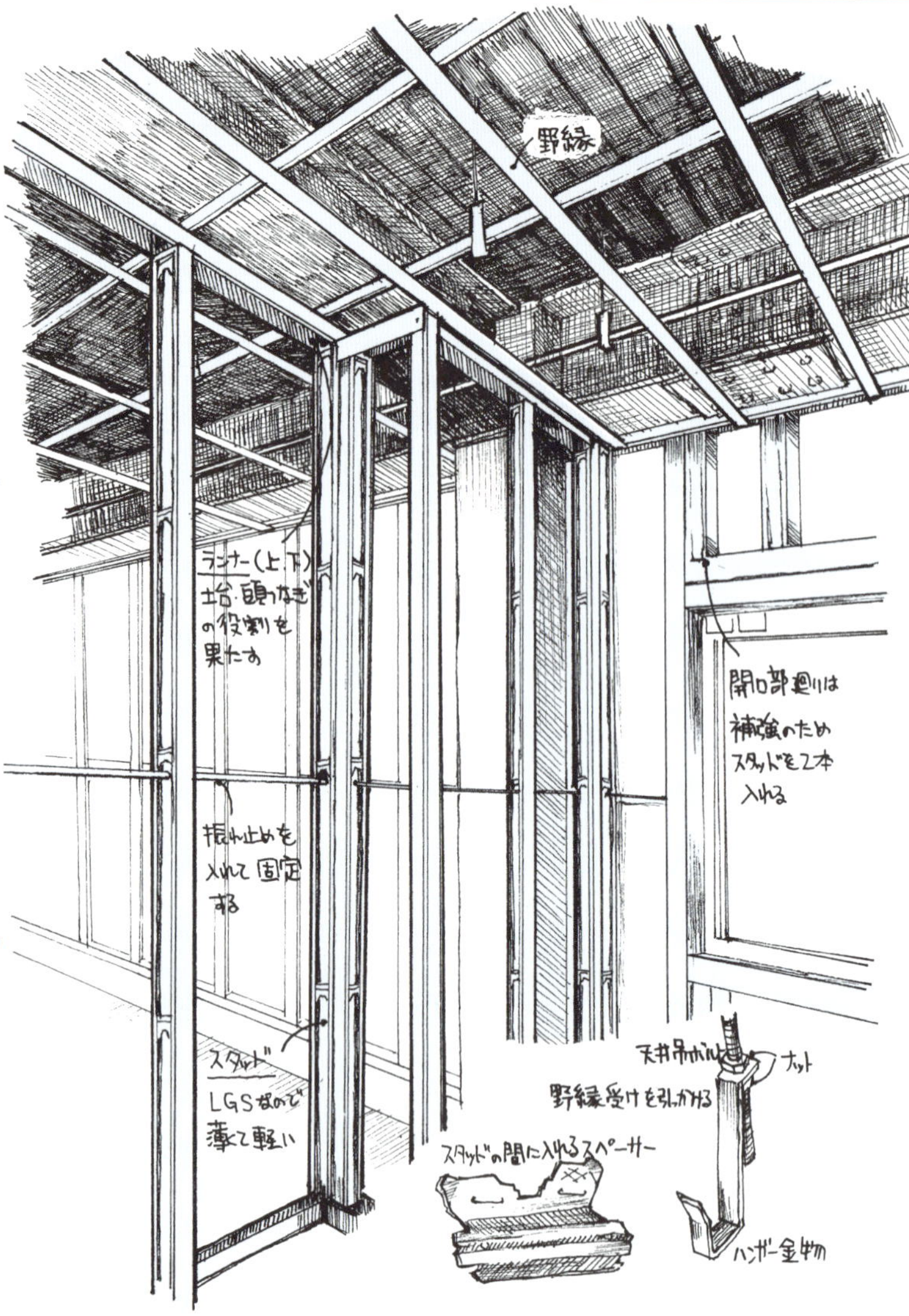

LGS［軽鉄］下地の現場 1

内壁の下地をつくる 2 まずは土台、頭つなぎの役割を果たすランナーを現場に合わせた適切な長さに切断

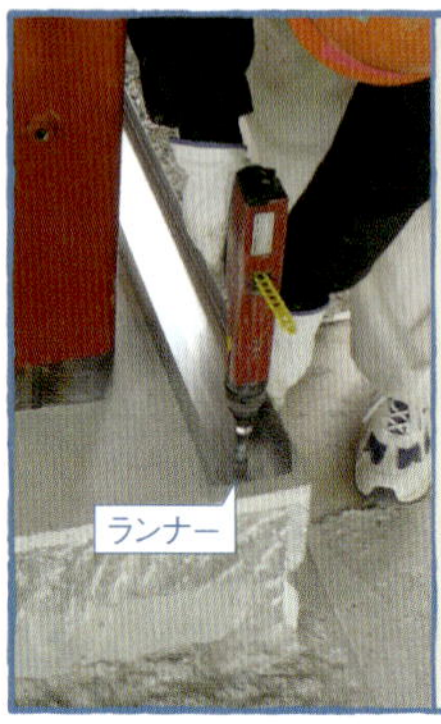

ランナー(下) 3 をスラブ上に置き、鋲打機でピンを打ち込み固定

ランナーに差し込んで立てる

次に、間柱の役割を果たすスタッドの施工。必要なスタッドの寸法を測って切断後、スペーサーをはめ込む

スタッドの断面とスペーサー。スタッド(stud)とは間柱のこと。柱脚や床で使用するスタッドボルト(stud bolt)のスタッドは「鋲(びょう)」「植え込む」が原義なので、綴りは同じだが意味は違う。スペーサーはスタッドの形状を保つための金物

マメチシキ | 1 LGSとはLight gauge steel(軽量形鋼)の略。軽量鉄骨、軽鉄とも呼ばれる。軽量鉄骨下地(材、または工事)、軽量鋼製下地、軽量鉄骨間仕切をはじめ、構造材に厚さ6㎜以下の鋼材を使用した場合の軽量鉄骨造の意味で使われることもある 2 この写真は外壁下地の施工であるが、基本的な作業工程は内壁と同じである 3 スタッドのガイドとして床や天井に取り付けるコの字形の金物。ランナーは両端部より50㎜内側に固定する。ピッチは900㎜が目安 4 450㎜ピッチは内装仕上げに下地張りを設ける場合。仕上げを直張りする、あるいは壁紙・塗装下地などを直接張る場合は300㎜ピッチが基本となる

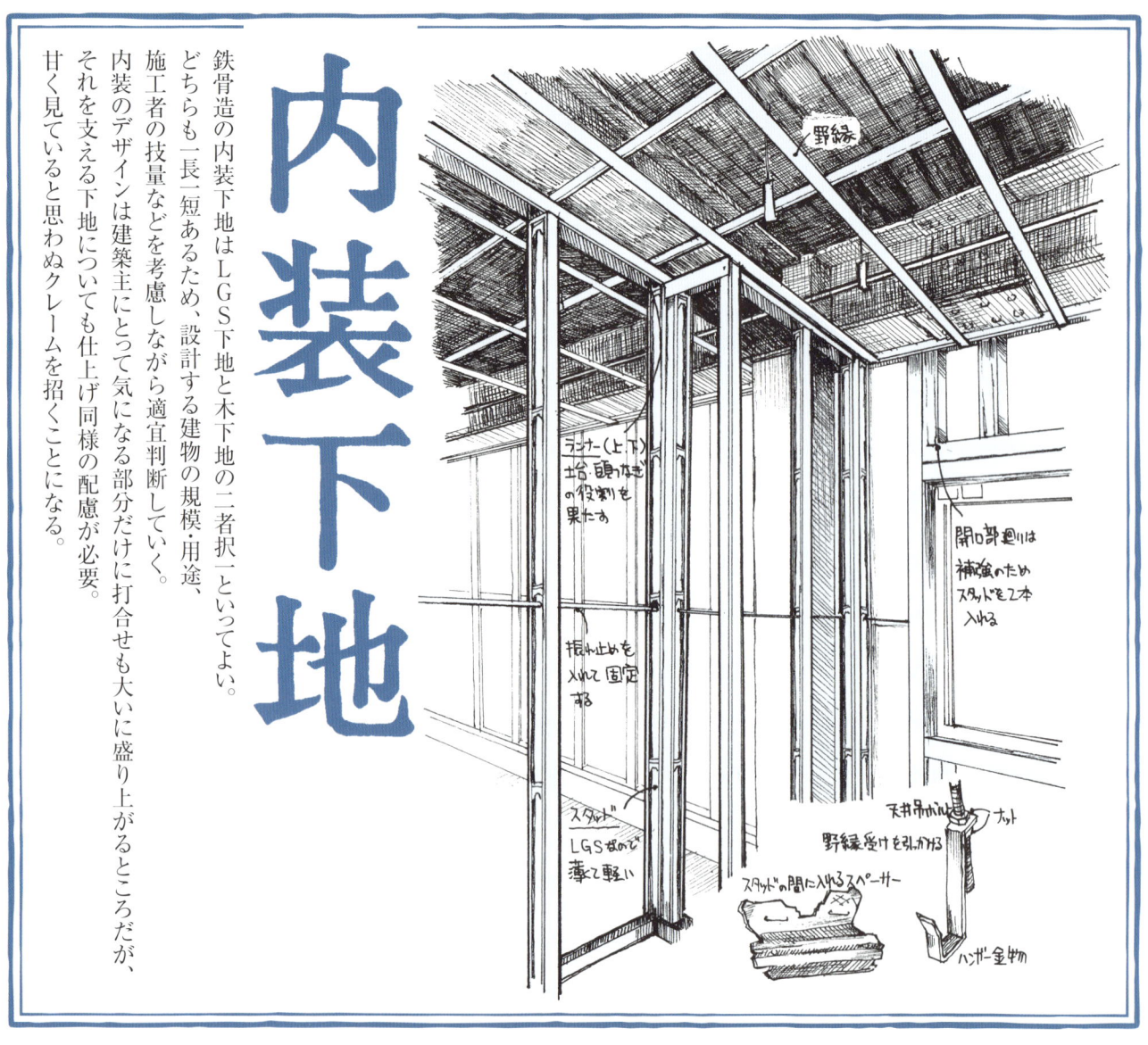

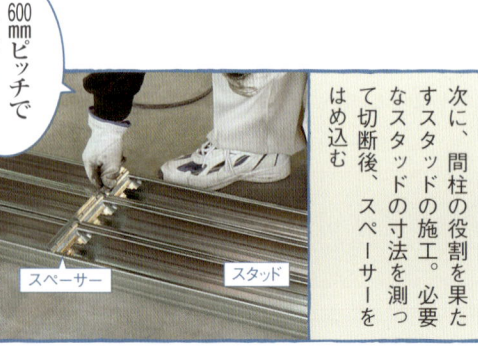

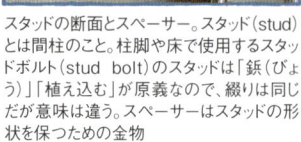

開口部を設ける場合は、開口補強用のスタッドを抱き合わせて溶接する

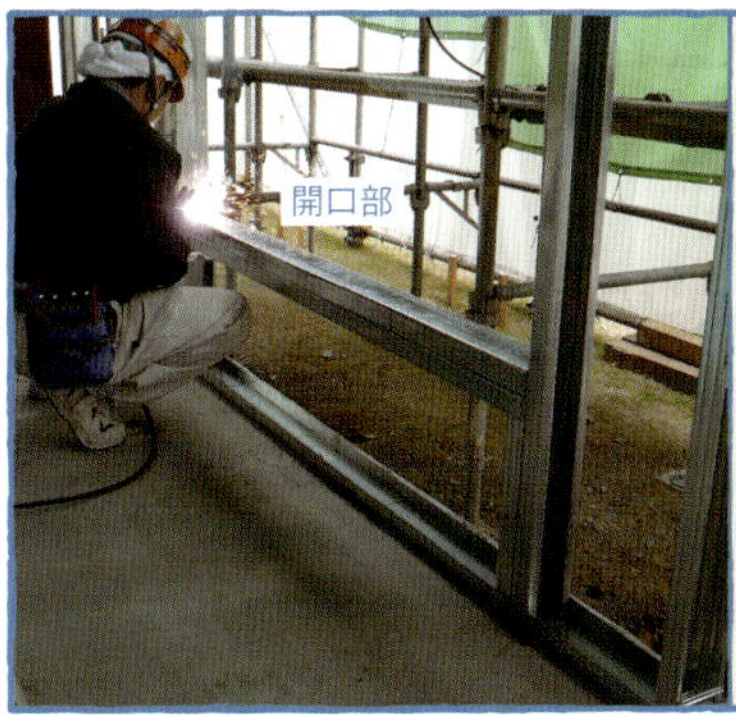

次に、横方向のスタッド（2本分）を入れて溶接 **5**

最後に振れ止めを入れれば完成 DVD

内壁と天井の隙間に注意

LGS下地のなかには耐火間仕切壁や遮音間仕切壁として大臣認定を取得しているものがある。基本的な構成は、LGS＋石膏ボード＋グラスウールだ。認定品のため性能には信頼がおけるが、施工精度によっては床や天井の取合い部に隙間ができ性能を発揮できなくなることがある。特に合成スラブの場合はデッキプレートの凸凹部分に隙間ができてしまうため要注意だ。

耐火遮音壁とデッキプレートの直交納まり

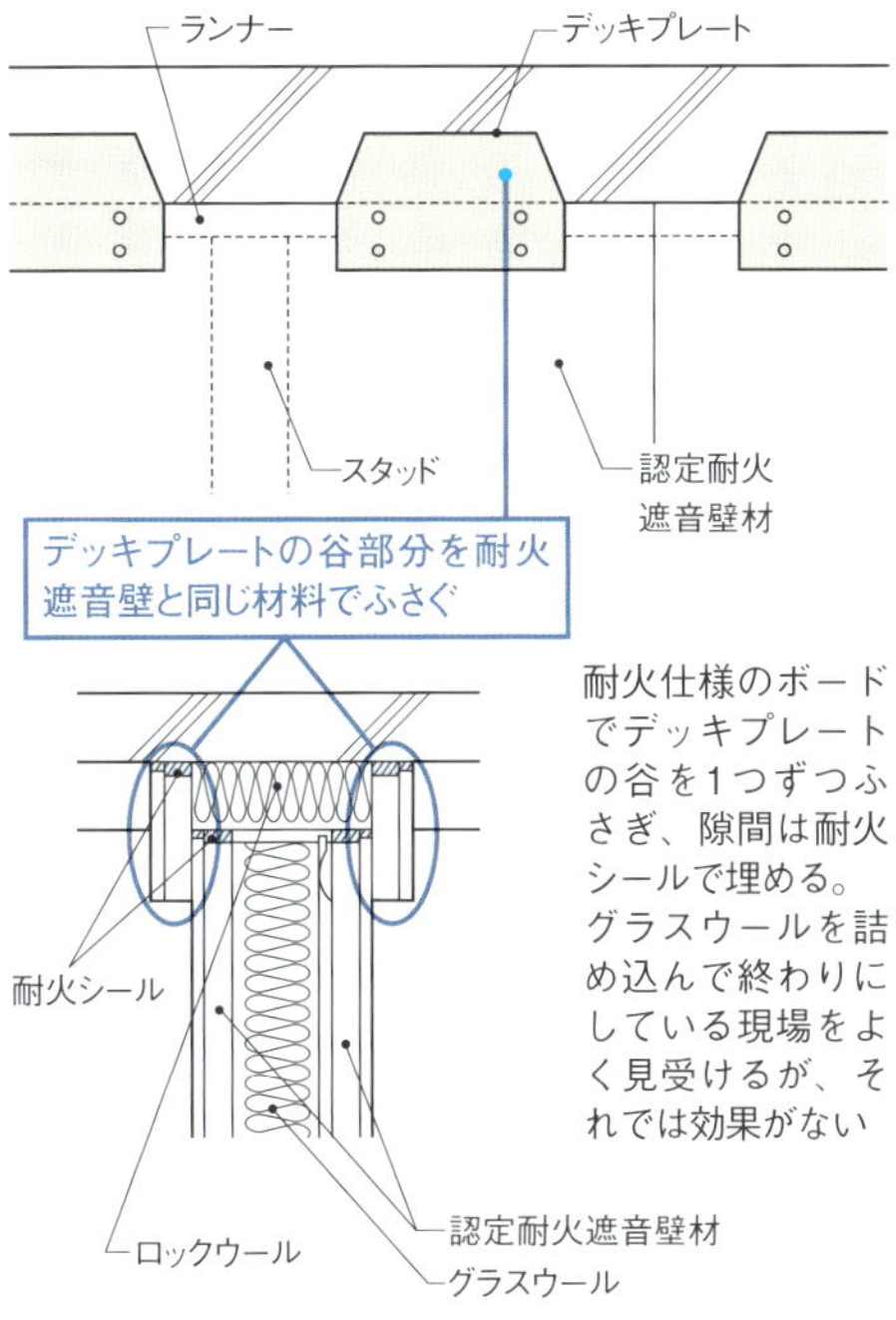

耐火仕様のボードでデッキプレートの谷を1つずつふさぎ、隙間は耐火シールで埋める。グラスウールを詰め込んで終わりにしている現場をよく見受けるが、それでは効果がない

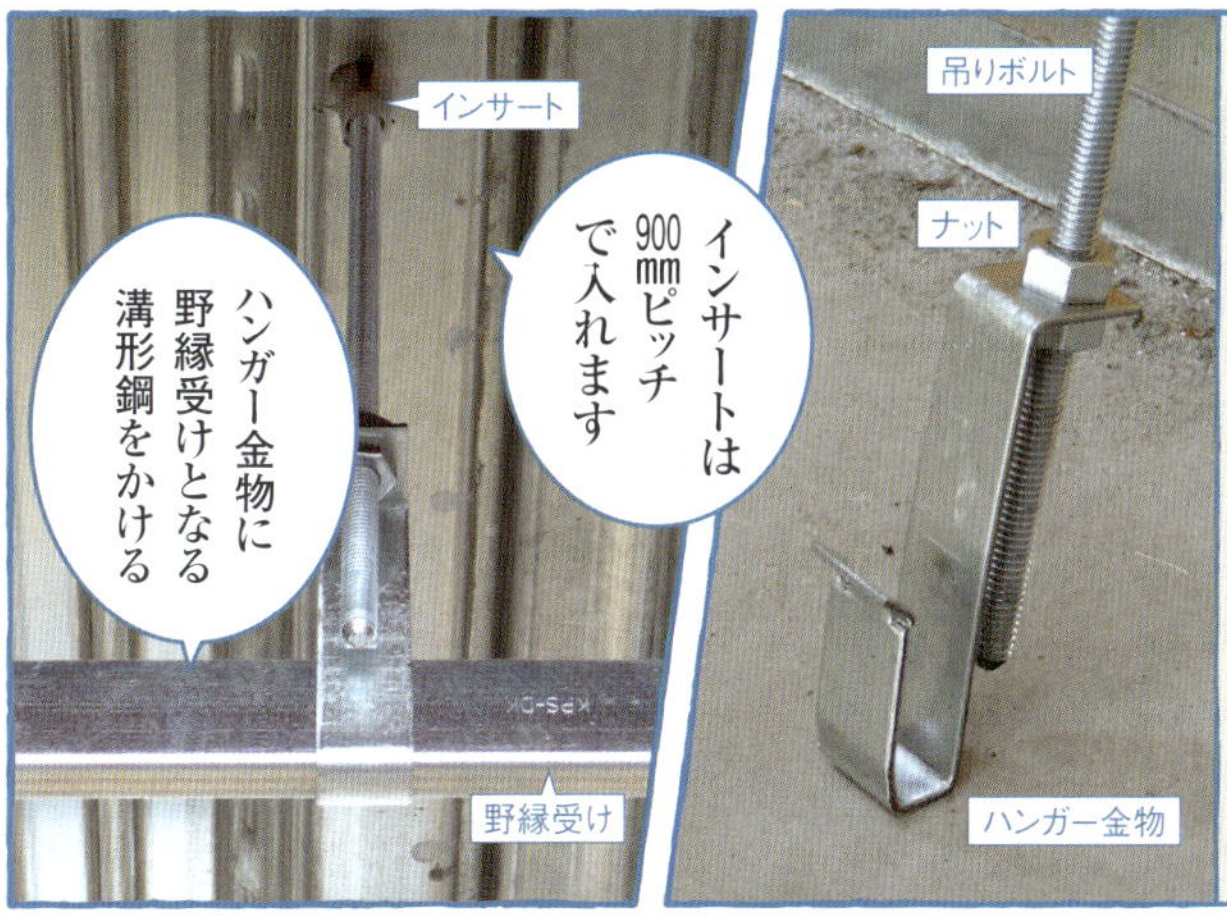

天井の下地をつくる
まずは吊りボルトとハンガー金物をナットで固定し、あらかじめ天井スラブに取り付けておいたインサートにねじ込む **6**

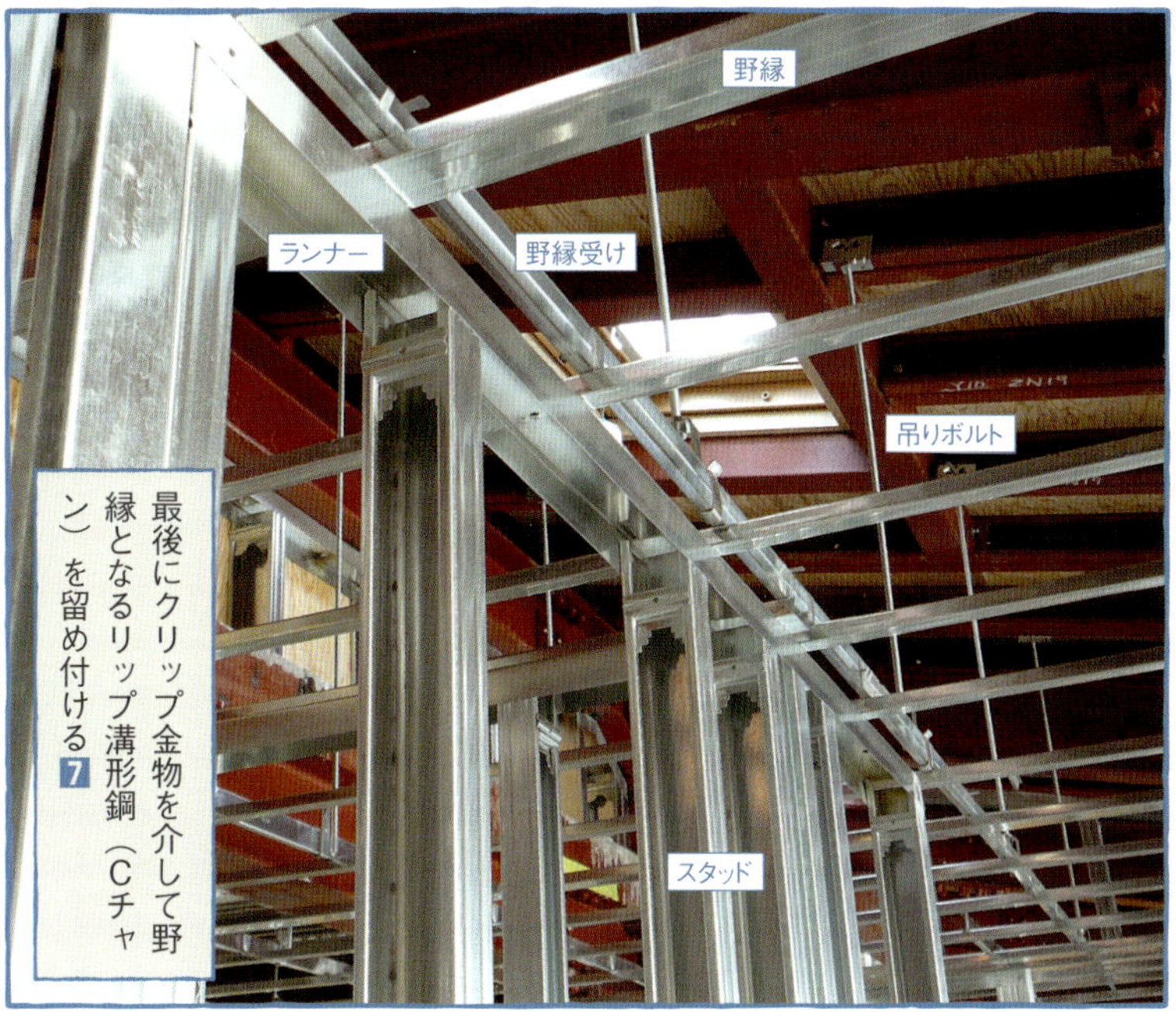

最後にクリップ金物を介して野縁となるリップ溝形鋼（Cチャン）を留め付ける **7**

マメチシキ | **5**内装工事前に外壁廻りのサッシなどが取り付けてある場合、LGS下地の施工では溶接を使用するため、サッシなどの焼き焦げ防止の養生を必ず行う。また、溶接をした部分にはさび止め塗装を施す **6**インサートとは天井下地用の吊りボルトを取り付けるためにスラブ下端に埋め込む金具のことで、床スラブのコンクリートを打設する前にデッキプレートに埋め込む（48頁参照） **7**天井懐が大きい場合は吊りボルトにも振れ止め（振れ止めブレース）で補強する必要がある

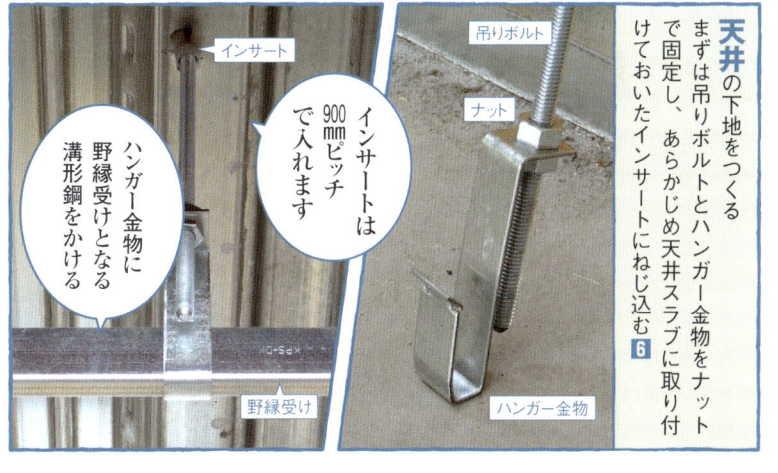

仕上げ位置を決める際の注意点

梁下端より天井を高くする場合は、内壁の仕上げ位置を決める際にダイアフラムの出寸法を考慮する必要がある。梁下端より天井が低い場合は柱から耐火被覆厚さ＋クリアランス（10㎜）＋LGS＋仕上材厚で良いが、高くなる場合はダイアフラムの柱からの出寸法がプラスされる。梁下の天井の仕上げ位置も同様に、スプライスプレート厚＋ボルト頭＋耐火被覆＋クリアランス＋LGS下地＋仕上材厚の寸法が必要となる。

天井高さが梁下端より高い場合

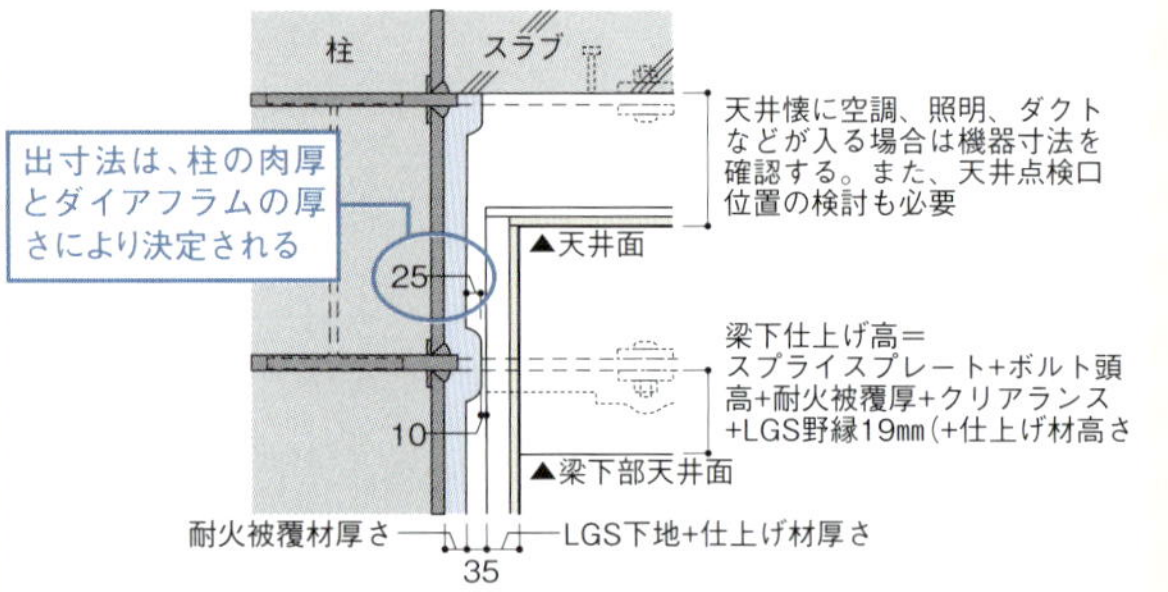

柱
スラブ
出寸法は、柱の肉厚とダイアフラムの厚さにより決定される
25
10
▲天井面
▲梁下部天井面
天井懐に空調、照明、ダクトなどが入る場合は機器寸法を確認する。また、天井点検口位置の検討も必要
梁下仕上げ高＝スプライスプレート+ボルト頭高+耐火被覆厚+クリアランス+LGS野縁19㎜(+仕上げ材高さ
耐火被覆材厚さ
LGS下地+仕上げ材厚さ
35

内壁と柱の隙間に注意

柱に耐火被覆（ロックウール吹付け）が施工されている所に乾式（LGS下地）耐火壁が来る場合、ロックウール吹付けの表面が凸凹した状態のままで乾式耐火壁の耐火充填材を施すと、隙間が出来てしまう。そこで、ロックウール側の乾式耐火壁と取合う部分にスラリー処理を行い、金鏝で平滑にした上で乾式耐火壁を施工し、耐火充填材を施せば隙間が無くなる。遮音壁の場合も同様である。また、耐火被覆材全体をスラリー状［※］にした半乾式工法も存在するが、金鏝で平滑にする必要がある。

耐火遮音壁と鉄骨柱の納まり

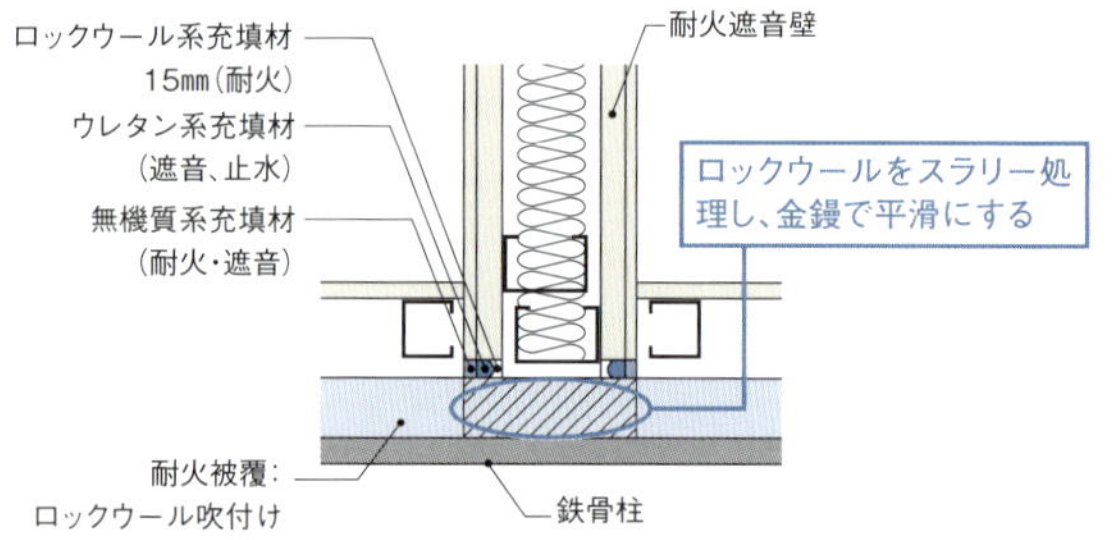

ロックウール系充填材
15㎜(耐火)
ウレタン系充填材
(遮音、止水)
無機質系充填材
(耐火・遮音)
耐火遮音壁
ロックウールをスラリー処理し、金鏝で平滑にする
耐火被覆：
ロックウール吹付け
鉄骨柱

木下地の現場

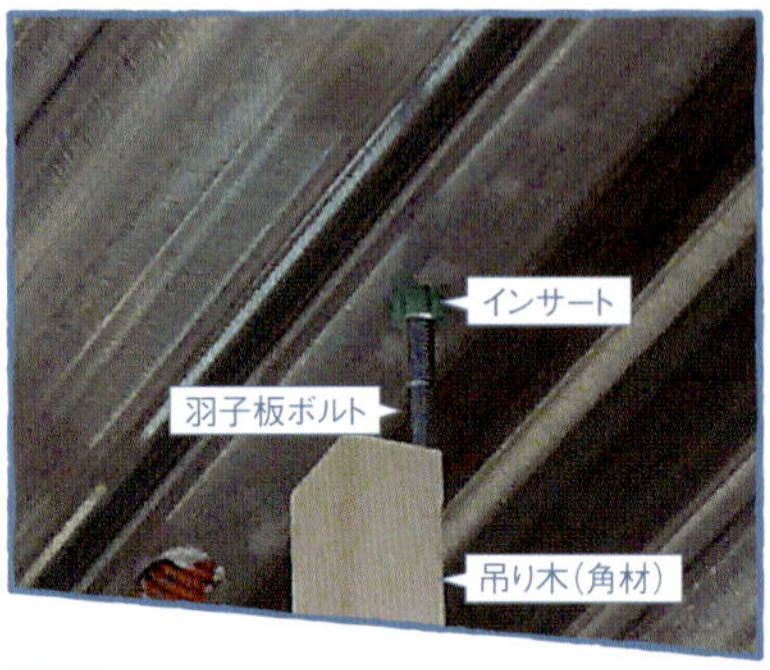

インサート
羽子板ボルト
吊り木(角材)

天井はインサートにねじ込んだ羽子板ボルトに角材をビス留めし、吊り木とする

野縁

吊り木と野縁受けを釘留めしたのち野縁受けと野縁も釘留めする
野縁受けは@910㎜野縁は@455㎜が基本だな
野縁受け
野縁
野縁
野縁
野縁
野縁

マメチシキ｜8この建物は押出成形セメント板外壁なので胴縁を立てている 9壁厚を薄く納める方法としては、壁ロック（桐井製作所）、UL工法（吉野石膏）などメーカー独自の工法もある

※ スラリーとは、粘土などの固体粒子が混ざった液体状の流動体の総称

床はスラブ上に鋼製束を立て、大引、根太を組んで釘留め

なにやら考え込んでいる職人さん

天井までの収納棚を造付けにするため、野縁に補強用の下地を入れている

下地組みが終われば構造用合板を張って最後の仕上げ工程に移る

図1 鉄骨造における下地材の選択フロー

建物の規模	法的規制	内装の形状	下地の種類
大規模な建物	内装制限あり［仕上げ、下地共不燃材］	単純な形状	LGS
		複雑な形状	LGS
	内装制限なし	単純な形状	LGS
		複雑な形状	LGS／木下地
	防火区画の壁		LGS［認定工法］
小規模な建物	内装制限あり［仕上げ、下地共不燃材］	単純な形状	LGS
		複雑な形状	LGS
	内装制限なし	単純な形状	LGS／木下地
		複雑な形状	木下地

図2 | LGS下地の構成

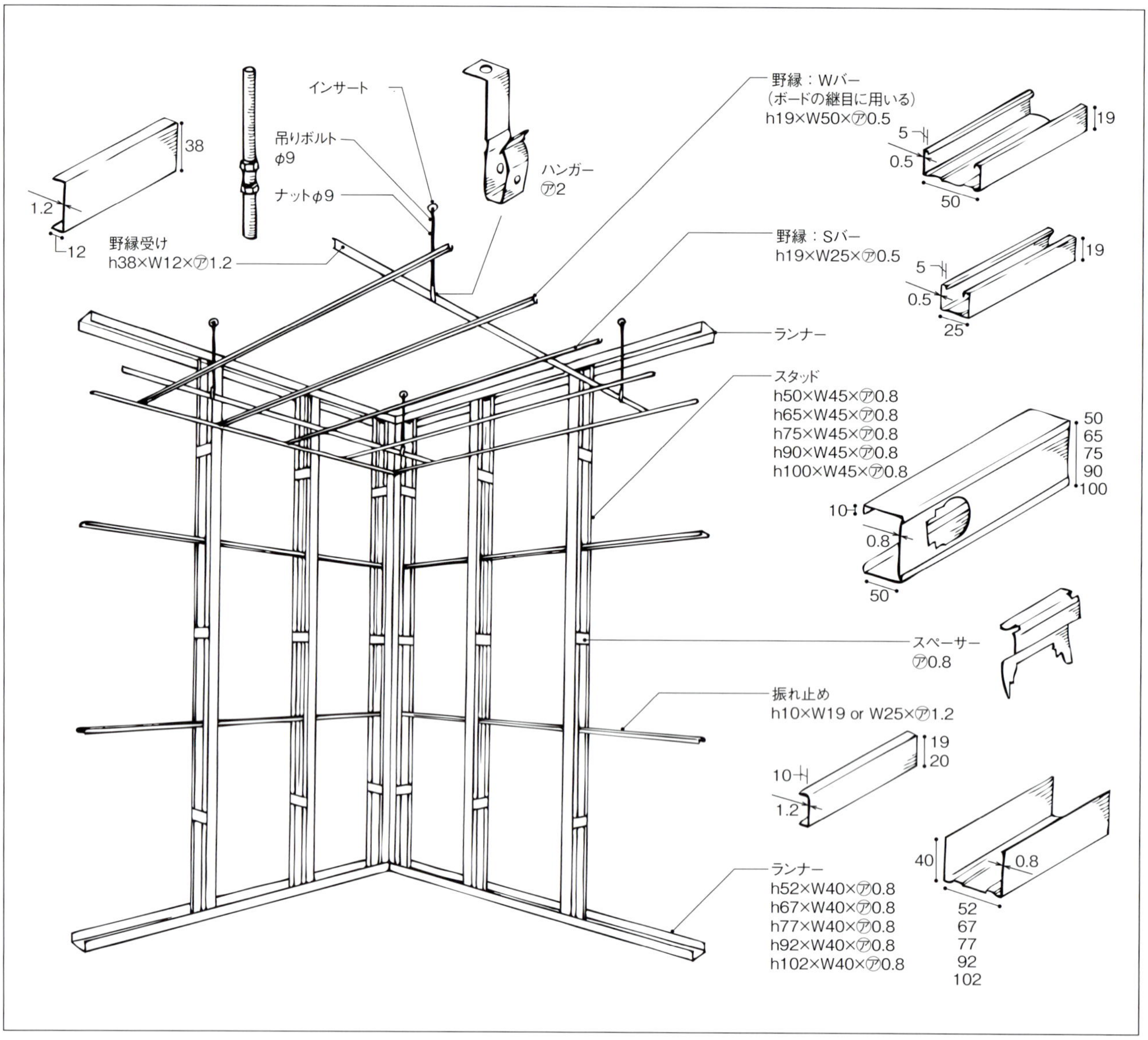

① LGS下地（内壁）

種類	ピッチ	スタッド高さ	仕上げ
スタッド 50形	@300	H ≦ 2.7m	直張りする
	@450	H ≦ 2.7m	下地張りあり
スタッド 65形	@300	H ≦ 4.0m	直張りする
	@450	H ≦ 4.0m	下地張りあり
スタッド 90形	@300	H ≦ 4.5m	直張りする
	@450	H ≦ 4.5m	下地張りあり
スタッド 100形	@300	H ≦ 5.0m	直張りする
	@450	H ≦ 5.0m	下地張りあり

注1　40形、45形は天井高が低く、住宅などで間仕切壁が細かく入るような建物で使用される

注2　スラブ間の高さが5mを超える場合にはスタッド固定用の受け梁を設けるか、LGSではなくリップ溝形鋼（Cチャン）を用いる

② LGS下地（天井）

種類	ピッチ	天井懐	仕上げ
野縁 19形	@225	1.5m 未満	直張りする
野縁 19形	@300	1.5m 未満	直張りする
野縁 19形	@360	1.5m 未満	下地張りあり

注 天井懐1.5m以上は振れ止め補強が必要

③木下地（内壁）

種類（㎜）	ピッチ	木軸高さ	仕上げ
木軸 45×36	@450	H ≦ 2.4m	下地張りあり
木軸 45×45	@450	H ≦ 2.4m	下地張りあり
木軸 72×33	@450	H ≦ 3.0m	下地張りあり
木軸 105×27	@450	H ≦ 3.6m	下地張りあり

- 住宅（階高：2,700～3,000㎜［スラブ間2,500～2,800㎜］）の下地は45㎜角程度（直交壁が多いため十分強度が出る）
- 事務所（階高：3,200～3,500㎜［スラブ間3,000～3,300㎜］）の下地は75×35㎜、または105×30㎜程度
- 大規模建築物（階高：3,500～4,500㎜）では、内装として木造の建物をつくるのと同じになる。間柱のメンバーを上げれば木下地でも施工は可能だが、コスト、施工性共に無駄が多い。また、法的に防火区画、排煙区画の不燃材料下地にならないという欠点がある

内壁のクラック予防 | 仕上材の伸縮、地震などによる揺れ、建具の開閉による振動などにより、建物ができあがってからしばらくすると、内壁にクラックが発生するケースがある。仕上材の種類や職人の腕に左右されるところもあるが、予測される部分には前もってクラック防止のスリット目地やシーリングを行っておく必要がある。特に大きい壁面や壁の入隅、建具の出隅、仕上材の切れる部分・変わる部などは注意を要する個所である。ボードを二重張りとし、ボードの継目を半分ずらして張ることはクラック防止には最も有効である

図4｜天井高の決め方

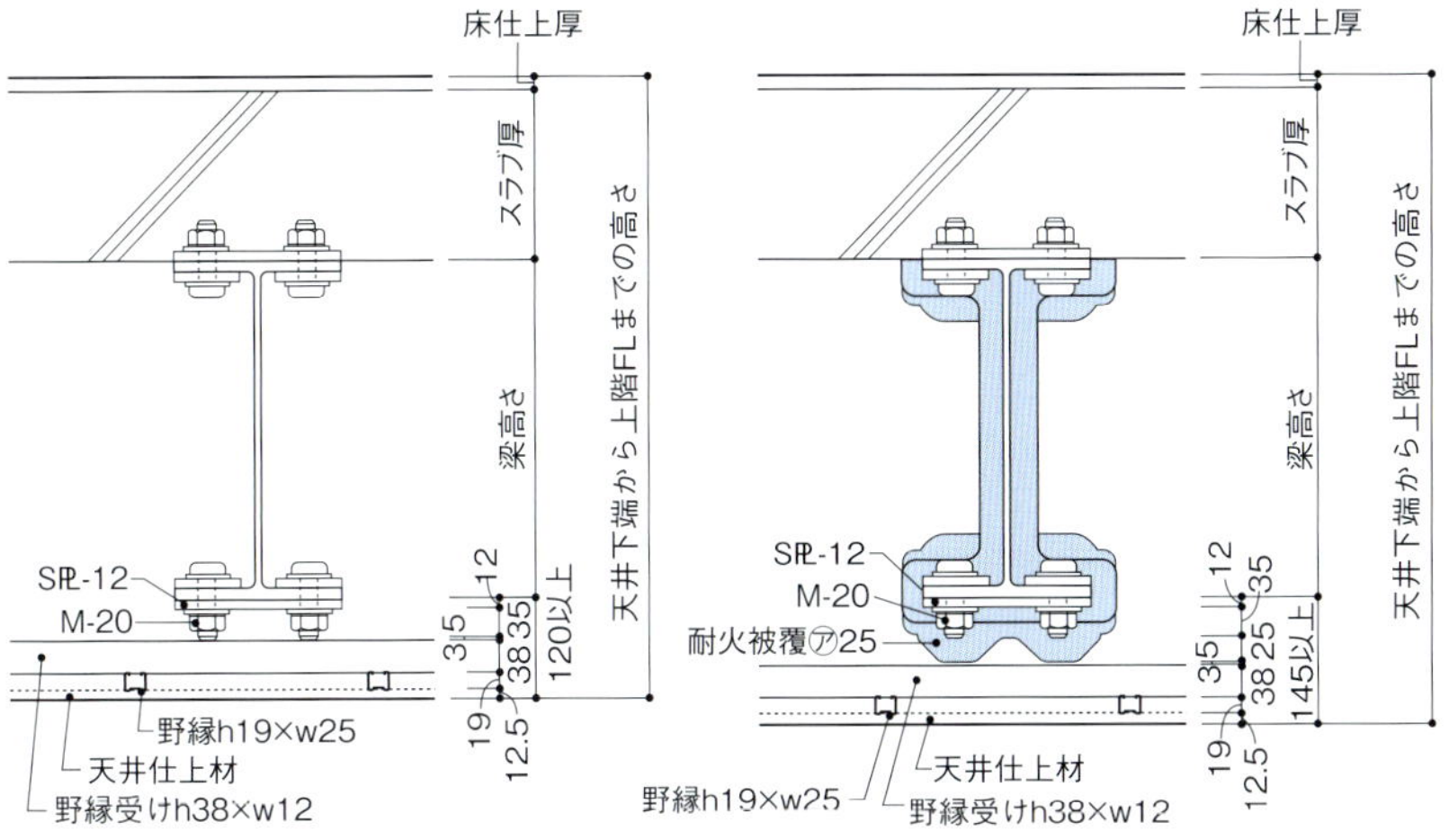

①準耐火建築物

スプライスプレート	12
ボルトM-20	35
クリアランス	3.5
LGS野縁受け	38
LGS野縁	19
梁下必要寸法　合計	120以上

（天井仕上材［石膏ボード下地］12.5）

②耐火建築物（1時間耐火の場合）

スプライスプレート	12
ボルトM-20	35
半湿式耐火被覆［※1］	25
クリアランス	3.5
LGS野縁受け	38
LGS野縁	19
梁下必要寸法　合計	145以上

（天井仕上材［石膏ボード下地］12.5）

図3｜床下地の例

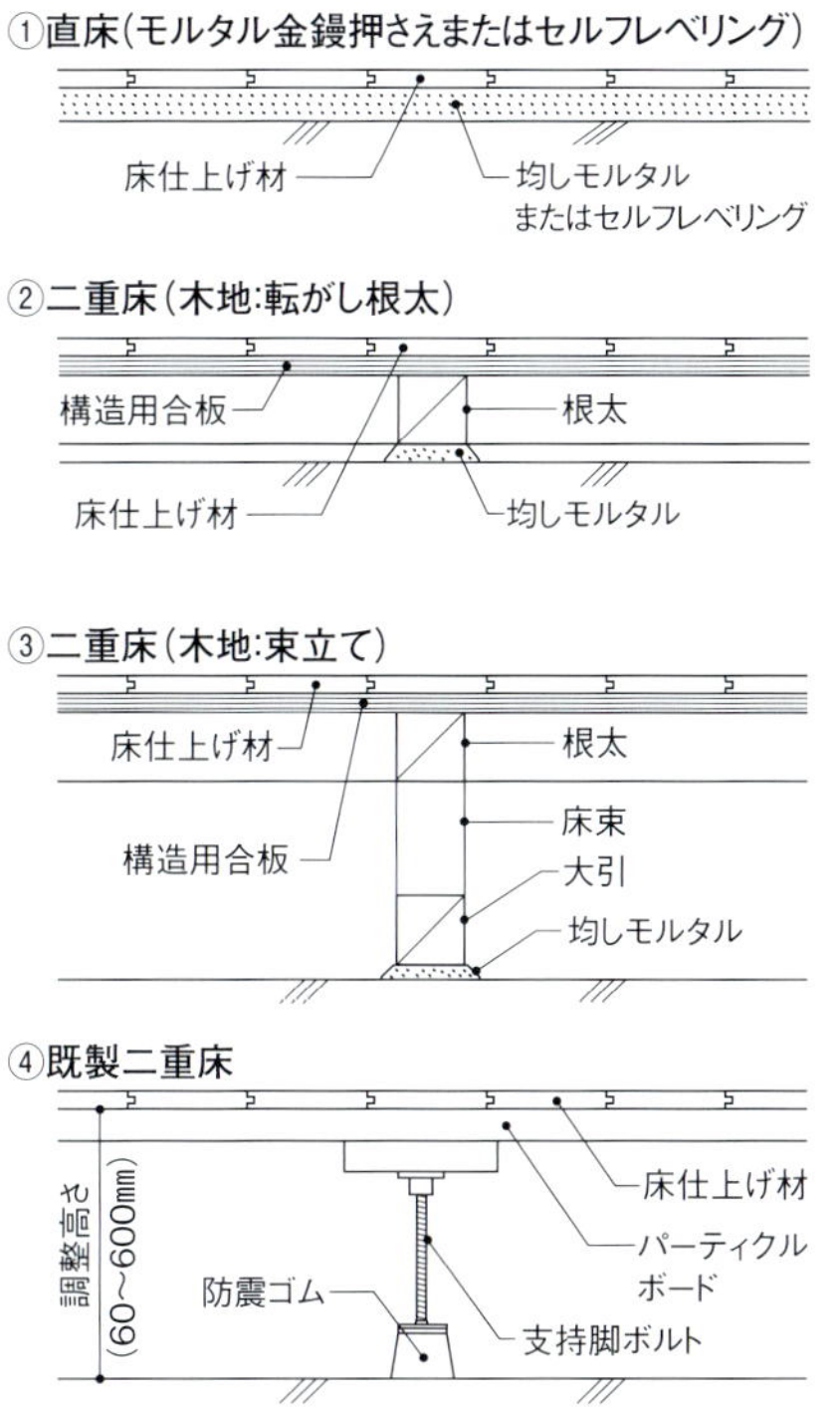

LGS下地か木下地か

ここでは内壁、天井、床の3つの部位について、下地材の種類と特性、寸法、設計・監理上の注意点について見ていきたい。

内壁・天井下地の仕様

内壁と天井の下地材は、LGS（軽量鉄骨）と木に大別される。大規模な建物ではLGSが一般的で、下地工事が内装工事と一体となる住宅などでは木が使われることが多い［**87頁図1**、※2］。

1 LGS下地（軽量鋼製下地）

LGS下地は、溶融亜鉛メッキを施した0.8㎜厚の鋼板加工品を使って組み上げていくものである。内壁であれば、土台、頭つなぎの役割を果たす「ランナー」、間柱の役割を果たす「スタッド」で構成される。スタッドには適切なピッチでスペーサー、振れ止めを挿入する。

天井の場合は、吊りボルトに取り付けたハンガー金物に野縁受けを挿入し、クリップ金物を介して野縁と固定する［**図2**］。

木下地と比べると施工性がよく材料の歪みも少ないが、施工の際に溶接を行うので、そのための養生は必要になる。

またスタッドは、高さによって内壁なら壁厚の制限、天井なら天井懐高さに制約が生じる［**図2**］。

2 木下地

木下地は、内壁であれば土台、間柱、頭つなぎを釘・ビス・アンカーボルトなどで組み上げる。

天井の場合は、野縁、野縁受け、吊り木で構成する。ただし、床スラブに吊り木を取り付ける際は、デッキ用ハンガー金物やアンカーボルトが必要になる［**86頁写真**］。

木造軸組と同じ工法のため自由度は高いが、大きな建物では施工性が悪く階高の高い建物や、天井懐の大きい建物には不向きである。

3 リップ溝形鋼下地（軽量形鋼下地）

主に天井高が5m以上の場合［※3］には、リップ溝形鋼を内壁用の下地として使用する。

石張りなど荷重の大きい仕上材には適するが、LGS（軽量鋼製下地）同様、現場で溶接を行うための養生が必要になる。LGSに比べるとコストは高くなる傾向にある［**90頁**、※4］。

床下地の仕様

床下地は直床《じかゆか》と二重床に大別される。

直床は、仕上材によっては不陸調整を必要とするため、そうした観点で下地の種類を選択する。二重床は、床下に断熱材や設備配管、電気配線を仕込めるため、一般にはこちらを使用することが多い。

1 直床

(a)RC直均《じかなら》し

コンクリート打設時に直接金鏝《こて》で均し、不陸を取る工法。ローコストであるが、調整の精度は職人の腕に左右される。

(b)モルタル金鏝押さえ

スラブ上に20～30㎜厚程度のモルタルを流し、金鏝で均す工法。直均しに比べれば不陸が少ないが、床面積が広いと精度が出ない［**図3①**］。

(c)セルフレベリング

スラブ上にセルフレベリング材（自己水平性をもつ石膏系下地材）を流し込む工法。

均質な床面ができるが、施工後約1日の硬化期間と7～10日の乾燥期間が必要なため、仕上げ工事が中断されるという弱点がある。また、1回で流し込める広さにも制約がある（約10

※1：表の数値は1時間耐火の場合。2時間耐火の場合は45㎜、3時間耐火の場合60㎜となる｜※2：内装が複雑な形状の建物では木下地のほうが施工性はよい。また、LGSを使用すると下地工事と内装工事で業者が分かれるため、コスト的には割高となる傾向がある。小規模の建物では下地から仕上げまでを内装工事として行える点は木下地のメリットである。建物の種類や規模にもよるが、LGS下地で設計をまとめた後見積り査定の段階になって「木下地に変更したい」と施工業者が要望するのはよくある話である｜※3：店舗、工場、体育館などで使用されることが多い

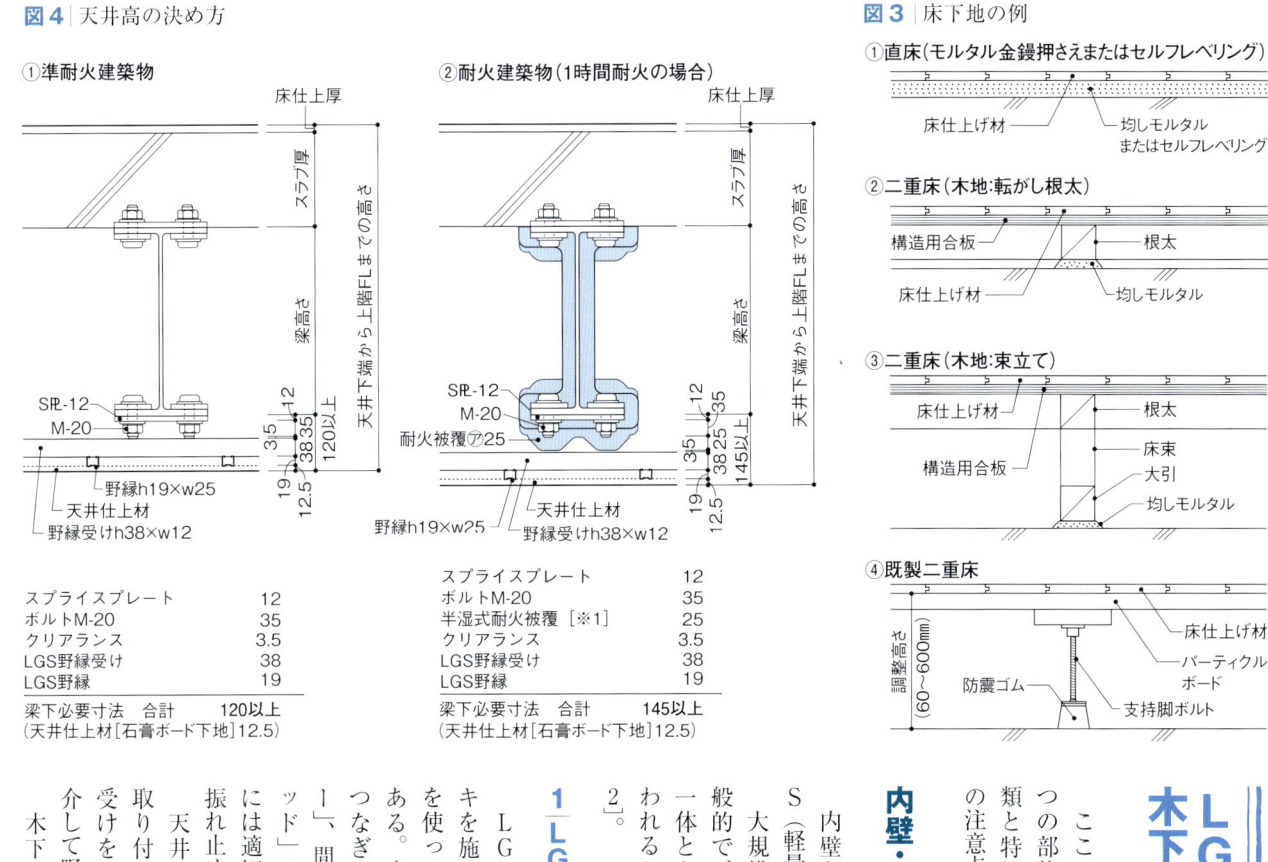

００㎡)。

2 二重床

(a)木下地

木造と同様に、束、大引、根太で組んだあと構造用合板を張る。木の収縮や固定の甘さから床鳴りが起こる可能性がある[**415頁図3**②、③]。

(b)既製二重床

既製品の支持脚ボルトとベースパネルを並べる工法。施工性がよく、防振ゴム付きの支持脚ボルトを使えば遮音にも有効である。ただし、床下高さには制約がある[**89頁図3**④]。

(c)フリーアクセスフロア

既製のOA用床材を並べる工法。スラブの不陸を取るため、フィラーまたは支持脚ボルトでレベルを合わせる。施工性がよく、電気配線の自由度も高いが、コストが高く仕上げ材も限定されてしまう。

設計・寸法のポイント

天井高の決め方

鉄骨造建築物の構造材には、部材どうしを接合するための補助材が必要になる。いわゆる、プレートやボルトの類である。これら接合用部材の存在を忘れたままで各部の寸法を設定すると、現実の納まりに不整合が生じる。これは、図面上の盲点といってもよい。

たとえば、天井高である。

ラーメン構造でボルト接合とする場合、梁の接合部にはスプライスプレートと高力ボルトが取り付く。そのため、梁下寸法はその厚さ、高さ分だけ下がってくる。天井高、梁下高さは、この下がりを考慮して決めなければならない[**89頁図4**]。

また、耐火構造の建物では、耐火被覆材の厚みも計算に入れておかなければならない。もちろん、使用する被覆材によって厚みは変わるが、被覆材分の厚みを考慮しなかったがために、現場で柱、梁の耐火被覆材を欠き込んで下地材を通すなどということは、絶対にあってはならない[**89頁図4**]。

天井懐内のレイアウト

設備機器、ダクト、配管、埋込み照明など、天井懐内に入ってくるものを確認しておく。これらの位置や寸法、ルートの重なり具合、梁貫通レベルなどを考慮しておかないと天井高を決められない。

特に見落としがちなのが水平ブレースの存在である。鉄骨造では、ラーメン構造、ブレース構造を問わず、水平ブレースが取り付く個所が少なくない。しかし、水平ブレース廻りの寸法を考えず、設備機器のみの寸法で天井懐高さを決めてしまうということは、実際によくある失敗例の1つである[**図5**、※5]。

コンセント、スイッチの位置

LGS下地、木下地ともに開口部を大きく取ると、通常のスタッドだけでは開口の建具枠を十分支持できないため、なんらかの補強をしなければならない(木造の建物でも同様)。その際、スタッドと補強材を抱き合わせるケースが多いが、たとえば、建具枠のすぐ隣にコンセントボックスを設置する予定であれば、補強材分の余裕を見て位置を決めておく。補強材の寸法を見ておかないと、致命的とまではいわないが、現場でボックスの位置を変更したり、補強材の一部を削って納めなければならなくなる[**図6**]。

[稲継豊毅]

図5｜天井懐で取り合う部材

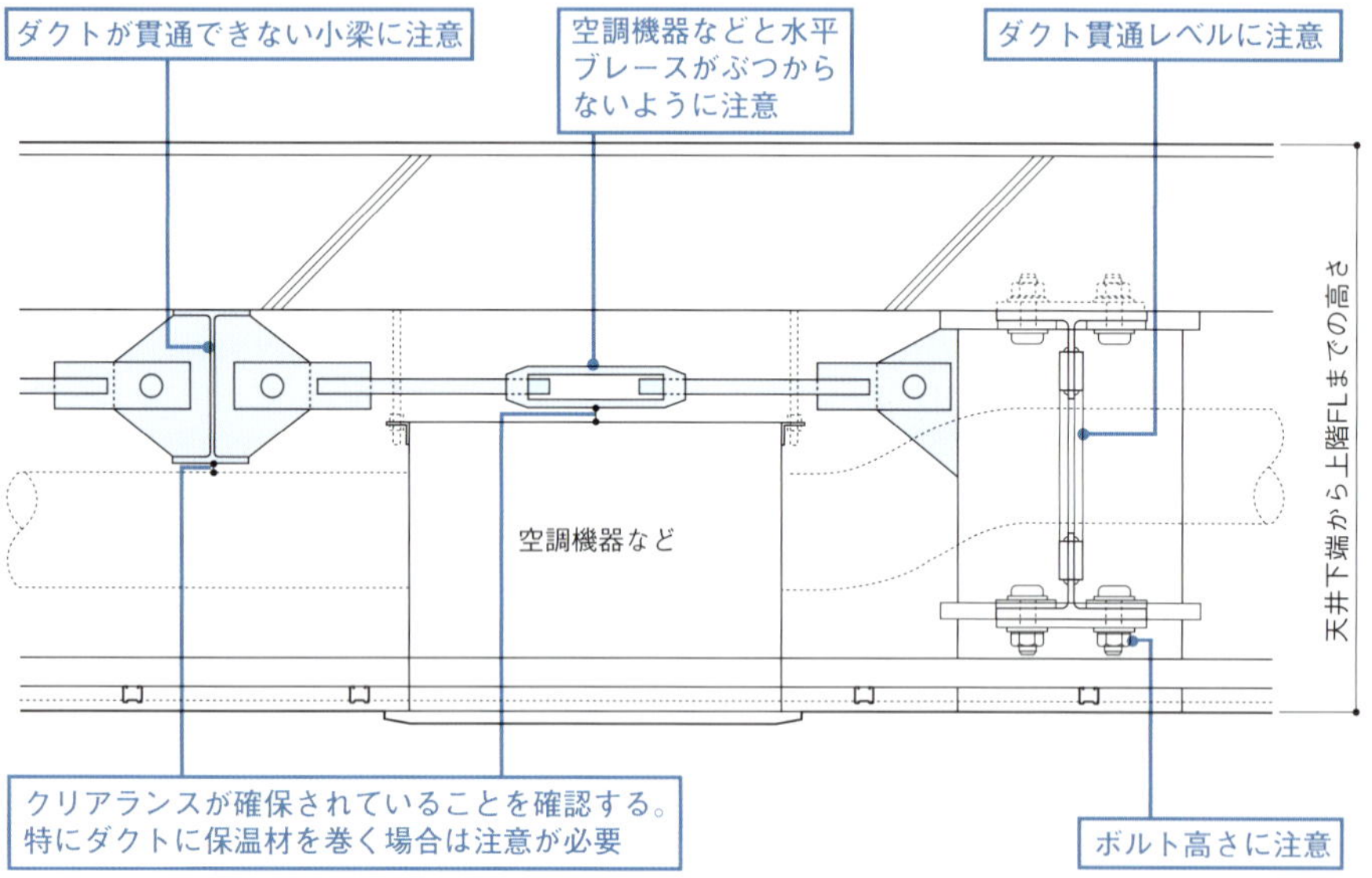

図6｜開口補強とスイッチボックスの位置関係

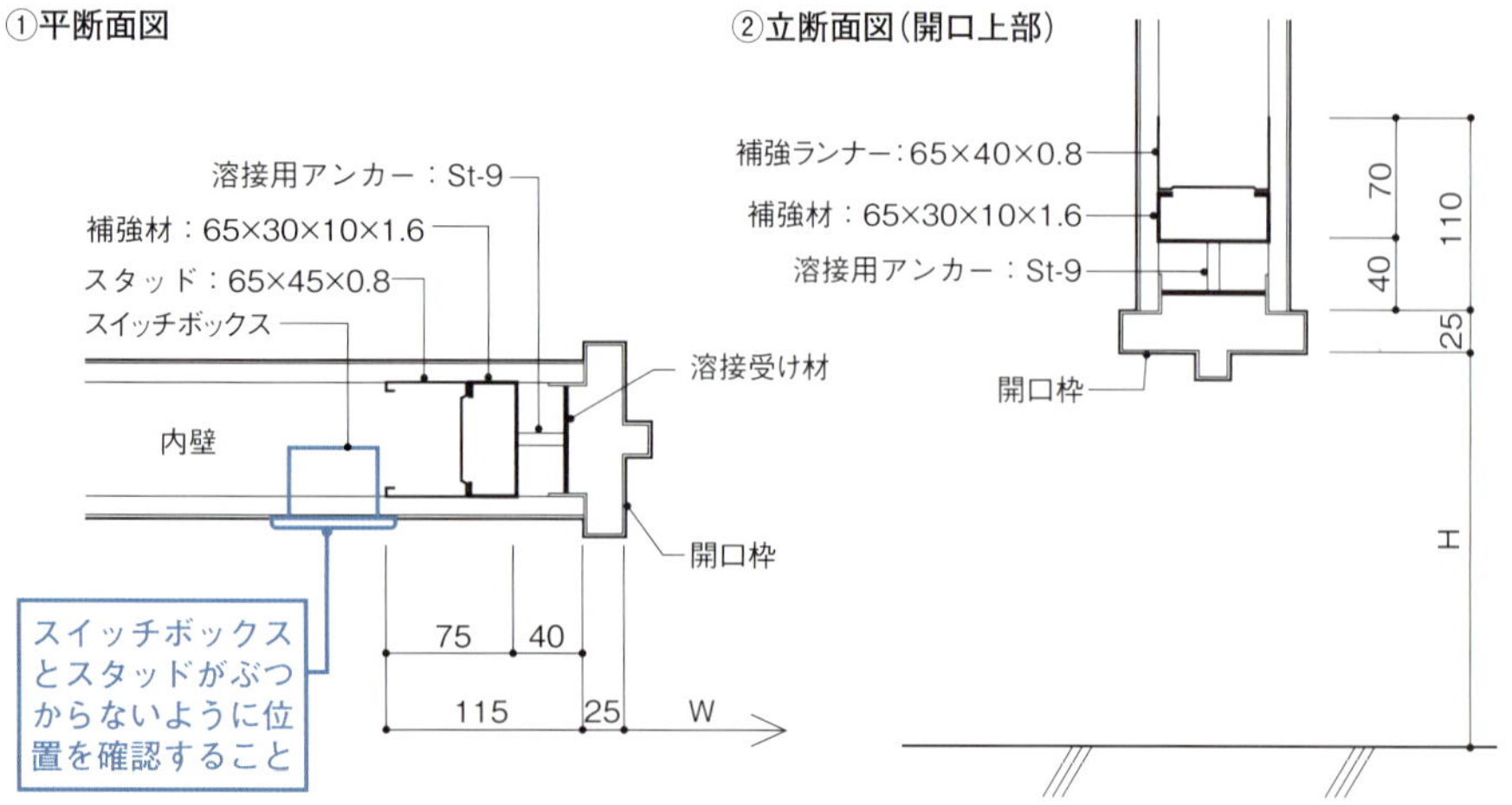

※4：そのほか天井の仕様としては、天井材とその下地材が一体となった既製品（システム天井）がある。主に事務所や店舗で使用され、天井材を固定しないのが特徴。コストはかかるが施工性がよいうえ照明器具などの設備機器と一体化した仕上げも可能である｜※5：LGSで天井下地を組む場合、天井懐が大きくなると補強材を入れなければならない。天井懐が1.5m未満では必要ないが、1.5～3mでは振れ止め水平補強が必要で、3m以上となると、加えて斜め補強が必要になる。また、天井懐が大きく受け梁を設ける場合は、あらかじめ設計図書に吊りボルトの受け梁を記入しておかなければならない

第2部

鉄骨造現場監理「写真帖」

地業・基礎工事

杭工事

杭の種類や工法には各種あり、地盤や建物の条件によって選択される。ここでは、中規模の鉄骨造に多く採用される羽根付鋼管杭による回転貫入《かんにゅう》工法の工事を解説する

準備

まずは杭心の墨出しから。事前に行われた遣り方［❶］をもとに杭心が打たれる

杭工事当日、搬入された杭。杭が長い場合は2本以上に分けて搬入し、現場で接合する［**図1**］

※「監理」とは、設計者あるいは設計者・施工者以外の第三者が、工事現場での施工が正しく行われているかを確認する行為などをさす。施工者が現場を取り仕切り、人員の手配や作業の指示を行うものなどは「管理」の漢字を用いて表現され、行為の主体によって使い分けられている｜❶遣り方（やりかた）：柱や壁の心や高さを標示する板｜❷水貫（みずぬき）：遣り方で基準となる水平線を表す板。遣り方貫（やりかたぬき）ともいう。水杭（遣り方杭）に印した高さの基準墨に小幅板の上端を合わせ順次打ち付けていく｜❸水杭（みずぐい）：遣り方の水貫を打ち付けるための木杭のこと。遣り方杭、見当杭、地杭ともいう

★監理POINT

鋼管の材種、径、長さが設計図書どおりか確認

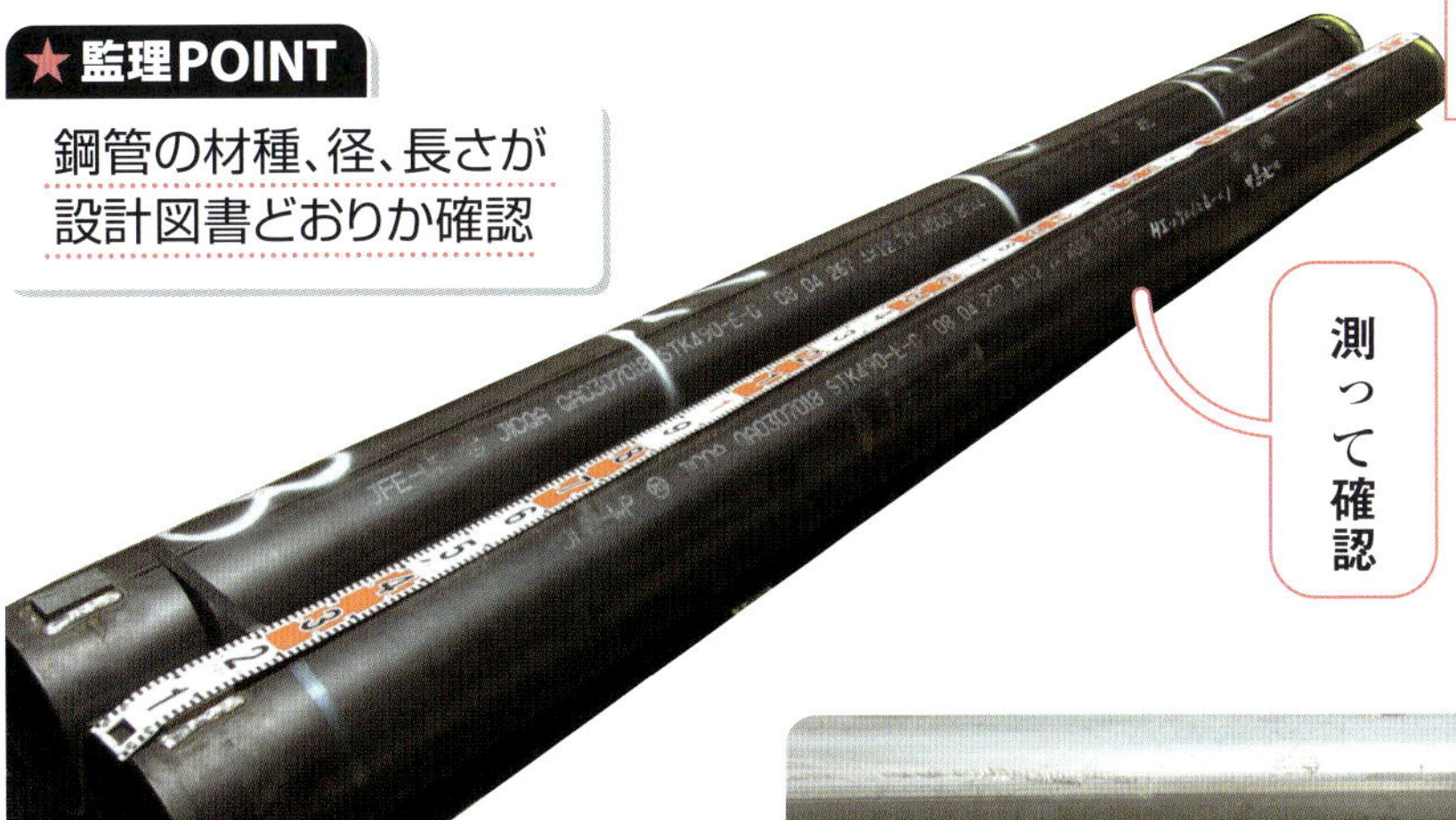

杭が搬入されたら、**鋼管の径**、**長さ**、**材種**が、特記仕様書や図面どおりかを確認する

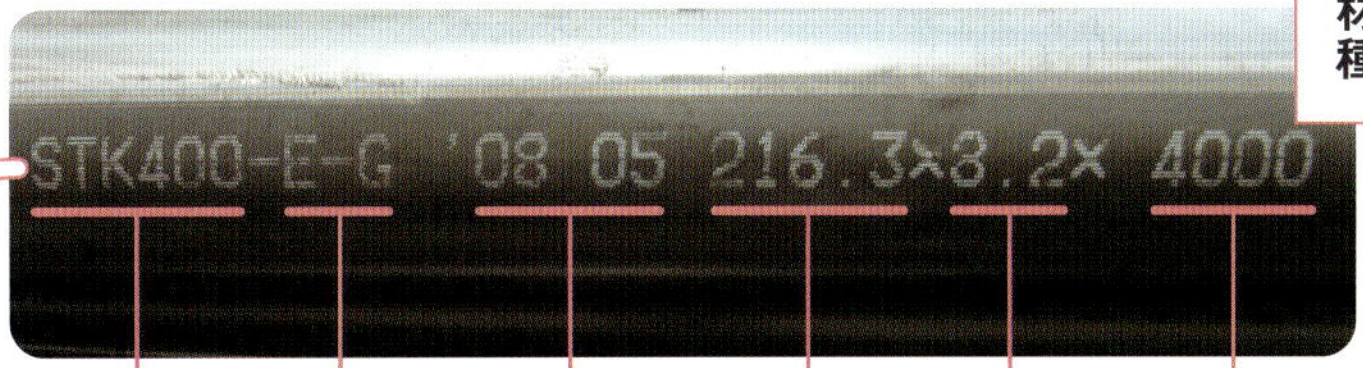

鋼管に印字されている内容も確認する。鋼管がさびることを想定し、鋼管の厚さはあらかじめ1㎜のさび代をとって設計されている

杭貫入後に杭心のずれを確認するため、杭心から等距離の2点を逃げ心として出す

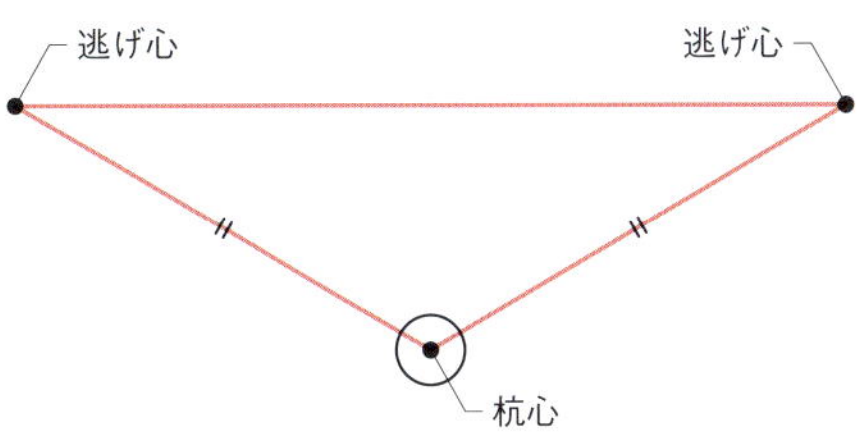

図1 鋼管杭の寸法図

機械式継手用のジョイント部。ボルトなどの接合部材を受ける形状になっている［**95頁参照**］

先端部（先端刃、先端爪とらせん状の羽根）が回転する推進力によって貫入していく

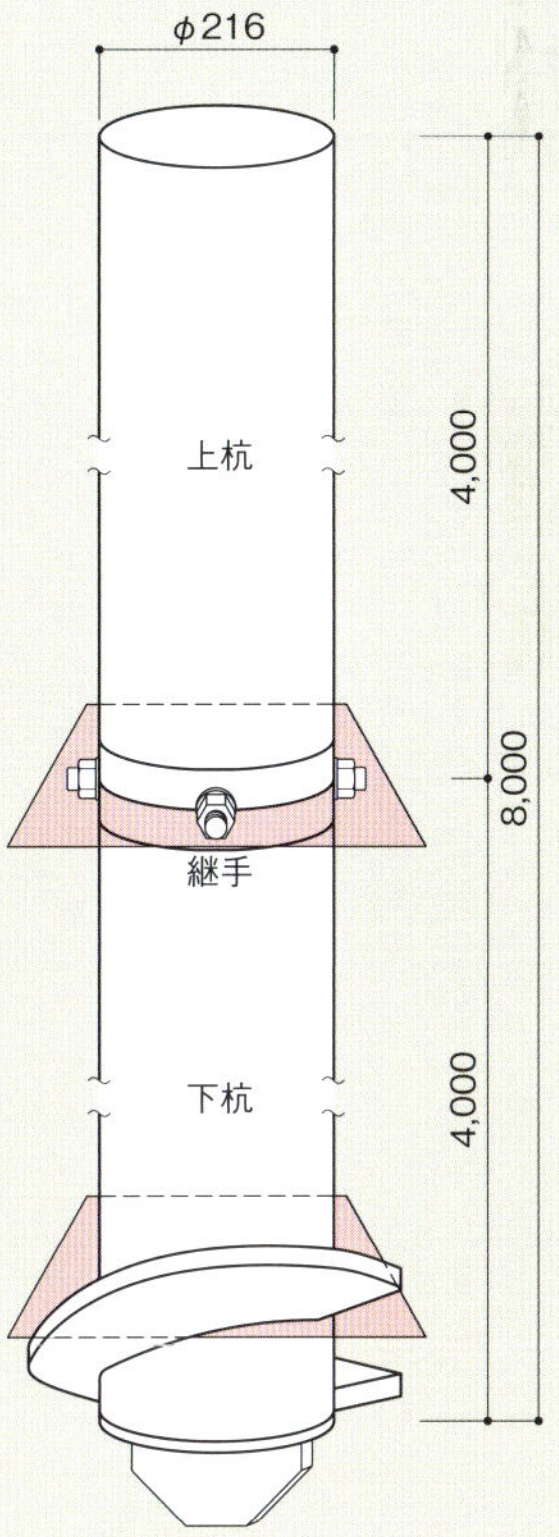

この現場で使われている杭は、鋼管杭「EAZET（イーゼット）」（旭化成）。イーゼットは標準で3～6mと、比較的短い杭を接続するため、他の工法より多くの接続部が発生する。この現場では4mの杭を2本つなぎ、9mの深さまで貫入する（杭頭はGL－1,300㎜）

❹ STK400という材種は円形鋼管の一種で、一般構造用炭素鋼管。構造用鋼管として広く用いられている。建築用の鋼材は、JIS規格で規定されている［50頁参照］。STK400は杭本体部の降伏点（または耐力）が235N／㎟以上で、引張り強さが400N／㎟以上。なお、杭径や厚さ、材質などの杭材の仕様はメーカーによって異なる

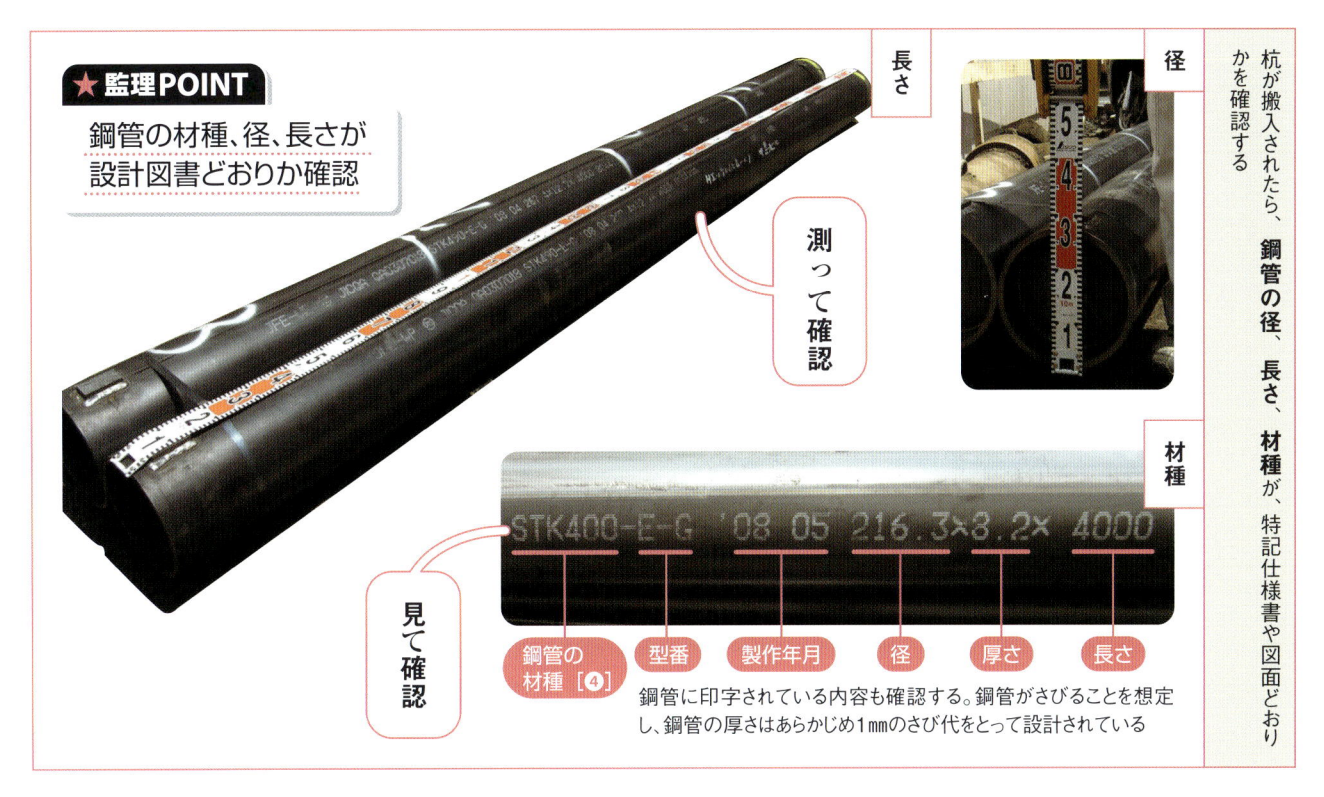

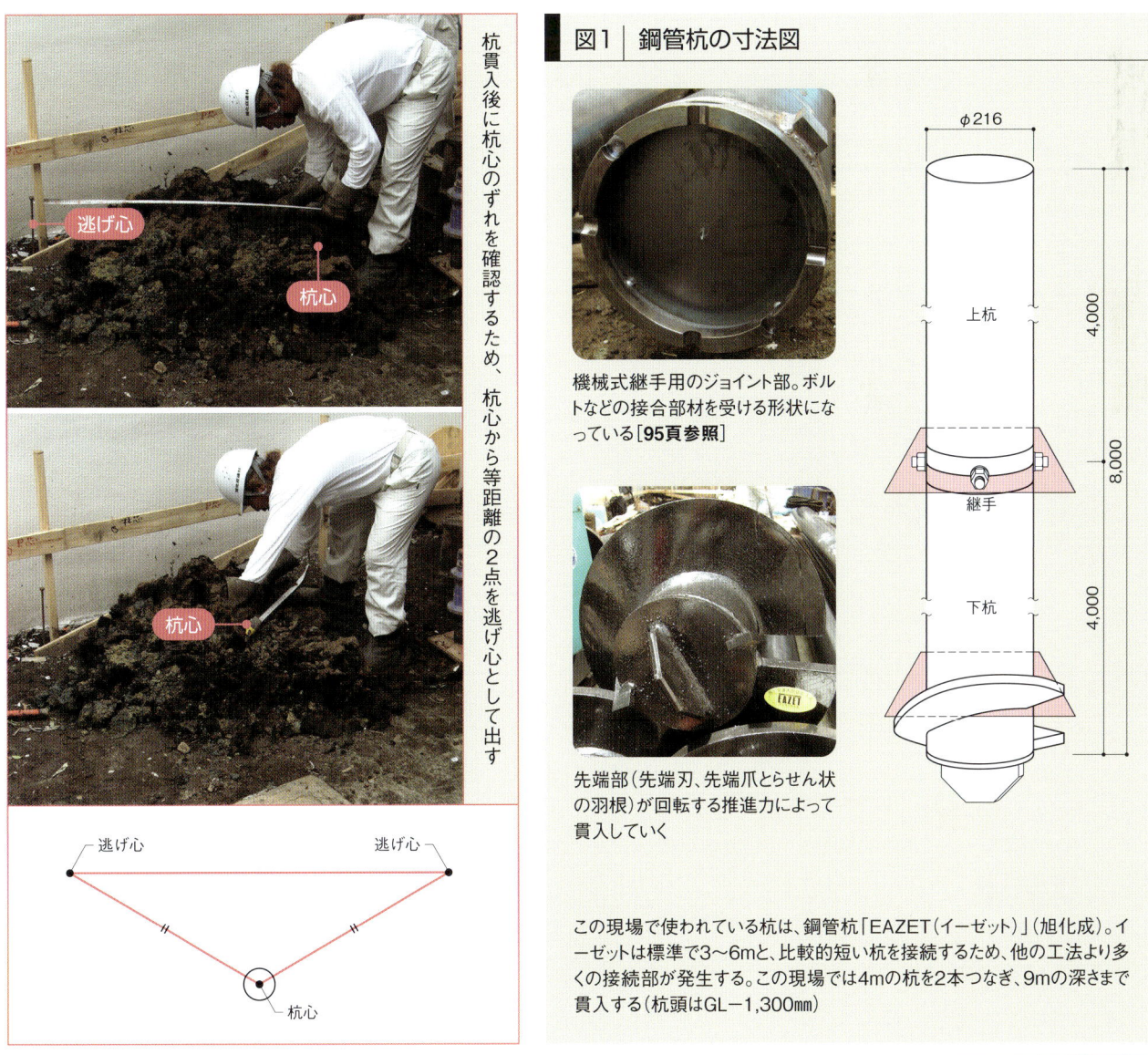

杭貫入

いよいよ杭貫入。最初に試験杭[❶]が貫入される。試験杭の貫入は、設計者が立ち会い、施工状況を確認しながら進められる

図2　標準貫入試験による地盤データ

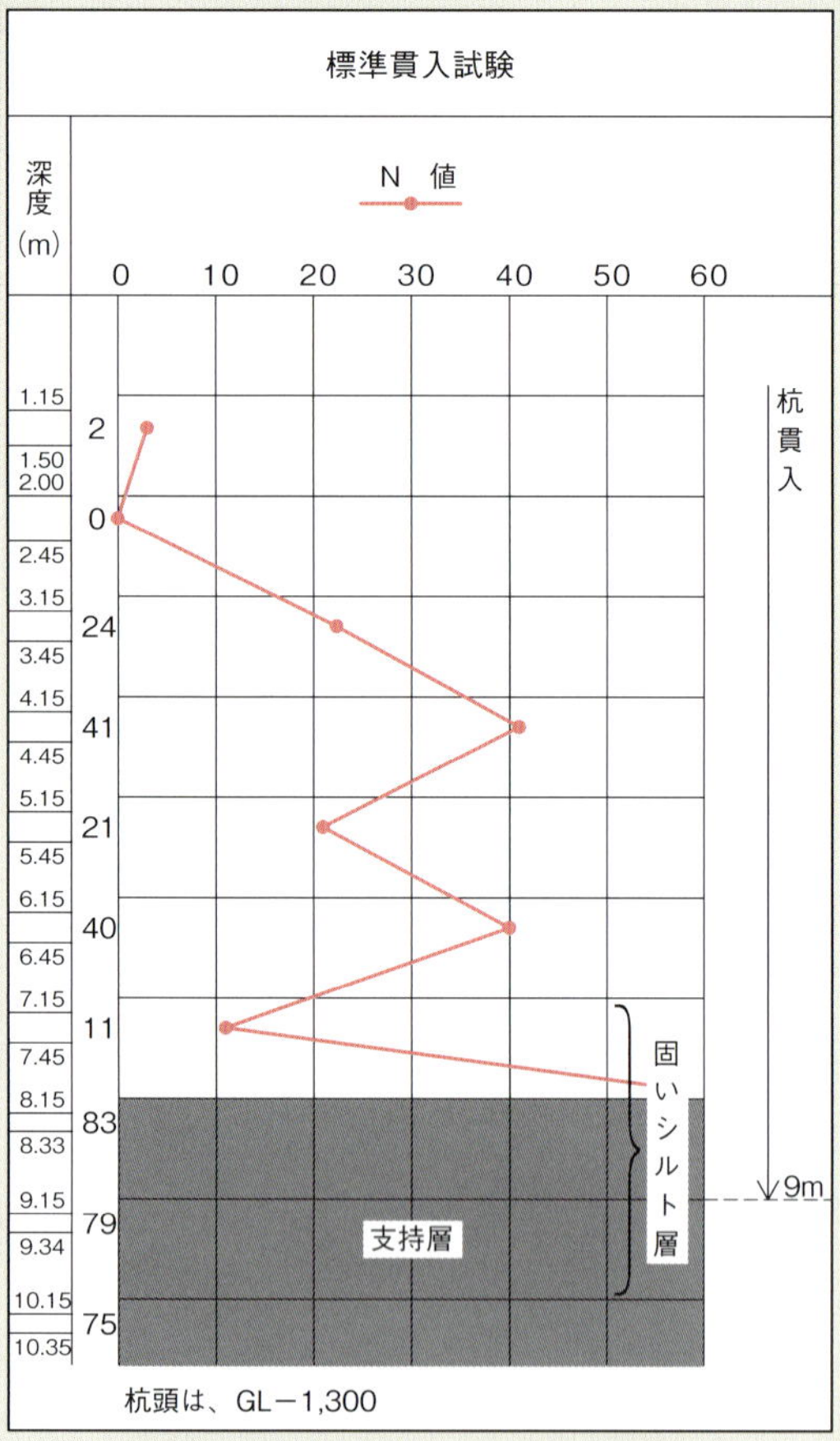

この現場の標準貫入試験データ。9mでN値[❷]50以上という十分な固さが出ていることから、ここを支持層[❸]にした。支持層の深さは、杭の本数、長さ、耐力を勘案して決定される。諸条件により異なるためN値の基準は一概にいえない。支持層を確認できない場合は摩擦杭[**96頁参照**]を選択する

地盤の固さを目視で確認するのは難しい。貫入中は掘削機からリアルタイムで出されるトルク値をボーリングデータと照らし合わせてチェックする

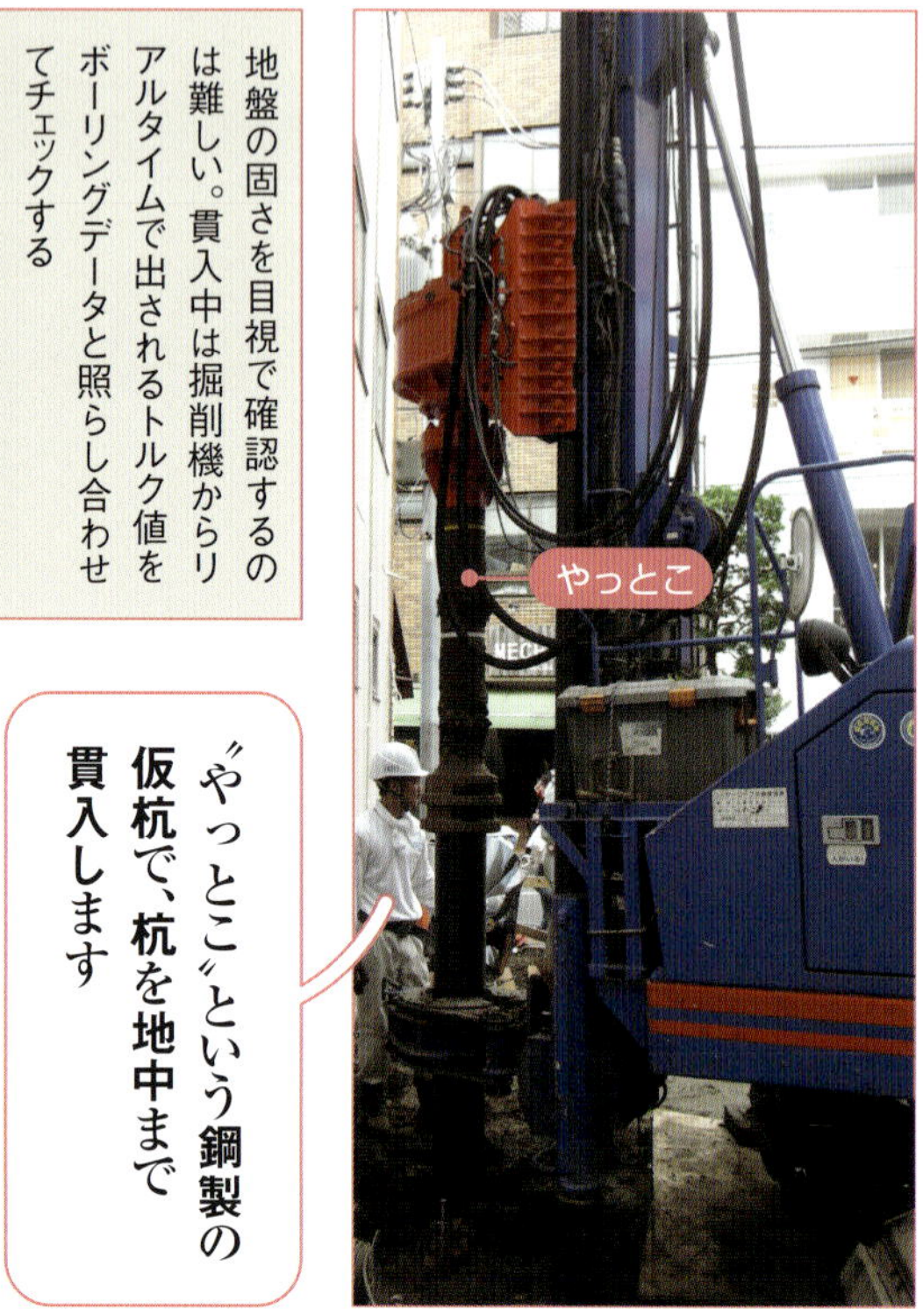

★監理POINT

貫入した杭の支持層の深さが設計図書どおりか確認

❶試験杭：杭打ち試験に使う杭のこと。本杭工事で使う杭と同じものを使う。本工事に試験杭をそのまま使うことも多い｜❷N値：標準貫入試験で測定される地盤の強度を示す値で、おもりを落下させて地盤を打撃することで測られる｜❸支持層：建物の荷重を十分に支えられる地層のこと

継手接合

続いて鋼管杭の継手の接合。鋼管杭の継手には機械式継手と溶接継手があるが、ここでは前者で接合する。柱や梁の継手で用いられるトルシア形高力ボルト［**123頁参照**］が使われる

クリッパー［ ］
これらの**部材**を…
トルシア形高力ボルト
まずは準備から

杭の内側にカプラー［❹］を装着して、取り付けます

せーの、
次に、上杭を建て込む

よいしょー！

仮締め

OK、OK
クリッパーを介して、上下の杭をピッタリはめ込みます

もうちょい**右ー**

マーキング

本締め

ピンテールが破断して完了

★監理POINT

鋼管杭の継手（機械式・溶接）の施工方法と手順

現場溶接［**124頁参照**］はコストが**機械式継手**より**安い**けど、**風雨**や**気温**などの**自然条件**に**左右**されるため、**施工**は**簡単**ではありません
別の現場の溶接継手。裏当て金を付け、確実な溶け込みを行う

ジジジジー!!!

❹EAZET（イーゼット）工法の機械式継手にはCCJ（カプラー・ボルト・クリッパー）方式とネジ式があり、この現場では前者を採用。杭材の内側にカプラーを装着し、現場でクリッパーをボルトで引っ張ることで接続する。CCJ方式はSTK400とSTK490など、異なる鋼管どうしを接続することが可能である

続いて上杭の貫入。下杭の施工同様、回転させながら貫入していく

図3｜杭頭の高さのずれへの対処法

貫入地点の地盤が地質調査の結果と異なることで、杭頭の高さがずれるケースは少なくない。やむを得ず高止まり・低止まりとなった場合、右記のような対策を講じる

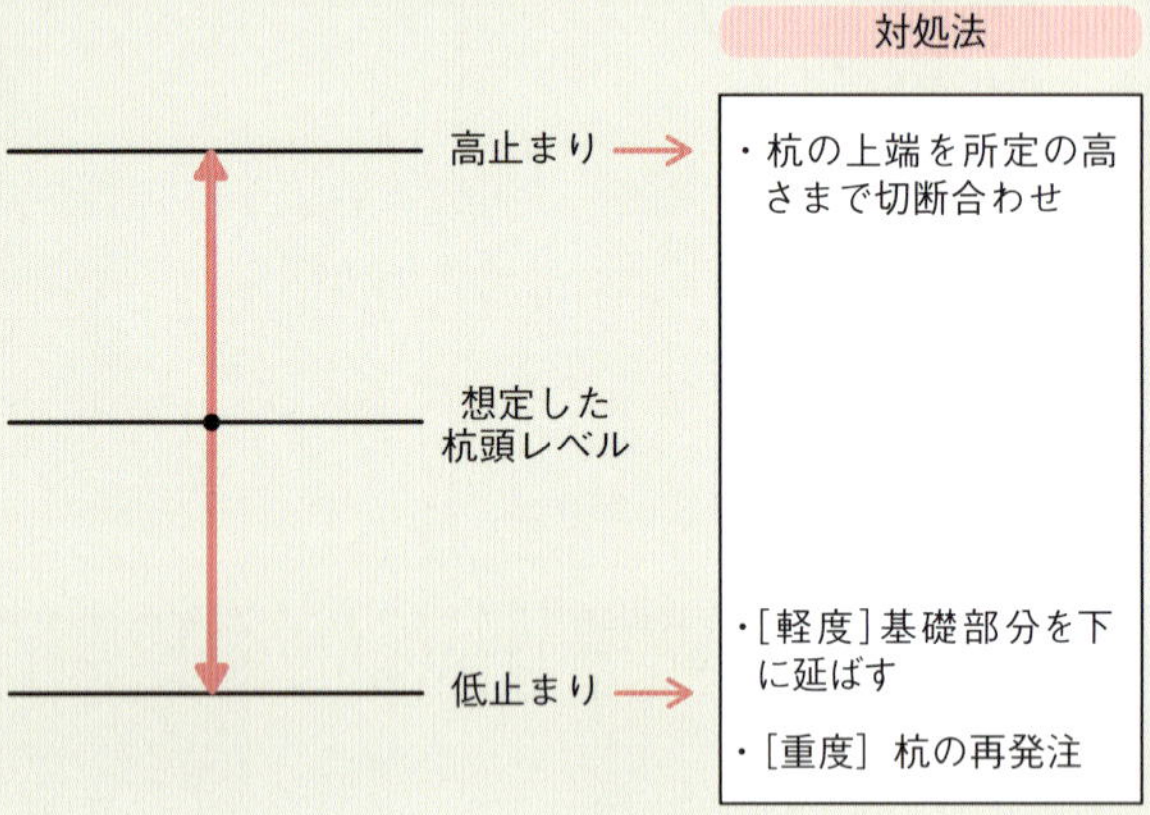

100㎜程度の誤差なら、高止まりでは報告のみ、低止まりでは確認申請上の「軽微な変更」で対応できる場合が多い

杭頭の高さを確認して杭工事は完了

貫入された杭。この現場ではGLマイナス1千300㎜の高さに杭頭がきている

図4｜支持杭と摩擦杭

①支持杭

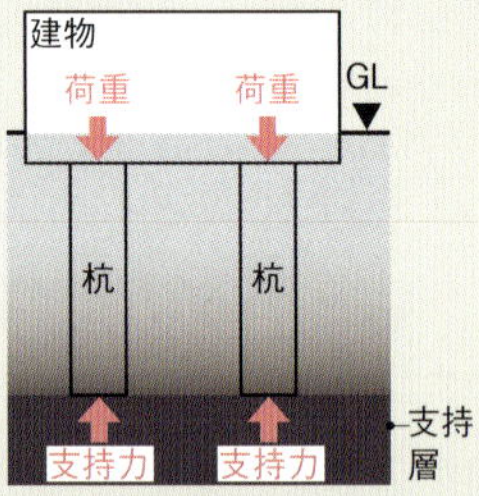

杭の先端部が固い支持層に達している。主として［❷］杭先端部の支持力によって支えられる

②摩擦杭

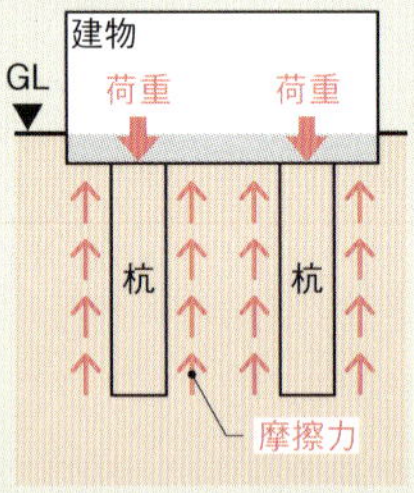

杭の先端部が固い支持層に達していない。杭と地盤との摩擦力によって支えられる

★監理POINT

杭頭の高さの確認（高止まり、低止まりがないか）

杭心のずれは現場で頻繁に見られる。掘削中に硬いものに当たるなど避けられない場合もあるが、墨出しの間違いといった人為的なミスは事前チェックを徹底することで防ぎたいところだ。柱心と杭心がずれると、偏心による曲げモーメントが発生する。こうなった場合、基礎梁や基礎の補強が必要になる［❶］

❶計画的に杭心のずれを考慮して検討し、「あらかじめの検討」として確認申請を出せば、ずれが生じても「軽微な変更」で済み、計画変更の確認手続きが不要となる
❷中間層がある程度硬ければ、その層の杭周辺抵抗力も加算できる

根切り、山留め

基礎部分と建物部分の荷重を支える地盤面はこの工程で成形される。杭工事同様、非常に重要な工程だ

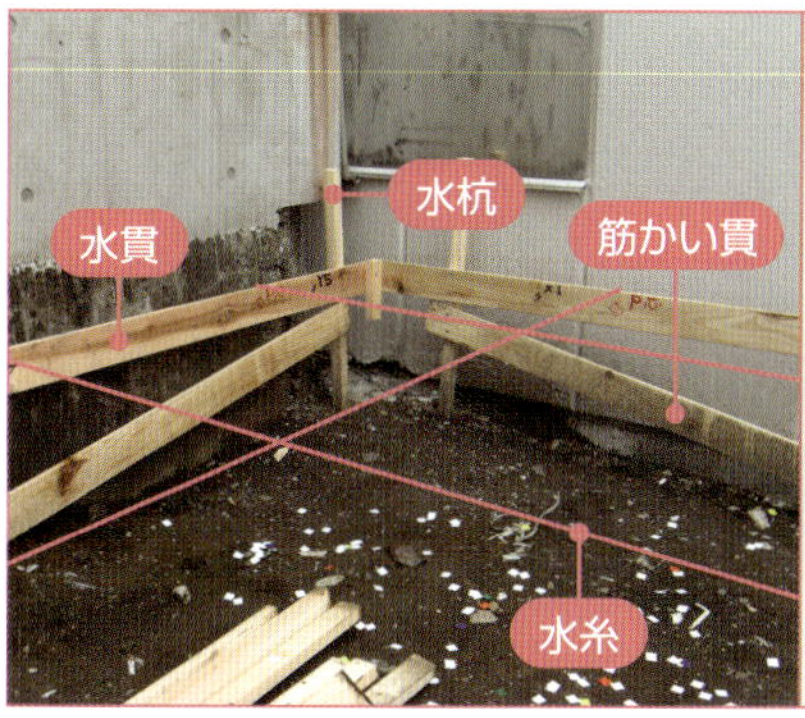

事前に施工された遣り方。水貫の天端（遣り方天端）から出て杭心（P心）に沿って張られた水糸は、現場で設計GLを出す際の目安となる

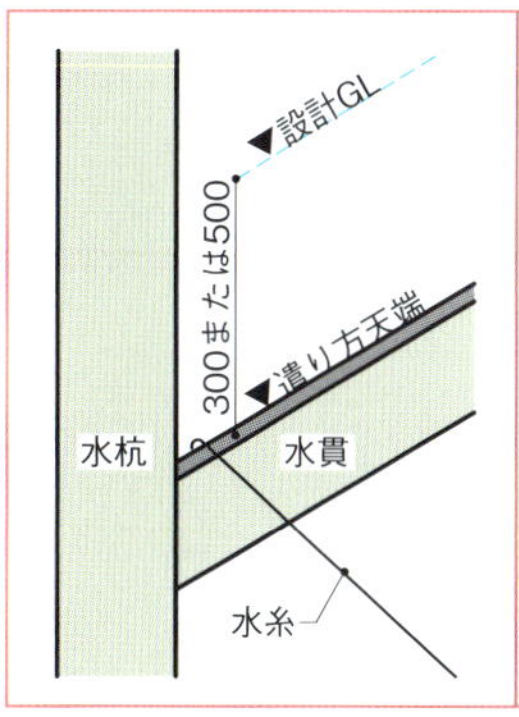

通常、設計GL＝遣り方天端＋500㎜または300㎜とすることが多い。根切りも、この遣り方天端を目安に掘り進められる

根切り開始。まずはショベルカーで土を掘り出す

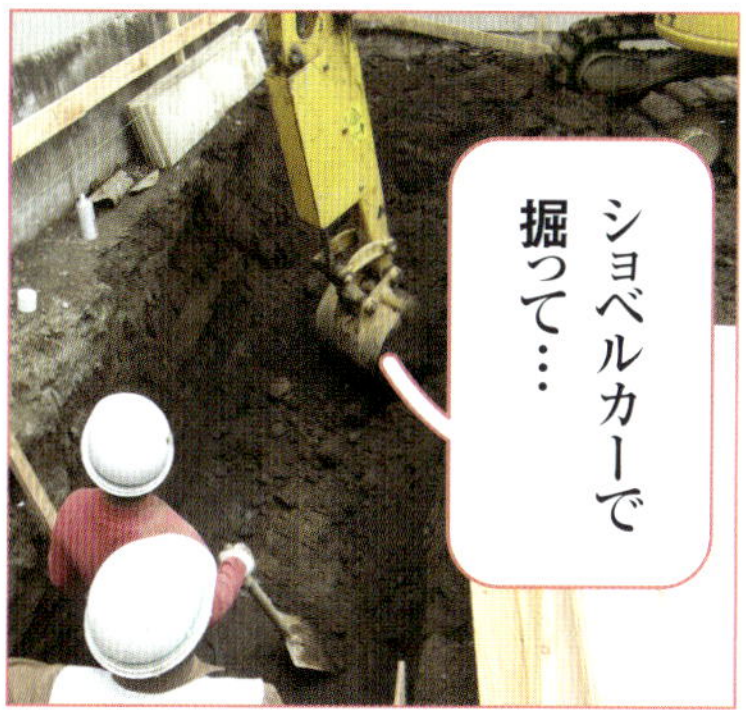

掘り出しは、ばか棒［❷］で根切りの深さを見ながら進められる

掘る深さは、（地中梁の高さ）＋（捨てコン厚さ）＋（砕石厚さ）＋（逃げ分）。適正な深さが出た個所に印が付けられる

掘り出された土は、埋戻しで再利用される場合と廃棄される場合がある。再利用される場合、敷地内か別の場所で保管される。ここでは再利用することにしていたが、敷地に余裕がなかったため、ダンプカーで別の場所に運ばれた

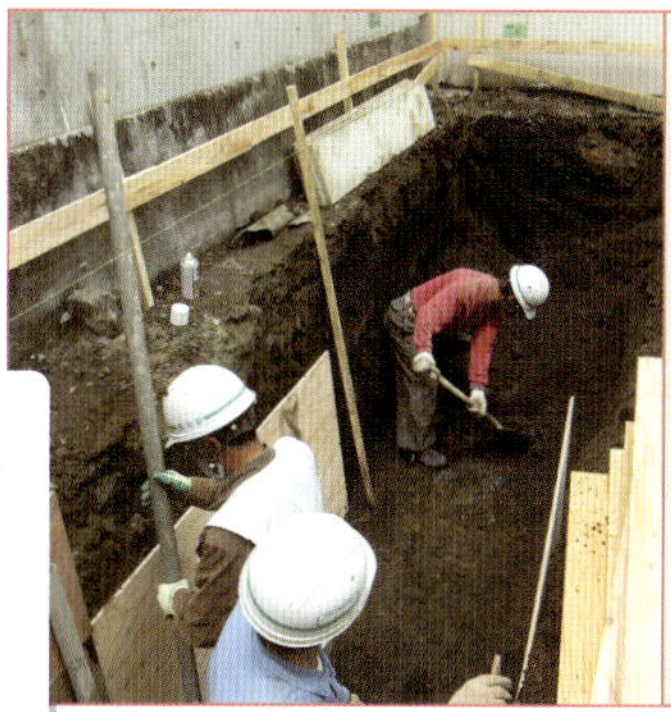

すき取り。ショベルカーによる掘り出しの後は、手掘りで深さをそろえ、地盤面を整える

★監理POINT

根切り底の地盤状態の確認
根切りの深さの確認

手掘りで整えられたところから山留めされる

❷ばか棒：掘削などの深さを測ったり、水杭に基準の高さを落とすために使われる簡単な寸法の印を入れてある棒。小割材などを使って現場でつくられる簡単な物差しで、ばか定規ともいう

中小規模建築物の山留めには矢板とH形鋼が使われることが多いが、この現場のように、簡易的に合板とパイプ（足場用の鋼管など）が使われることもある。この場合、山留め材は最終的に地中に埋まったままの状態（埋殺し）とすることが多い

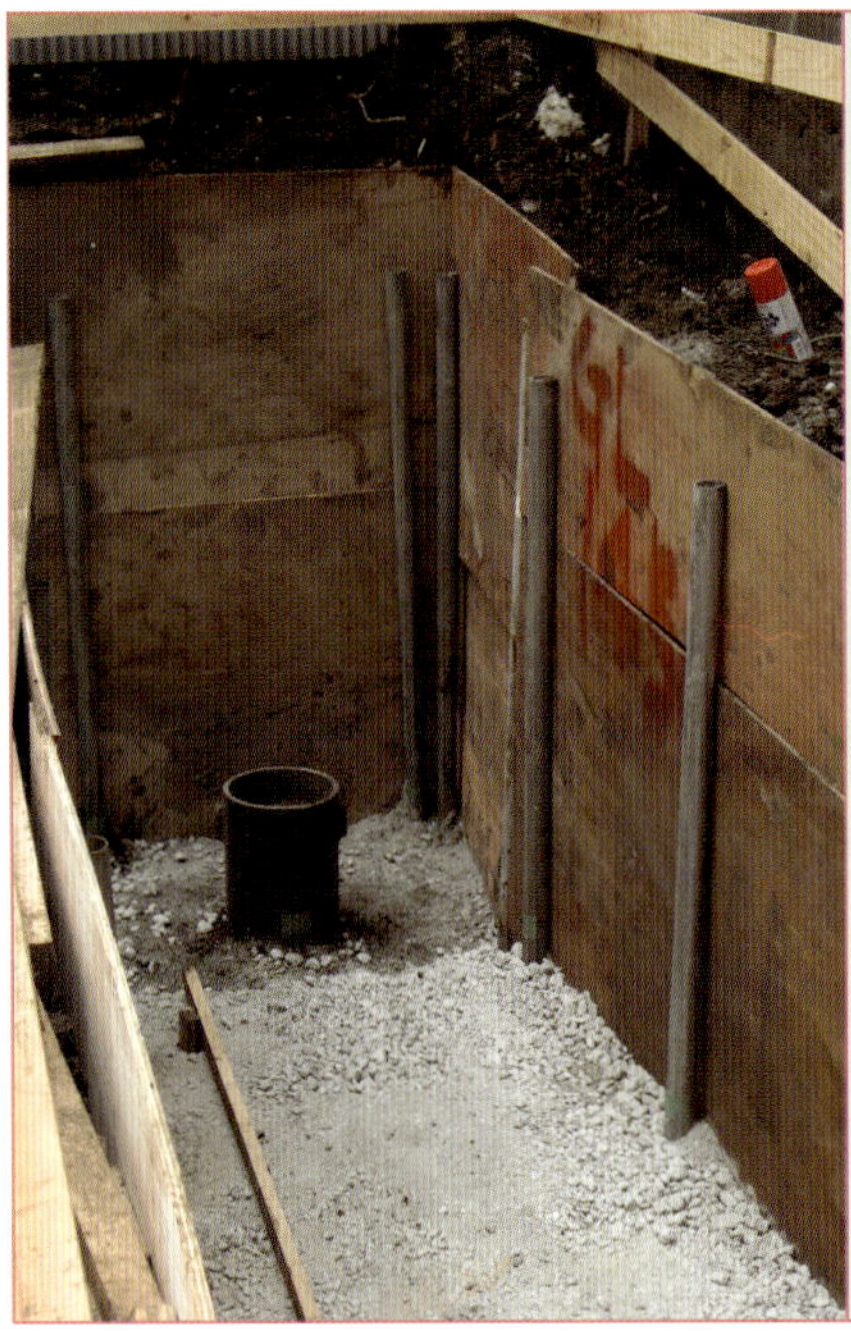

山留めが終わると砕石を入れ、転圧機で締め固める

次に、捨てコンが打たれる

別の現場。地盤が良質で敷地にも余裕がある場合、このように山留めしない工法（法付けオープンカット工法）とすることもある

墨出し

墨出しは、全工程を通して随時行われる。この後の作業ではここで出される墨が基準となる。できる限り図面と照合をしておきたい

墨出しには墨壺が使われる。最近では、下のようなプラスチック製のものが一般的。墨汁のついた糸を引っ張り、先端を固定して糸をはじくと捨てコン上に一気に直線が引かれる

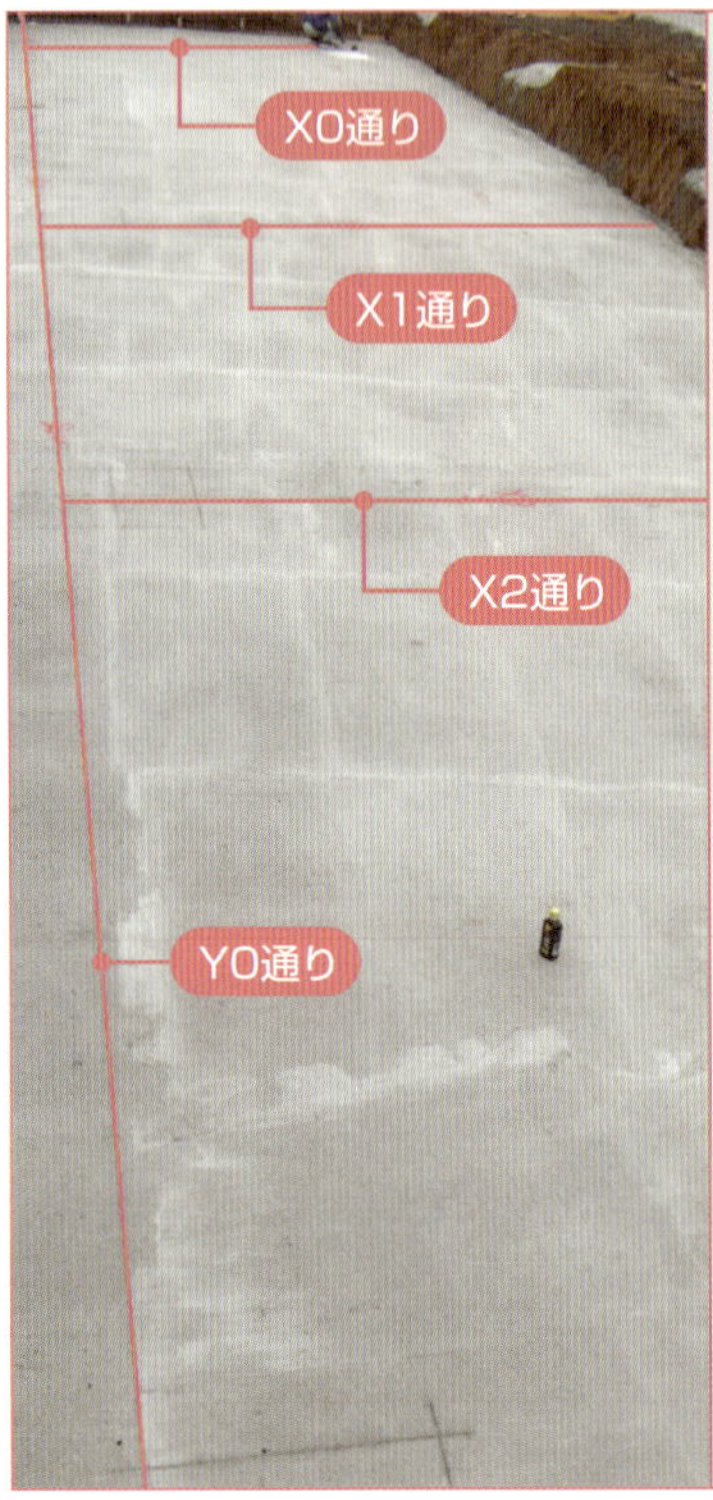

墨出し開始。通常は、図面にあるX0、Y0から順番に、X、Y通りの心を出す。このような建物の通り心や部材の中心を表す墨を心墨（真墨）という[❶]

❶墨は打たれる場所や目的によって多くの呼び名がある。基準墨：高さや建物の軸線上の基準となる墨。逃げ墨：工事が進んで基準が分からなかったり、障害物があって墨出しできない場合に、基準墨から一定の距離をおいて平行に打つ墨。なお、「下がり墨」は基準の高さから何cmか下げた陸墨だが、「下げ墨」は垂直に打った墨である

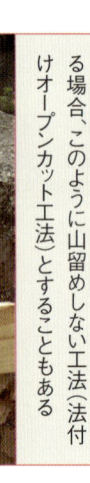

図1　現場の平面図

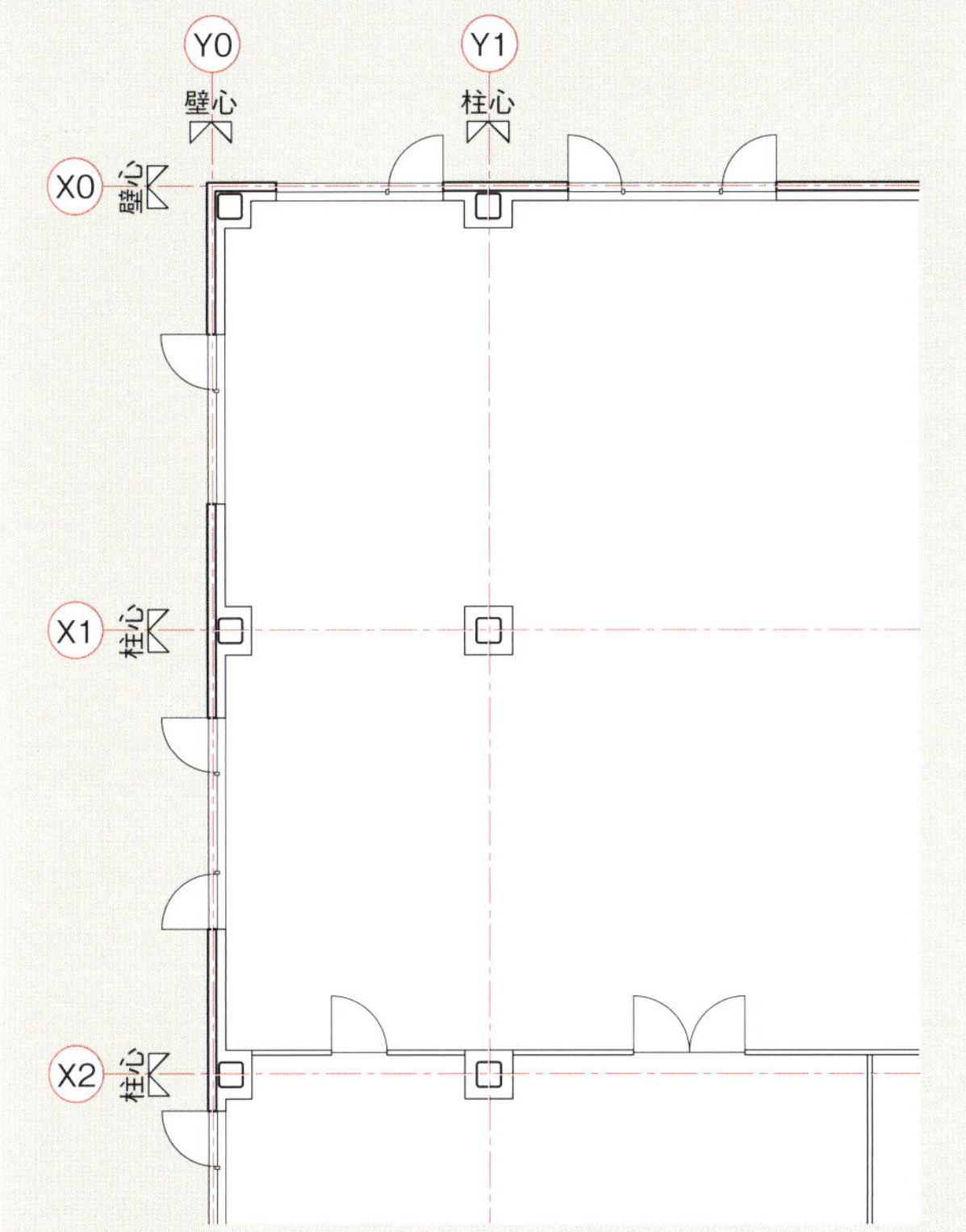

中小規模の鉄骨造では、外周の通り心は壁心でとることが多い。外壁にALC板などのパネルを用いる場合、床面積の算定では柱心ではなくパネルの心を中心線とする。このため、壁心で通り心を出したほうが床面積も算定しやすくなる。また、鉄骨造では柱脚などとの取合いから外壁パネルが大きくふけるため、納まりを重視する場合や隣地境界との距離がシビアな場合などは、通り心を壁心でとっておいたほうが無難である。反対に、大規模建築では梁スパンの寸法を重視するため、外周でも通り心は柱心でとったほうがよい

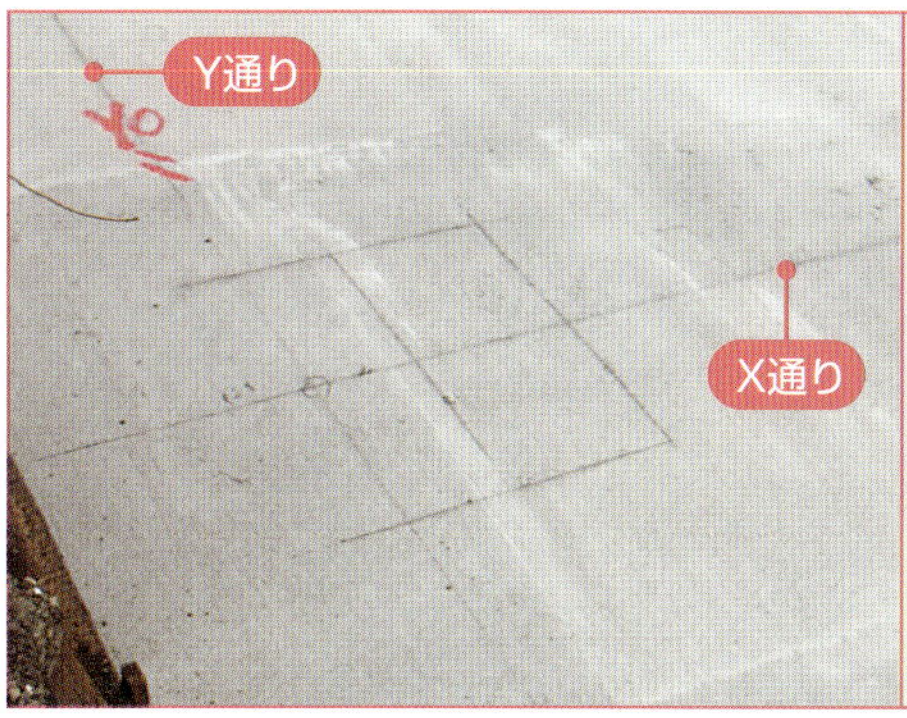

隣地境界が近いなど、敷地上の制約があり、この現場のように図面のX、Y通りに心墨を引けない場合、そこから一定寸法逃げた返り心（返り墨❷）を利用する

通り心の次は、基礎の柱形、梁形が引かれる

さらに、柱脚の柱心が出される。これは柱脚のアンカーフレーム設置の際の目安となる

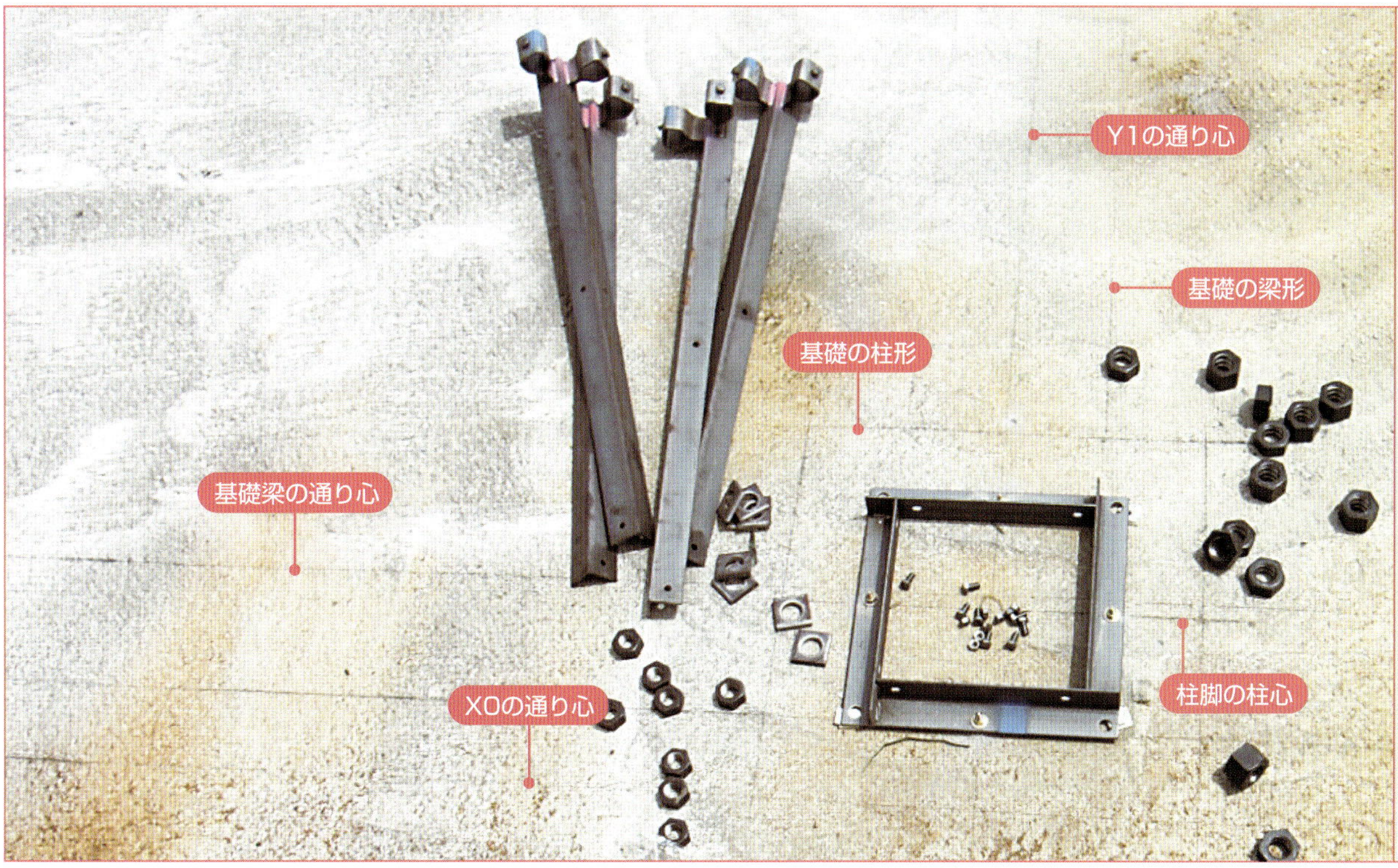

墨出しが完了した状態。X0通りは壁心、Y1通りは柱心となっている

❷返り墨：逃げ墨の一種で、返り墨からある距離を「返る」と心墨の位置であることを示す。心墨方向に矢印を付け、「逃げ心○cm返り」などという

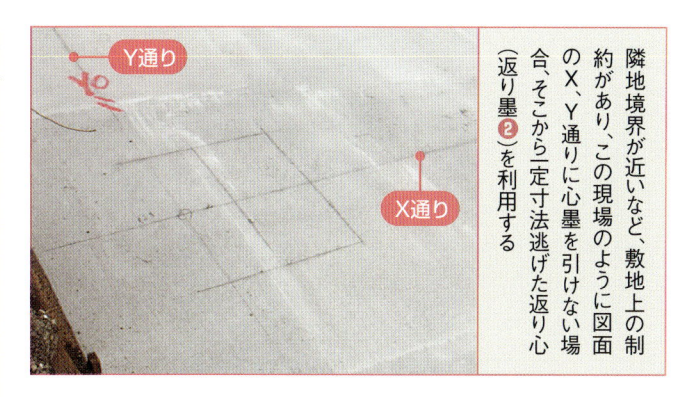

柱脚のアンカーフレーム設置

鉄骨造の柱脚には各種あるが、ここでは既製の露出型柱脚として普及している「ベースパック」（旭化成建材、岡部）を例に、アンカーフレーム設置の手順を解説する

ベースパック【図1】のアンカーフレームの構成部材

フレームベースの設置。水平をとりながら墨に合わせて取り付ける

この製品の施工はメーカー指定の施工者が行います

★監理POINT
アンカーボルトの据付け位置

次に、フレームポストの組立て

そして、アンカーボルトを取り付ける

アンカーボルトのレベルを確認

許容誤差範囲は、−3㎜～10㎜

★監理POINT
アンカーボルトの据付け高さ

レベル確認後、水平器を使ってアンカーボルトの高さを調整

高さが決まったらボルトを固定

続いてテンプレートを設置

下げ振りで垂直を確認しながら建込み位置を微調整

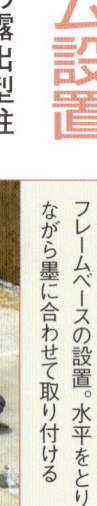

★監理POINT 柱心間の寸法

柱心間の寸法を確認する

位置が確定したらボルトを締め込む

図1 ベースパックの概要図

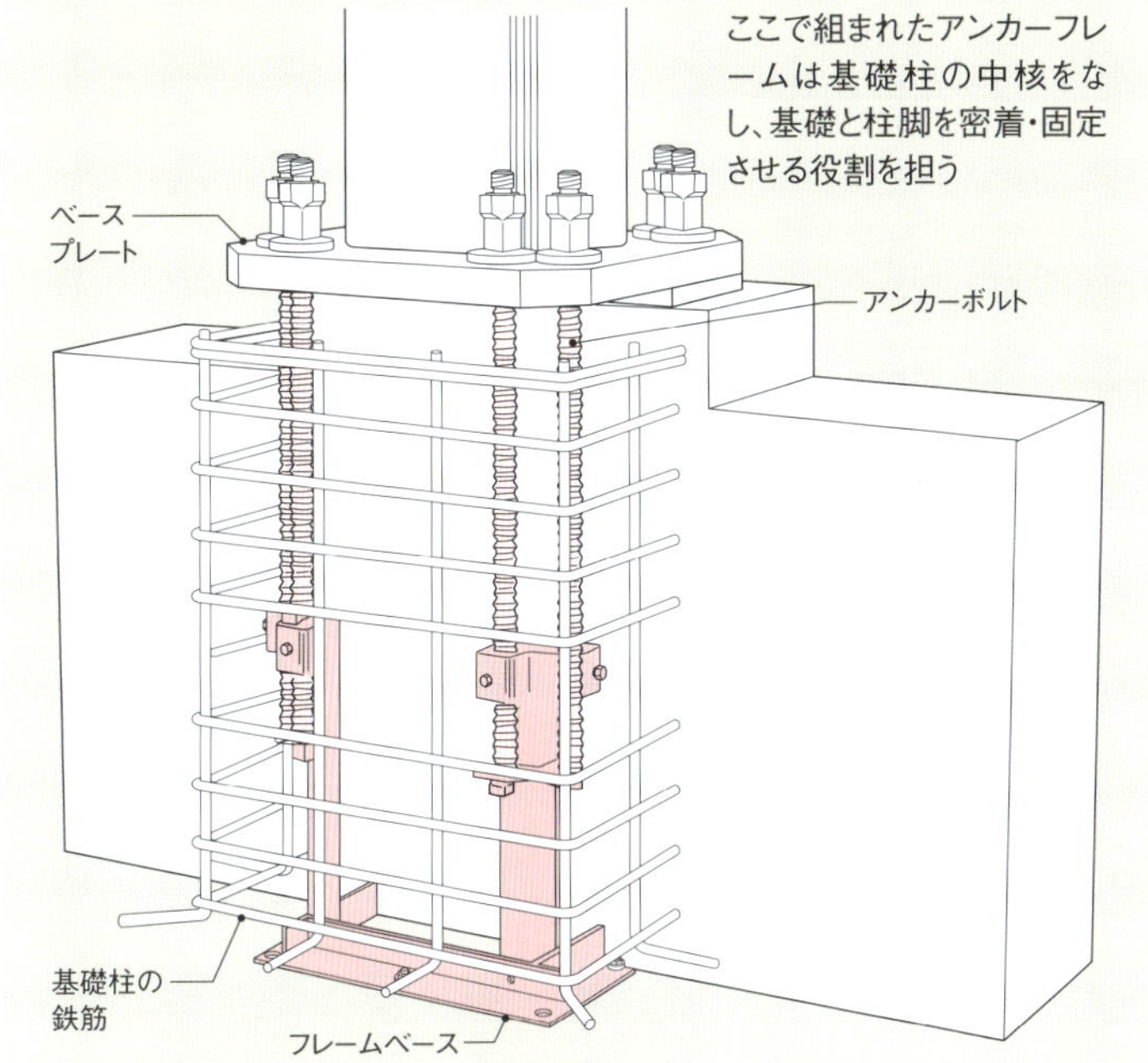

ここで組まれたアンカーフレームは基礎柱の中核をなし、基礎と柱脚を密着・固定させる役割を担う

ボルトの下端に定着座金を取り付けて完成

図2 アンカーフレームと梁主筋との取合い

外周部の地中梁などでは、配筋がアンカーフレームの外側に集中することが多い［**写真**］。この際、アンカーボルトやフレームポストの狭いスペース［**右図**］に鉄筋を集中させてしまうと、規定の鉄筋のあき［**下図**］を確保できなくなる。鉄筋のあきを確保するためには、鉄筋をアンカーフレームのどこを通すかを考える必要がある。これは設計図書には表れないため、施工者が配筋計画を立てて現場で指示する

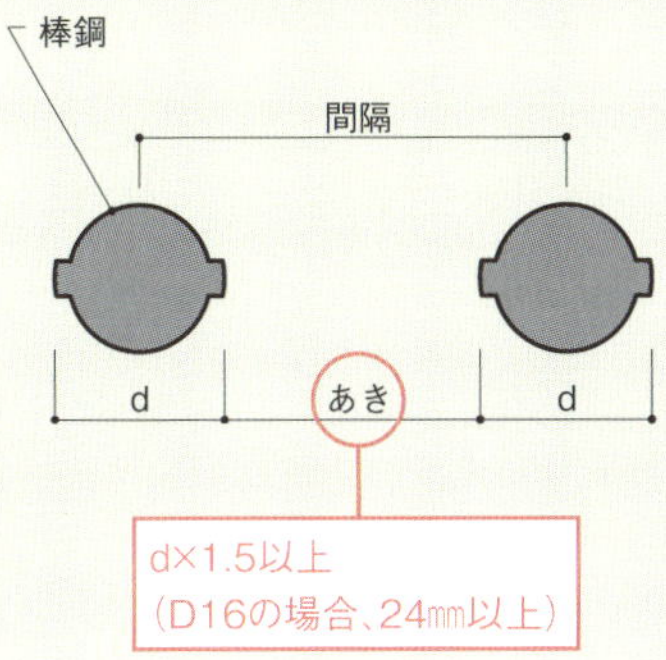

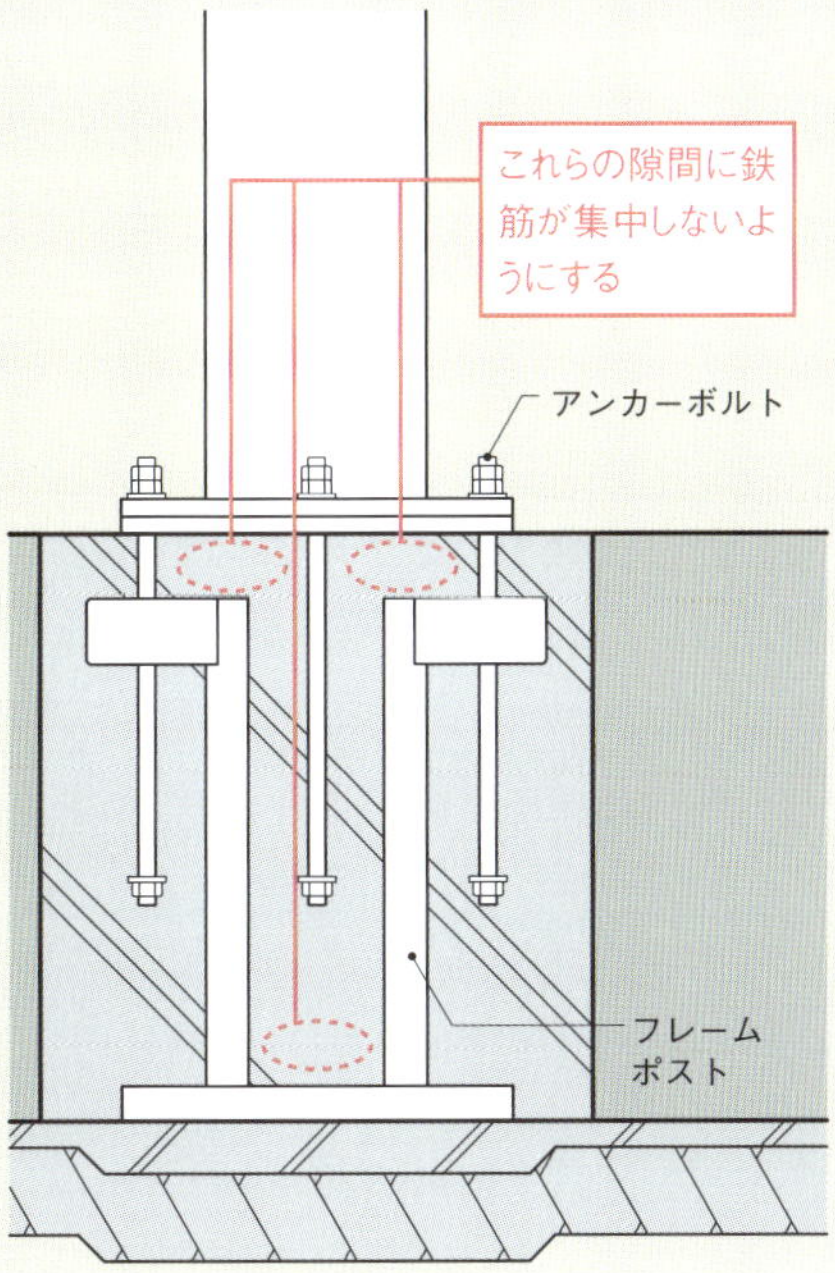

上筋の1本は内側のアンカーボルトの隙間を、下筋の1本はフレームポストの外側を通っている（写真の○部）

基礎配筋

どんな構造体であっても、鉄筋コンクリート工事が基礎を形成する重要な工程であることは言うまでもない。少なくとも基礎配筋の構成材とその役割は理解しておきたいところだ。また、基礎配筋は特記仕様書の記載内容で規定されている事項が多いため、その内容を把握したうえで現場に臨みたい

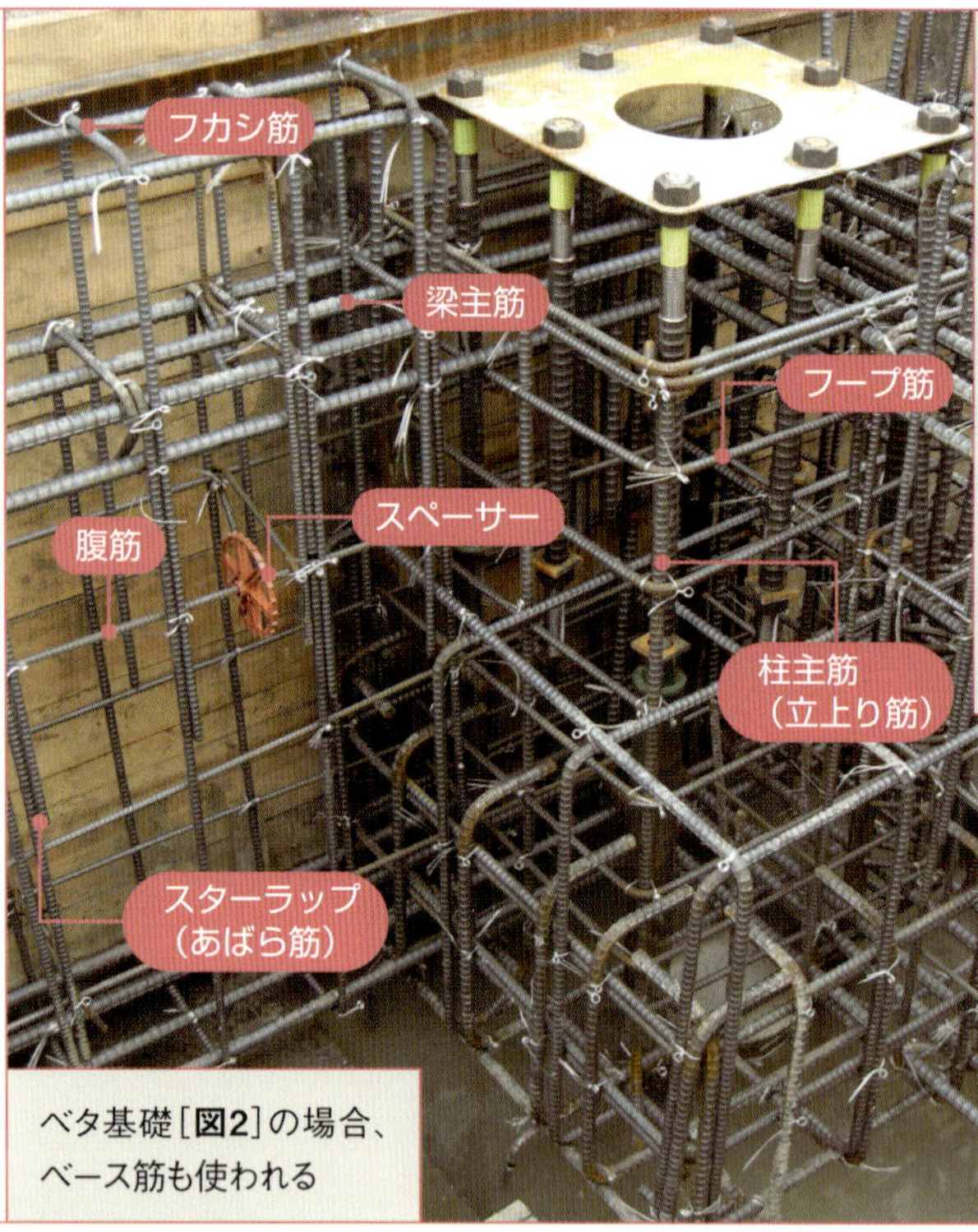

まずは配筋される鉄筋の役割から見ていく

ベタ基礎[**図2**]の場合、ベース筋も使われる

柱主筋
基礎柱を構成する。主筋は、主に引張力を負担する

フープ筋
柱のせん断補強筋。柱主筋の乱れも防ぐ

梁主筋
基礎梁を構成する

フカシ筋
ここの場合、1階の床レベルを確保するための鉄筋

腹《はら》筋
スターラップの乱れを防ぐための補強筋

スターラップ
梁のせん断補強筋。梁主筋の乱れも防ぐ

スペーサー
鉄筋のコンクリートかぶり厚を確保するための補助材

配筋の手順。ベタ基礎の場合、まずはベース筋が敷かれる

柱にフープ筋をセット。フープ筋は柱のせん断補強筋で、柱主筋の乱れを防ぐ役割もある

続いて地中梁主筋を配筋。主筋は地中梁の上端と下端に配筋される

主筋が配筋されると、配筋と並行してガス圧接[104**頁参照**]が行われる

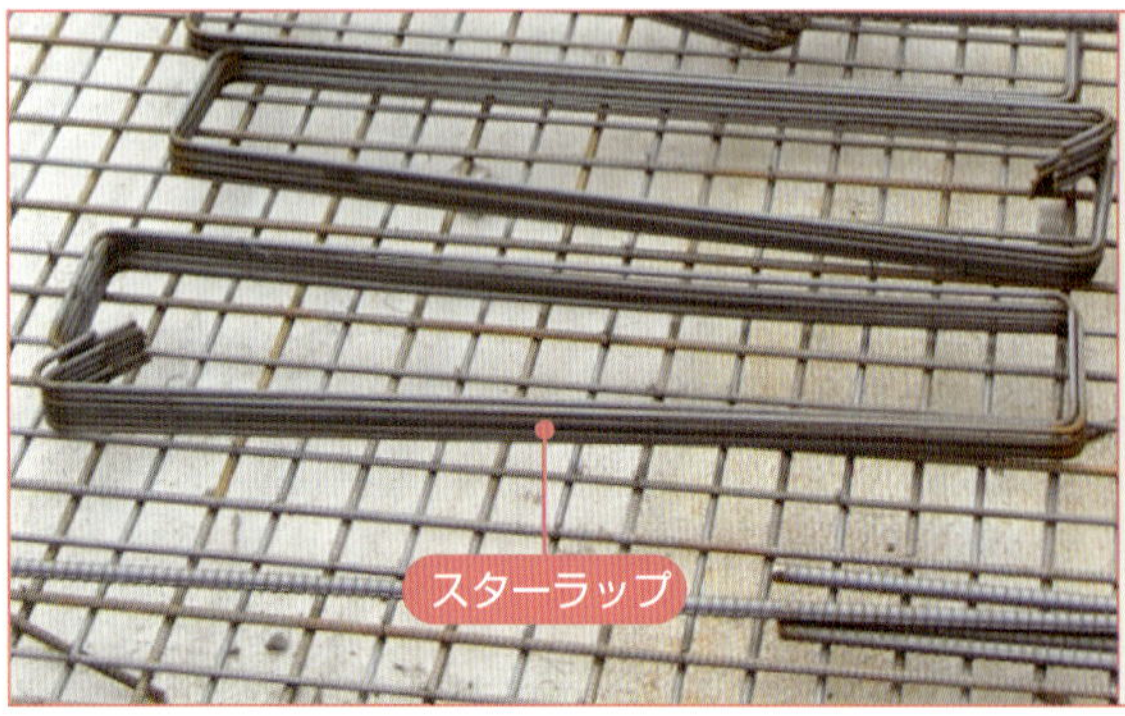

次はスターラップを配筋。スターラップは、梁のせん断補強筋で、梁主筋の乱れを防ぐ役割もある

図1　基礎工法の種類

基礎の種類によって配筋以降の施工手順が異なる。ここで基礎の種類についておさらいしたい

- 基礎
  - 直接基礎
    - 独立基礎：1本の柱に対して1つ設けられた基礎
    - 布基礎：建物の基礎梁に沿って連続した基礎
    - ベタ基礎：建物全体を1枚の耐圧版で支える基礎[**図2**]
  - 杭基礎
    - 摩擦杭：杭と周囲の地盤との摩擦力によって支える基礎[**96頁図4参照**]
    - 支持杭：支持層に達した杭先端部の支持力で支える基礎[**96頁図4参照**]

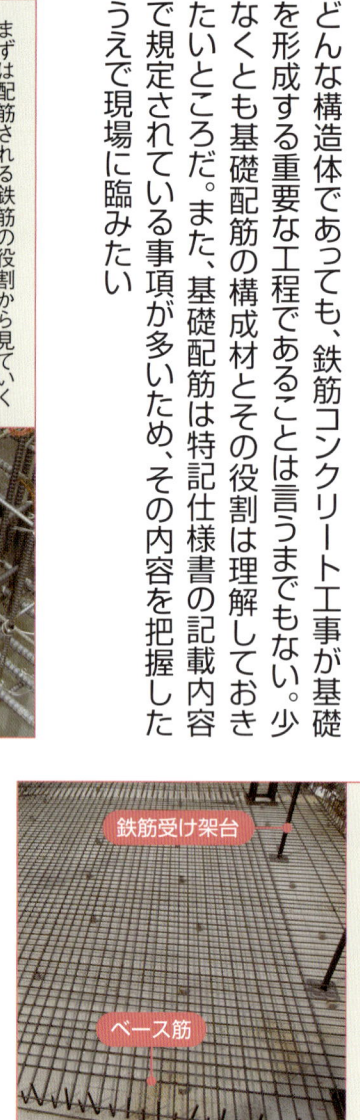

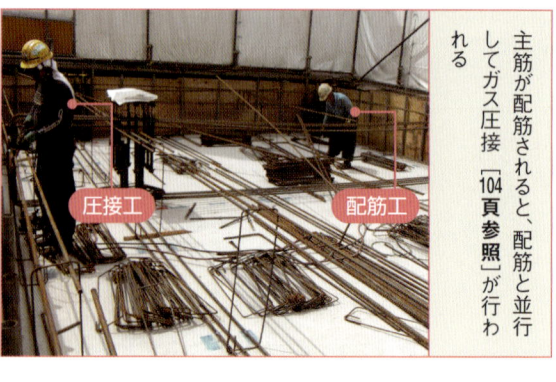

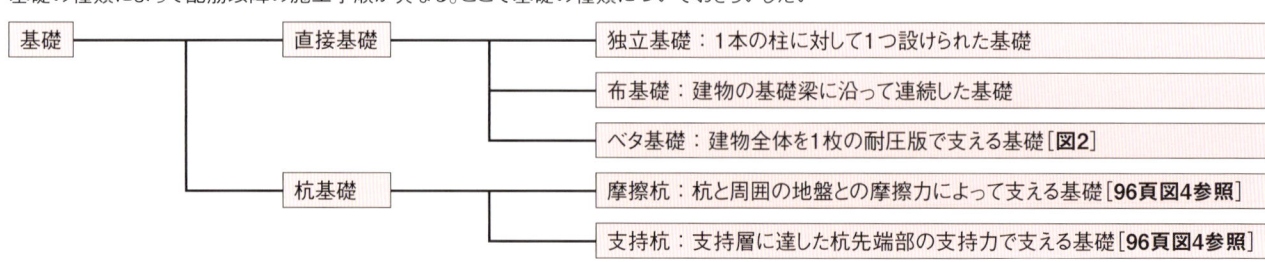

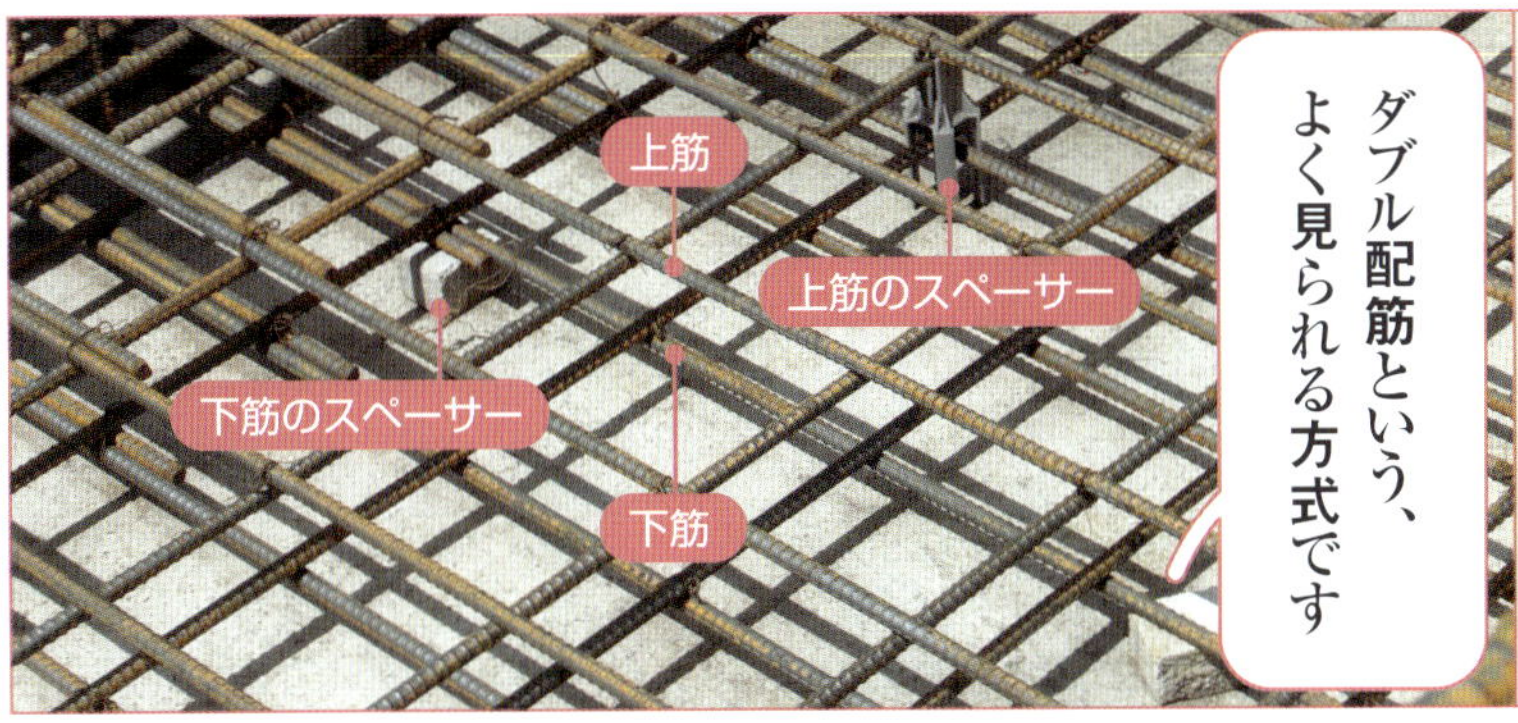

鉄骨造では、ほとんどの場合、ここでベース筋をもう1段敷く

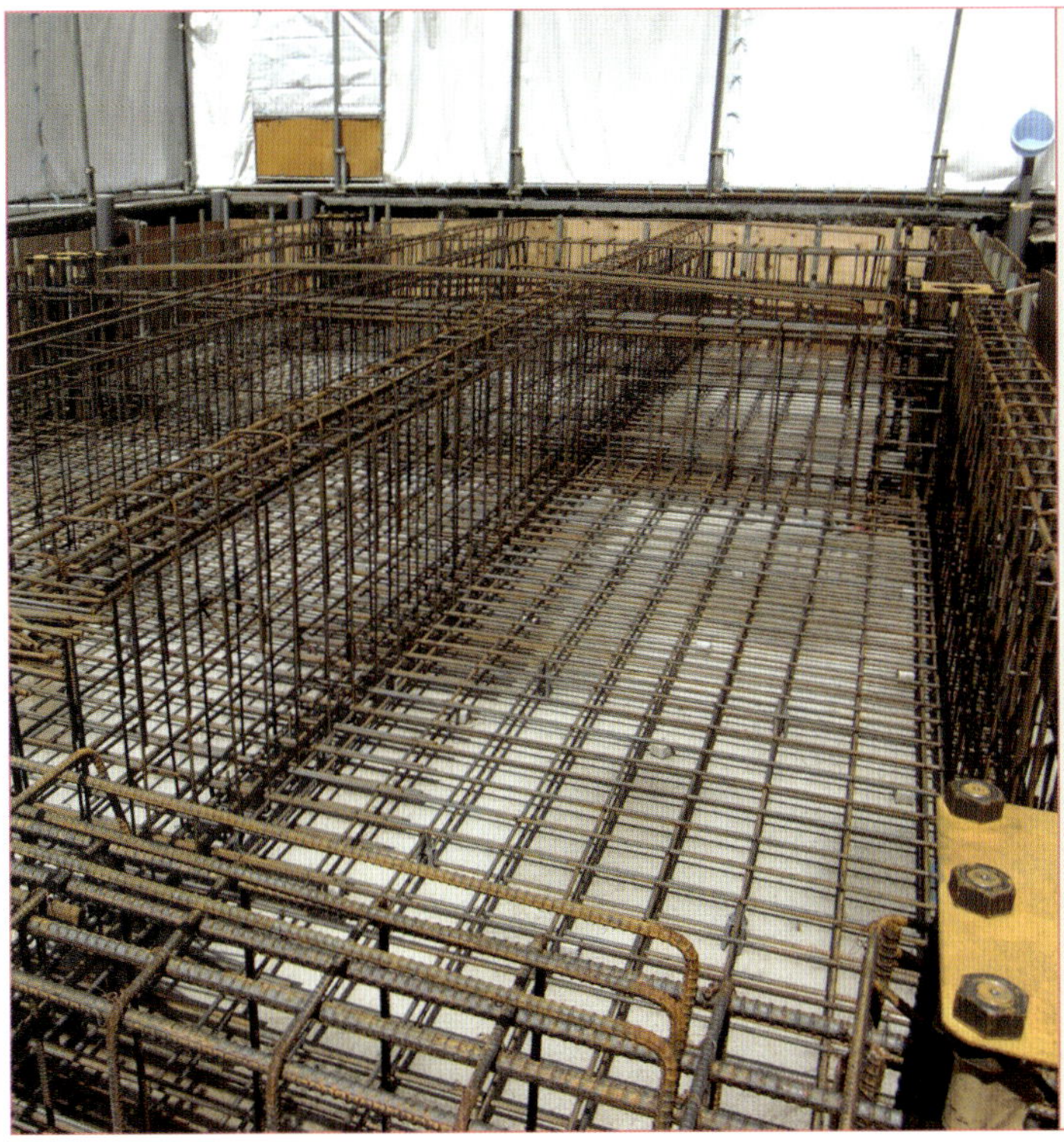

腹筋や幅止め筋、フカシ筋、スリーブ補強筋などを取り付けて配筋完了となる

基礎柱の主筋もこの段階で配筋される

図2 ベタ基礎と支持杭基礎

ベタ基礎と支持杭基礎では、建物の荷重を受ける範囲が異なる

ベタ基礎

建物の底面積全体を耐圧版として設計したもの

耐圧版あり

ベタ基礎では、耐圧版コンクリート打設の工程が入る[**108頁参照**]

支持杭基礎

建物の荷重を杭で受け、支持層に達した杭の先端部の支持力や周辺摩擦力で支えるもの

耐圧版なし

ガス圧接

ガス圧接は、鉄筋どうしを突き合わせ、アセチレンと酸素で加熱、鉄筋を溶かすことなく赤熱状態にし、加圧して接合する方法。基礎梁の主筋など、太径（D19以上）の鉄筋の継手にはガス圧接が使われることが多い

圧接の準備。グラインダー（サンダー）で鉄筋に着いたさびやセメントなどの異物を取り除くとともに、鉄筋の圧接面を平滑に仕上げる

圧接部分を左右から支持器で固定する

準備完了。この状態から、支持器に圧力をかけて鉄筋の切り口どうしを突き合わせて圧接される

ガス圧接の道具

加熱器
リング型、角型などがある。ガスと圧力のスイッチがあり、それぞれ手元で調整できる

圧接器（支持器）
鉄筋を固定しながら、加圧ラムの圧力を鉄筋に伝える

酸素（上）とアセチレン（下）のボンベ

加圧器
小型化、電動化されている。油圧による圧力をホースで伝える

加圧ラム
加圧器の圧力を支持器に伝える。ラムとは機械の往復運動部を指す

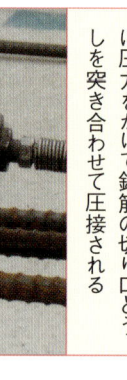

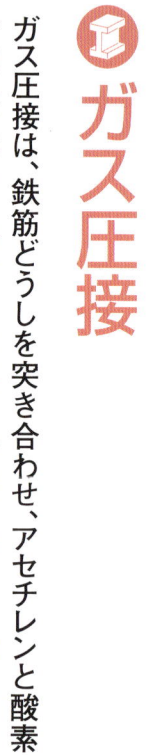

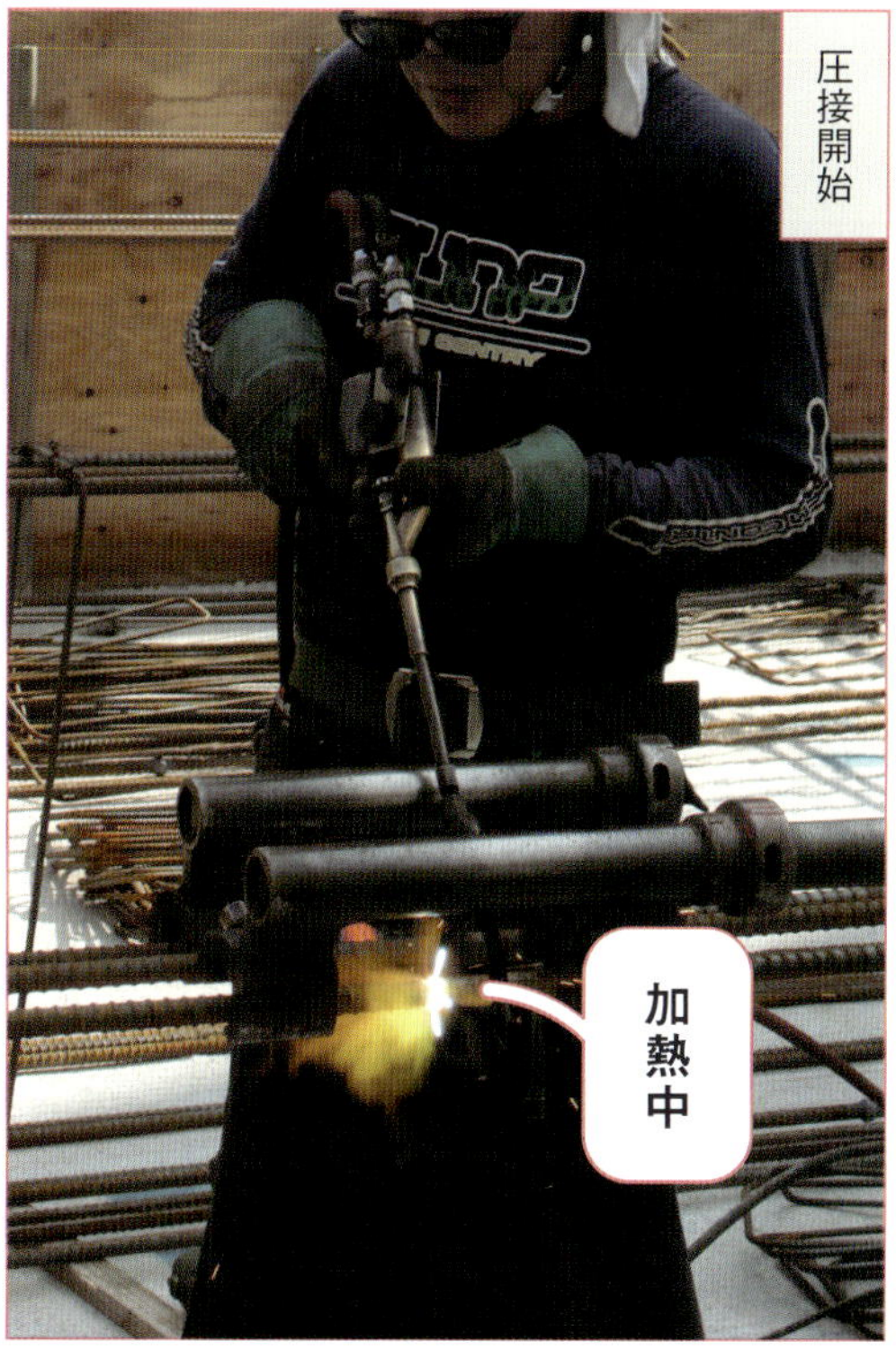
圧接開始
加熱中

加熱中

接合部材の最高温度は1,200～1,300℃!!

接合部、ふくらんでます

加圧中

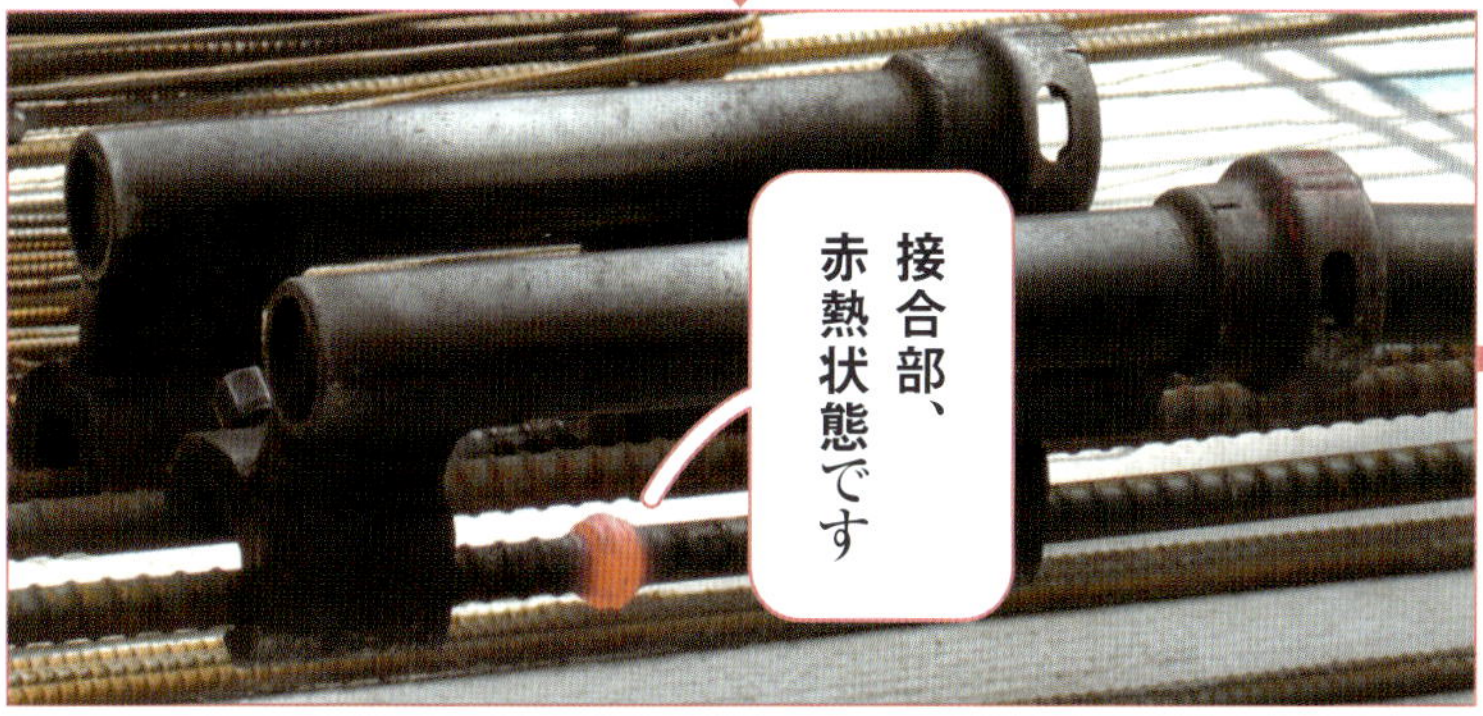
接合部、赤熱状態です

圧接完了
接合部

圧接部の一部を抜き取り、引張試験［❶］にまわす
圧接個所が200本未満の場合は5本抜き取ります

❶圧接部の試験には、ほかに目視試験［39頁参照］、曲げ試験、超音波探傷試験があるが、一般的には超音波探傷試験で検査されることが多くなっている

基礎配筋検査

基礎配筋検査項目の例

	検査事項	検査方法[※]	参照
1	鉄筋の径・本数・ピッチ	A, C	
2	定着・端部処理	A, C	→104ページ
3	継手方法	A, C	→104ページ
4	かぶり厚	B, C	→107ページ

※検査方法　A：目視　B：実測　C：関連図書

基礎配筋が、基礎伏図や配筋図などの図面どおりに配置されているかを確認する。整然とした配筋を見ると、どこを見るべきか戸惑うこともあるが、チェックすべきポイントを把握し、見るべきところをしっかりと見ておきたい

1 鉄骨の径・本数・ピッチ

図面の基礎梁断面リストと照らし合わせてチェックする

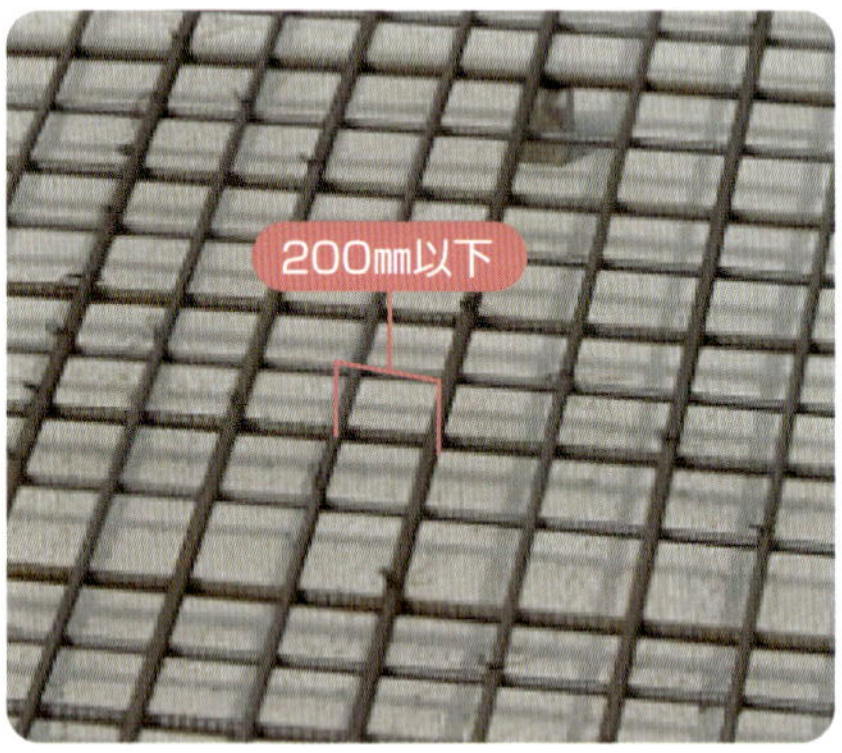

鉄筋径や配筋の間隔などをチェックする

■ 基礎梁断面リスト

符号	FG11	
位置	外端	中央
断面	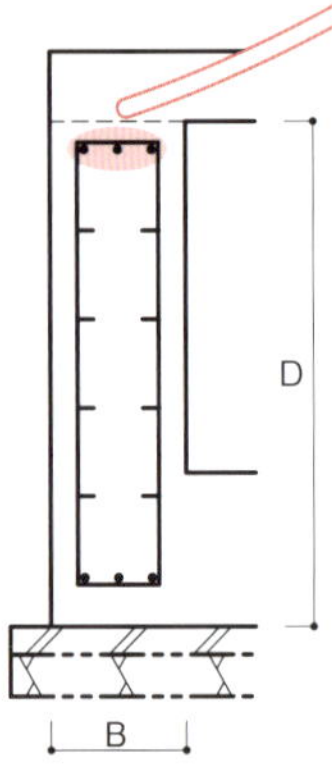	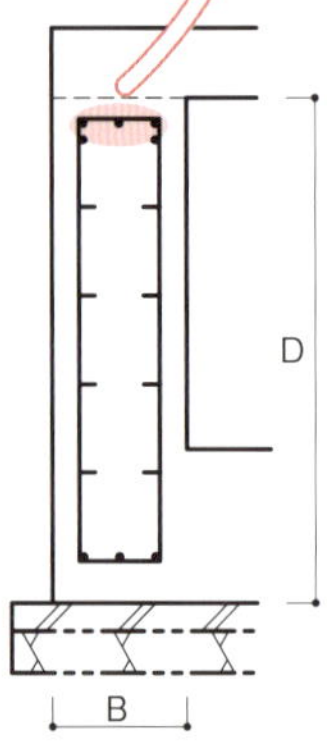
B×D	400×1,650	

❶出典：「建築工事標準仕様書・同解説JASS5鉄筋コンクリート工事2003」（(社)日本建築学会編）

2 定着・端部処理

ベース筋や主筋の端部の折曲げ処理をチェックする

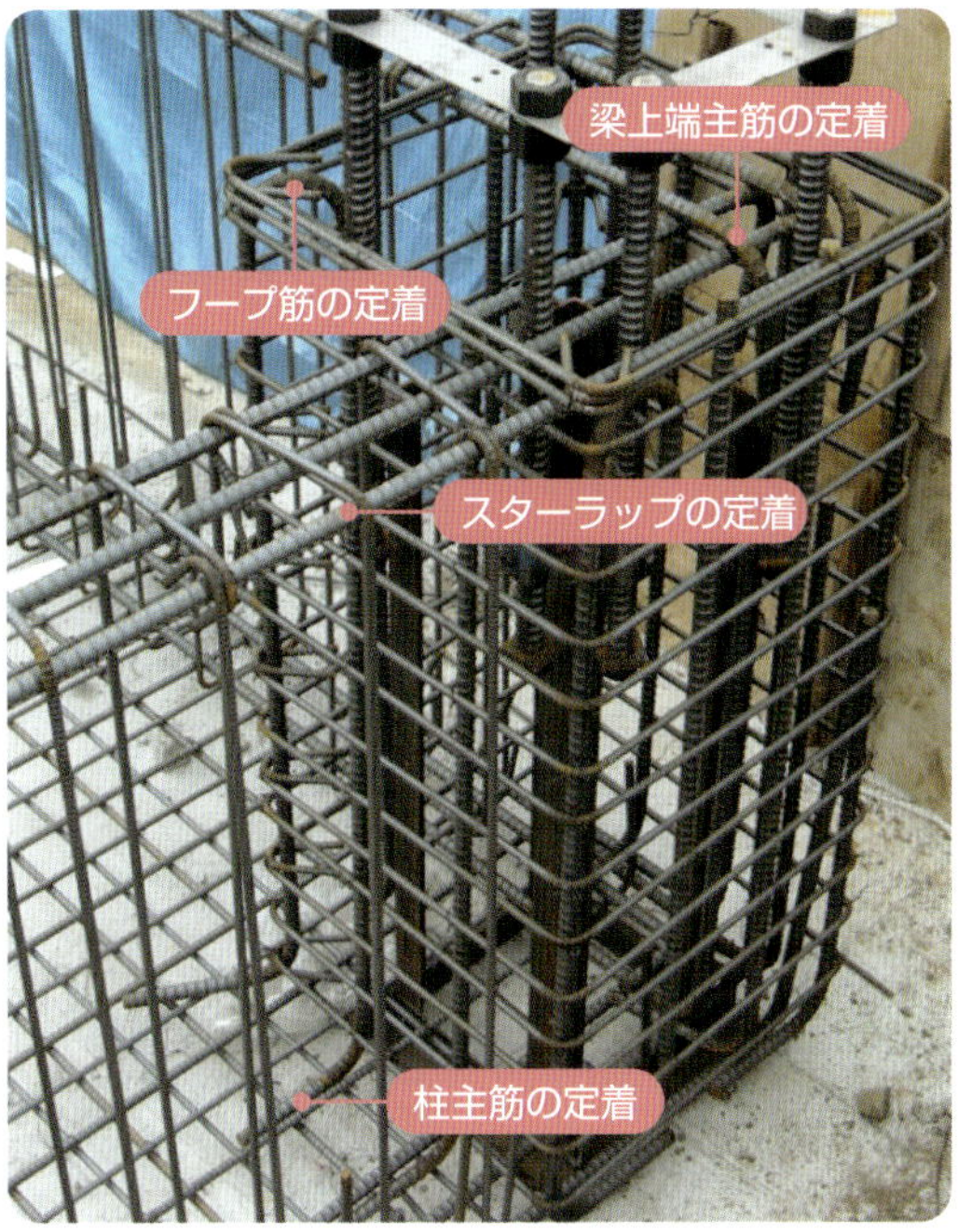

必要な定着長さは、鉄筋の種類やコンクリート強度、末端部のフックの有無により異なる

■ 柱・梁・基礎主筋の折曲げの形状[❶]

折曲げ角度	180°	135°	90°
図	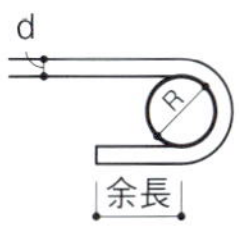	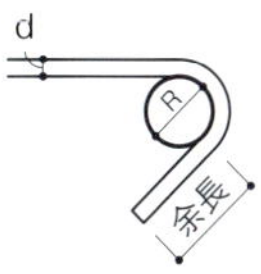	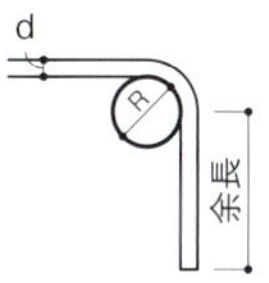
鉄筋の余長	4d以上	6d以上	10d以上
折曲げ内法寸法Rは、SD295A・SD295B・SD345では16D以下で3d以上、D19〜D38で4d以上、D41で5d以上。SD390では、D41以下で5d以上			

3 継手方法

継手は重ね継手とガス圧接の併用が多い

重ね継手では、重ね長さをチェックする

■ 重ね継手の重ね長さ[❶]

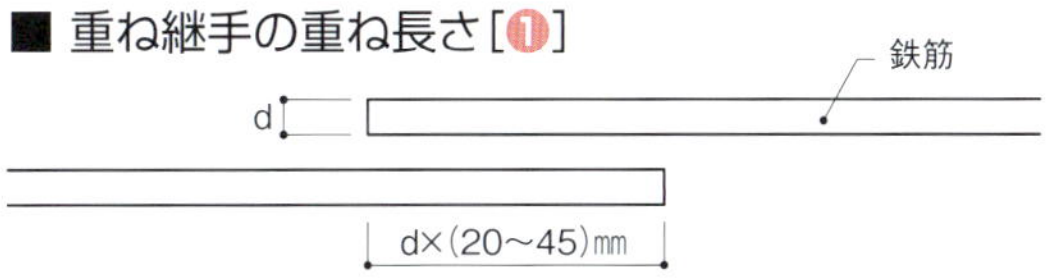

(鉄筋の種類やコンクリートの強度により異なる)

■ ガス圧接継手の形状・ピッチ[❶]

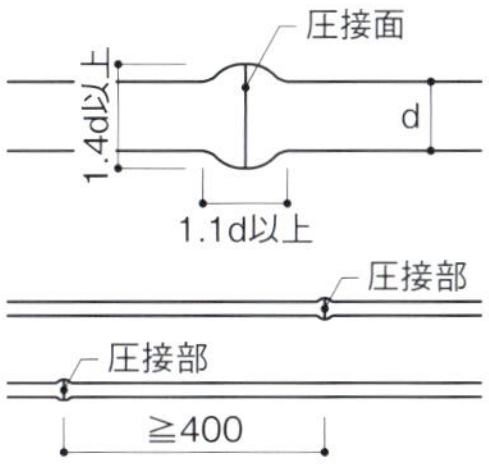

ガス圧接継手は継手部のふくらみの大きさをチェックする

注 一般的にD19以上は圧接、D16以下は重ね継手とする

4 かぶり厚

各部位が規定のかぶり厚になるよう、あきをとっているか

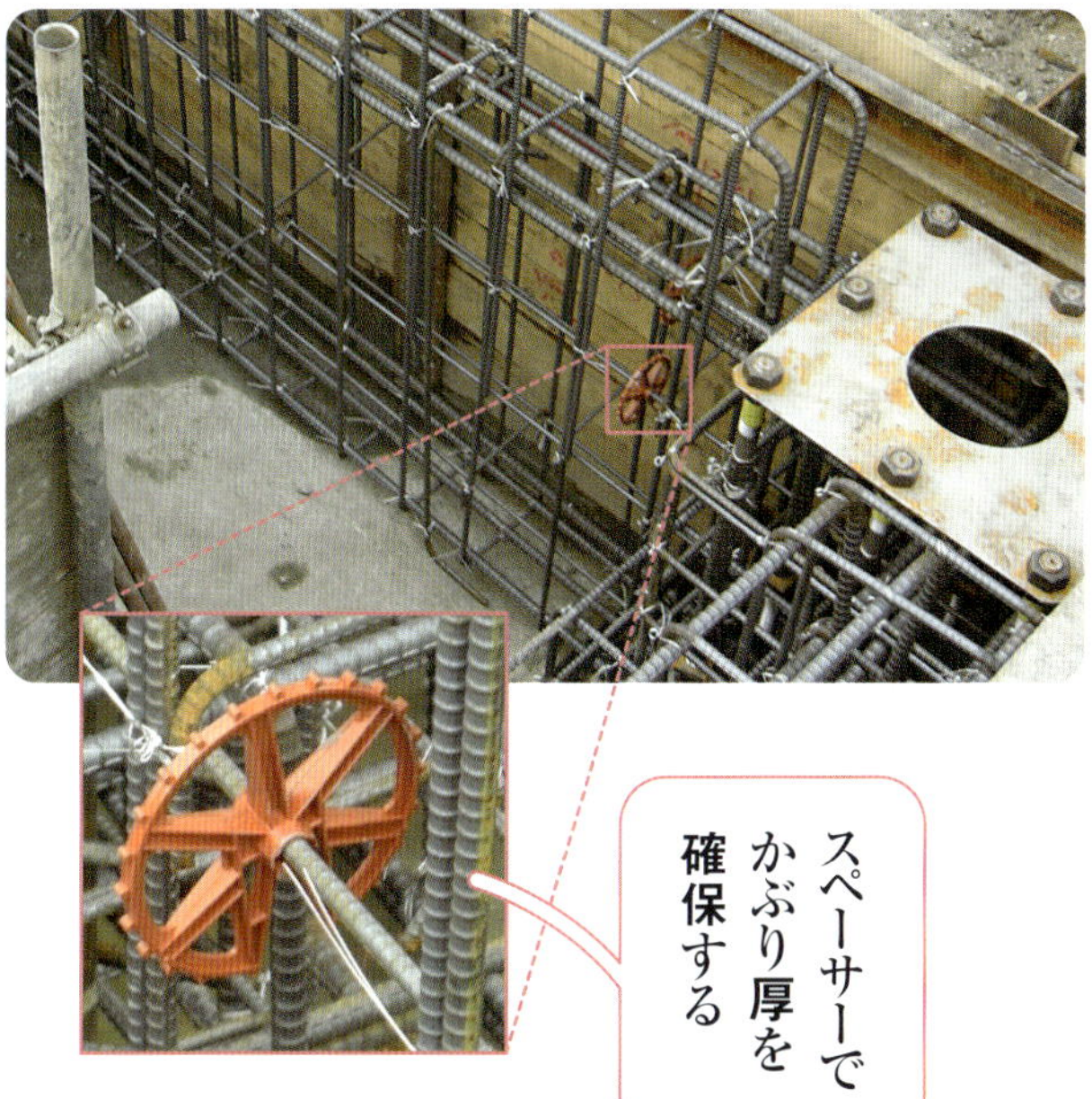

■ かぶり厚部位別リスト[❶]

部位			設計かぶり厚(mm)	最小かぶり厚(mm)
土に接しない部分	屋根スラブ・床スラブ・非耐力壁	屋内	30	20
		屋外	40	30
	柱・梁・耐力壁	屋内	40	30
		屋外	50	40
	擁壁		50	40
土に接する部分	柱・梁・床スラブ・耐力壁		50	40
	基礎・擁壁		70	60

注 部位によっては、耐久性上有効な仕上げがある場合、薄くできる

耐圧版コンクリート打設

耐圧版は、ベタ基礎で採用されるもので、建物の荷重を受ける役割を担う。大きな1枚の版で建物を支えるため、荷重を分散でき剛性も強いが、耐圧版への荷重が均一にならないと不同沈下[❶]の原因になるため、正確な施工が求められる

打設の模様(コンクリート打設の手順はスラブコンクリート打設の項[129頁]で解説)

打設完了。この後、養生期間をおいて基礎の柱・梁の型枠とスラブ配筋が始まる

こちらでは、基礎の内側に地下水が浸入して溜まるのを防ぐため、外縁に止水板を差し込んでいる

表　基礎構造による施工手順の違い

ベタ基礎のように耐圧版のある構造と、杭基礎や布基礎のように耐圧版のない構造では、基礎配筋後の施工手順が異なる

分類	耐圧版あり・埋戻しあり[❷](ベタ基礎)	耐圧版なし(支持杭基礎)
概略図	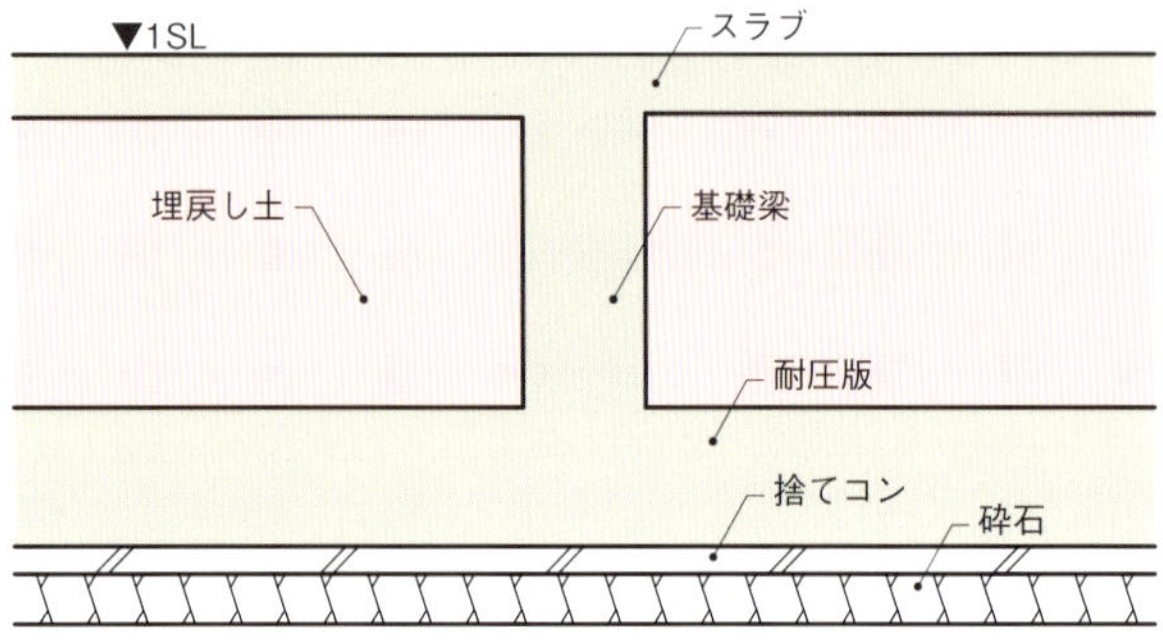	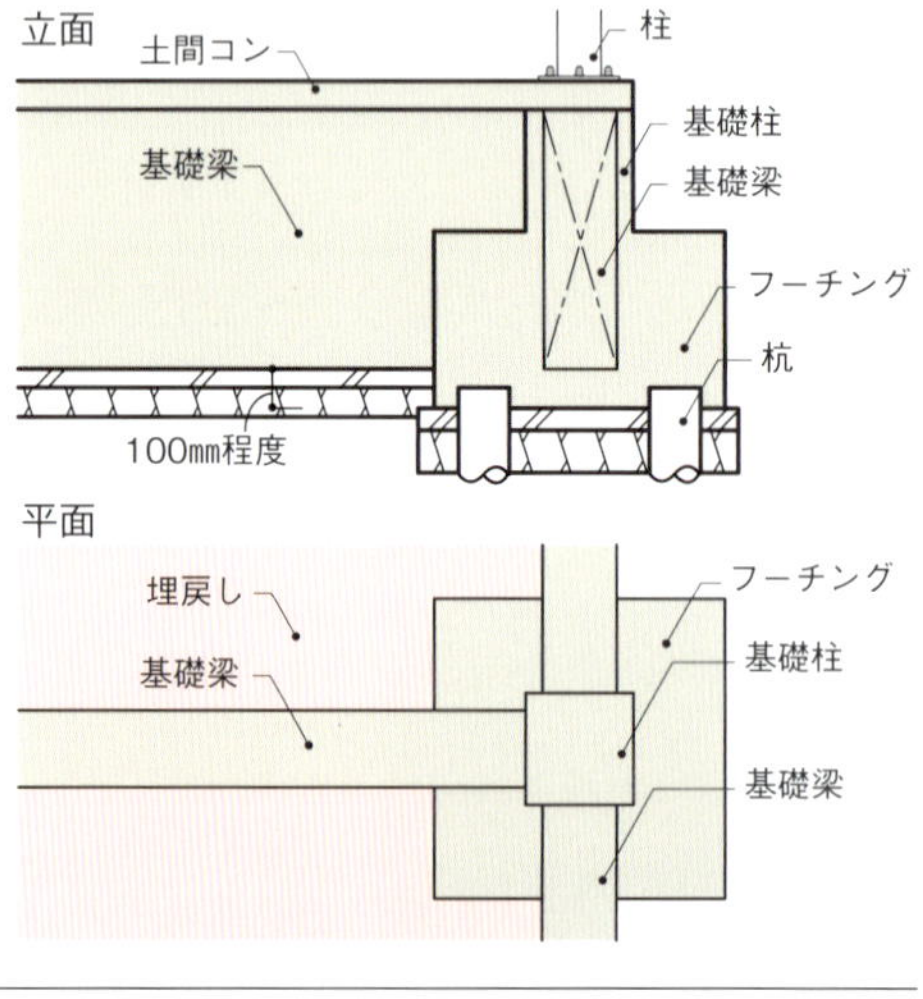
施工手順	【打設】耐圧版 埋戻し 無 → 【配筋・型枠】柱・基礎梁・スラブ → 【打設】柱・基礎梁・スラブ → 脱型 埋戻し 有 → 【型枠】柱・梁 → 【打設】柱・梁 → 脱型・埋戻し → 【配筋】土間 → 【打設】土間	

❶不同沈下：建物が不均一に沈下を起こすこと。不均一に沈下すると構造が歪み、建物が傾いたり、特定の個所に荷重が集中してしまう
❷耐圧版のあるベタ基礎では、スラブと耐圧版の間に埋戻しを行わず、その空間を配管ピットや汚水槽、雨水貯留槽に利用することも多い

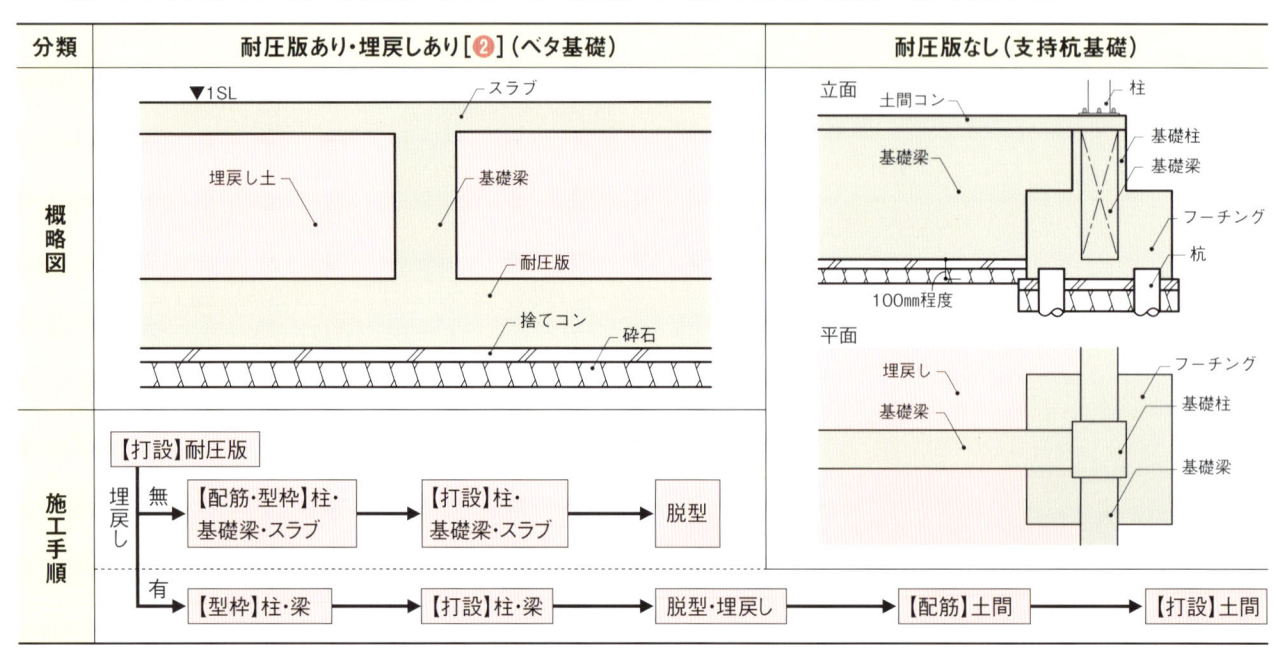

型枠

コンクリートを成形するために、コンクリート打設前に必ず行う作業。コンクリートの形状はここで決まるため、精度が要求される

せき板
コンクリートに直に接する板で、コンクリートパネル（通称コンパネ）と呼ばれる。通常、コンクリート用型枠合板が使用される

桟木
せき板を組み立てる木材

パイプ（単管）
せき板を押さえる鋼管

フォームタイ
パイプを締める金物

セパレータ
コンクリートの厚さを保ち、外側へかかるコンクリート圧によるせき板の変形を防ぐ丸い鉄棒

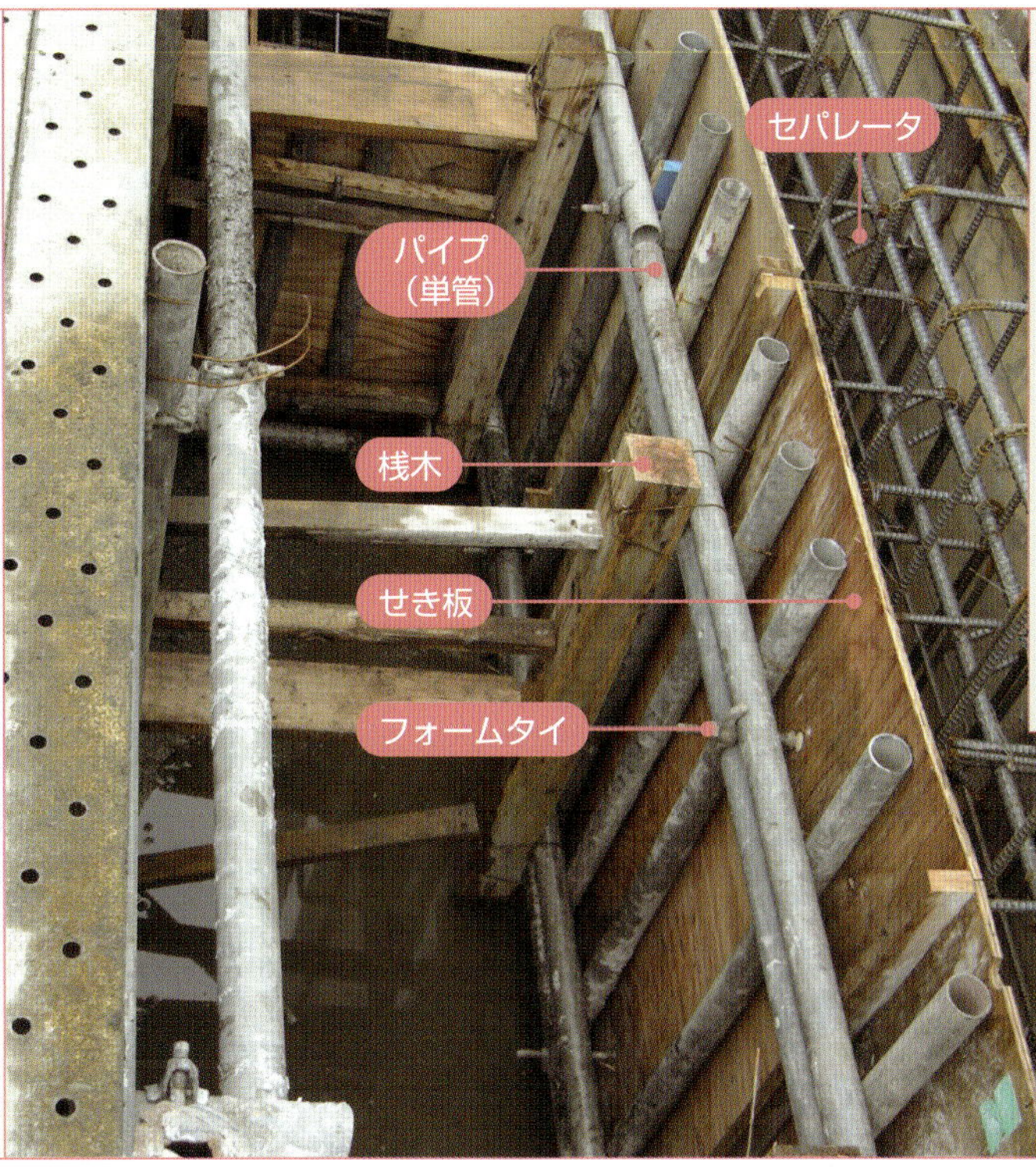

基礎梁の型枠の構成部材（支持杭基礎の現場）

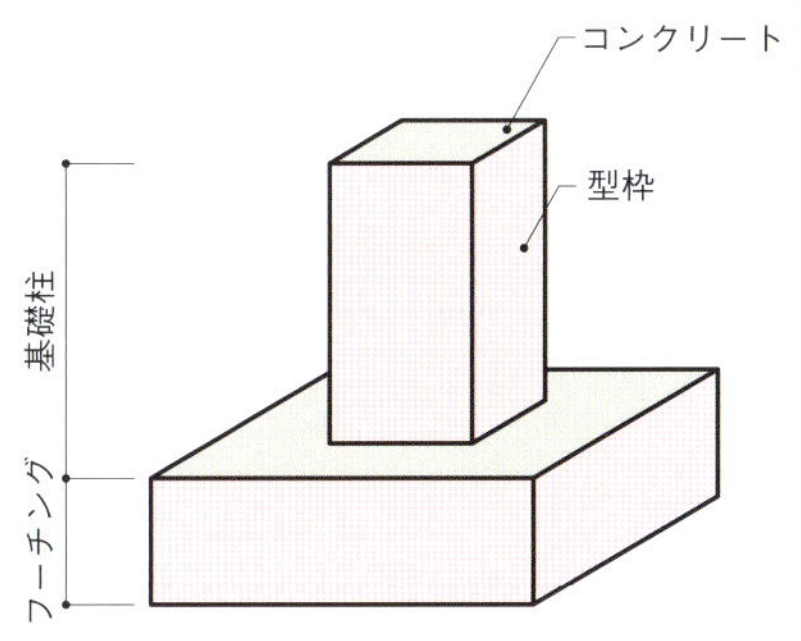

型枠が動かないようにする**補助材**。この**鋼管**は、**上部**からの**荷重を支える**のにも**使**われる

柱廻りの型枠は基礎柱（フーチング）の形に沿って組まれている

型枠の施工手順としては、まず**片側**のパネルを**建て込み**、セパレータを通しフォームタイで**固定**する。その次に、もう**片方**のパネルを**建て込み**、フォームタイを**取り付ける**

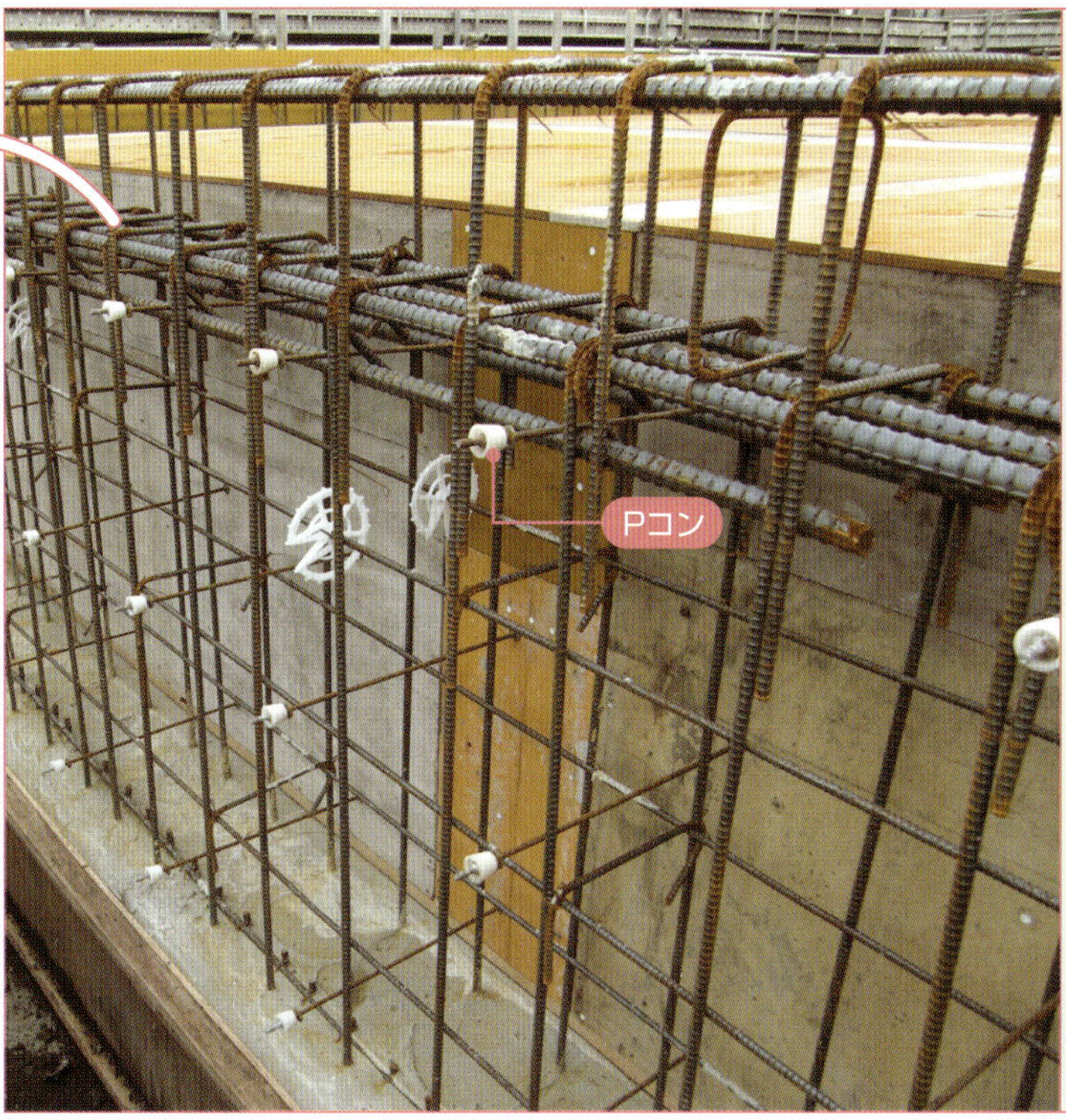

型枠施工途中の写真（ベタ基礎の現場）。内側の型枠は建て込まれており、これから外側のパネルを取り付け、パイプなどで固定する

ベタ基礎では、この段階で耐圧版の配筋まで行われる［**表**］

基礎コンクリート打設後の工事

コンクリートの打設方法については129頁を参照していただきたい。打設後の工事、ここでは、基礎コンクリート打設後に施工される工事について解説する

コンクリート金鏝《ごて》押さえ

コンクリートの表面を鏝で押さえることで、コンクリートの表面を平滑にし、強度を上げるための作業。通常は複数回(3回程度)押さえられる。手作業が一般的だが、トロウェルという機械鏝で均すこともある

基礎コンクリート、耐圧版打設直後の状態(ベタ基礎の現場)。しばらく待って金鏝押さえを始める

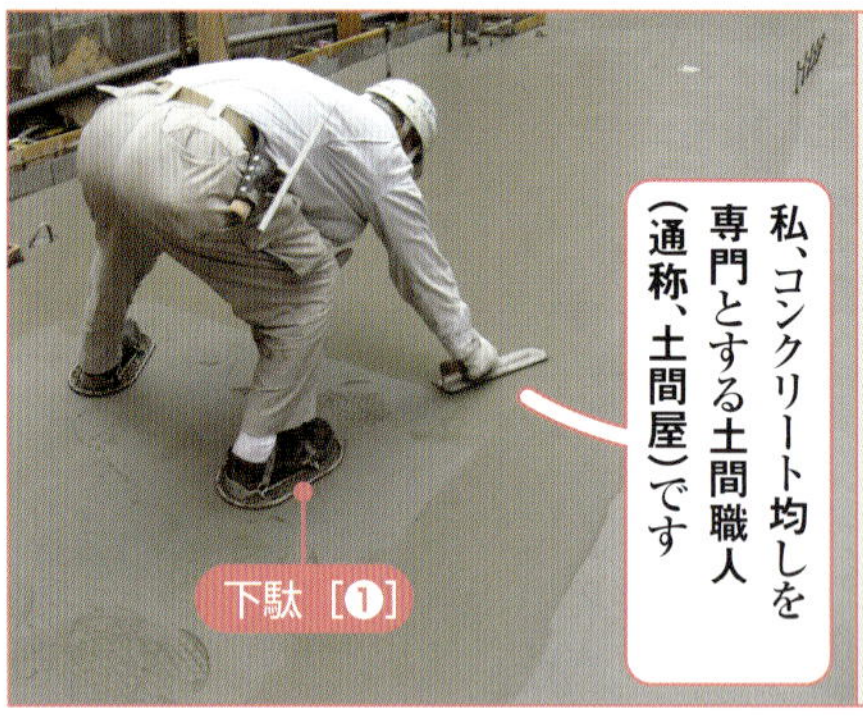

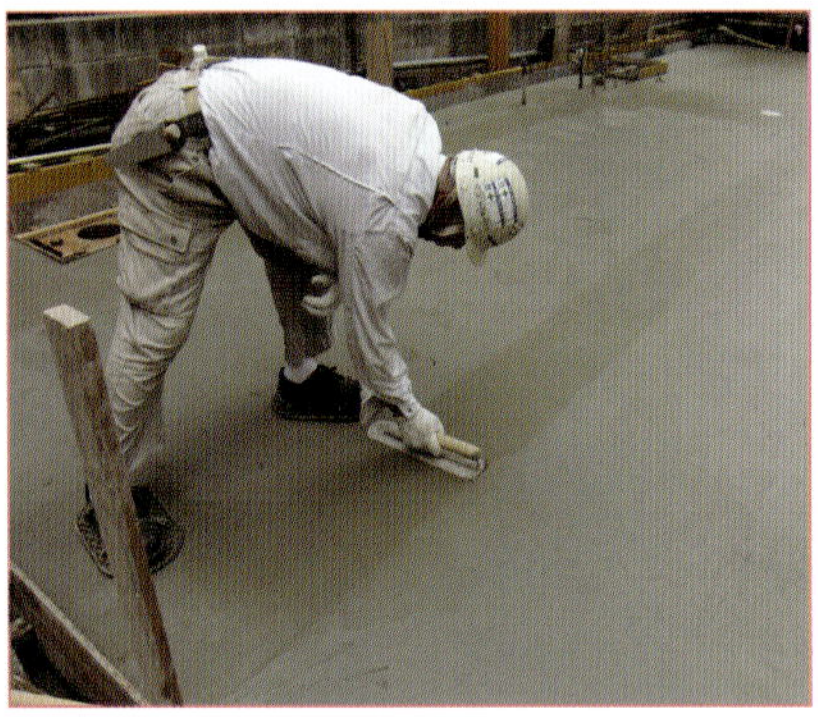

金鏝押さえ中

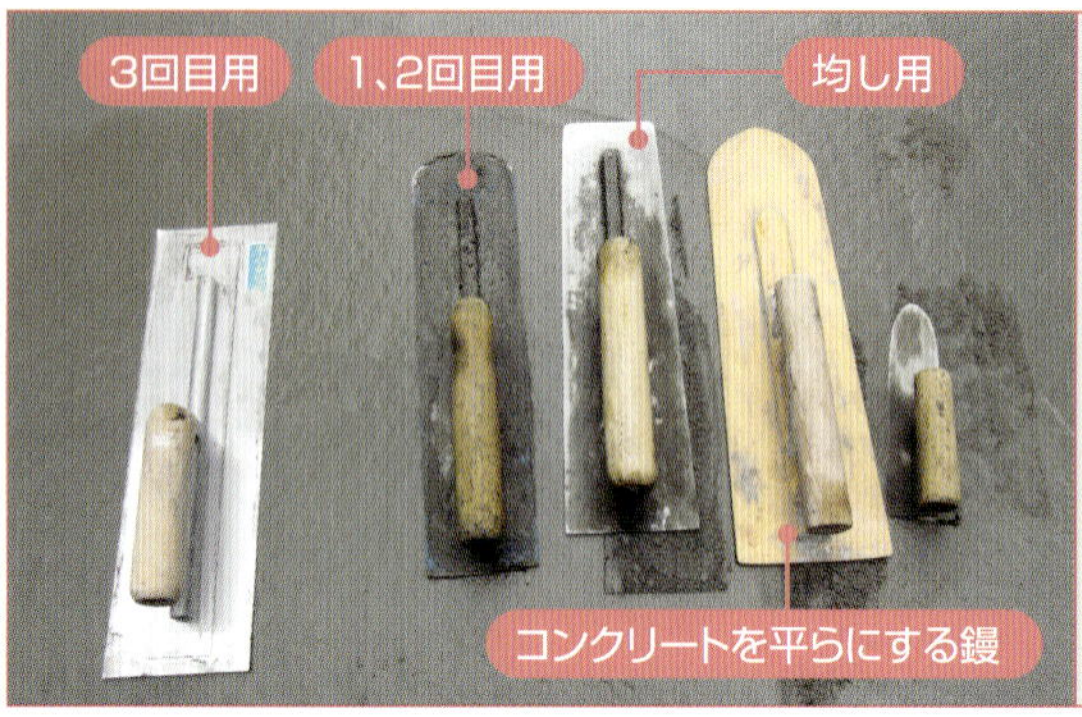

鏝各種。職人により好みで使い分けているそうだ

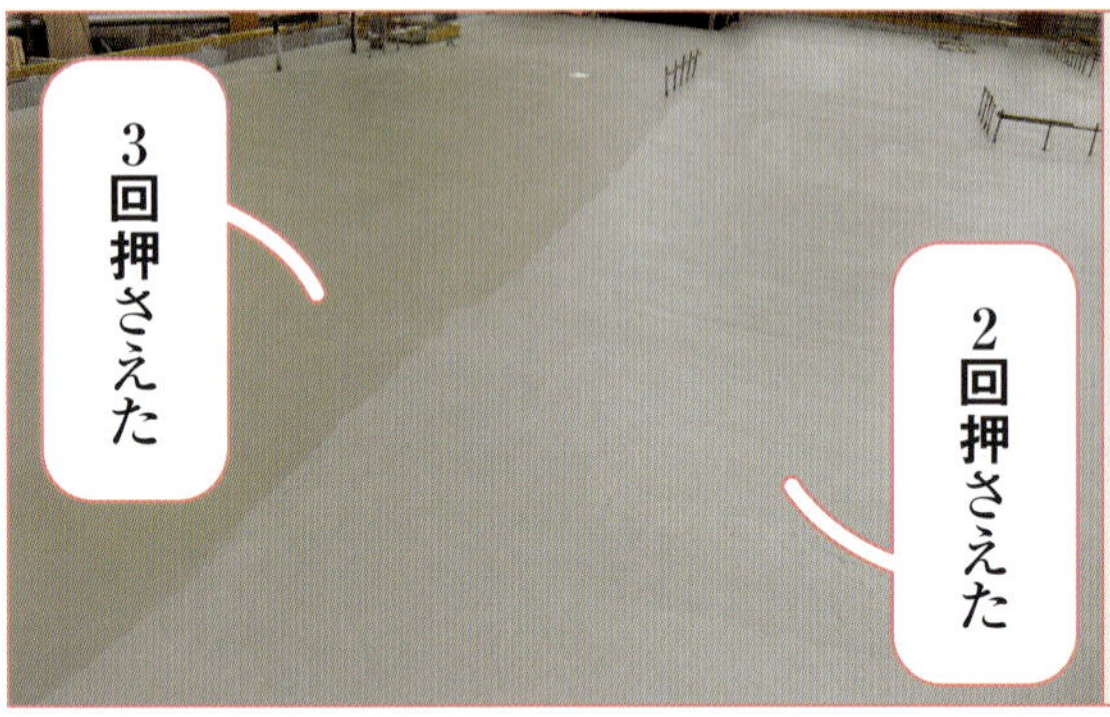

途中の状態

レベルモルタル

レベルモルタルは下地の不陸をなくし、柱を水平に建てるための調整材。ここでは、建方前に柱の中心部のみグラウト「❷」を設置し、建方後に全面にグラウトを詰める後詰め中心塗り工法がとられる。グラウトの施工法には、ほかに全面後詰め工法「❸」、全面塗り仕上げ工法「❹」がある

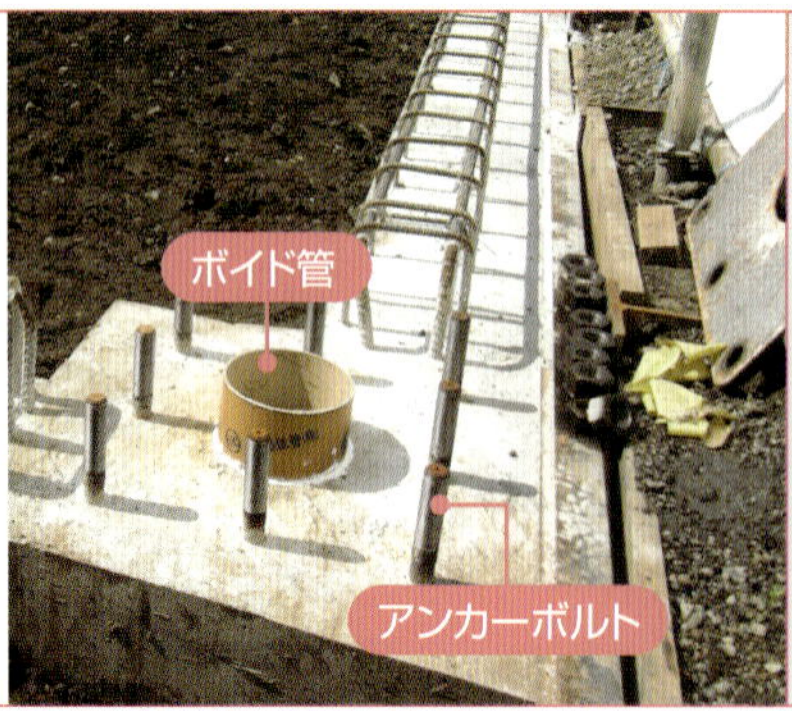

柱脚下地の中央にボイド管で注入枠を用意する

グラウト材と水を攪拌してグラウトをつくる

注入枠にグラウトを流す

完成

❶下駄：土間コンクリートの仕上などの際に使う履物。左官下駄、土間下駄、モルタル下駄など、さまざまな呼ばれ方をする｜❷グラウト：礎などの隙間に注入する無収縮のモルタルや薬液などのこと｜❸全面後詰め工法：柱脚を天端ビス上に建てた後にグラウト材を注入する工法｜❹全面塗り仕上げ工法：建方前にレベルモルタルを設置、金鏝仕上げする工法

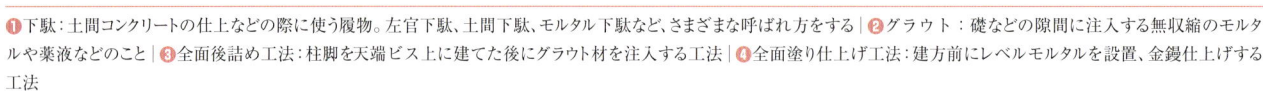

脱型・埋戻し

原則として、根切りによる掘削部分には、基礎コンクリート打設後に土砂が埋め戻される

脱型

脱型は、コンクリートの養生期間をおいたうえで行う

★監理POINT

脱型のタイミング
（コンクリートの養生期間を確保）

埋戻し

埋戻し部位に放置されている型枠材や雑物は確実に撤去する

埋戻しの土には、通常山砂などの砂質土を用いる［**97頁参照**］

埋戻し完了（杭基礎の現場）。この後、砕石転圧後、防湿シートが敷かれ、配筋、土間コンクリートの打設となる

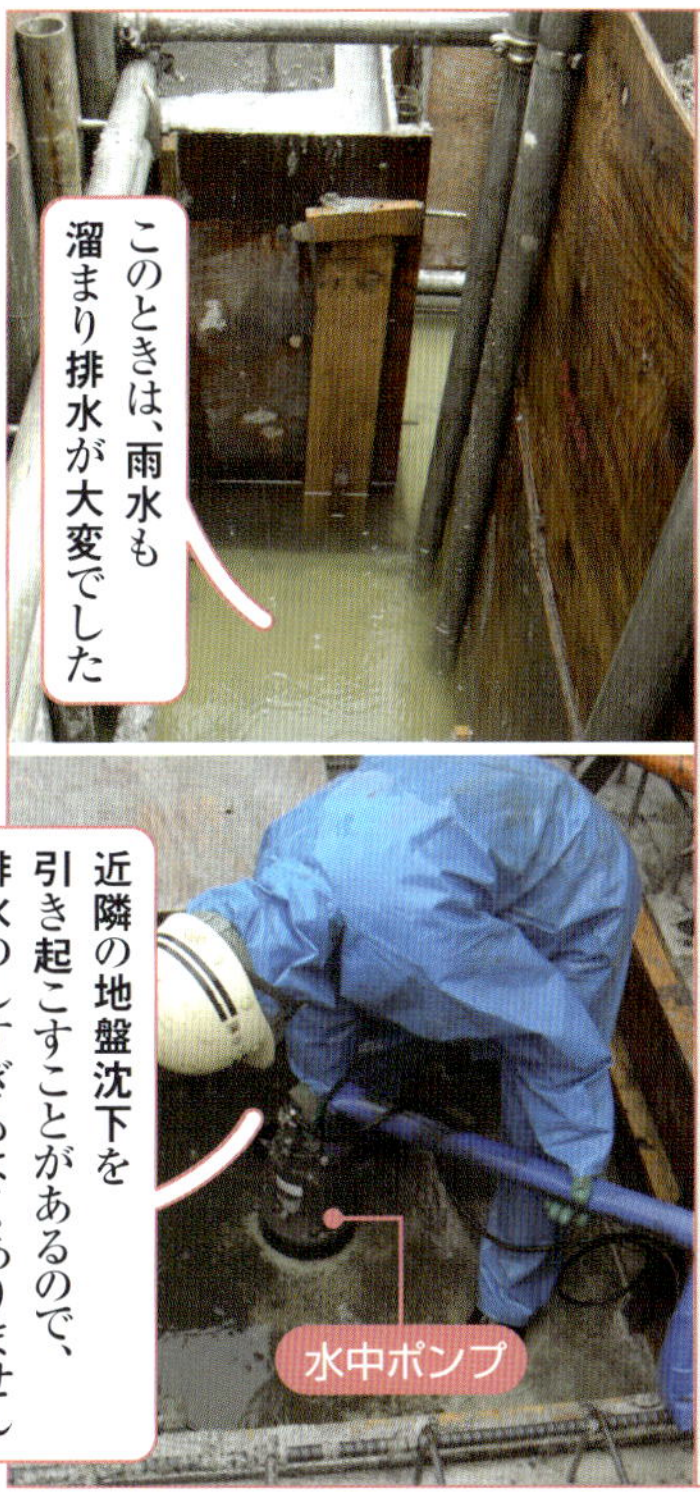

現場によっては地下水位が高く、ポンプ排水が必要になることがある。排水は、根切りから埋戻しまでの間、随時行う［❻］

ここでは、山留めの頭継ぎに使ったH形鋼を外している

埋戻しの前後で設備配管も行う［**143頁参照**］

❺コンクリートの養生期間について各種規定があるが、工期短縮を要求される現場では、実際に規定どおりの養生期間をとっていないないことも少なくないため、監理者は十分注意する必要がある｜❻排水に際して、下水道局へ排水の申請をする必要がある

鉄骨工事

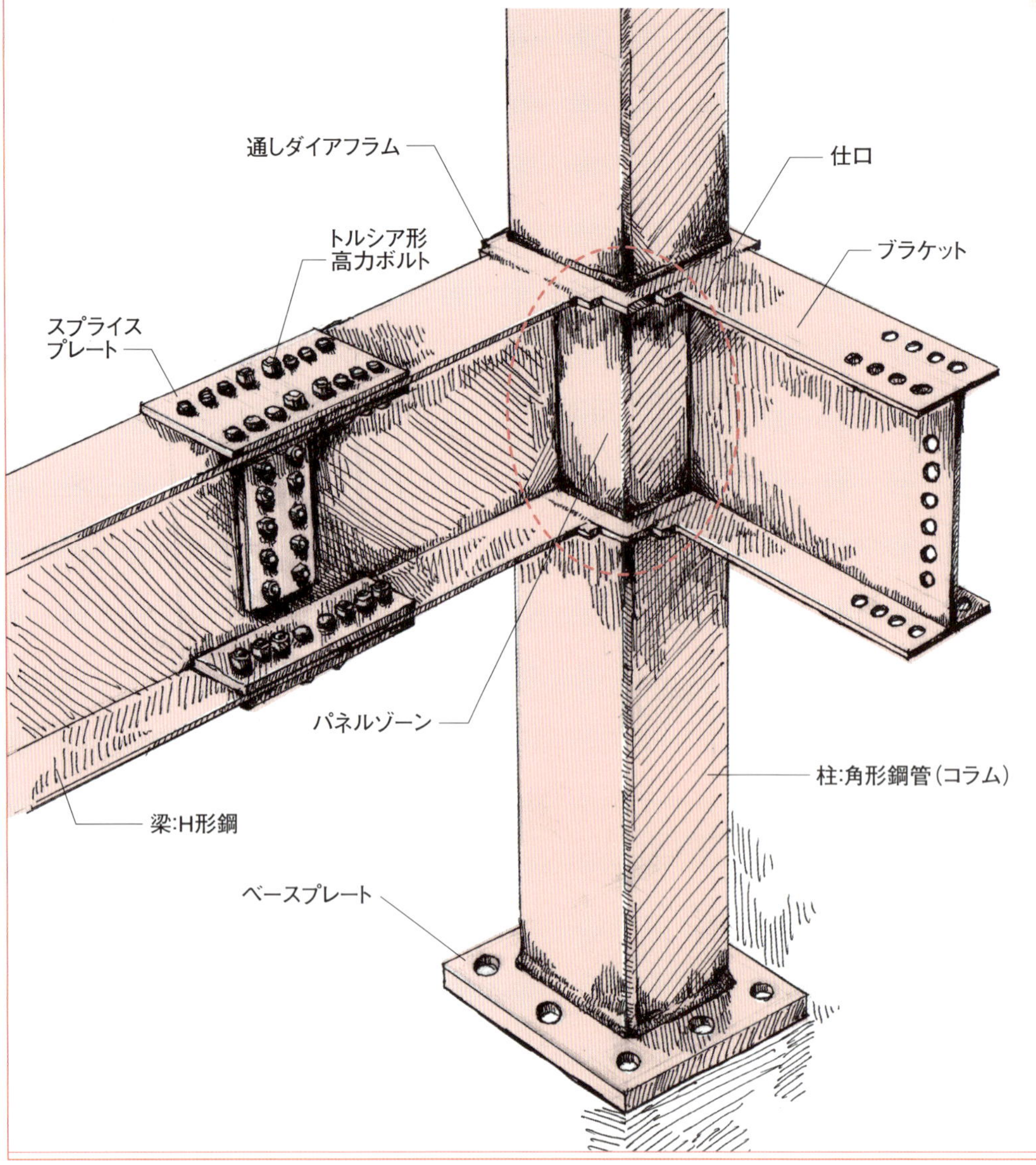

❶ 柱・仕口・梁の製作

鉄骨造の躯体のほとんどは鉄骨加工工場で製作される。ここでは、鉄骨造で一般的な、角形鋼管の柱(コラム)とH形鋼の梁との組み合わせで構成される鉄骨造での加工の流れを解説する

パネルゾーン(タイコ)

まずは柱と梁の接合部の製作から。このパネルゾーンを、現場ではタイコ、サイコロ、コアなど、さまざまな呼び方をする

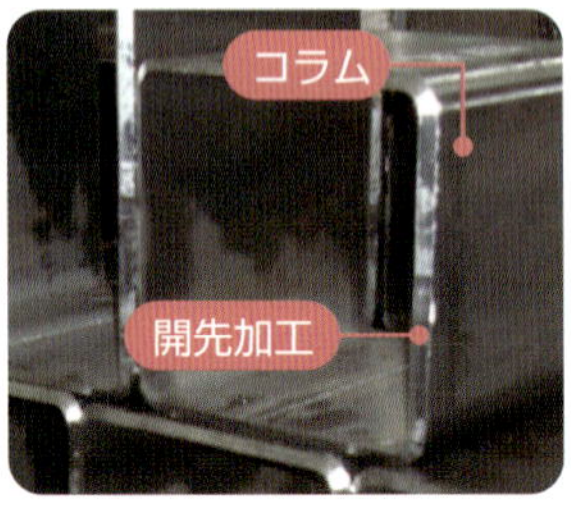

コラム。この工場では開先加工[❷]された状態で搬入される

これは通しダイアフラム用の鋼板。ほかに内ダイアフラム[**写真**]や外ダイアフラムもある

パネルゾーンは角形鋼管(コラム)とダイアフラム[❶]からなる

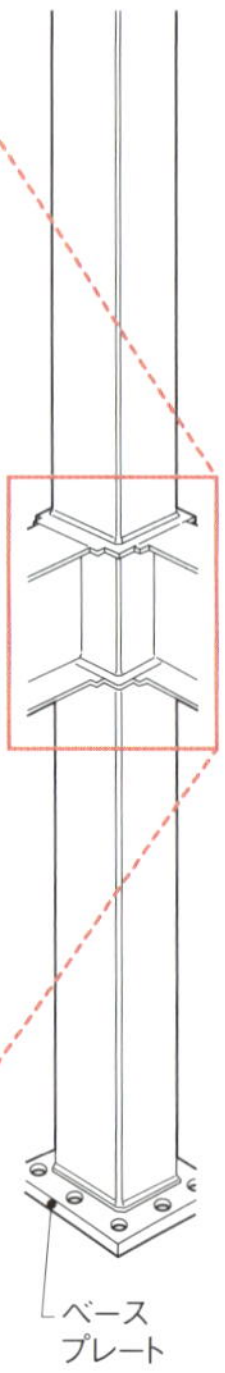

❶ダイアフラム:梁にかかる荷重を柱などに受け流し、仕口の変形を防ぐために設ける鋼板 | ❷開先加工:溶接する母材間に設ける溝。アークが溶接部に行き届き、溶着金属が十分に融合するために設ける。グルーブとも呼ばれる

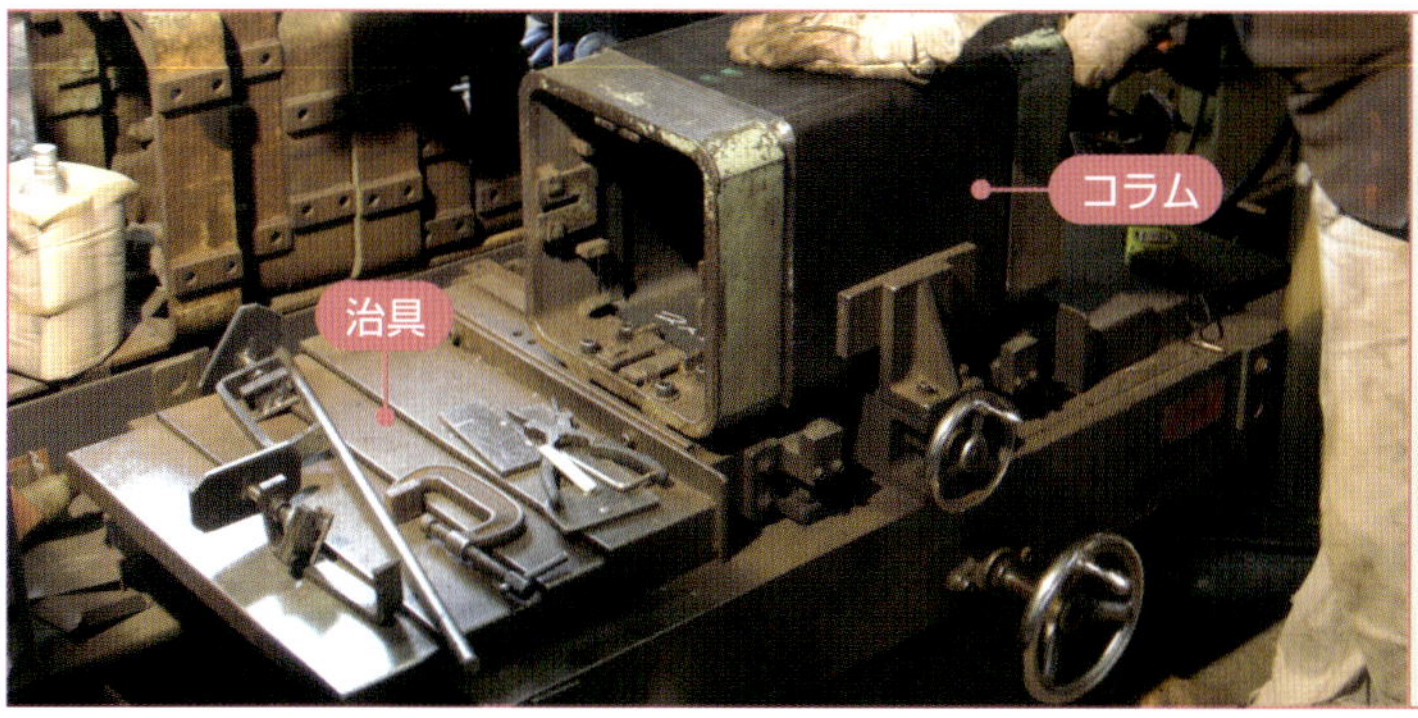

専用の治具にコラムとダイアフラムを固定し、仮溶接する

溶接面に付着している黒皮（ミルスケール）[❸]などを、ディスクサンダーで除去する

注目! ダイアフラムにあいている孔。溶接時の空気孔で、これがないと溶接時にコラム内にガスが溜まり暴発するおそれがある

ここでは、半自動炭酸ガスアーク溶接（115頁参照）で溶接される。仮溶接後、本溶接の前にスパッタ[❹]を除去しておく

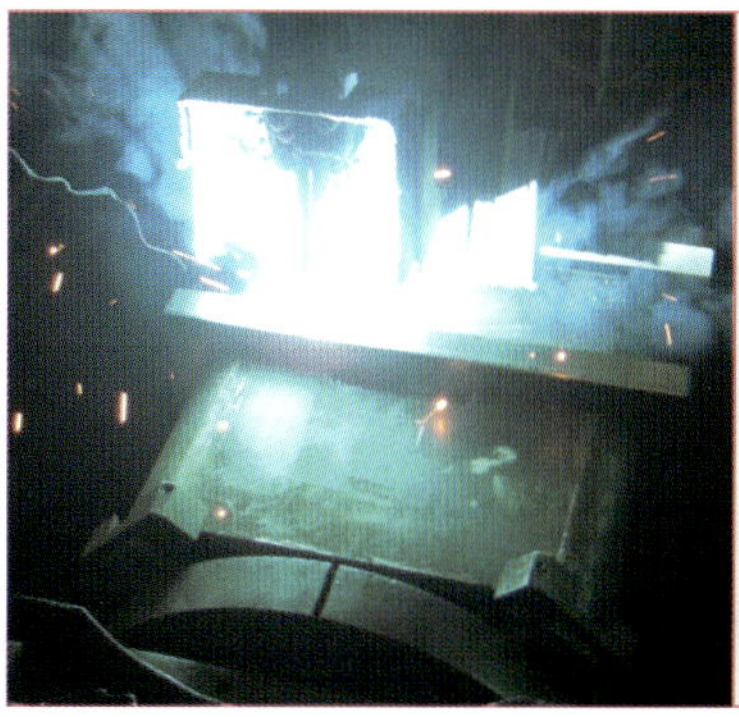

写真はロボットによる本溶接。最近では、中小規模の工場でもロボットによる自動溶接が主流

タイコ移動中

注目! 溶接前に開先の内側に裏当て金[❺]を挟む

パネルゾーン完成

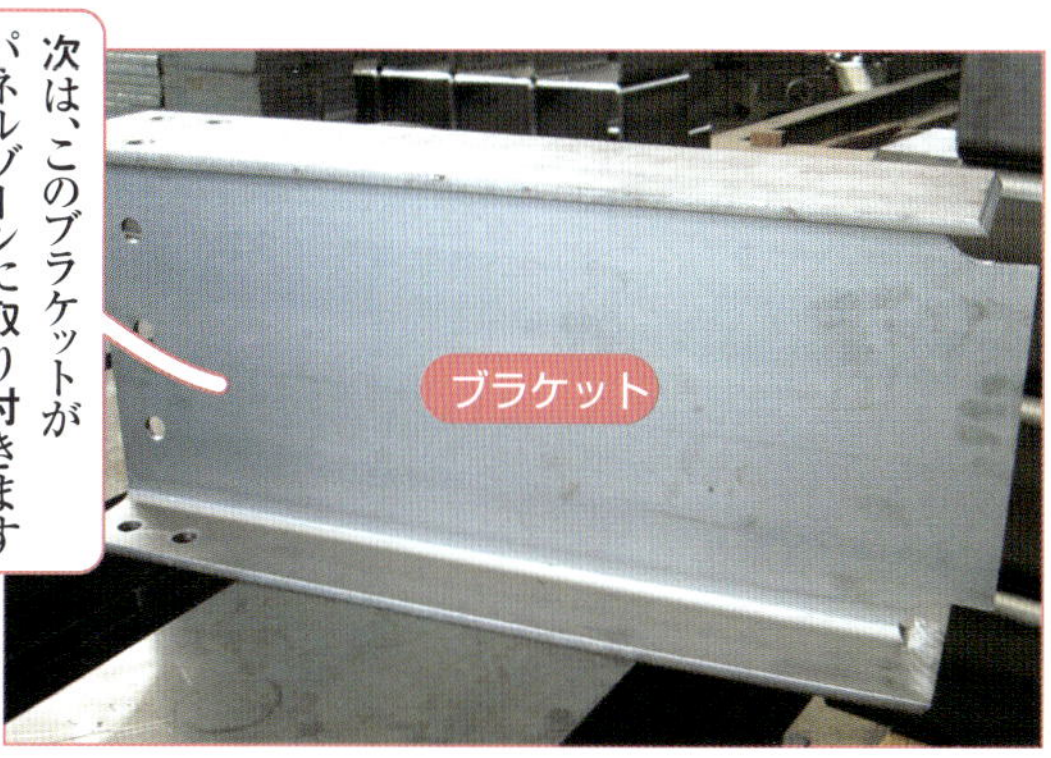

次は、このブラケットがパネルゾーンに取り付きます

写真｜内ダイアフラム

内ダイアフラムの場合、ダイアフラムはコラムの内側に溶接される。内ダイアフラムは、1つのパネルゾーンにせいの異なる梁を取り付ける際などに使われるもので、施工は比較的難しい

コラムの側面。内ダイアフラムの溶接部分が外側に浮き出て見える

コラムの内側を見る。柱材と接合すると内ダイアフラムの溶接部は見えなくなるため、溶接部の目視確認はこの時点でしかできない

❸黒皮（ミルスケール）鋼材の製造過程で高温加熱される際に表面に付着する硬い酸化皮膜。防錆効果をもつが、摩擦接合や溶融亜鉛めっきの際には障害となるため、これらの施工時には除去する｜❹スパッタ：ガス溶接やアーク溶接時に飛散する約1μm〜数mmの粒子。溶接欠陥の原因となるので本溶接の前に除去する｜❺裏当て金：溶接時、溶着金属が溶接面の裏側に抜けて穴があくこと（溶落ち）を防ぐために取り付けられる鋼材

ブラケットと仕口

パネルゾーンとブラケットの組立て（仕口製作）。ここでも治具で押さえたうえで仮溶接される。溶接部には裏当て金のほか、エンドタブが使われる

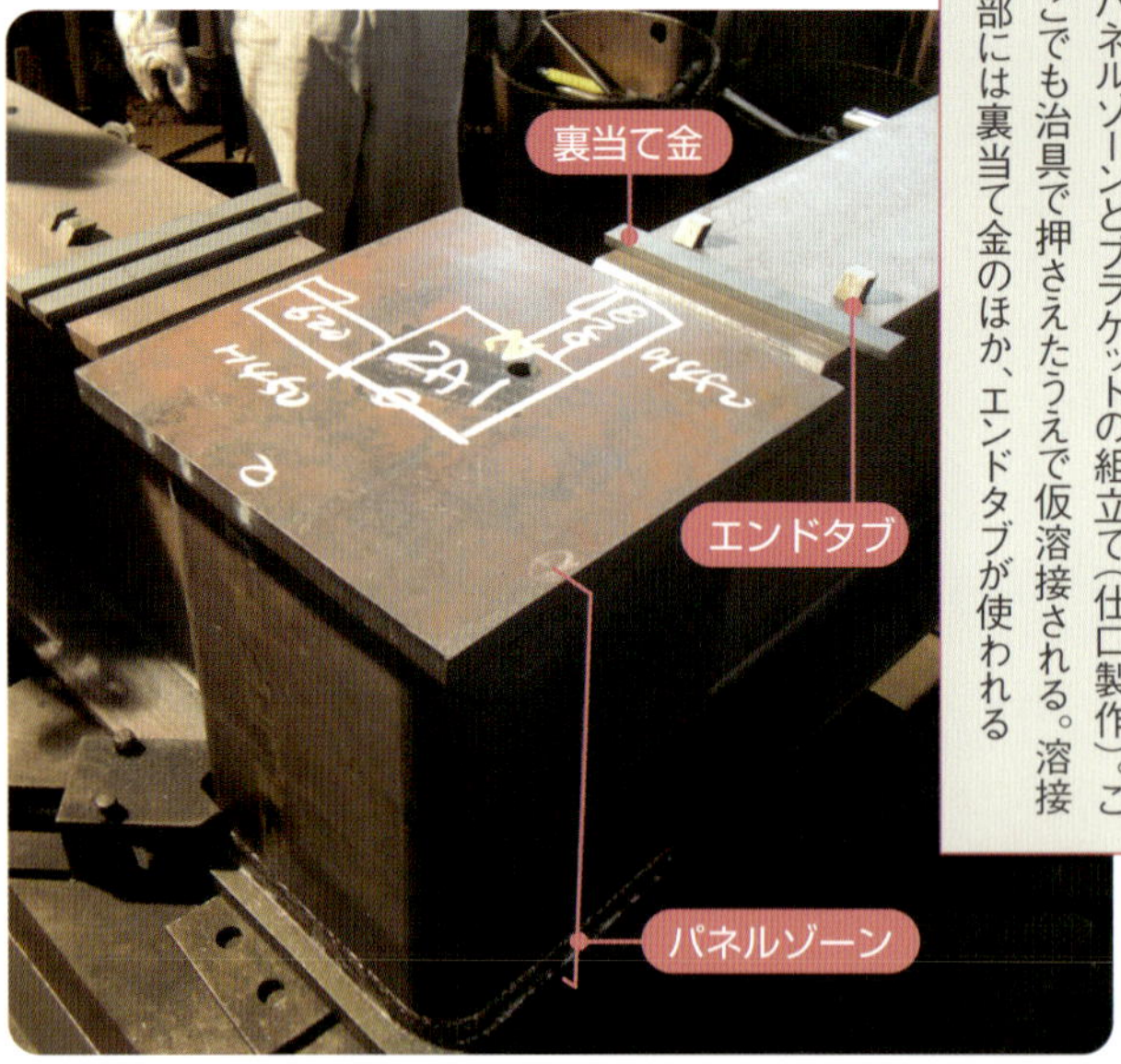

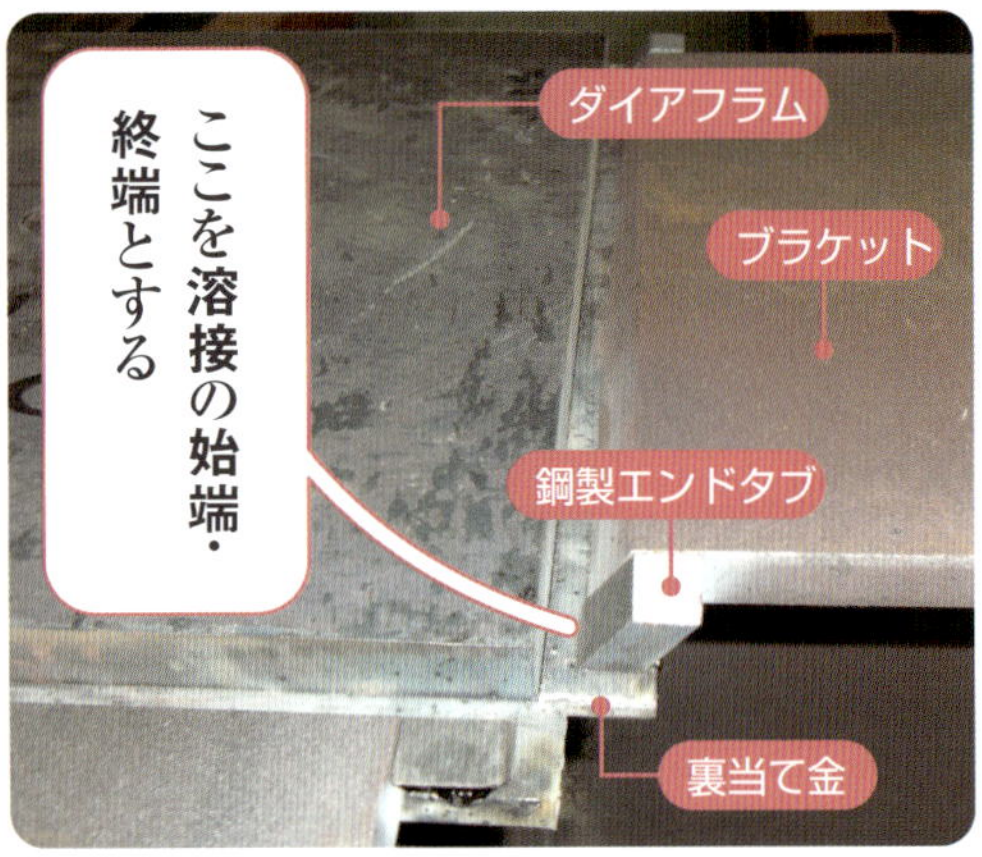

エンドタブ

溶接個所の両端に付けることで、アーク[❶]の出が不安定なため欠陥となりやすい溶接の始端・終端を、エンドタブの部分に逃がすことができる。鋼製のほか、再利用可能なセラミックタブなどがあり、手溶接では長さ30㎜以上が標準

スカラップ

スカラップは、裏当て金を通して一筋に溶接するために設けられる欠込み。最近では、欠込みの形状を変化させた改良スカラップや、スカラップを設けないノンスカラップも増えてきている。右の写真は現場で建て込まれた様子。通常、フランジの溶接部は梁の上・下端となる

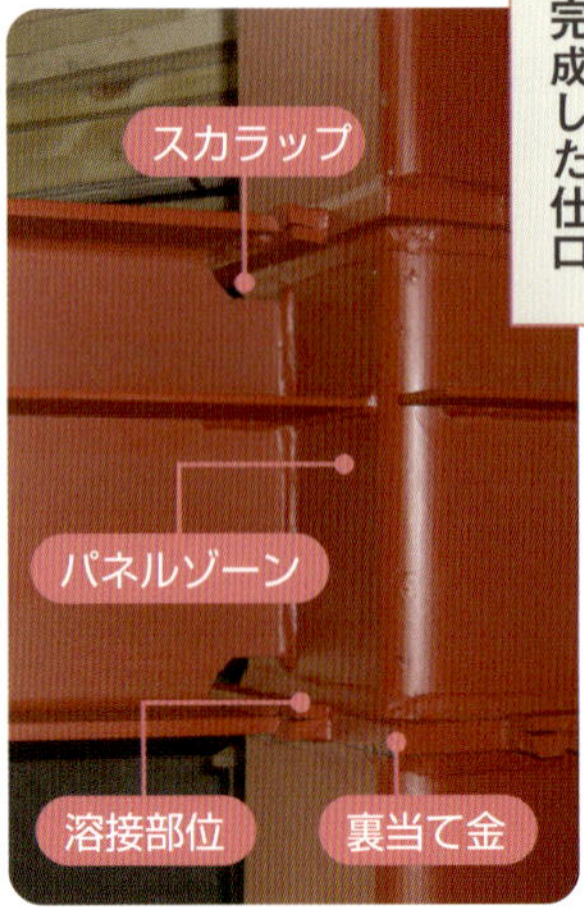

完成した仕口

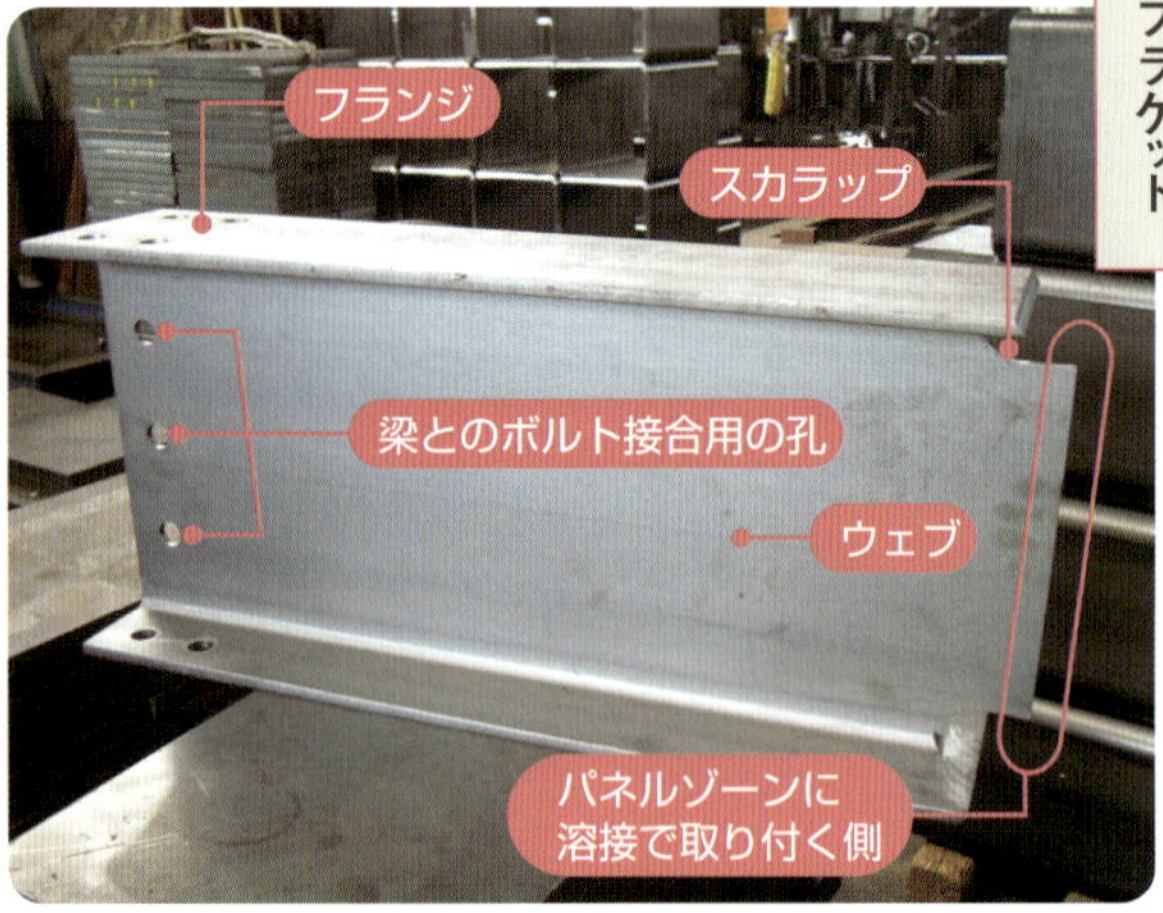

ブラケット

点付けの仮溶接。ここでも溶接前に黒皮などを除去しておく

ガウジング[116頁参照]とスパッタ除去[113頁参照]をしたうえで本溶接に入る。フランジは開先加工されており、完全溶込み溶接[❷]とする。ウェブは隅肉溶接[❸]とする。

❶アーク：主に熱電子が放出する際に出る弧状の放電現象。高熱と白熱光を発する｜❷完全溶込み溶接：部材の板厚分を完全に融合させる溶接法｜❸隅肉溶接：T字継手などで直交する２面を溶接する溶接法。溶接部の断面は三角形になる

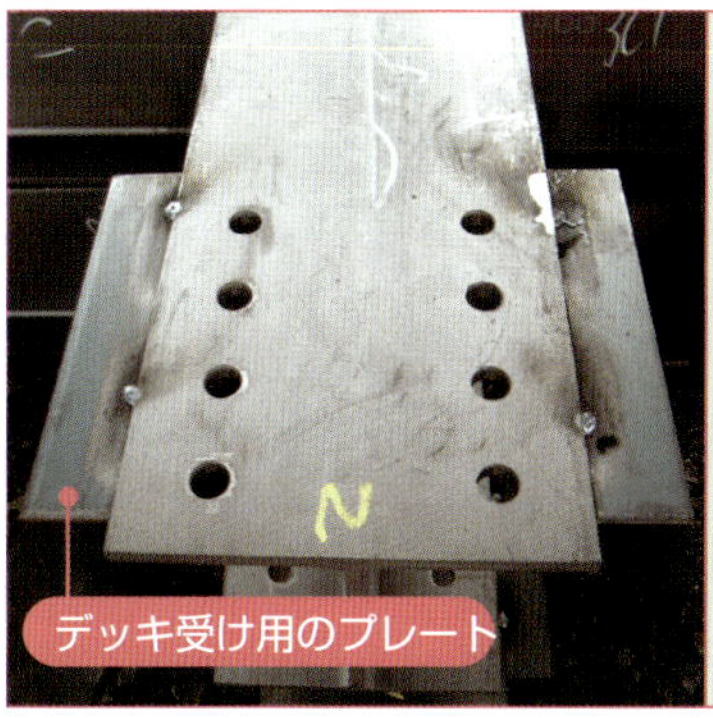

最後に、ガセットプレート[4]などの補助材を取り付ける。ガセットプレートやエンドタブなど、主要構造部材に付加されたものは応力集中の原因になるので、構造上、注意が必要となる

本溶接部分の仕上がり。終端（クレーター）がエンドタブ上にかかっており、ブラケットの接合端部から逃げている

仕口の完成。このあとは、いよいよ柱の組立て（大組）へと続く

図 半自動炭酸ガスアーク溶接

アーク溶接は、溶接棒と溶接する材との間に電圧をかけ、高温（6,000℃）のアークを発生させることで溶接棒と材を溶融する溶接法。半自動炭酸ガスアーク溶接は被覆アーク溶接[5]と並んで、鉄骨造の現場ではポピュラーな溶接法である。「半自動」というのは、溶接ワイヤーが自動供給される一方、溶接棒の操作は手動であるところからきている。また、炭酸ガスは、金属の溶融時に空気の混入を防ぐためのシールドの役割を担う

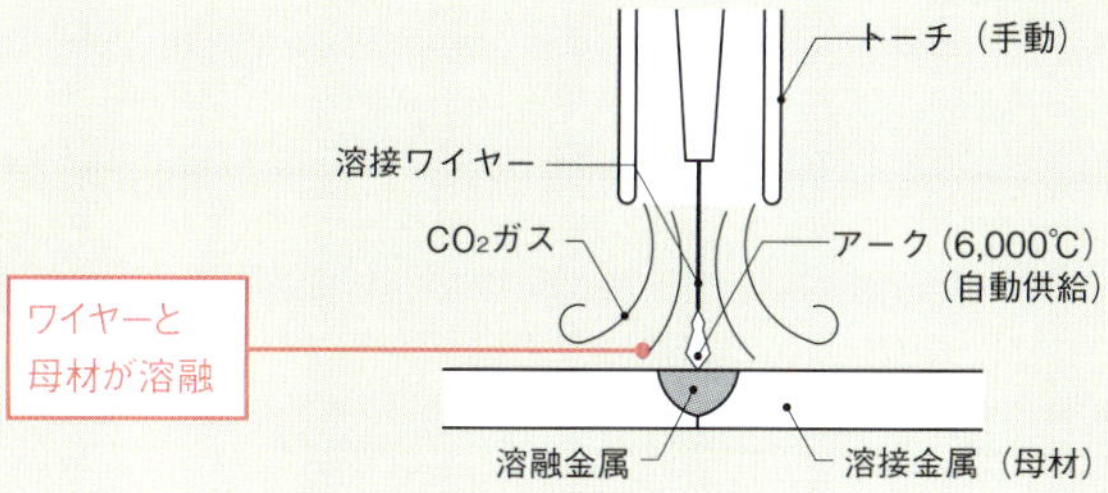

大組

製作された仕口が2つの柱材との間に接合される

ベースプレート
この部分も溶接で組み立てられる。ここでは、別の工場に外注している

柱の上端部
中高層の建物などでは、柱を1本物で現場に運ぶことができないため、継手が必要になる。角形鋼管の場合、ほとんどは溶接継手である。継手にはほかに、ボルトなどで接合される機械式継手がある

4 ガセットプレート：梁やブレースなどの接合部に使う鋼板 | 5 被覆アーク溶接：被覆材で覆った金属の心線を使う手溶接のこと。装置が簡便なため広く利用されている

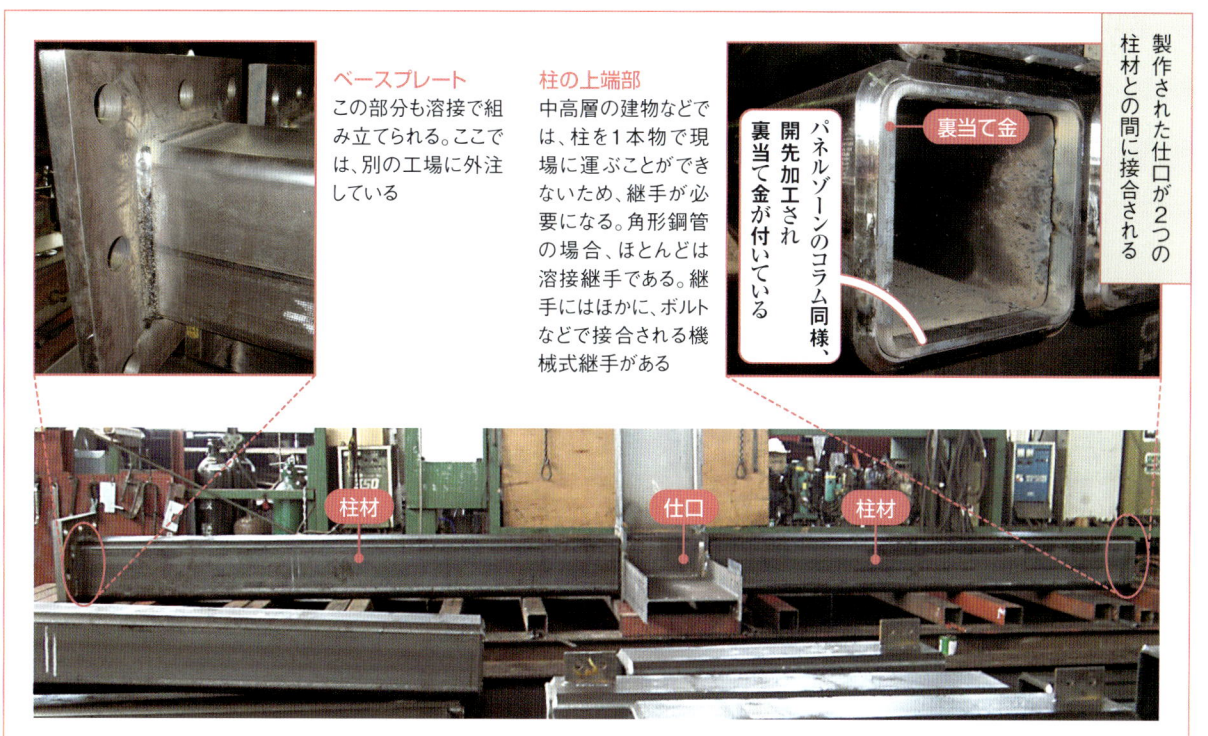

これまでの部位同様、大組でも最初は仮付け溶接から

仮付け溶接後に移動、別の場所で本溶接される

ここで行われている突合せ溶接[❶]は、開先面に仮溶接部分を残したままで本溶接すると割れなどの欠陥が出やすいため、本溶接の前にガウジング[❷]を行い、仮溶接部分を削り取る

ここでも本溶接前にはスパッタ[❸]を除去する。スパッタ除去にはエアーチッパーという機械を使うこともある。これは圧縮空気でタガネを進退させてスパッタを剥離するもの

これらを経て、本溶接となる

本溶接には、ロボットが使われる場合も多い

以上の工程で、ようやく1つの柱材が完成となる

柱材どうしで継手が生じる場合、現場溶接[**124頁参照**]などが行われる。その場合、柱に補助部材(エレクションピース)が付く

❶突合せ溶接：溶接する2つの部材を完全に溶けこませて一体とする方法 | ❷ガウジング：アークの熱と空気またはガスの噴射で溶接部分を溝彫りする方法 | ❸スパッタ：スラグや溶接金属が溶けて飛び散った細かなカスのこと

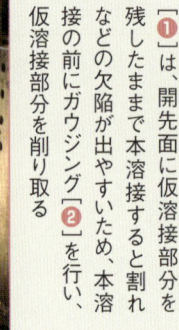

H形鋼の梁の製作

H形鋼は適切な長さに切断され、ボルト接合部の孔があけられる。その後、梁接合用のガセットプレートやスチフナーと呼ばれる補強プレートなどの補助材を取り付ける

ここでは、本溶接前にスパッタ付着防止剤をスプレーしている

溶接による取付けの流れは、柱材の製作過程と同様

塗装

最後に防錆塗装を施す。ローラーやエアスプレーなどで塗布する

エアスプレーの場合、塗装剤に空気を混合する

表｜溶接不良

代表的な溶接不良に以下の種類がある

アンダーカット	オーバーラップ
溶接の止端部に沿って母材が掘られ、溝になって残った部分。電流過大などの原因で起こる 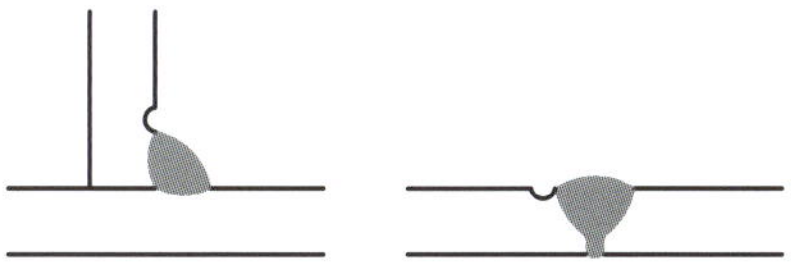	溶着金属が母材に融合しないまま重なった部分。溶接棒の運びが遅いなどの原因で起こる 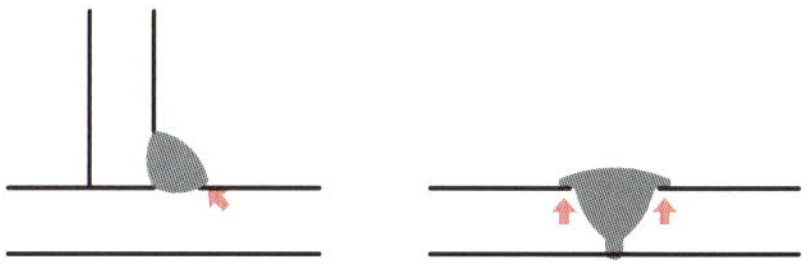
溶込み不良	**クラック**
溶接部の端部が十分に溶け合っていない部分。開先角度が狭い、溶接棒の運びが速いなどの原因で起こる 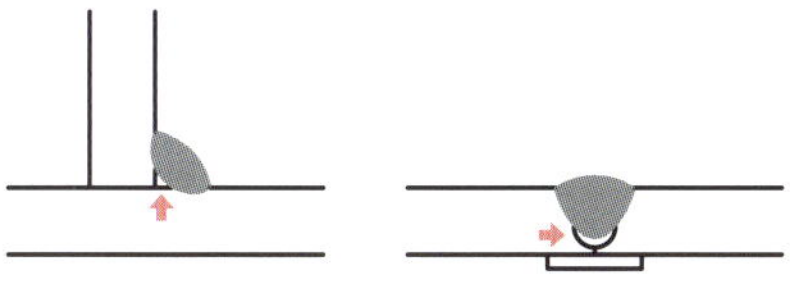	溶接金属内に生じた割れ。溶接棒や母材が不良などの原因で起こる 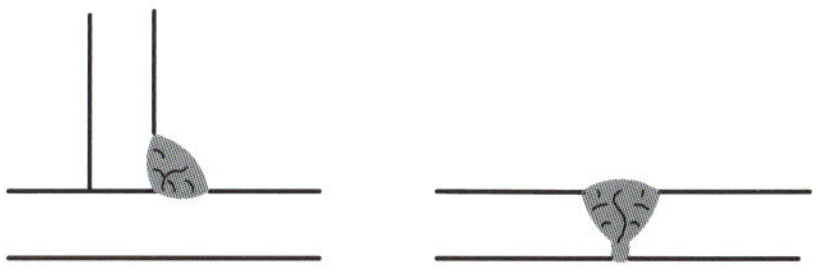

鉄骨製品検査

鉄骨製品検査項目の例

	書類名/検査部位	検査事項	書類提出者/検査方法
1 書類による検査	製品検査記録	柱・梁の長さ、階高、梁せいなどの寸法精度	工 場
	溶接部検査記録	溶接部の形状、傷や内部欠陥の有無など	工 場
	超音波探傷検査報告書	溶接部の内部欠陥の有無など	工場・第三者検査機関[❶]
	ミルシート	鋼材の材質(設計図書との照合)	鋼材メーカー
2 対物検査	製品寸法	柱・梁の長さ、ねじれ、階高、梁せいなど	目視・実測
	摩擦接合部	ボルトの孔・位置・数・まくれの有無 さびの発生状況	目 視
	溶接部	形状、傷の有無など 開先形状	目 視
	取付けピース	位置・数など	目 視
	梁貫通部	補強、孔の大きさなど	目 視

工場で加工された材料の品質が、設計図書などで示された水準に達しているかどうかを確認する検査で、材料の加工が終わる前後に行われる。主に構造設計者がチェックすることが多いが、意匠設計者もチェックポイントなどは把握しておきたい

1 書類による検査

事前に行われた内部および第三者検査機関による各種検査の報告を受ける

書類の確認は、工場内の事務所で行われる

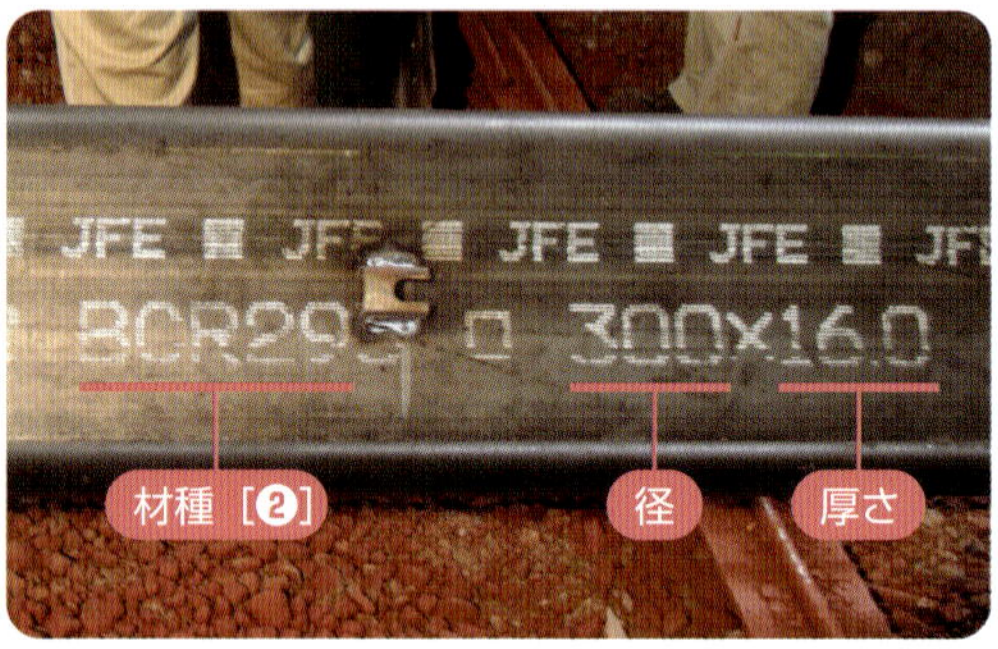

鋼材の現物。印字された材種などがミルシートと一致しているかを確認する

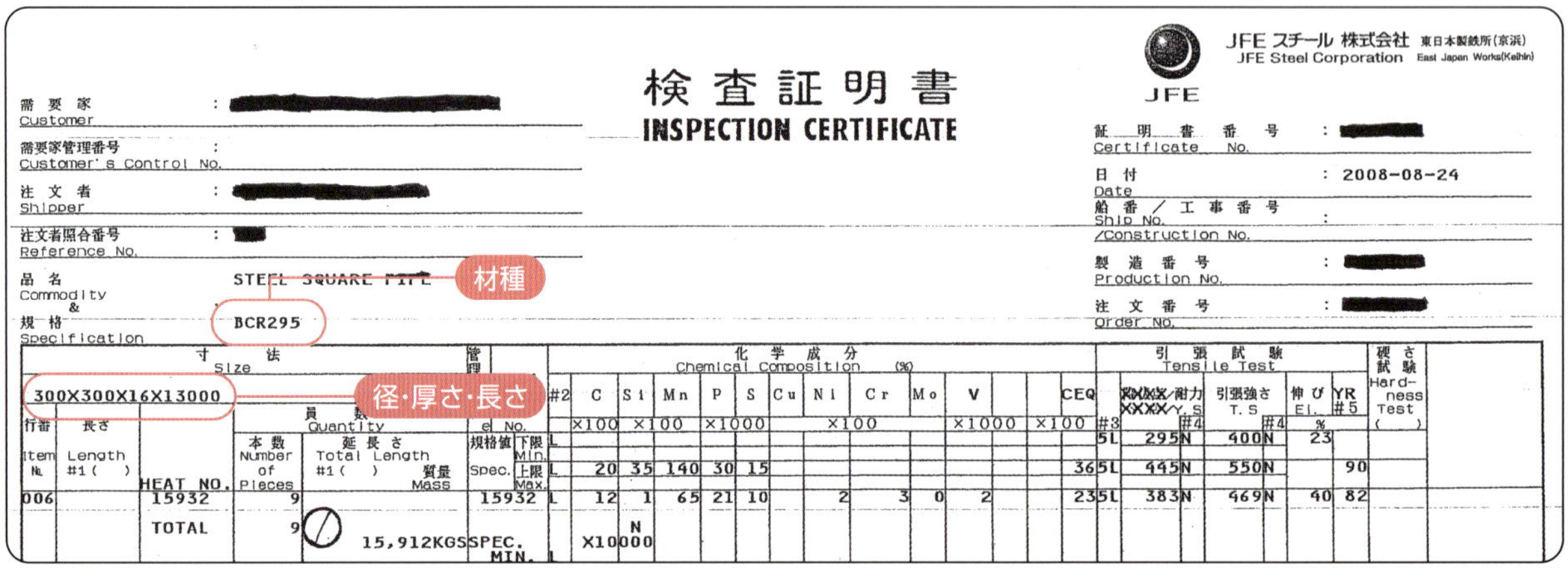

検 査 証 明 書
INSPECTION CERTIFICATE

JFE
JFE スチール 株式会社 東日本製鉄所(京浜)
JFE Steel Corporation East Japan Works(Keihin)

需要家 Customer : [redacted]
需要家管理番号 Customer's Control No. :
注文者 Shipper : [redacted]
注文者照合番号 Reference No. : [redacted]
品名 Commodity & 規格 Specification : STEEL SQUARE PIPE BCR295

証明書番号 Certificate No. : [redacted]
日付 Date : 2008-08-24
船番／工事番号 Ship No. /Construction No. :
製造番号 Production No. : [redacted]
注文番号 Order No. : [redacted]

寸法 Size 300X300X16X13000 行番 Item No.	長さ Length #1( )	HEAT NO.	員数 Quantity 本数 Number of Pieces	延長さ Total Length #1( ) 質量 Mass	管理 el No. 規格値 Spec.		#2	C	Si	Mn	P	S	Cu	Ni	Cr	Mo	V		CEQ	#3	XXXXX/耐力 XXXX/Y.S	#4	引張強さ T.S	#4	伸び El.	YR #5	硬さ試験 Hardness Test ( )
								×100	×100	×1000			×100				×1000		×100						%		
						下限 Min.	L													5L	295	N	400	N	23		
						上限 Max.	L	20	35	140	30	15							36	5L	445	N	550	N		90	
006		15932	9		15932		L	12	1	65	21	10		2	3	0	2		23	5L	383	N	469	N	40	82	
		TOTAL	9	Ø 15,912KGS	SPEC. MIN.		L	X10000	N																		

代表的な書類にミルシート(検査証明書)がある。これは鋼材メーカーの検査により、材料がJIS規格などに適合することを証明した書類である

❶溶接部の探傷検査は、工場にて全ての該当個所、第三者機関で抜き取り個所について行われ、検査報告書は2通提出される | ❷写真の鋼材に印字されているBCRとは、JIS規格のSN材に相当する建築構造用の冷間ロール成形角形鋼管(略称=冷間コラム)で、ほかの材種にBCP(冷間プレス成形角形鋼管)がある。BCはBox Column=角形鋼管の略で、それに製造方法を表すR(Roll)、P(Press)が付されている。このほか、SN(建築構造用圧延鋼材)、円形ではSTKN(建築構造用炭素鋼管)などがある。なお「BCR295」の295は、降伏耐力の下限値を示し、「SN490」の490は引張り強さを示す

図｜原寸検査

原寸検査は工場製作の開始前に行われる検査で、工作図から製作した型板や定規のほか、複雑な納まりの部分などを床書きの原寸図で確認するもの。最近はCADの普及により省略されることが多くなってきている

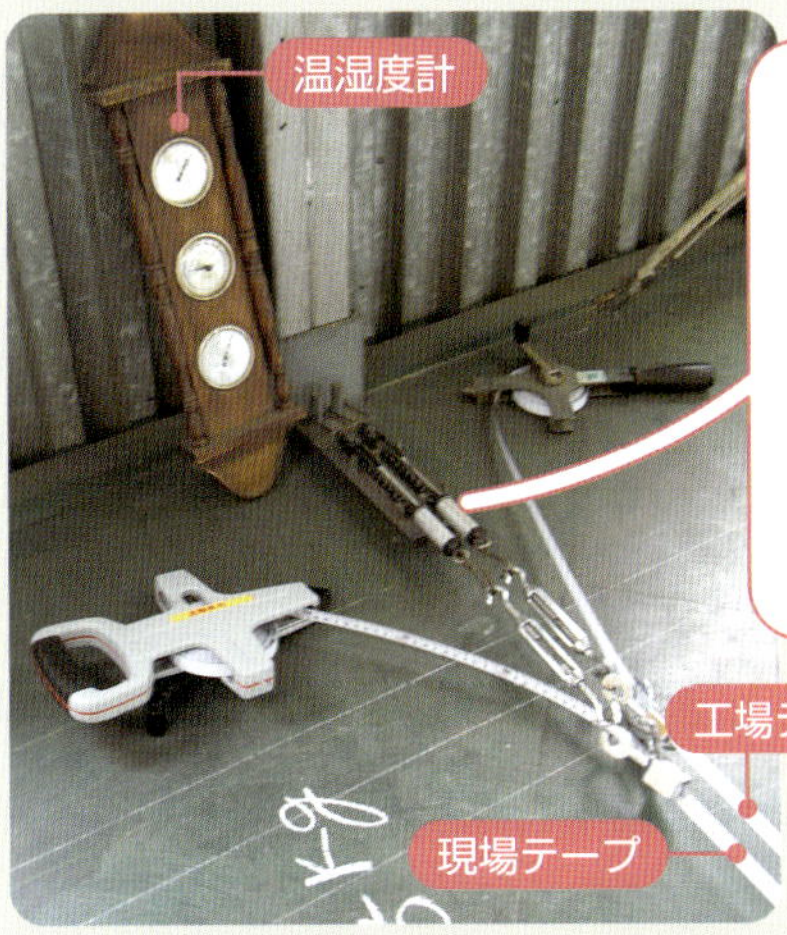

テープ合わせ。現場と工場で使用するテープに誤差がないか確認。最近の巻尺はJIS1級品で高精度のため、誤差が生じにくくなっている

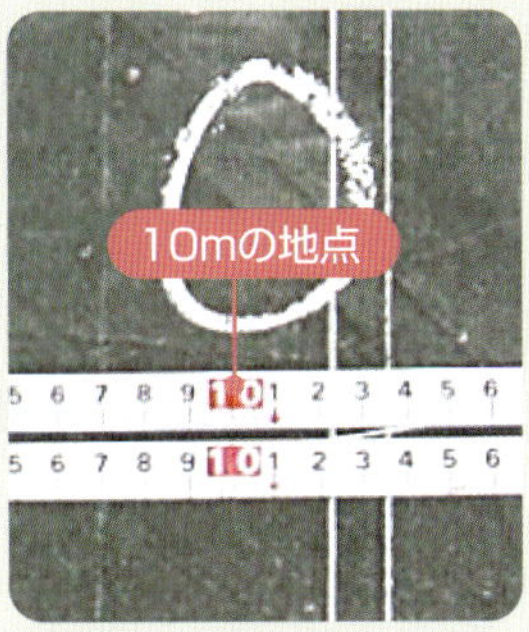

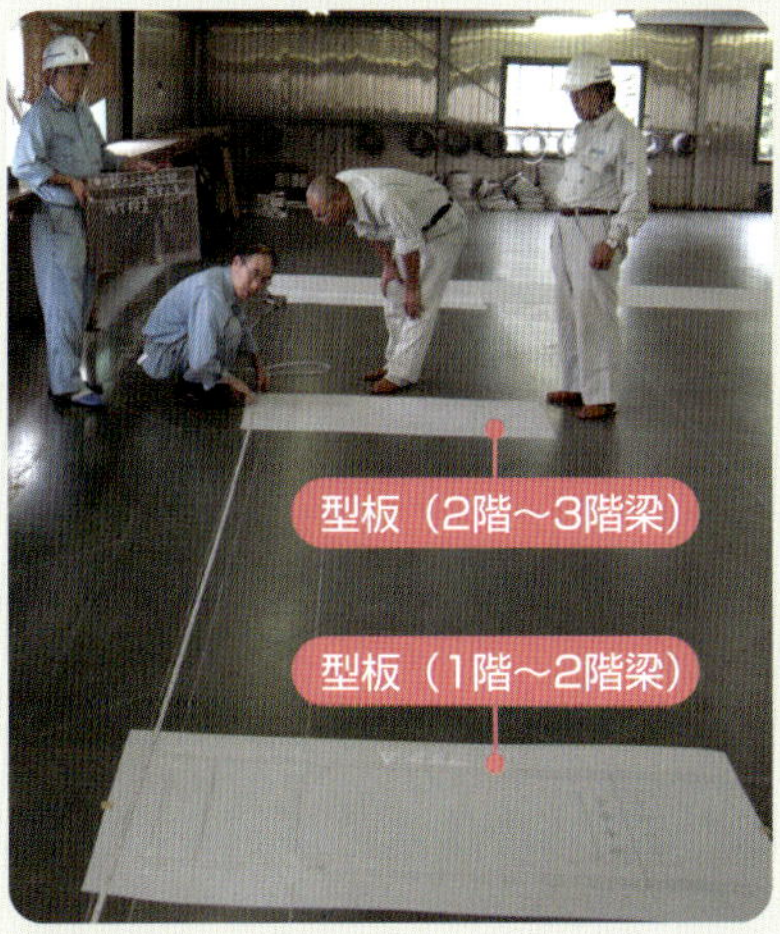

床書きで確認されるのは、主に柱の通り心と階高寸法

2 対物検査

工場で製品の現物を見て検査する

書類での報告を受けた後は、工場に移動して対物検査を行う

対物検査は、実測と目視で行う。抜取り検査で行われ、検査部材はあらかじめ工場に指定して準備してもらう

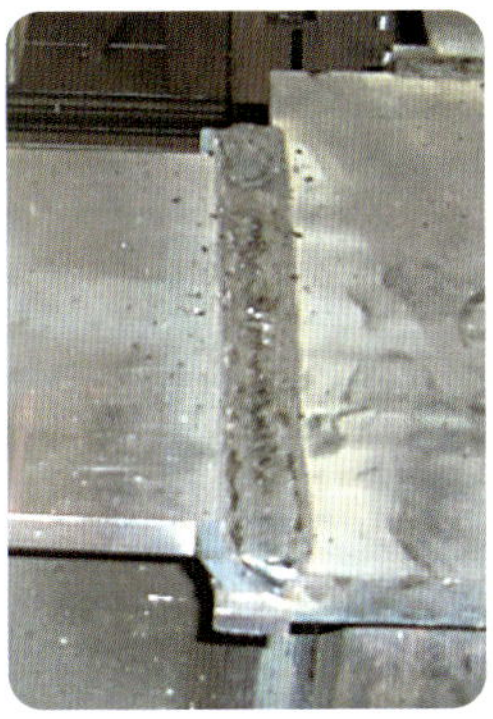

溶接部。目視で表面に割れやビード[❸]不整などがないかをチェックする

溶接部の内部欠陥は超音波探傷（UT）検査でチェックする。探触子から発信される超音波が、鋼材内の溶接不良部の空洞等で反射してエコーとしてモニターに表れる。エコーの形状で欠陥状態を判定する

高力ボルトの接合部はボルトの孔の位置などを見る。また、この部分には摩擦抵抗が必要なため、意図的にさびを発生させる。製品検査でそのさびの状態をチェックする[❹]

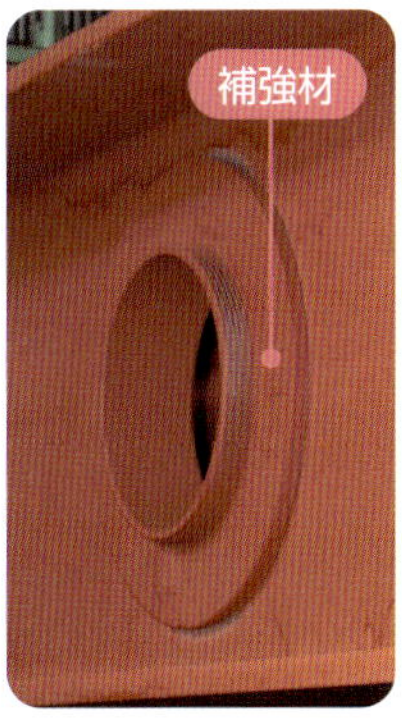

梁貫通部。ここでは既製の補強材が使われている

❸ビード：1度の溶接でつくられる、溶接が帯状に盛り上がった部分。ビードの表面形状や滑らかさで施工品質を判断できる。溶接ビードともいう｜❹さびの代わりに、ショットブラストで接合部の面をざらつかせて処理することもある

建方

建方は鉄骨造の工程中、最大のハイライトといえよう。何もない敷地に、わずか1日～数日で建物が出現する様は圧巻だ。見栄えのする工事だが、もちろん肝心なのは建方精度である。しっかりとチェックしたい

親スラー！【❶】
揚重機。現場では「レッカー」と呼ばれます
レッカーへの指示は手や声で伝えます

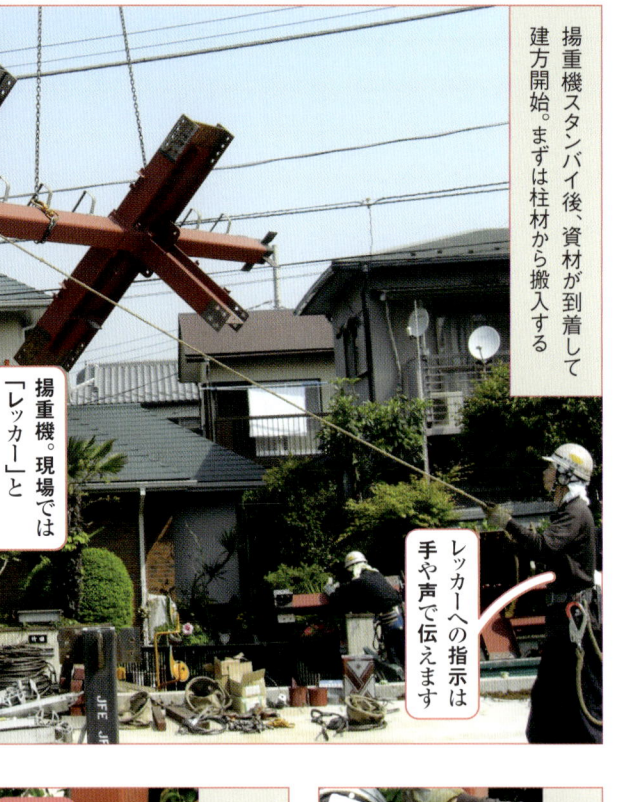

揚重機スタンバイ後、資材が到着して建方開始。まずは柱材から搬入する

埋込み柱脚

柱の建込み。この現場では埋込み柱脚を使うため、ベースプレートの建込みがない

柱の継手を接続

水平器

水平器で鉛直を確認しながら建て込む

エレクションピース

位置が決まったら、エレクションピースを介してボルトで仮接合する

建込み完了。柱の継手は最終的に現場溶接される［124頁参照］

ちなみに、この柱脚は150㎜角で板厚が19㎜厚！特注品です

こちらの現場では既製品の露出型柱脚（ベースパック）を建て込んでいる

位置が決まったらボルトを仮締めしておく。この後、本締めとグラウト【❷】注入が施される［127頁参照］

❶親スラー：揚重機への合図で、「倒せ（伏せろ）」の指示。主巻きフックを「親」、補巻きフックを「子」と呼ぶ。また、「フックを巻き上げろ」を「ゴーヘイ」、「巻き下げろ」を「スラー」と指示する。したがって「起こせ」は「親ゴーヘイ」となる。これらの組み合わせで揚重機へ指示が出される。建方など揚重機を使う現場では頻繁に耳にする用語だ｜❷グラウト：基礎などの隙間に注入する無収縮のモルタルや薬液などのこと

梁の建込み。柱どうしをつなぐ大梁（通称Ｇ梁）から建て込む。柱を建ててから梁を建て込む場合や、柱の建込みと並行して梁を建て込む場合など、順序は現場の状況により変わってくる

ボルトの孔にスパナを差し入れて梁どうしを引き寄せる

ブラケットと梁はスプライスプレートを介して仮ボルトでつなぐ

仮接合された梁。継手は柱・梁の位置を確定したうえで本ボルトに差し替えて本接合される

ある程度、梁を建て込んだところで、作業中の墜落や落下物による事故を防ぐための水平ネットが張られる

こちらでは、柱材に足場を取り付けている。このように、作業上必要な部材は、現場で取付け・取外しされることが多い

別の現場では階段が搬入されている。階段は柱や梁に比べて施工が難しいため、建方終了後の別日に建て込まれることもある

❸安全ブロック：高所作業用の墜落防止装置。伸縮するフックの付いたワイヤーロープで墜落時のショックを吸収する｜❹スタンション：墜落の危険がある高所作業で取り付ける仮設手摺用のポール。ロープなどを張って手摺とする

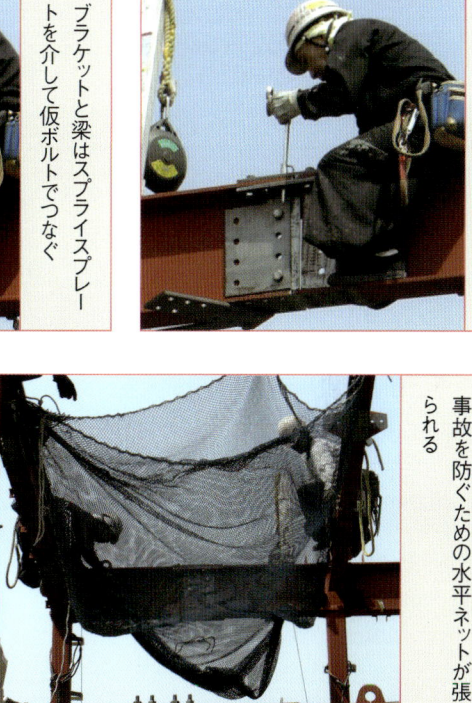

デッキプレートは梁継手のボルト本締めの後で取り付けられるため、後日敷き込まれる［125頁参照］

クレーンで各階へ配置

デッキプレートの搬入

水平ネットやワイヤー、足場など、躯体以外の材も取り付けられた

後日行われる建入れ直し（建物の歪みとり）用にワイヤーを張る

建方終了。この後、建入れ直し、ボルト接合、現場溶接、デッキプレート敷設へと続く

★監理POINT

各部材が図面どおりに配置されているかを確認

写真｜現場の事情

狭い現場では部材を置くスペースがないため、狭ければ狭いほど搬入と建込みの切り替えを小刻みにしなければならず、より詳細な施工計画が必要になる。また、建方にかぎらず、工事中は常に近隣への影響を考慮して、トラブルにつながらないような配慮が必要だ

揚重機が前面道路に出ないよう、敷地奥に移動してから手前の梁を建て込んでいる

この現場、ここにあるのは何と祠！ オペレーターは相当慎重だった

向かいの建物の玄関に至近！ 近隣への事前説明は必須

❶レバーブロック：鉄骨の歪みを修正して鉄骨柱を垂直にするための道具

建入れ直し

別名、歪みとり。柱の倒れ(傾き)を計測、修正する作業で、建方の翌日～2日後に行われる

柱の倒れ(傾き)は下げ振りで確認する。1本の柱につき、X、Yの2方向で、柱と下げ振りの間を計測する

レバーブロックを回し、チェーンを締め付けて調整する

ここでは、ワイヤーのフックを**引っ掛ける**ための**鉄筋**を、あらかじめ**柱脚付近**に**埋め込んで**いる

★監理POINT

建方精度の確認
・柱スパン(巻尺で計測)
・柱の倒れ(下げ振りなどで確認)

ボルト締め

建方時に仮締めされたボルト接合部は、後日、本締めされる

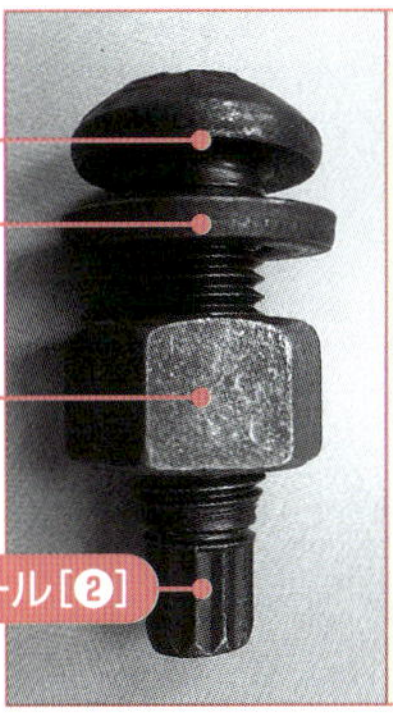

トルシア形高力ボルトは日本鋼構造協会規格JSSⅡ-09で規定されている。ピンテール[❷]があることで施工性が向上しており、今やJIS規格の高力六角ボルトに代わって鉄骨造の現場の主流となっている

仮締め終了時点の柱と梁の継手。ボルトはスプライスプレートを介して部材に接する。摩擦接合[**図1**]のため接合面に防錆剤を塗布せずに、意図的に赤錆を発生させる

★監理POINT

接合面に赤さびが出ているかを確認

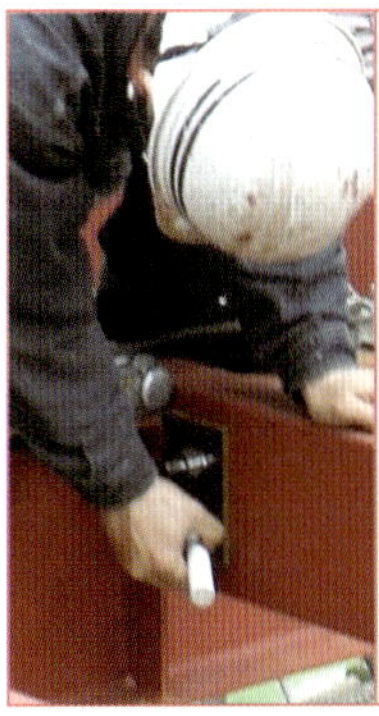

トルクレンチで1次締めしたうえで、ボルト、ナット、座金、母材に、白のスチールマーカーでマーキングする[**124頁図2**]

本締め。電動トルクレンチ(シャーレンチ)でピンテールを固定してナットを締め付ける。ピンテールが締付け反力により破断することで、所定の締付け力(トルク❸)になったことを確認する

★監理POINT

締め忘れがないかを確認
(ピンテールの有無で確認)
締付け後のマーキングのずれ方を確認(124頁参照)

図1　摩擦接合

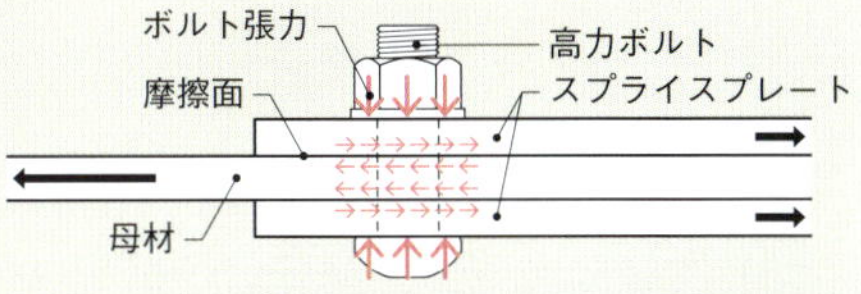

摩擦接合は、高力ボルトの強い締付け力(通常の2～3倍の強度)によって、スプライスプレートと母材との間に生じる摩擦抵抗力で接合する方法

ピンテールが破断して本締め完了。この後、検査を経て防錆塗料が塗られる[❹]

❷ピンテール：ナットの締付け力に過不足がないようにする目的で付けられた部材。所定のトルクで破断するようにできているため、適切な強さ(トルク値)を容易に出すことができる｜❸トルク：回転運動時、固定された回転軸周りに生じる力のモーメント｜❹ピンテールの破断個所からさびが発生するおそれがあるため、本締め完了後の防さび処理に留意する

図2　高力ボルトのマーキング

マーキングはボルト・ナット・座金と一筋に引く。ボルトと座金が固定され、ナットだけが回るのが正常

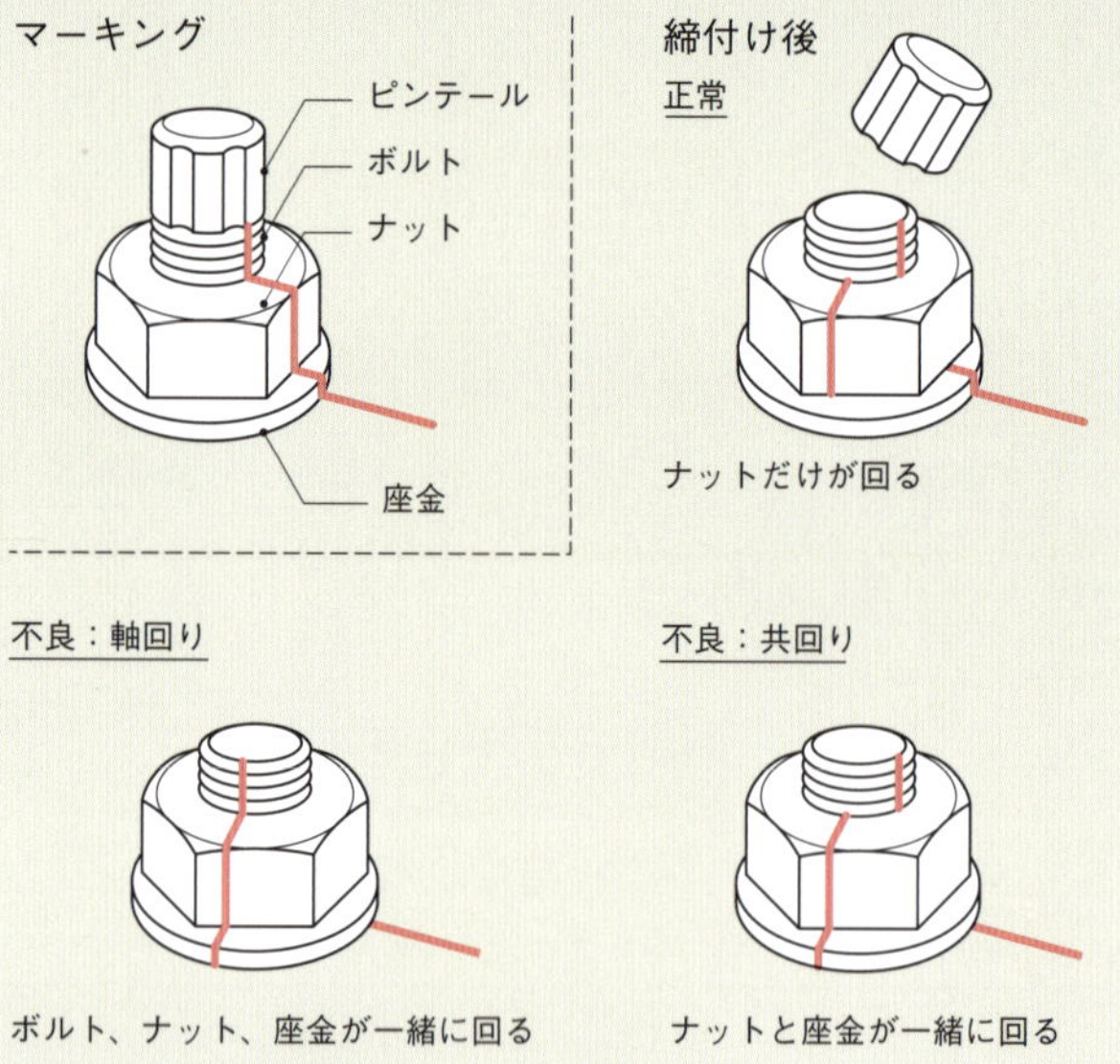

図3　高力ボルトの締付け順序

フランジは接合部の中央から端部、ウェブは上から下に向かって締め付ける

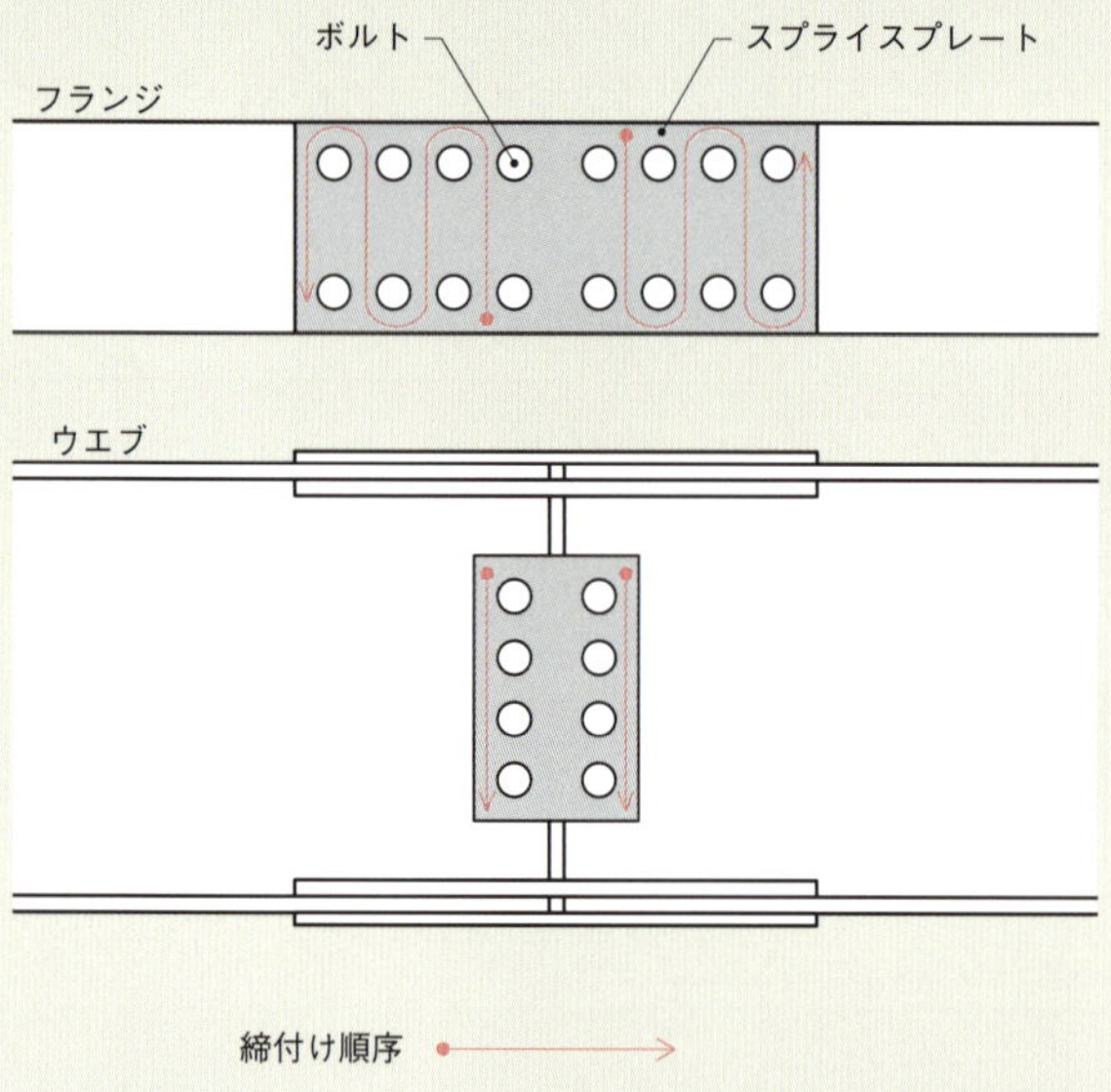

現場溶接

埋込み柱脚や1本の柱を分けて搬入する場合などは、柱に継手が発生する。この場合、現場溶接が行われることが多い

柱の継手。建方精度が悪いと食い違いが生じ、耐力低下につながるため事前に確認が必要。また、開先に汚れがないかも確認する

★監理POINT

継手の食違い、開先の汚れなどがないか確認

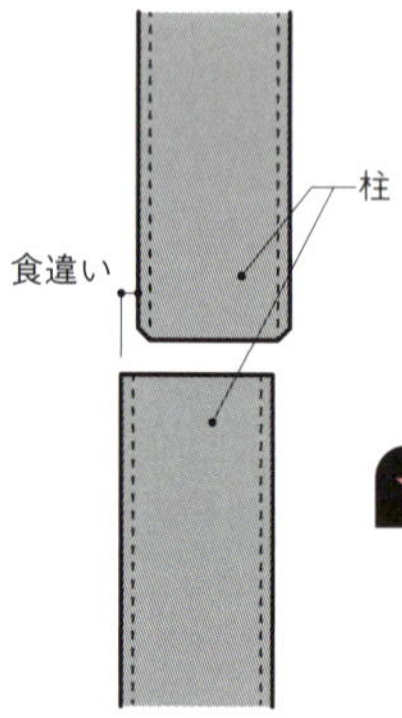

溶接開始。ここでも工場同様、半自動炭酸ガスアーク溶接が使われる。現場溶接は、風雨をはじめ気温、湿度といった気候条件[❶]や溶接姿勢など、工場にはない制約があって施工が難しい

★監理POINT

溶接工の資格の確認

仮接合されていたエレクションピースの切り落とし

第三者検査機関による超音波探傷(UT)検査で溶接不良[117頁参照]がないか確認する

★監理POINT

溶接部に異常がないか

❶現場溶接の気候条件:雨天、気温0℃以下、湿度90%以上、さらに半自動溶接では風速2m/s以上のときは溶接してはいけない｜❷AW溶接工の資格:溶接の資格は溶接姿勢(下向き・上向きなど)、鋼材の厚さなどによって区分けされる。日本溶接協会による資格は必須で、より高度な技術を裏付ける資格としてAW検定(建築鉄骨溶接技量検定)がある。現場によってはAW検定の資格を要求される場合がある

❸ デッキプレートの敷設

デッキプレートの上にコンクリートを打設する合成スラブは、剛性や耐火性に優れており、鉄骨造で普及している。ここでは合成スラブを用いた施工の模様を解説する。

敷設前の状態。もちろん、事前にデッキプレートの割付け計画を立て、必要な寸法や枚数などを検討する

梁の継手のボルト接合部などには、デッキ受け材を介して接合される

デッキが敷かれた

ボルト接合部や柱形など、デッキが躯体の構成部材に干渉する部位はバーナーで切り落とす

ボルト接合部ではデッキを切り欠く

デッキと梁の接合。ここでは、焼抜き栓溶接[3]で接合される。接合法には、ほかに打込み鋲やスタッドボルトがある

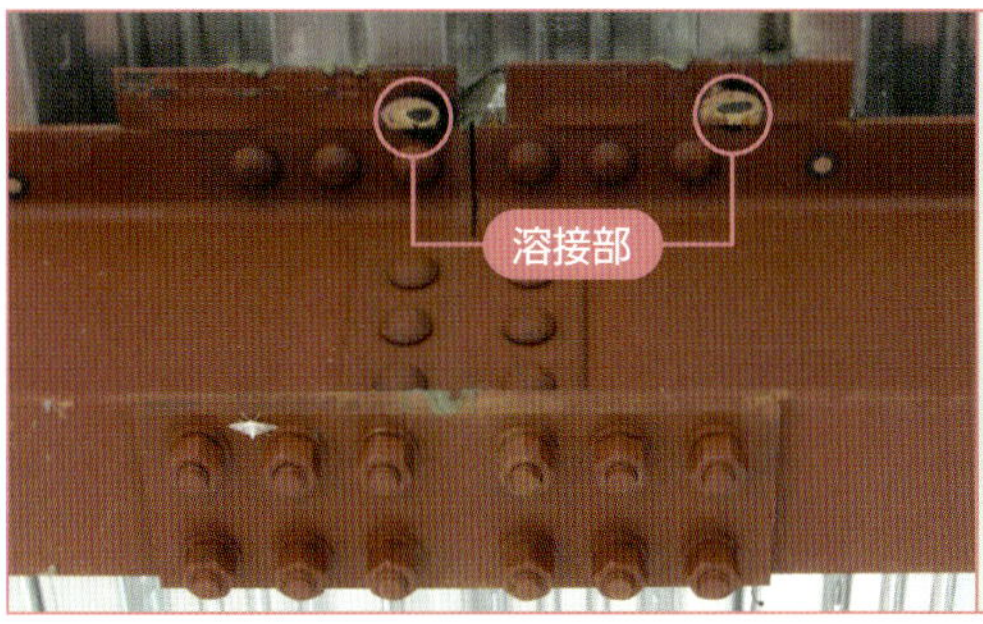

下から見ると、受け材がデッキを受けている様子が分かる

❸焼抜き栓溶接：大電流による溶接アークにより、デッキプレートに孔をあけて溶接する方法

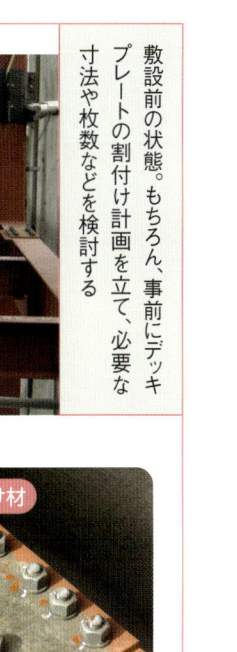

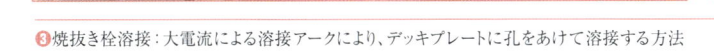

★監理POINT

溶接跡の径などの確認

縁端距離は20㎜以下。また、デッキどうしはオスとメスのクリップ(フック状になっている)で吻合される

溶接完了。溶接部の直径は18㎜以上。溶接するピッチは、幅方向にはデッキの谷ごと、スパン方向には600㎜以下

続いて、スラブコンクリート打設時に下階へのコンクリート流出を防ぐための鋼板(コン止め)を取り付ける

デッキ端部の割付けが半端な場合には、フラッシング「❶」という材を用いる

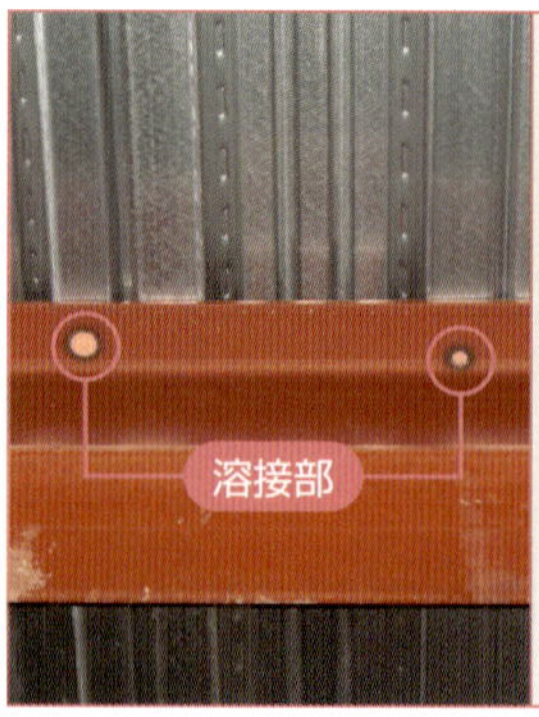

デッキ接合部を下から見上げた様子。デッキの谷ごとに溶接されている

ボルト接合部の周囲にも切り欠いた鋼板を取り付け、コンクリートの流出を抑える

コン止めの高さはコンクリート厚と同一とし、外周を囲むように取り付ける

天端ポイント。あらかじめコンクリート厚の目安を設定できる。高さ調整が可能

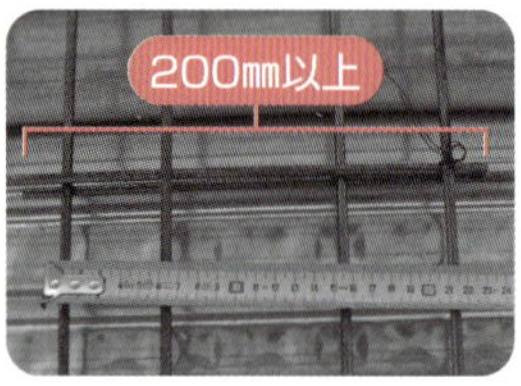

ワイヤーメッシュの重ね代は200㎜以上

スペーサーは1m以下のピッチで配置する。左のタイプは、厚さを30㎜と40㎜に調整できる

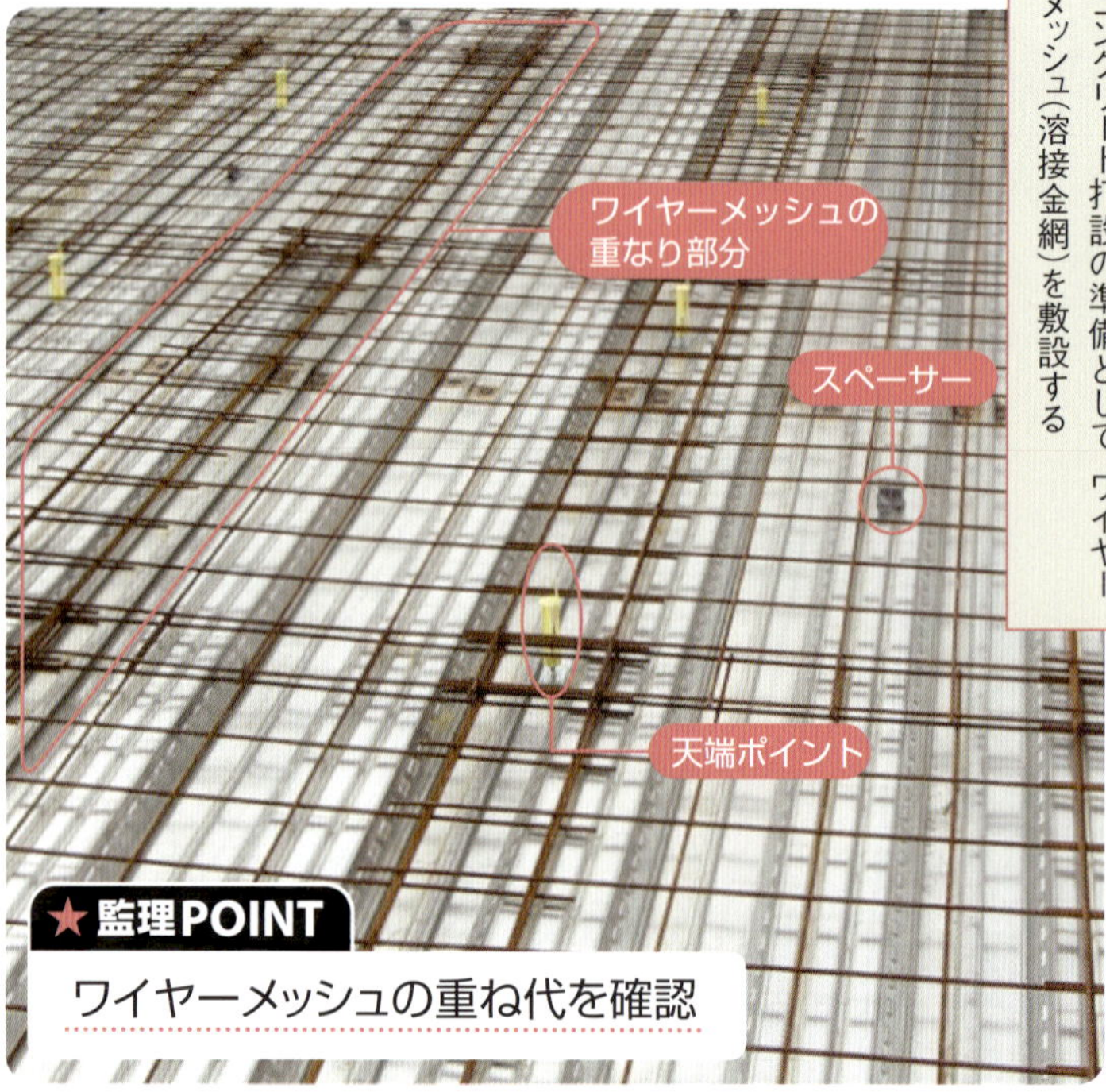

コンクリート打設の準備として、ワイヤーメッシュ(溶接金網)を敷設する

★監理POINT

ワイヤーメッシュの重ね代を確認

❶フラッシング:デッキプレートの幅調整材。デッキのカギ溝形状に合わせた共材で、デッキ敷設後の隙間寸法に合うフラッシングを使用し、梁には最低50㎜以上のかかり代をとる

❶ベースプレート本締め、グラウト注入

既製の露出型柱脚（ベースパックなど）では、建方後にベースプレートのナット締付けとグラウト[❷]注入という工程を経て施工完了となる

この部分のコンクリートはベースプレートから200㎜以上柱形をふかす
グラウト注入座金。ここからグラウトを注入する

建方時の状態。後日ナットが締め付けられる

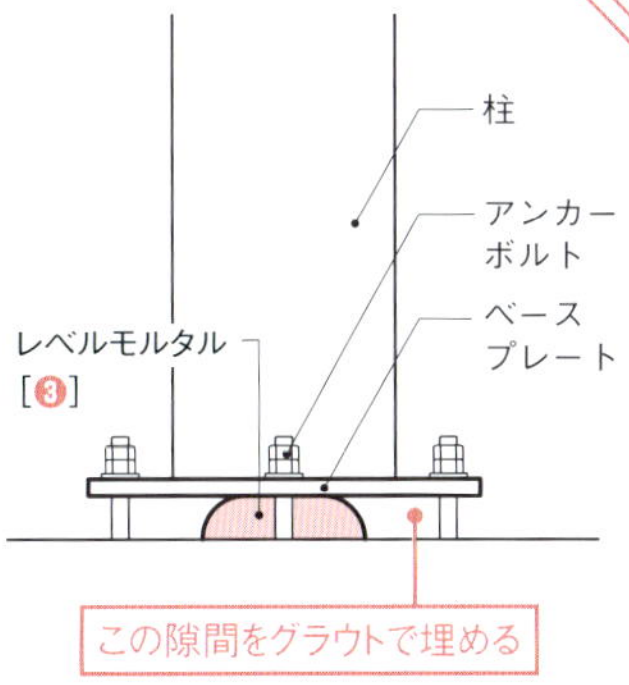

柱
アンカーボルト
ベースプレート
レベルモルタル[❸]
この隙間をグラウトで埋める

このときベースプレートの下は**下図**のようになっている。このように、後からグラウト材を注入する方式を、詰め中心塗り工法という

上のナットと下のナットの山を逆にして付けることで、上のナットが緩み止めの役割を果たす
締付け方向

締付け完了。ナットの緩みを防ぐため、ダブルナットで締め付ける

型枠の隙間はモルタルなどでシールする
型枠

その上で、グラウト注入用の型枠を組む。型枠は、異物の混入を防ぐ目的もある

レベルモルタルの施工時[110頁参照]と同じ要領です

グラウト材と水を撹拌してグラウトをつくる

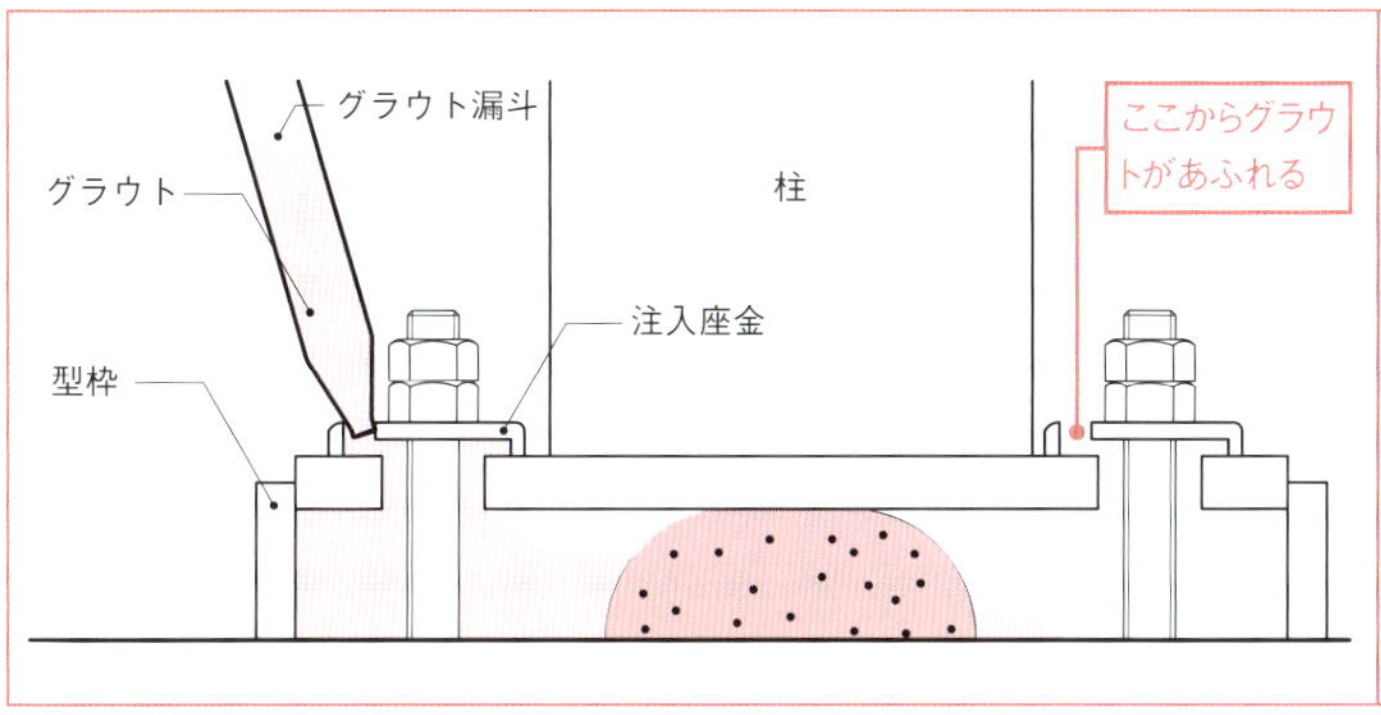

グラウト漏斗
グラウト
型枠
柱
注入座金
ここからグラウトがあふれる

グラウト注入

1つの注入座金からグラウトを注入し、ほかの座金からあふれ出るまで注入する

あふれたグラウト

注入孔以外の孔からモルタルがあふれ出たことを確認して注入完了。24時間以上の養生後、型枠を外してベースパックの施工がすべて終了となる

❷グラウト材：基礎などの隙間に注入する無収縮のモルタルや薬液などのこと | ❸レベルモルタル：モルタルや無収縮モルタルが多く、ほかの工法では団子のような形の鉄を使う場合もある。通称「まんじゅう」。中小規模では200㎜径の丸形が多く、200～300㎜角の角形のこともある

中間検査

中間検査項目の例

検査部位	検査事項		確認方法	参照頁
敷地・道路	敷地の安全性	崖または擁壁の安全、敷地の高低差	現場で目視・計測	
	敷地と道路の関係	前面道路幅員、接道長さ、敷地内通路		
	敷地面積	確認申請図書の平面図との照合		
	道路斜線	各部分の高さの確認(平面図などとの照合)		
	確認表示板	設置と記載内容		
	設計GL	現場での設定状況		
躯　体	鋼材の品質	ミルシートと現物との照合		➔118ページ
	柱・梁・床版	配置・寸法・形状(確認申請図書との照合)		
	建方精度	柱の倒れ		➔123ページ
	工場溶接部	溶接部の不良(食違い、割れなど)		➔117ページ
	現場溶接部	溶接部の不良(食違い、割れなど)		➔124ページ
	ボルト接合部	ボルトの本数、締付け状態		➔123ページ
	柱脚	アンカーボルトの材質・径・本数・配置		➔127ページ
	床スラブ	デッキプレートと梁の接合状況、配筋の状況		➔126ページ

工事中の建物と設計図書との整合性を確認するほか、溶接などの接合部を確認する検査で、建築主事や民間の確認検査機関によって行われる。現場での目視・計測以外に、現場写真や施工状況報告書などの書類による検査も行われる

検査はデッキプレート、およびワイヤーメッシュが敷設された段階で行われることが多い。柱・梁・床版の配置・寸法・形状は、確認申請図書と照らし合わせながらチェックされる

工場溶接部

製品検査[**118頁参照**]での検査内容と同様だが、ここでチェックする検査員は初見のため、再度検査報告書を用意しておく

現場溶接部

工場溶接部と同様、目視のほかに第三者検査機関による超音波探傷(UT)検査の結果報告書でもチェックされる

ボルト接合部

すでに防錆塗装されている場合、締付け状態などは施工状況報告書など書類での確認となる

床スラブ接合部

梁とデッキプレートとの接合部のほか、ワイヤーメッシュの敷込み状況も確認する

柱脚

ベースパックの場合、ボルトの接合状況のほか、グラウトが注入されている場合はそれも併せて確認する

合成スラブの場合、デッキプレートも構造体となるため、検査対象となり得る

スラブコンクリート打設

コンクリートが打設されたスラブは構造躯体の一部となる。スラブコンクリート打設工事は鉄骨造でも重要な工程である

ミキサー車から、あらかじめスタンバイしていたポンプ車へコンクリートが供給され、打設が始まる

このとき、**少量の試料**が**採取**され、コンクリートの**受入れ検査**が**実施**される［131頁表］

スラブコンクリートのように**打設量**が**多い場合、何台**ものミキサー**車**が**必要**になる。ミキサー**車**の**引継ぎ**がスムーズにできないと**打設作業**が**滞**るため、しっかりと**打ち合**わせをする**必要**がある

ポンプ車のホースは最上階に伸びている。打設は上階から行われることが多い

打設開始。バイブレータでコンクリートを均質化し、一時的に流動化させて細部まで行き渡らせる［❶］

コンクリートにまんべんなくしっかり当てる。でも**鉄筋**には**触れないように**［❷］

ホースからコンクリートが送られ……

ポンプ車のアームと圧送量はリモコンで遠隔操作できる。操作は専任、もしくはホースを持つ人が兼務することが多い

打設速度は30㎥/h**程度**で

❶バイブレータのかけすぎは、コンクリートの材料分離を引き起こす原因となるため、注意｜❷バイブレータが鉄筋や型枠などに触れると、鉄筋や型枠とコンクリートが分離することがある

コンクリートのかぶり厚は、ワイヤーメッシュより30㎜の高さ［❷］

随時、スラブのレベルを確認しながら均す

トンボ。アルミ製が多い

ところで私、うちなー（沖縄）出身です［❶］

コンクリートが行きわたったところにトンボをかけて均す

レーザー水平器

こちらではレーザー水平器でレベルを出している

仕上がり状況。このあと、金鏝押さえが入る［110頁参照］

トンボの行き届かないところは、金鏝《こて》で均す

★監理POINT

スラブレベルが設計図書どおりか確認

基礎配筋から出るフカシ筋

外壁下地となる部分

防湿シート（ポリエチレンシート）

この現場では、スラブコンクリートと同時に土間コンクリートも打たれた。土間は防湿シートが張られ、その上に配筋される

❶戦後駐留した米軍施設でRC造が多く、その影響で沖縄県の家屋にRC造が広まった。その際にコンクリートの仕上げ技術が日本の職人に伝わったといわれている。このため、首都圏でも土間職人には沖縄出身者が多い｜❷ここでいうコンクリート厚は、デッキプレートの山部からの高さ。デッキプレートの種類により異なるが、耐火構造とするためには80～90㎜以上必要となる

外壁の下地部分など、コンクリートが届きにくいところでは型枠を叩いてコンクリートを行きわたらせる

打設の要領はスラブコンクリートと同様

外壁廻りは、後日、立上り部が打設され、外壁工事に入れる状態となる

土間コンクリート打設完了

表｜生コンの受入れ検査

生コンの受入れ検査は、搬入されたコンクリートの品質が設計図書などの仕様書どおりかを確認するために行われる。

問題があった場合に打設中止などの対応ができるよう、できるだけ最初のミキサー車から採取したい

検査名	スランプ試験	空気量試験	圧縮強度試験用供試体	温度検査
検査写真				
検査内容	生コンの軟らかさ（施工軟度、ワーカビリティ）	生コン中の空気含有量	生コンの圧縮強度	生コンの温度
検査方法	円錐形の容器（スランプコーン）から外された生コンの山の高さ（30㎝）がどれくらい下がった（崩れた）かを測る	生コンを専用の容器に密閉、加圧し、圧力の減少量を調べる	1台または数台のミキサー車から、一定間隔で3回以上採取したテストピースで、4週間後に圧縮試験を行う	温度計で生コンの内部温度を測定
適正範囲	18（または15）±2.5㎝くらい	4.5±1.5％（普通コンクリート）	設計基準強度による	10℃以上、35℃以下
備考	山の崩れが大きいほど軟らかいといえる		養生期間中は水槽内で保管される	生コンは、熱いと固まりやすく、冷たいと固まりにくい

これらのほか、塩分濃度や単位水量の試験もある

外壁工事

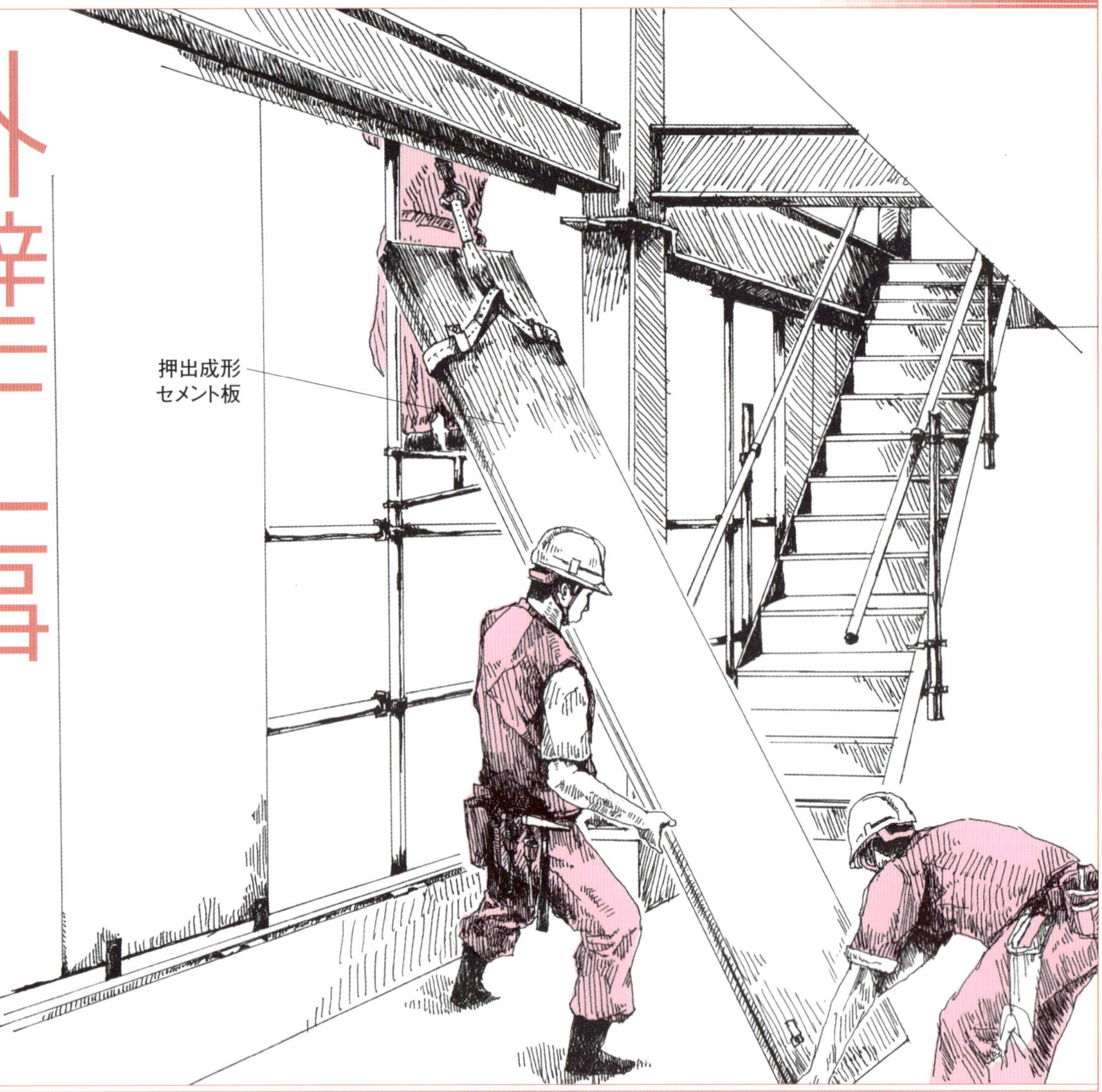

外壁パネルの建込み

現在、鉄骨造の外壁材として最も普及しているALC板や押出成形セメント板。これらによる縦張りのロッキング工法［136頁参照］は、最も標準的な工法といっても過言ではない。 ここでは、押出成形セメント板を例に、ロッキング工法による外壁建込みの流れを見ていく［❶］

外壁下地

基礎立上り部の下地から。同部のコンクリート打設時に埋込みプレートやアンカーボルトを埋め込んでおく。それにブラケットや金物などのピースアングルを接合、さらに外壁パネルを支える通しアングルを溶接する

❶本文中、メーカー各社による標準工法とは異なる施工法も見られ、ここで紹介する施工法はあくまで一例の紹介である

この面にパネルが付く
通しアングル

梁とパネルとの取合い部の下地。梁の下端に直接通しアングルが付いている

外壁建込み

押出成形セメント板の場合、幅は600㎜を標準に最大1,200㎜、長さは最大5,000㎜(調整可能)、厚さは60㎜を標準に50〜100㎜まで

押出成形セメント板が搬入され、いよいよ建込みとなる

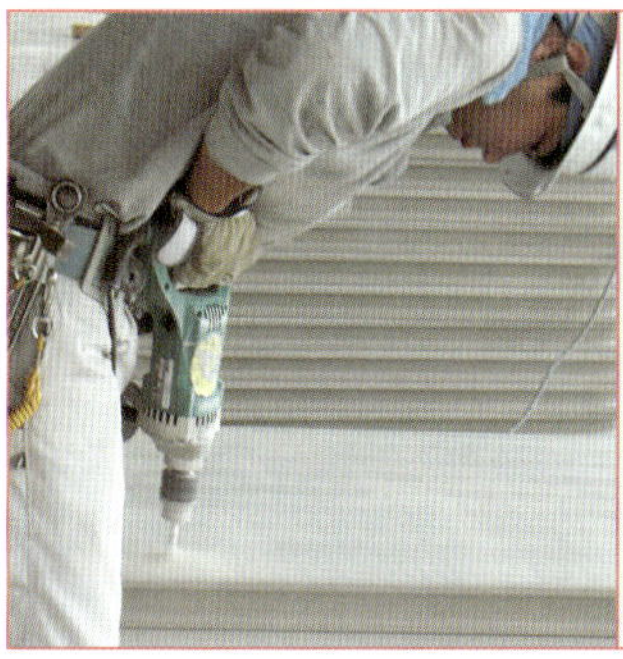

まず押出成形セメント板への孔あけ。墨の位置に合わせて電気ドリルであける。この孔は、アングルと接合する取付け金具(Zクリップ)を付けるためのもの

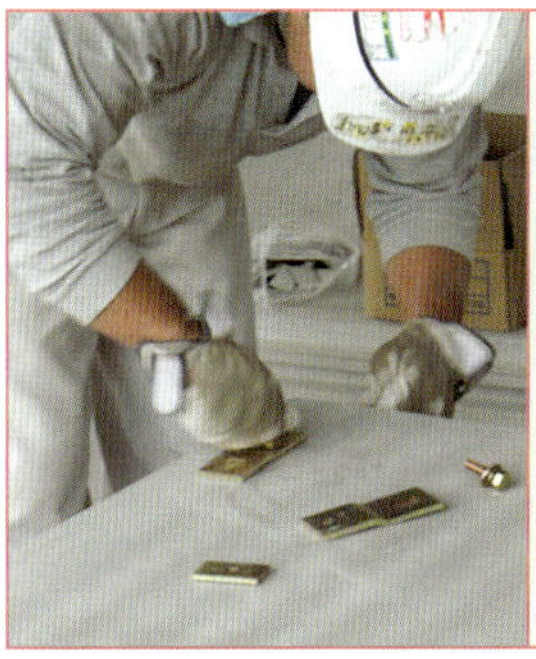

孔に金具を取り付ける

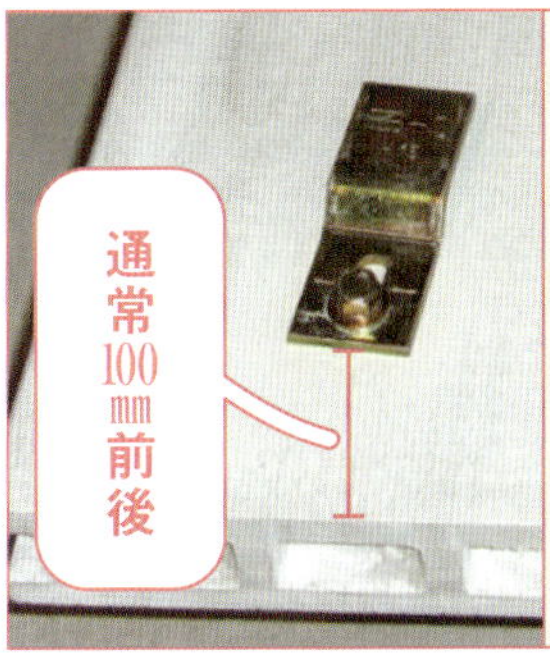
通常100㎜前後

パネルと躯体をつなぐ取付け金具

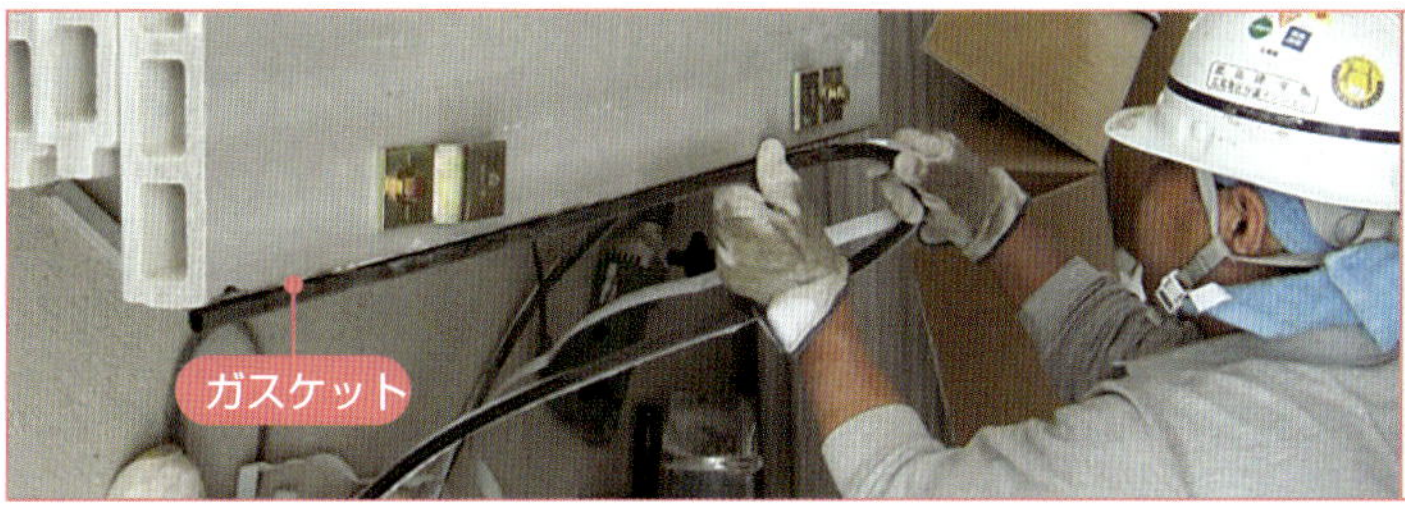
ガスケット

凸型(オス型)の目地には、隙間をふさぐために弾性のガスケットを取り付ける

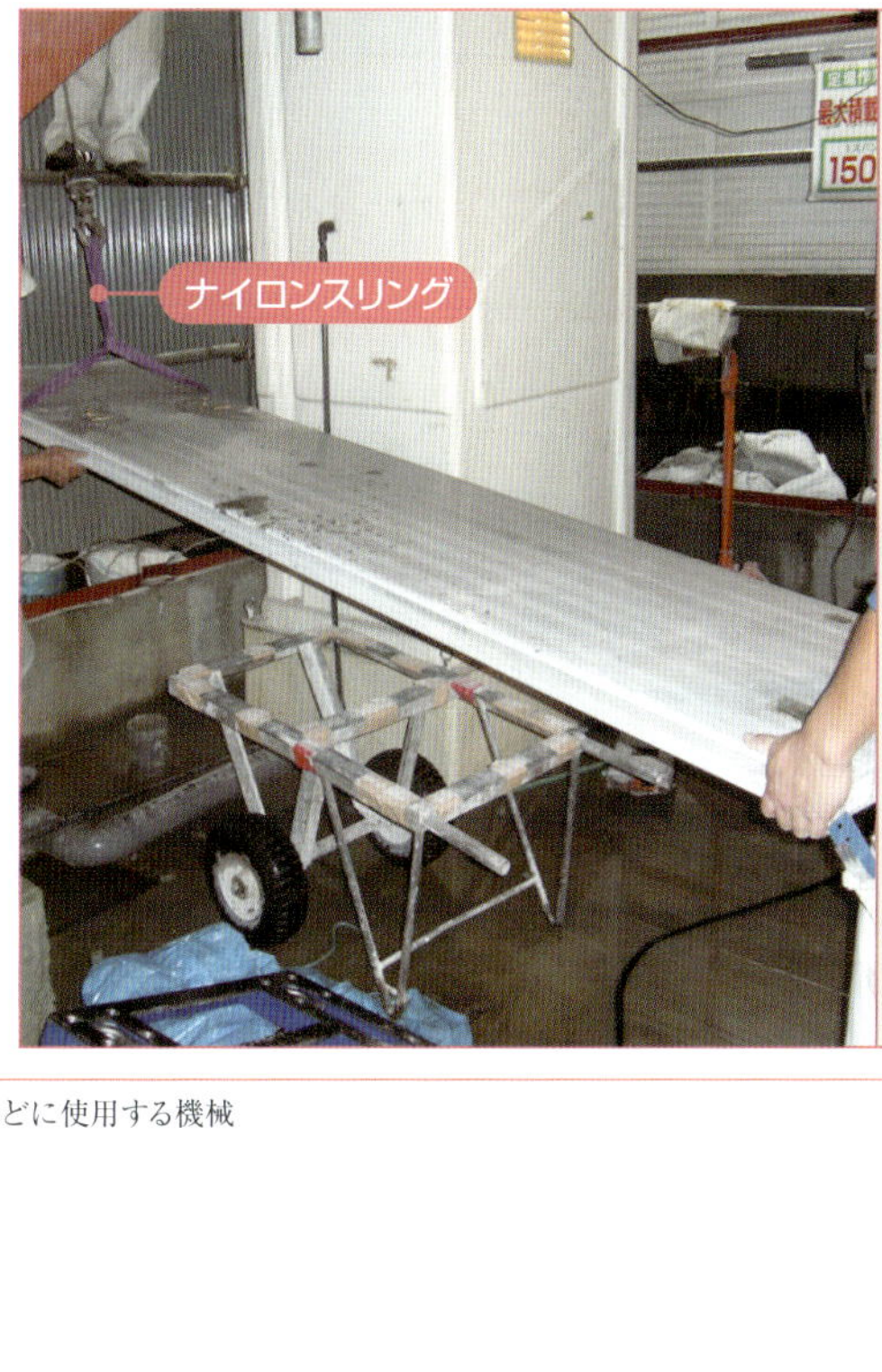
ナイロンスリング

パネルの建込み。パネルにナイロンスリング❷を巻き付け、ウインチで吊る

上げまーす

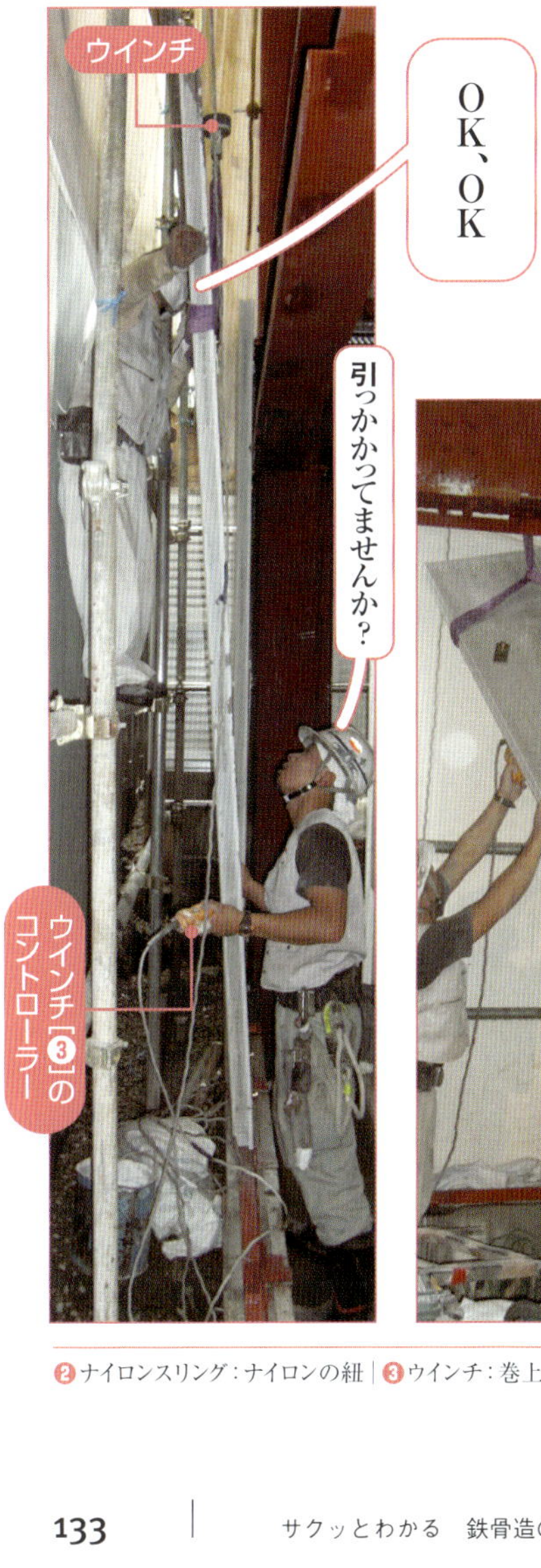
ウインチ
OK、OK
引っかかってませんか?
ウインチ❸のコントローラー

❷ナイロンスリング:ナイロンの紐 | ❸ウインチ:巻上げ機とも呼ばれる、物の上げ下ろしや運搬などに使用する機械

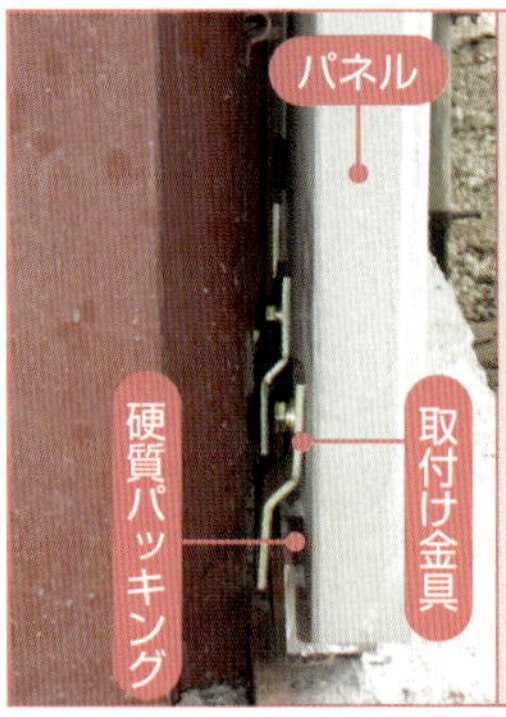

押出成形セメント板とアングルなどの隙間には硬質パッキングを挿入、クリアランスを確保する

下げ振りで鉛直を確認

位置が決まったら取付け金具をアングルに締め付ける

金具のアングルへの**かかり代**は30㎜**以上**

上向きの取付け金具は、金具が回転するのを防ぐために、アングルへ溶接する

こうして、1枚のパネルが建て込まれる

縦目地部

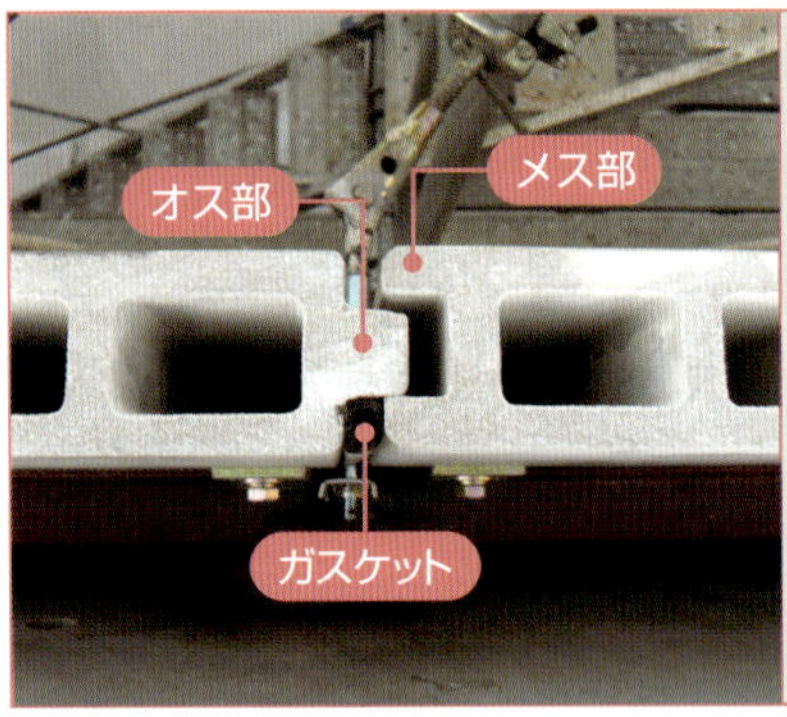

パネル左右の継ぎ目の処理。端部は凸型のオス部と凹型のメス部でつながる

溶接部はスプレーなどで防錆処理

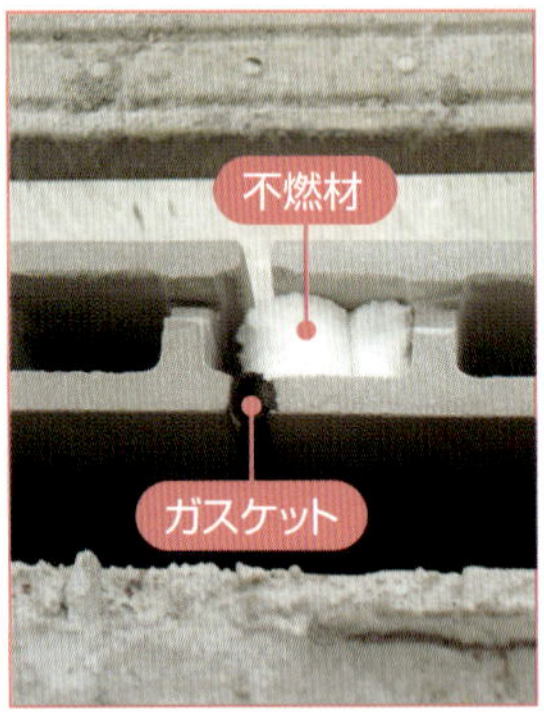

パネル切断面の関係でオス・メスでつながらない場合は、目地に不燃材（ロックウール・セラミックウール）を充填する

横目地部下地

上階に建て込むパネルの下部下地の施工。まず梁天端にブラケット（ピース）を接合

切り欠かれているパネル**天端**は、2次**防水工法**［図1］で**水切り**が**入**るためのもの

パネルの天端に不燃材を敷く

この上にアングルを載せる。この後、さらに水切りを載せたうえでパネルが建て込まれる

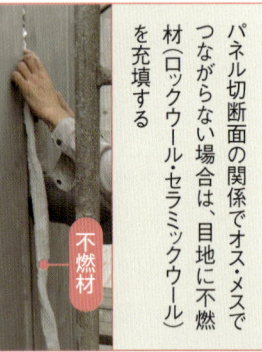

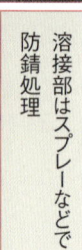

開口部

開口部では、補強材のアングルを縦横に渡す

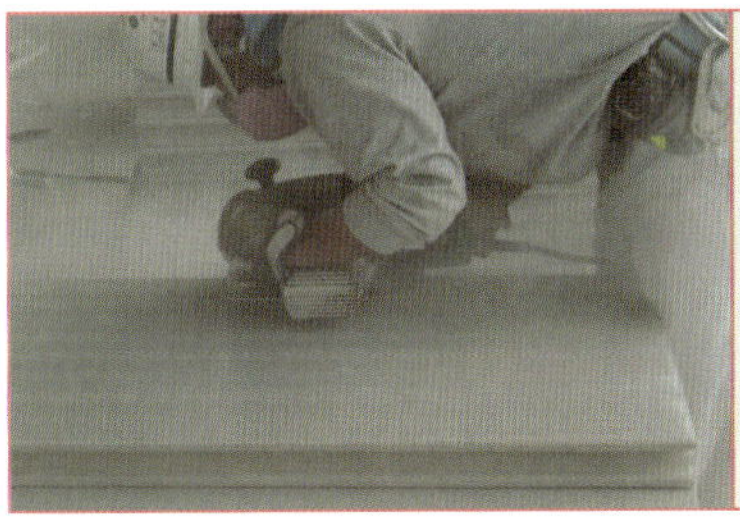

パネルは開口部のサイズに合わせてカットする

図1 2次防水工法

押出成形セメント板の内側に水切プレートを設置する工法で、外壁内に水が浸入した場合、水をプレートから押出成形セメント板の中空部分を通すことで排水できるようにしている。これにより、従来目地のシーリングのみに頼っていた雨仕舞の性能を上げることができる

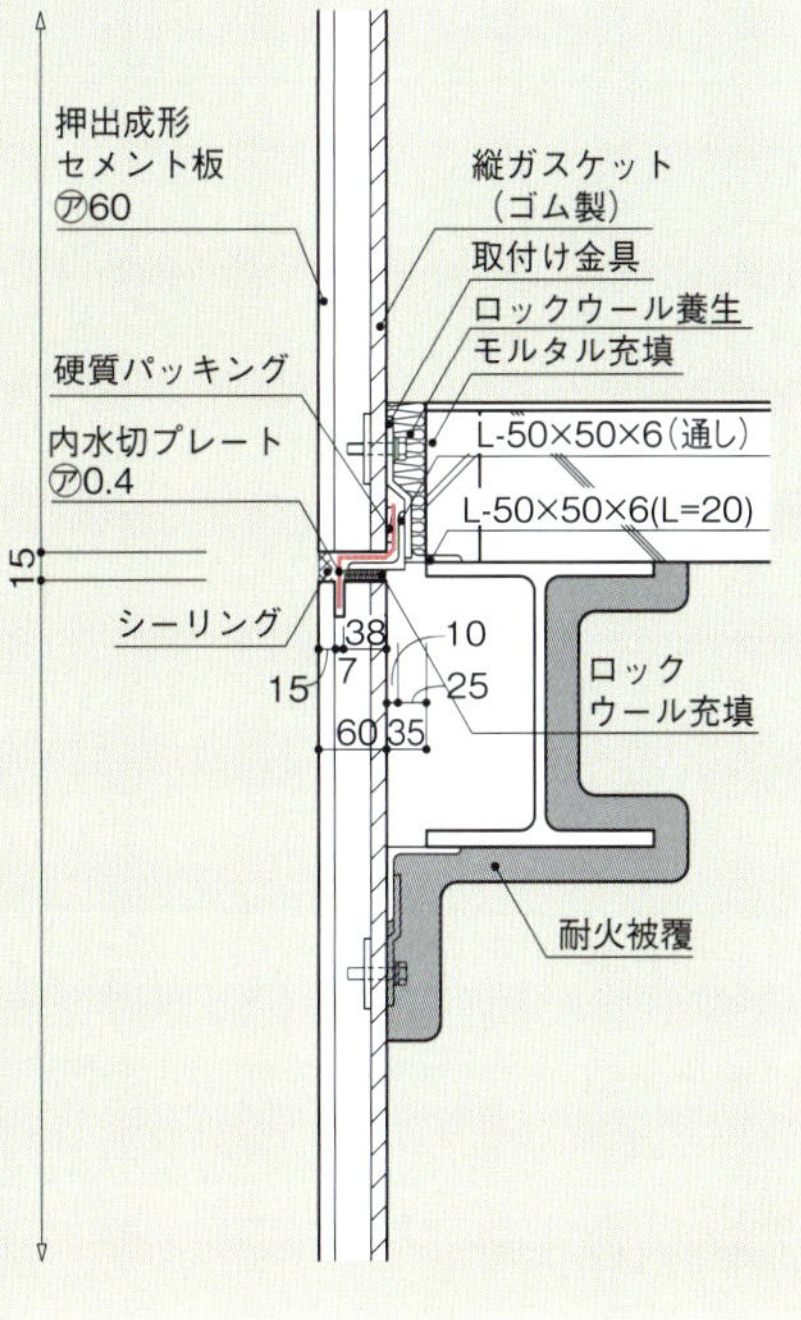

屋上部分の外壁下地

ここでは陸屋根を例に解説する。陸屋根の場合、パネルの天端は笠木で覆われる

パラペット立上りのコンクリート打設後に、パラペットの外側にアングルを付ける

図3 パラペット断面図

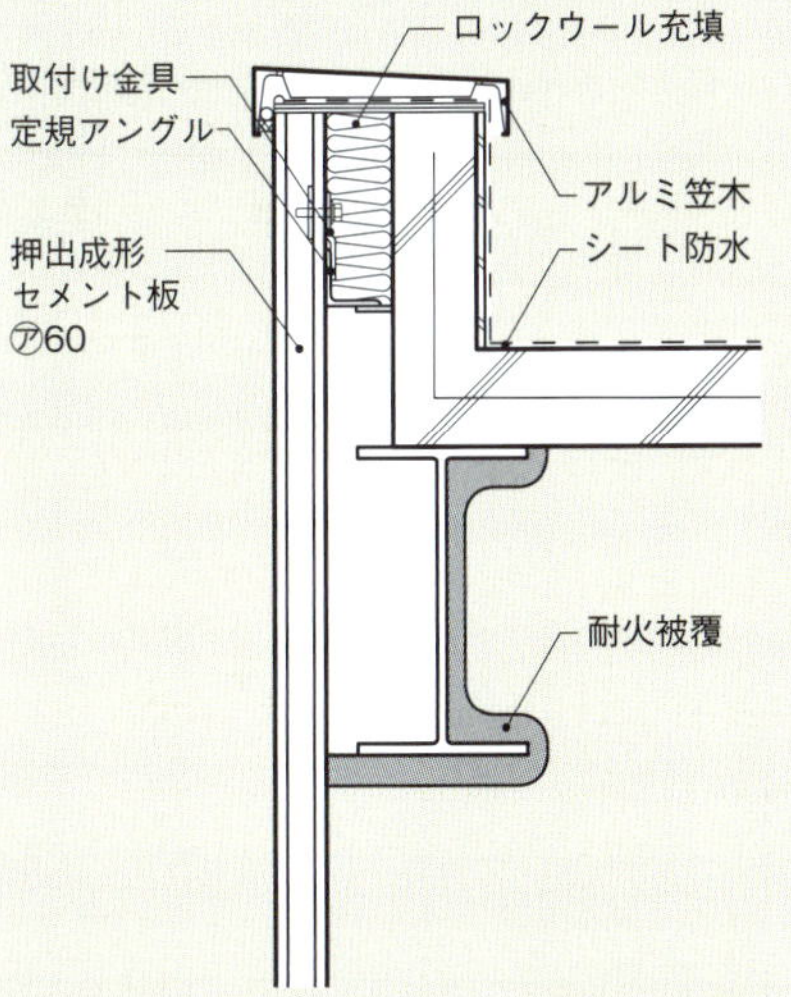

はね出しが長いため、アングルは、梁ではなくパラペットの壁面に付いている。壁面には、コンクリート打設時に埋め込んだ金物を介して付けられる

外壁建込み後。外壁の天端とパラペットの天端はそろい、笠木で一体となる

図2 パネルの割付け

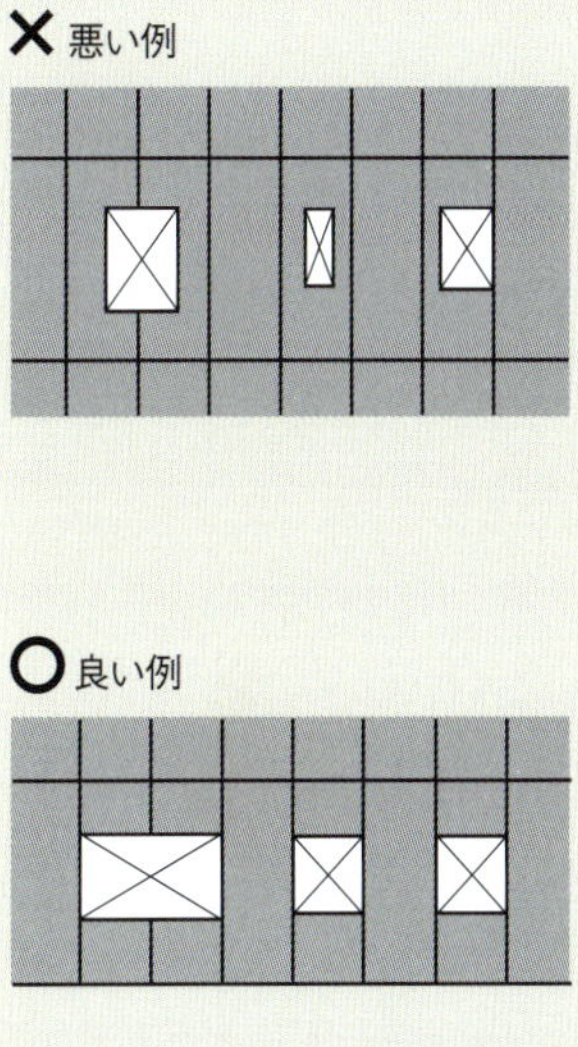

開口部は、パネルの割付けに沿って設ける

出隅・入隅

出隅部。コーナー用の役物を用いる場合と、突付けの場合がある。いずれの場合でも、出隅付近のパネルの縦目地には不燃材を充填する

入隅部。こちらも突付け部の目地に不燃材を充填する

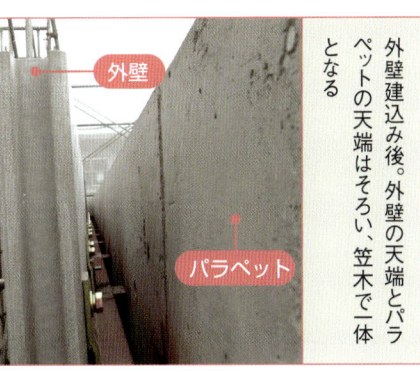

シーリング

外壁工事終了後、ただちに目地にシーリングが施工される

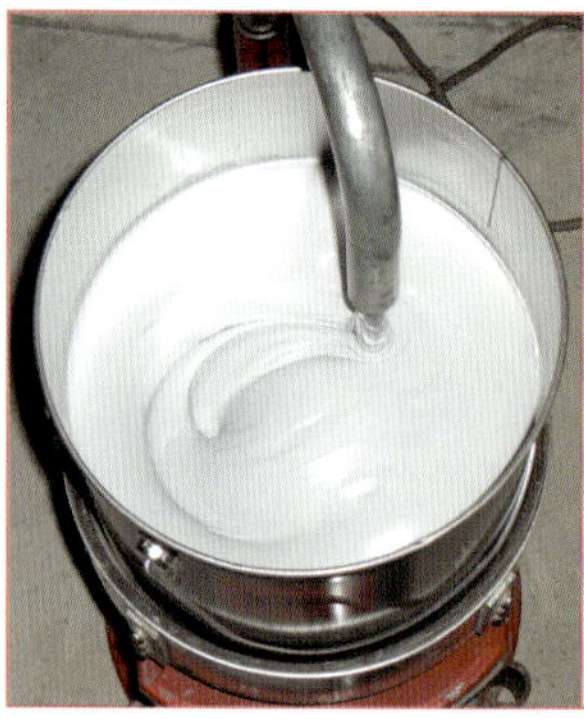

ここでは、変成シリコーン系のシーリング材が使われている❶。弾性があるため、ロッキング工法の目地材に適している。目地をワーキングジョイント❷として機能させるため弾性があり、かつ押出成形セメント板との相性もよい

この材は基剤と硬化剤の2成分形で、両剤を機械で撹拌させてから使用する

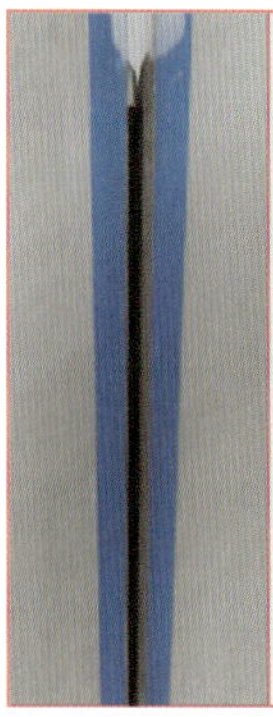

目地の周囲にマスキングテープを張り、プライマーを塗布する

コーキングガンでシーリング材を充填する

ヘラで仕上げ。いくつかのヘラを使い分けながらシール材を均していく

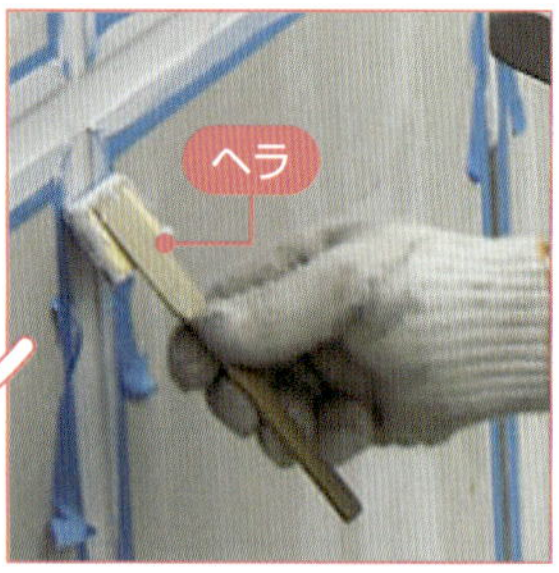

このヘラは**手作り**。**既製品を使わない人も多く**、**餃子**のヘラを**使っている人**もいます

仕上がりの様子

図｜ロッキング工法

ロッキング工法概念図

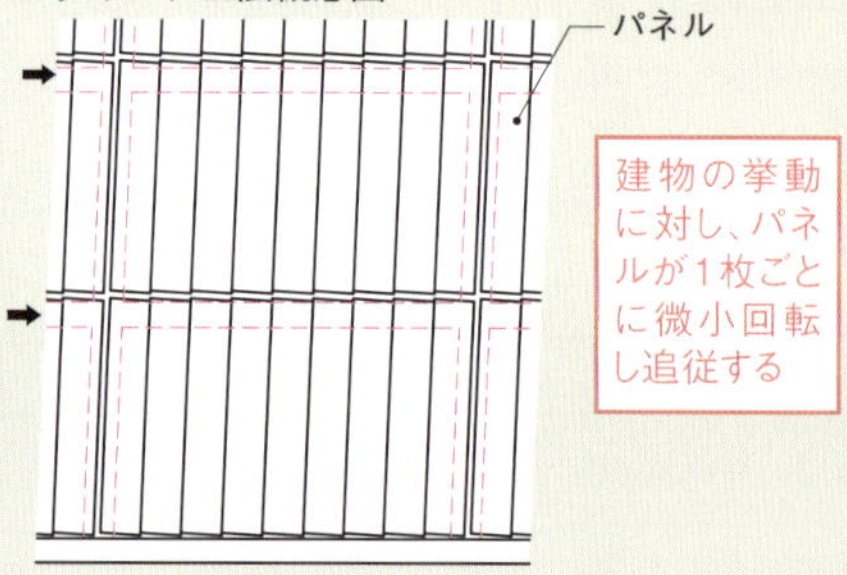

地震などによって構造躯体が変形したとき、個々のパネルが回転（ロッキング）することで変位追従性を示し、変形の影響を最小限に留める。動きやすいという鉄骨造の特性に適した工法のため、ALC板や押出成形セメント板などの乾式パネルで普及している

マスキングテープをはがす。変成シリコーンは乾きが早いため、テープは早めにはがさないと、はがしたときに充填したシーリング材もくっついてきてしまう

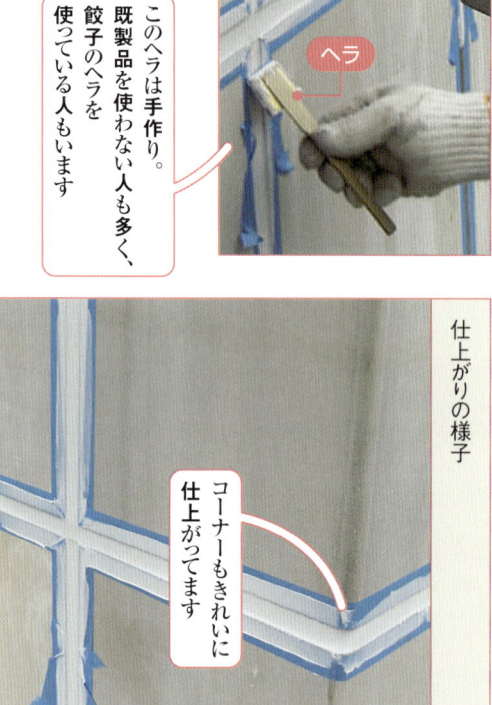

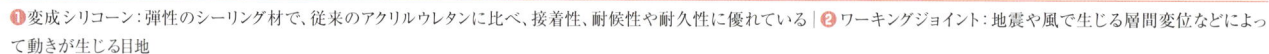

これで完成

❶変成シリコーン：弾性のシーリング材で、従来のアクリルウレタンに比べ、接着性、耐候性や耐久性に優れている｜❷ワーキングジョイント：地震や風で生じる層間変位などによって動きが生じる目地

防水工事

防水下地

ここでは防水工事のなかで特に重要視したい屋根の防水について取り上げる。鉄骨造の屋根の種類には、陸屋根や勾配屋根（折《せつ》板《ばん》屋根、金属屋根など）がある。今回は、このなかでポピュラーな陸屋根でのシート防水とアスファルト防水を例に解説する

図｜パラペット詳細図（シート防水の例）

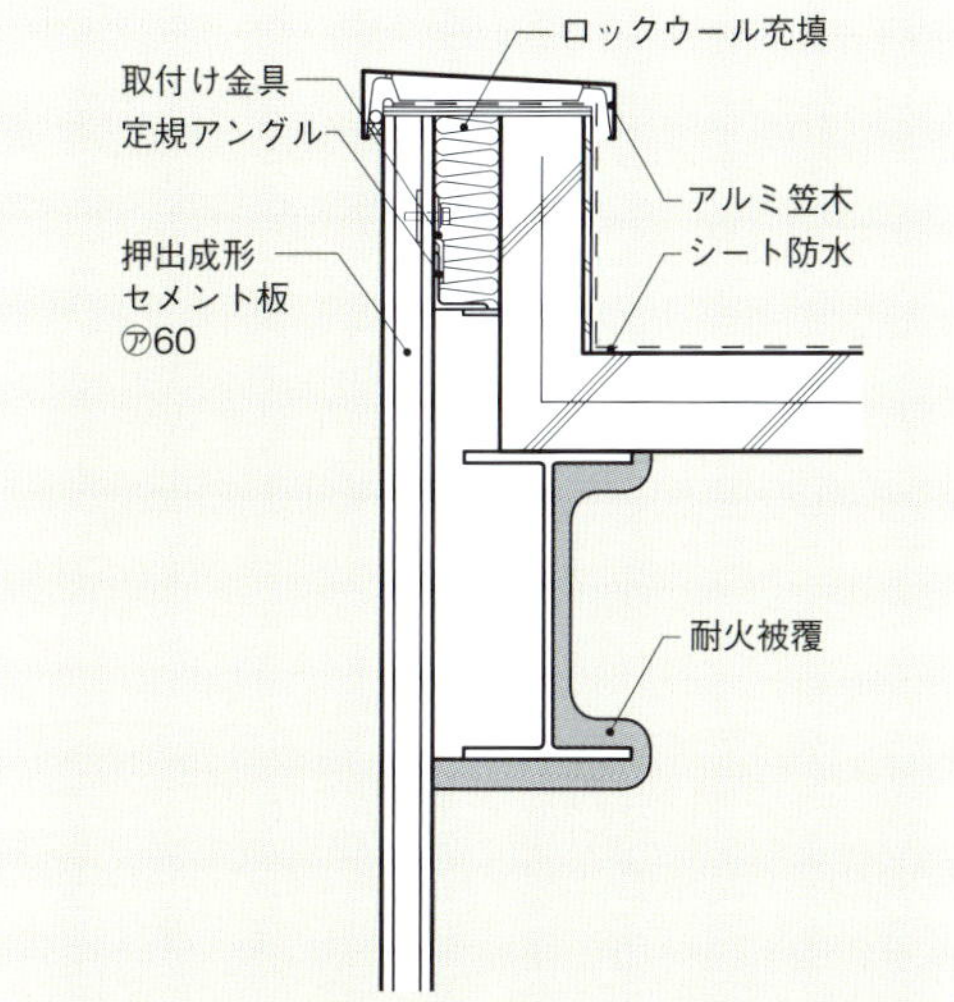

屋上のスラブとパラペットはRCで、アゴはない。防水層はパラペットの立上り天端まで回し、外壁の天端とパラペット立上り天端を笠木で覆っている。スラブと防水層の間に断熱材を敷く場合もある

外壁を建て込み、パラペット立上りのコンクリート打設まで終了した状態

ドレン。スラブレベルを周囲より20㎜程度下げて打ち込まれる

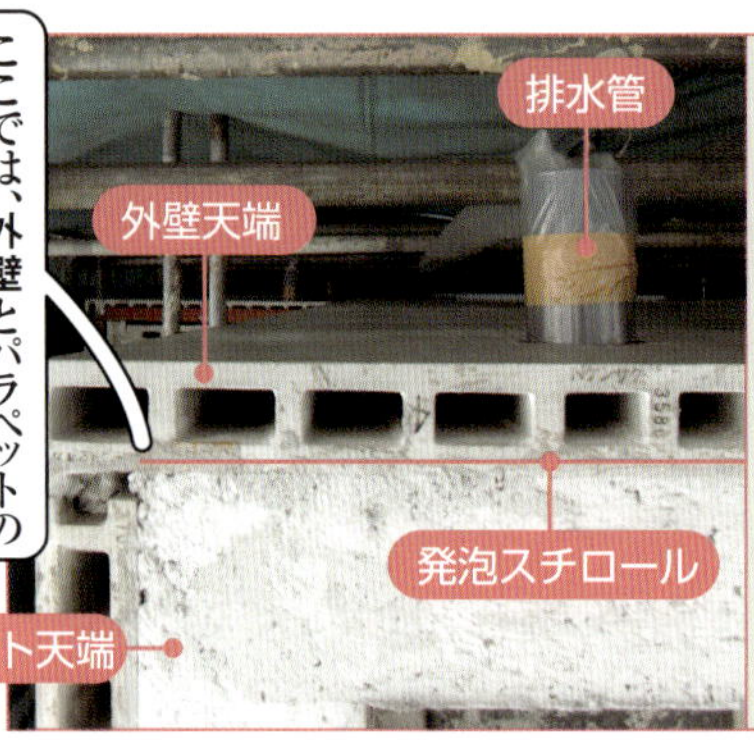

外壁とパラペットの天端[❶]。ロッキング工法[**136頁参照**]を用いた外壁には変位追従性があるため、防水シートを外壁と一体にすると、外壁が動く際にシートが切れるおそれがある。このため、防水シートは外壁と縁を切る必要がある

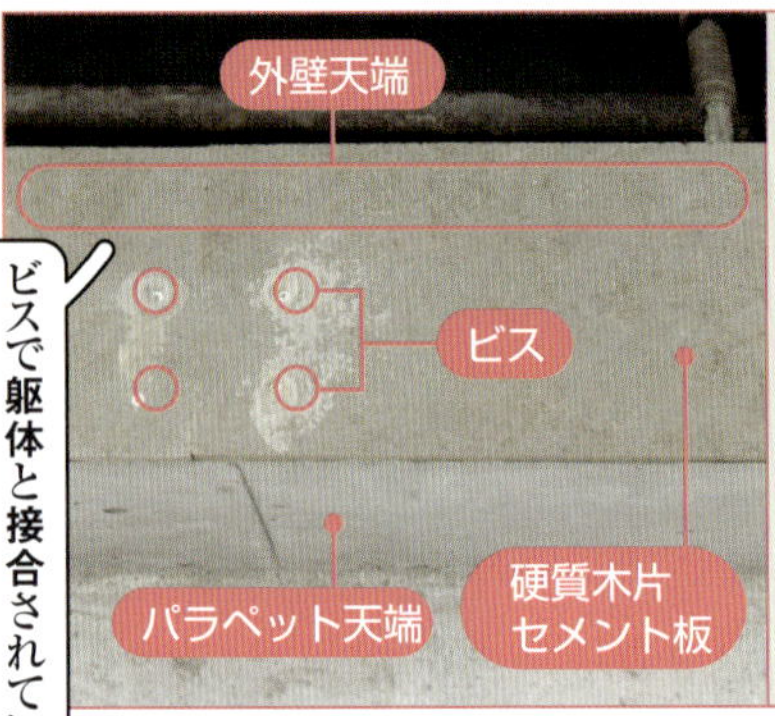

パラペット立上りのコンクリート打設後、笠木の取付け下地が付けられる。ここでは、硬質木片セメント板が使われている

勾配は1／50以上とする。この現場では躯体で勾配をとっている[❷]。1／50だと目視でも傾きが明らかに分かるが、1／100だと目視では分かりにくい

★監理POINT

適切な勾配がとれているか確認(目視・計測)

表1　住宅瑕疵担保責任保険での陸屋根に関する施工基準※

住宅瑕疵担保責任保険[❸]を利用するには、保険法人が指定する設計施工基準に準拠しなければならない。陸屋根では、表のような基準がある

項目	内容
防水下地の種類	現場打ち鉄筋コンクリートまたはプレキャストコンクリート部材
防水下地面の勾配	原則1／50以上
防水工法	アスファルト防水・改質アスファルトシート防水(トーチ工法)・合成高分子系シート防水・塗膜防水
防水の主材料	JIS規格に適合、またはそれと同等以上の性能を有するもの
防水層の端部	それぞれの防水工法などに応じた納まり
パラペット上端部	金属製笠木など雨水浸入を防止するために必要な措置

※「住宅瑕疵担保責任保険　設計施工基準」(㈶住宅保証機構)より一部抜粋

図1　防水層の種類

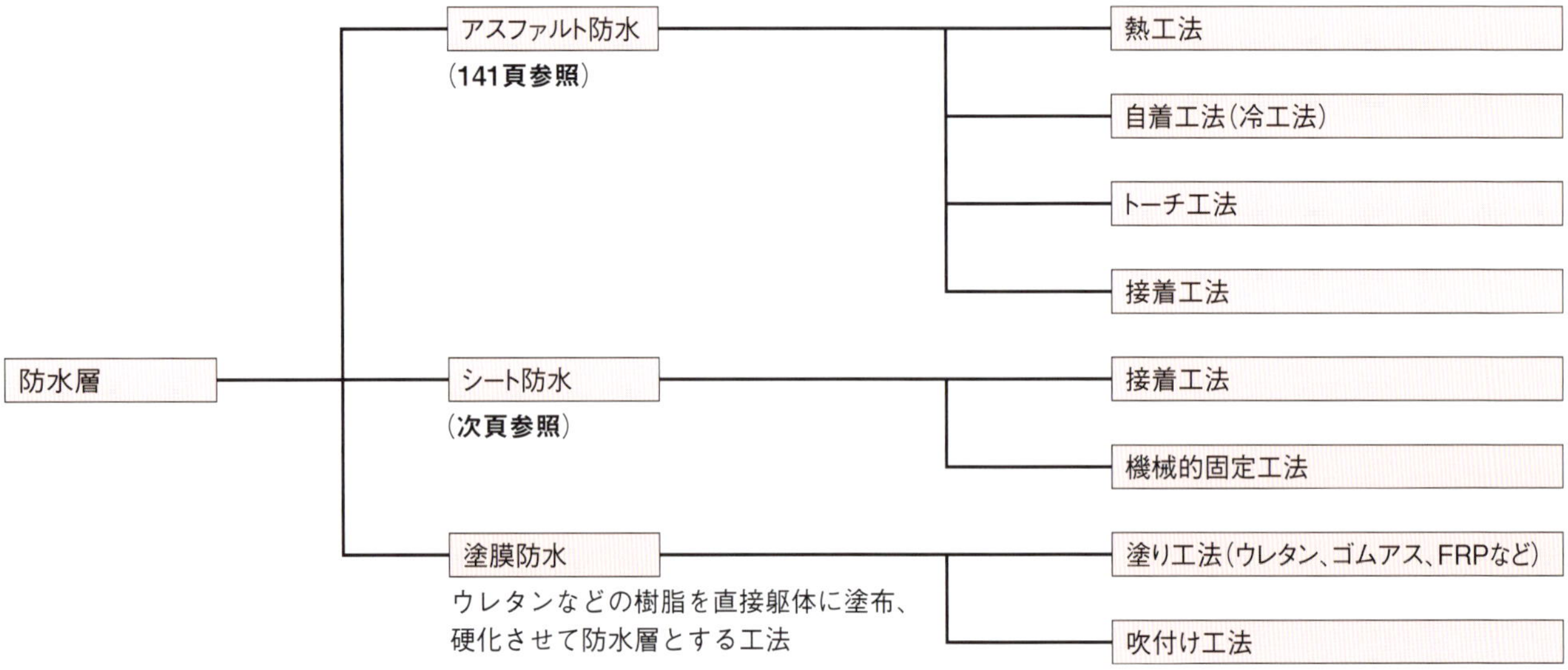

❶屋上のパラペット部のコンクリート打設については、外壁パネルの種類・工法によって各種あるため、メーカーの仕様を確認されたい｜❷コンクリート厚を調整して勾配をとろうとすると、たとえば1／50で設計しても実際は1／70くらいになってしまい、精度が出にくい。そのため、勾配は鉄骨躯体でとる(梁を斜めにかける)ほうが無難である｜❸住宅瑕疵担保責任保険：新築住宅の建設業者と宅建業者(住宅販売業者)が、国土交通大臣の指定する保険法人との間で保険契約を締結し、住宅に瑕疵があった場合に補修費用などが保険金で賄われる制度で住宅瑕疵担保履行法(特定住宅瑕疵担保責任の履行の確保等に関する法律)にもとづく

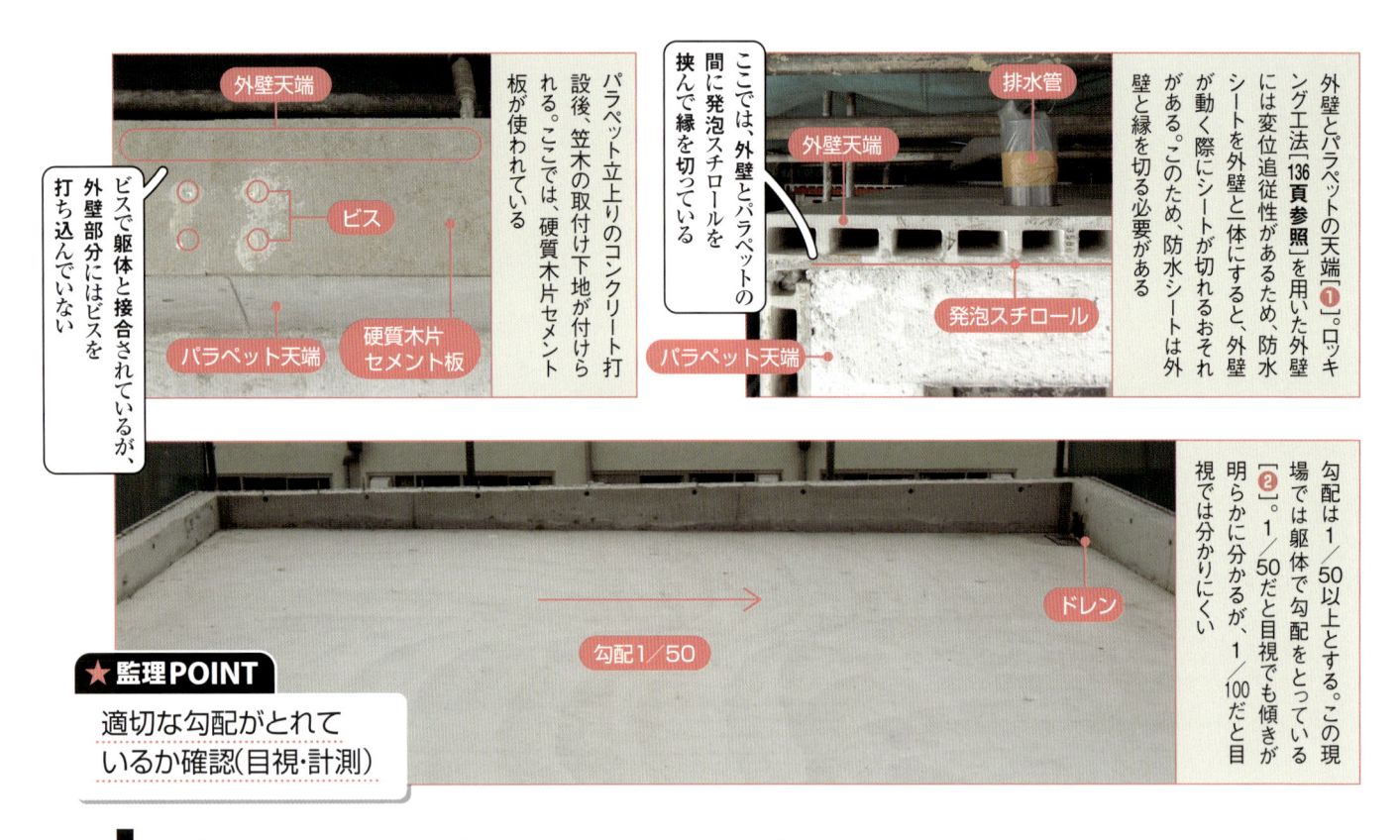

シート防水

シート防水は、合成高分子を主原料とするシートによって単層の防水層を形成する工法である。合成高分子系のシートは強度や伸縮性に優れるが、単層のためシート接合部の施工が特に重要になる。また、強風によるめくれにも注意する必要がある。シートの素材と接合法は各種あるが［図2］、ここではポリ塩化ビニル樹脂系シートによる接着工法を取り上げる

図2　シート防水の種類

材料による分類

- 防水シート
  - 均質シート
    - 加硫ゴム系❹
    - 非加硫ゴム系
    - 塩化ビニル樹脂系
    - エチレン酢酸ビニル樹脂系
  - 複合シート❺

工法による分類

接着工法	接着剤でシートを下地に張り付ける工法
機械的固定工法	固定金具でシートを下地に機械的に固定する工法

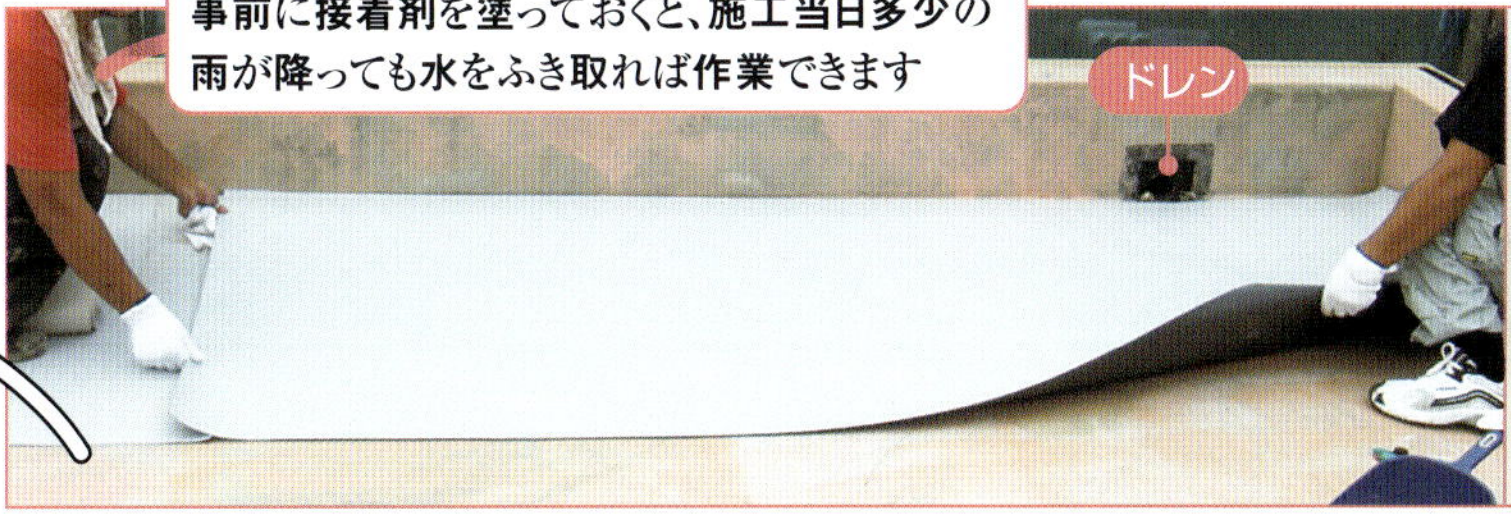

事前に接着剤が塗られた下地の上にシートを仮敷きする

接着剤は、下地側とシート側に塗られる。下地側に塗られる接着剤は、プライマー［❻］としての役割も果たす

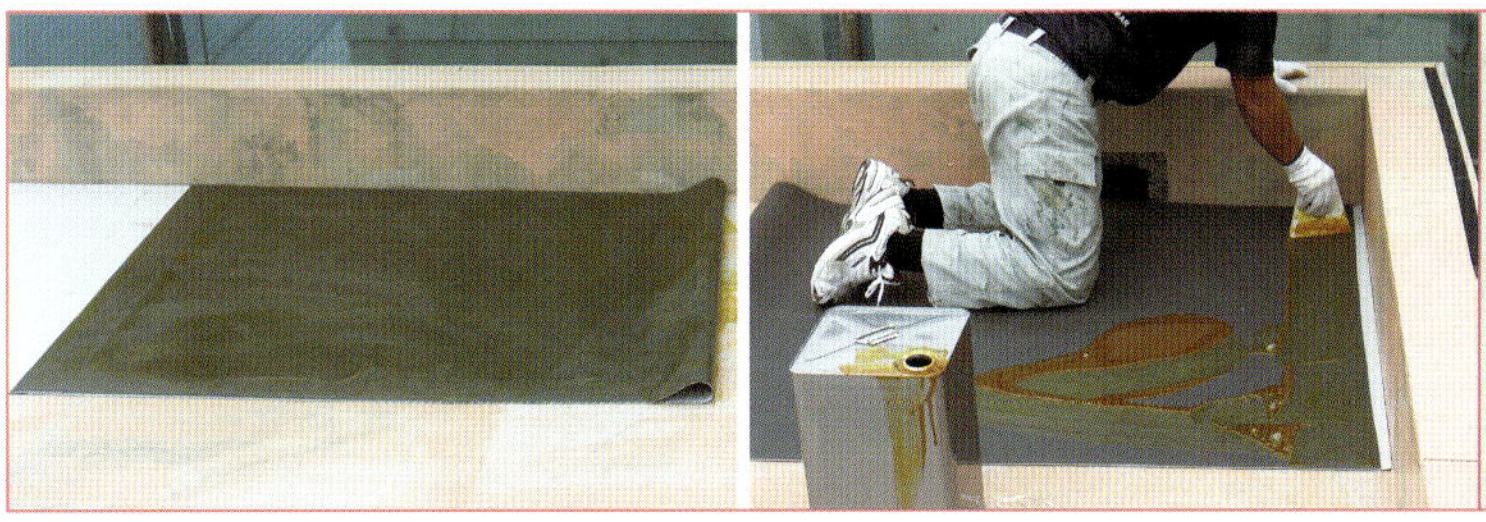

シートの裏面に接着剤を塗る。シートを折って半分ずつ塗る

シートがドレンに干渉する部分は切り取られる

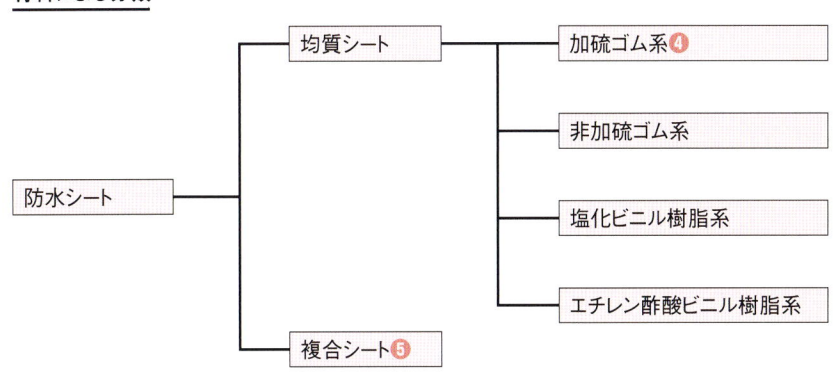

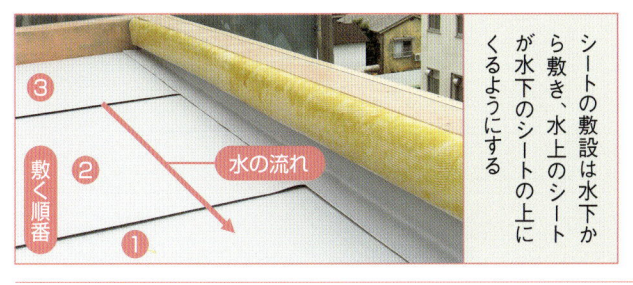

これで1枚のシートが敷かれた

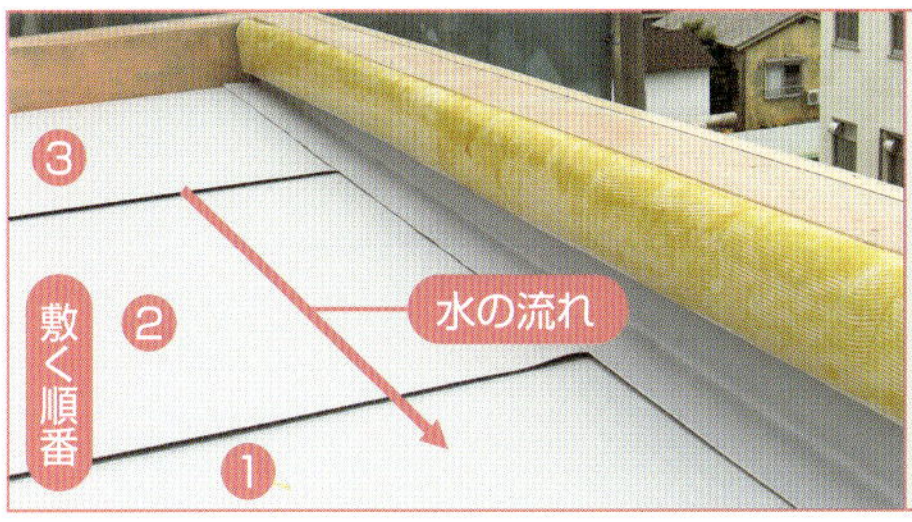

シートの敷設は水下から敷き、水上のシートが水下のシートの上にくるようにする

同じ要領で1枚ずつ敷いていく

❹加硫ゴム：ブチルゴムやエチレンプロピレンゴムなどに硫黄を加えて弾性や強度を確保したもの｜❺複合シート：シートにガラス繊維などの基布を重ねたもの｜❻プライマー：防水層と下地との密着性を高めるための下地塗料

シートの継目部分には接着剤を塗らず、溶着剤で接合する

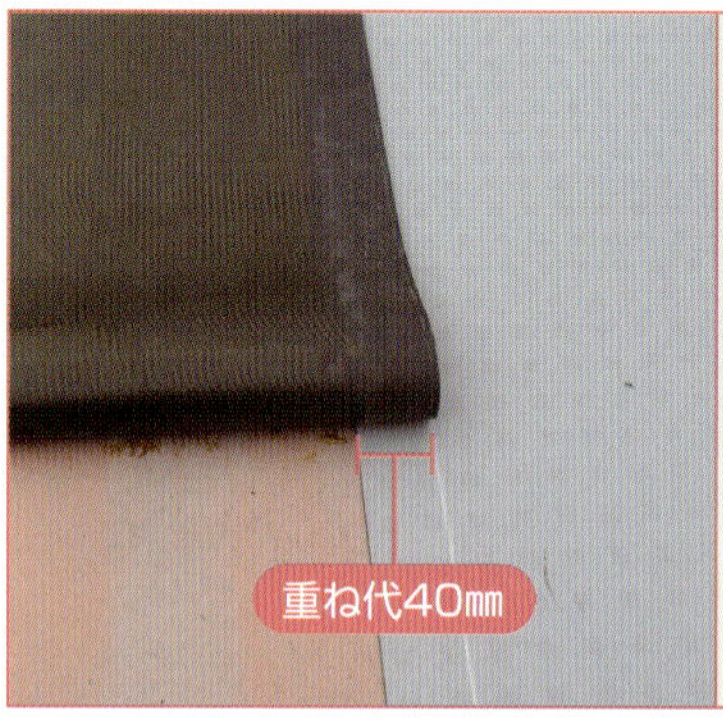

続いて立上り部のシート敷設。接着剤で接着するのは平坦部と同じだが、ライスター（熱風溶接機）でシートに熱風を送ることで、シートを下地の角の部分になじませ、接着しやすくする

手やゴムローラーでシートを押さえながらライスター（熱風溶接機）で熱風を送ることでシートを溶かし、躯体と接着させる

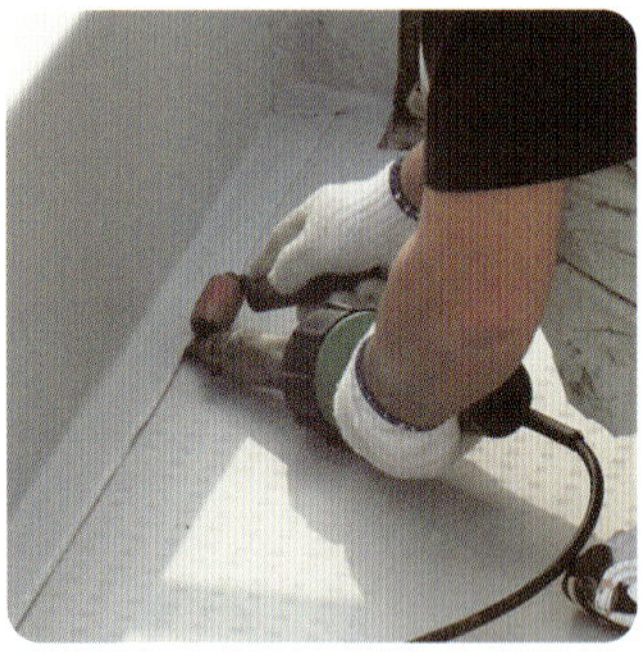

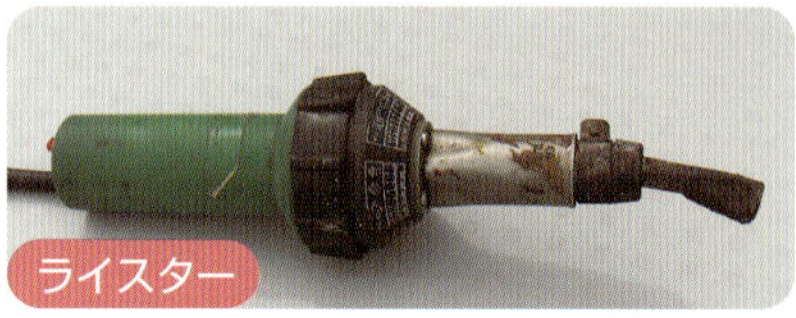

溶着剤でシート樹脂を溶かしてシートどうしの継目を接合する

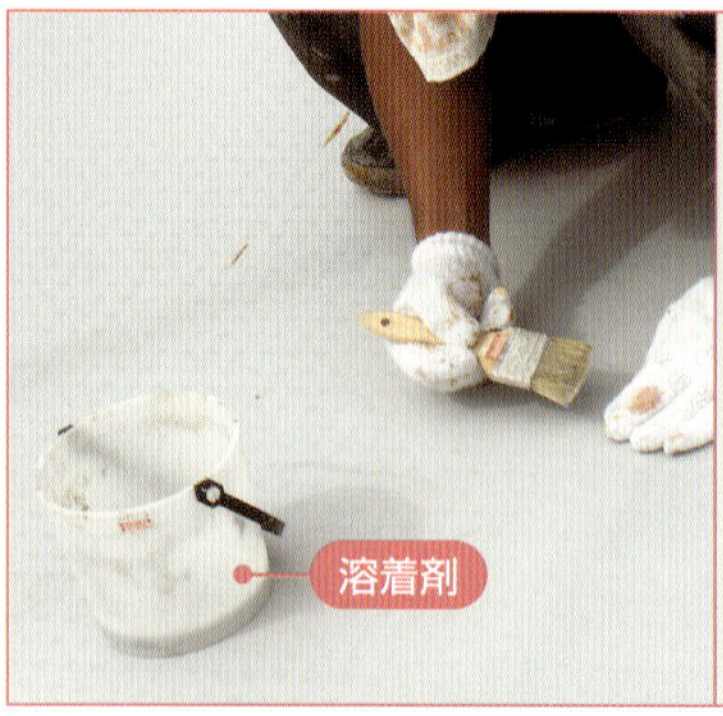

立上りの入隅などの押さえには、ステッチャーローラーが使われる

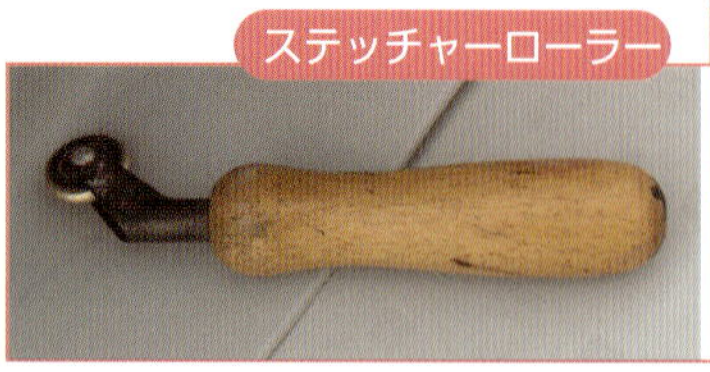

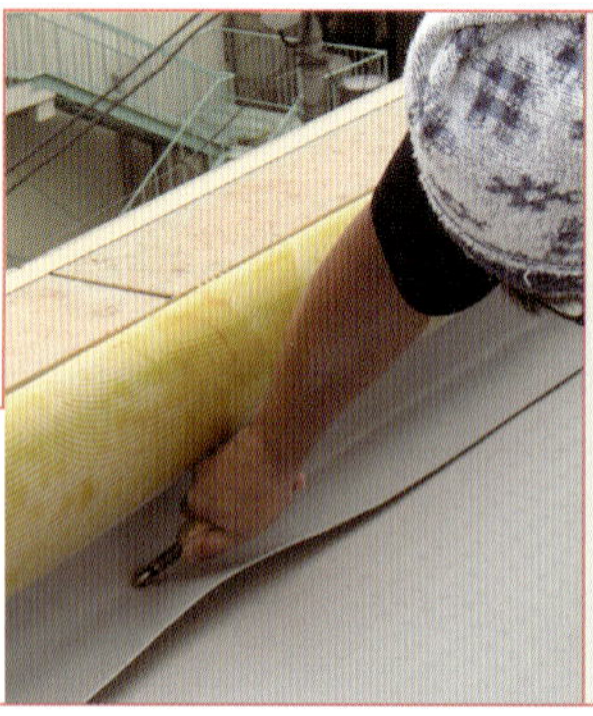

パラペット天端には、防水シート端部への風の吹込みを防ぐためのテープを付ける［❶］

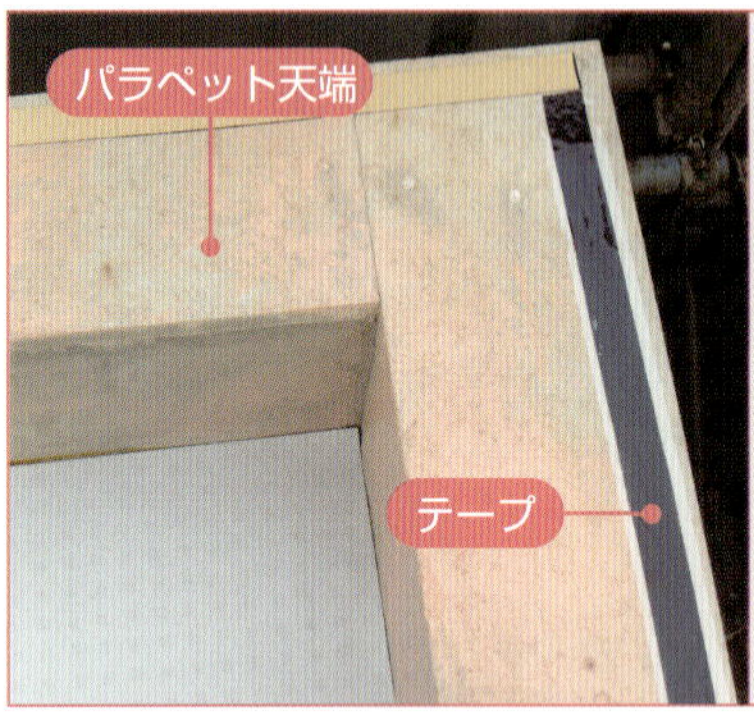

出隅や入隅のコーナーには役物が使われる

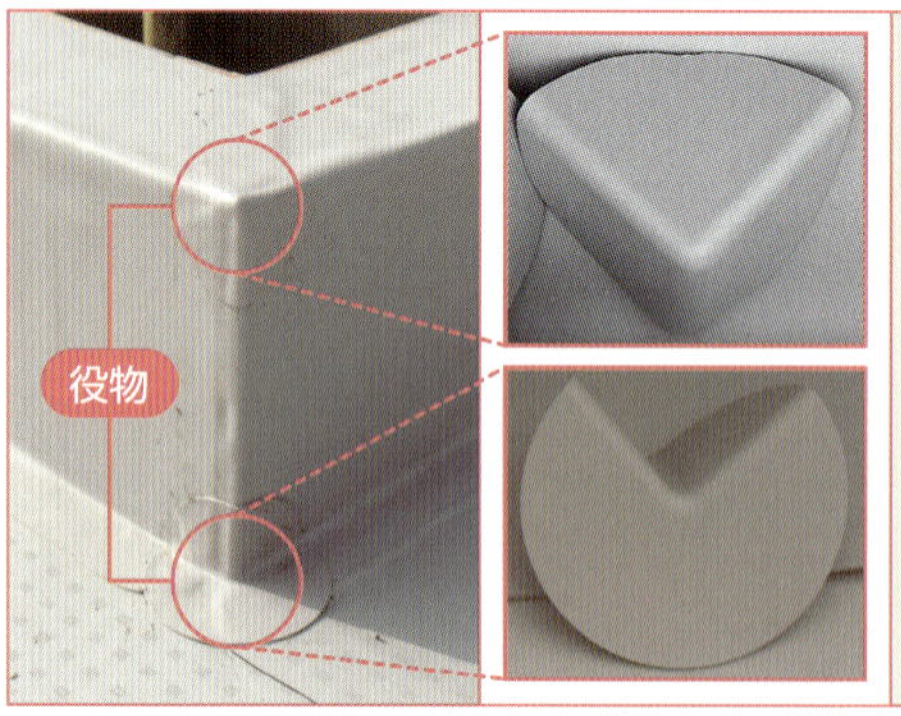

役物はライスターでシート樹脂を溶かして接着する（熱融着）

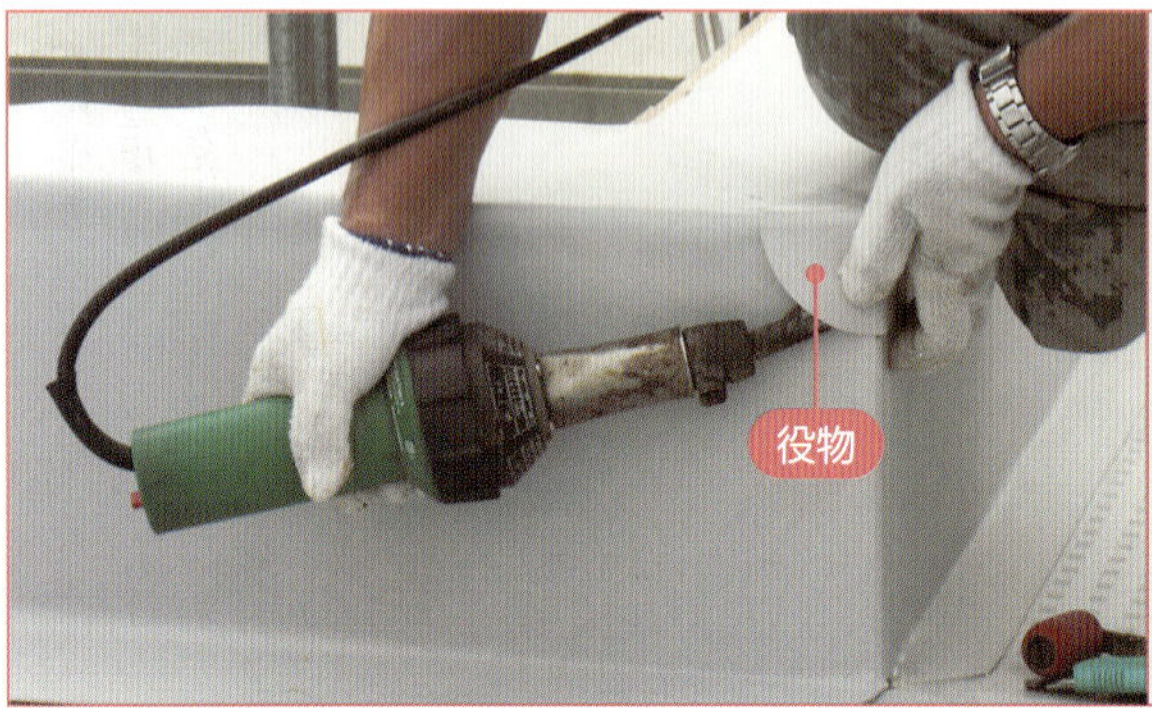

こちらは入隅。カットされたシートの端材と役物を組み合わせて敷設する

シート敷設完了後、漏水がないかを確認する水張り試験を行う。ドレンに栓をして水を張り、24時間放置後、水位が下がってないかを調べる［❷］

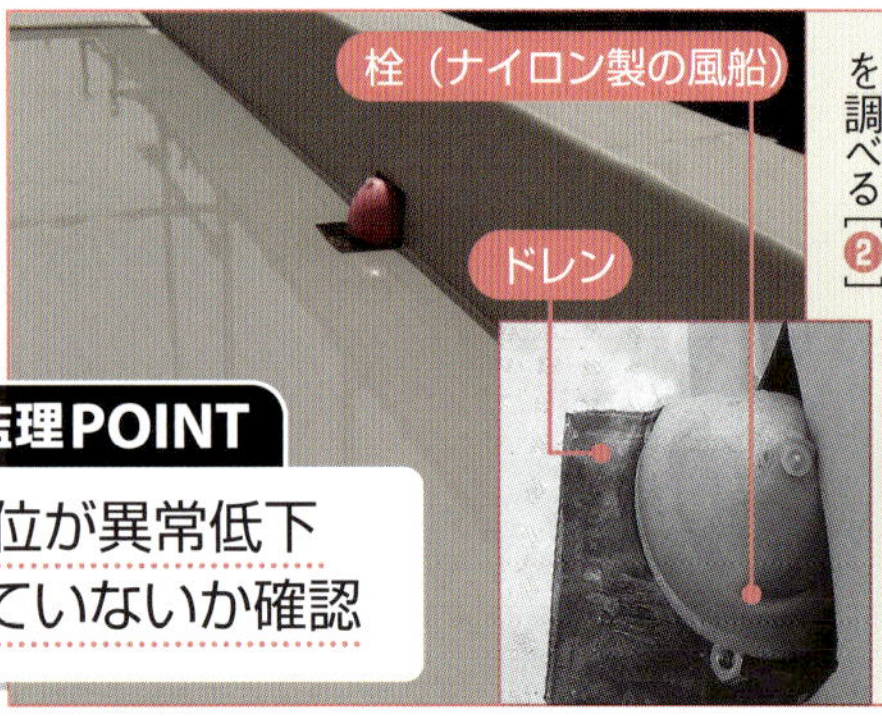

★監理POINT

水位が異常低下していないか確認

❶猛烈な風で防水シートが端部からめくれ上がることがある｜❷狭小地での水張り試験は、試験後の排水に注意。この時点では排水管が未整備のため、隣地排水が流出しないような配慮が必要である

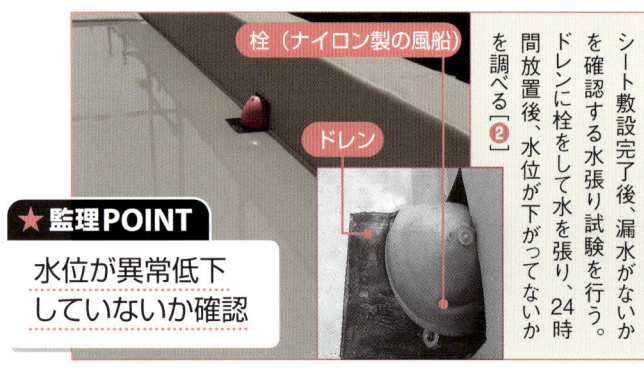

アスファルト防水

溶融したアスファルトを下地に流してアスファルトルーフィングを張り付ける工法。明治時代から行われている歴史のある工法で、現在でも防水の代表格である。積層型のため、継目の施工などは比較的容易にできる。ここでは熱工法での施工を解説する

表2 アスファルト防水の種類

接着法の違いによる分類

熱工法	溶融アスファルトでアスファルトルーフィングを積層させる工法
自着工法（冷工法）	接着層をもつアスファルトルーフィングを張り付ける工法
トーチ工法	アスファルトルーフィングの裏面をバーナーであぶり、溶融させて張り付ける工法
接着工法	アスファルト系などの接着剤によってルーフィングを張り付ける工法
複合工法	塗膜防水材など、異種の防水材を組み合わせて張り付ける工法

接着面の違いによる分類

密着工法	ルーフィングの全面を下地に密着させる工法
絶縁工法	ルーフィングの一部を下地と絶縁して接着する工法

材料面では、 在来のアスファルトルーフィングのほかに、 強度などの物性や作業性に改良が加えられた改質アスファルトルーフィングがある

図 防水層の構成例

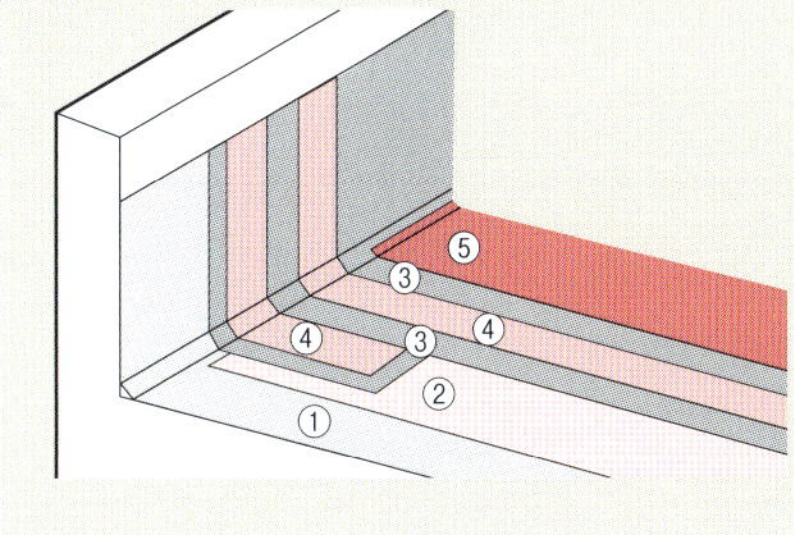

①プライマー
②下張り：改質アスファルトルーフィング（自着シート）
③アスファルト
④上張り：アスファルトフーフィング
⑤絶縁シート

アスファルト系のプライマーを塗布する

ここで登場、溶融釜。ルーフィングを溶着するためのアスファルトを溶融する

アスファルトを釜へ投入！

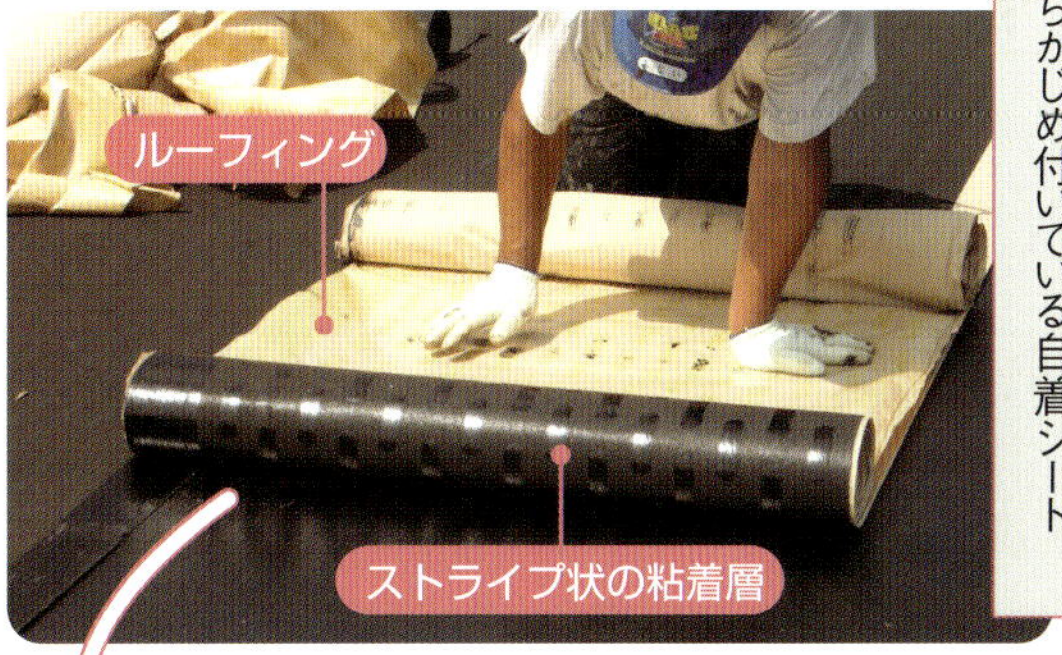

不織布などの表裏にアスファルトを塗覆したアスファルトルーフィングを張る。これは、粘着層があらかじめ付いている自着シート

ストライプ状の粘着層で**空気の逃げ道**を**確保**することで**ルーフィングのふくれを防止**する。また**下地が動いた**際の**影響を小さく**する

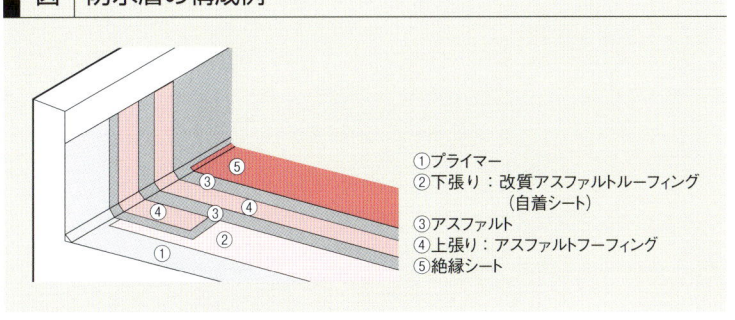

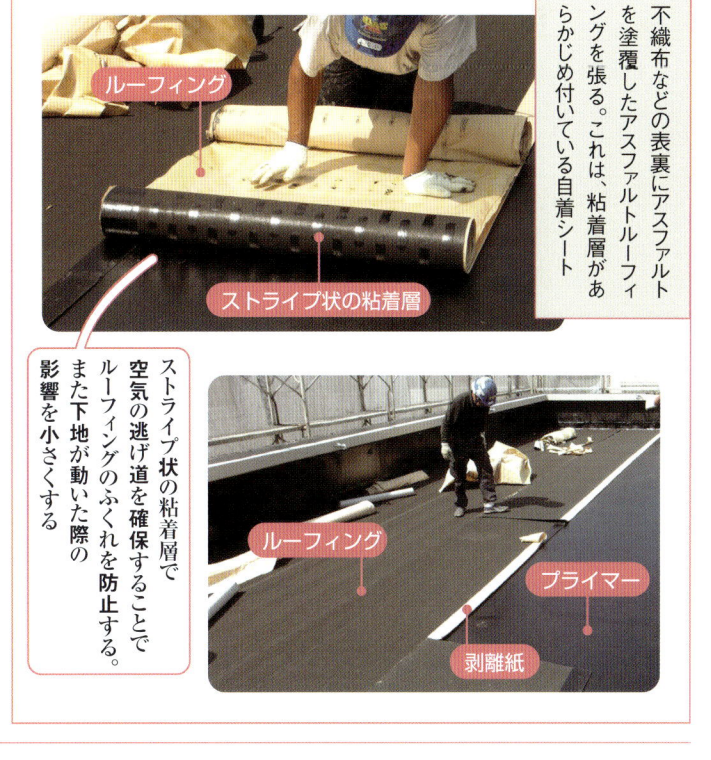

溶けたてのアスファルトが釜から出てきた[❶]

ここでアスファルトの温度チェック。この現場で使用されるアスファルトの施工温度は230～250℃。一般のアスファルトは250℃前後。高すぎると、融解や発火を起こしてしまうため、溶融釜の温度管理を怠らないようにする

続いて中張り用のルーフィングを張る。まずは仮敷きから

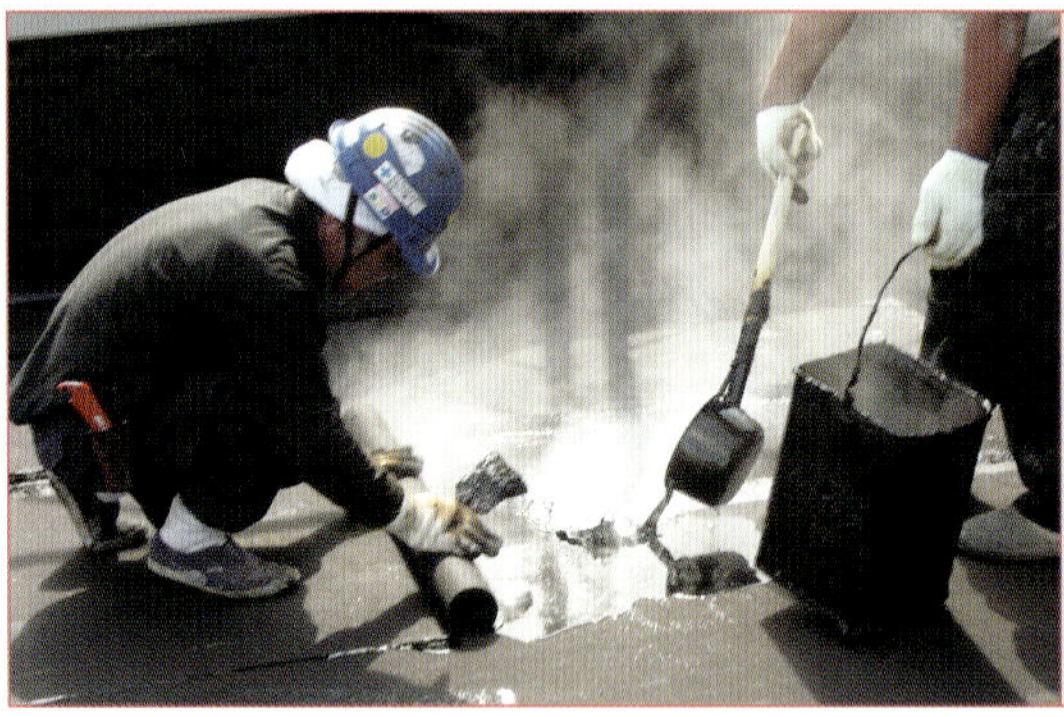

接着面にアスファルトをかけ、その上にルーフィングを張っていく

ルーフィング端部の重ね部では、はみ出したアスファルトをはけで均す

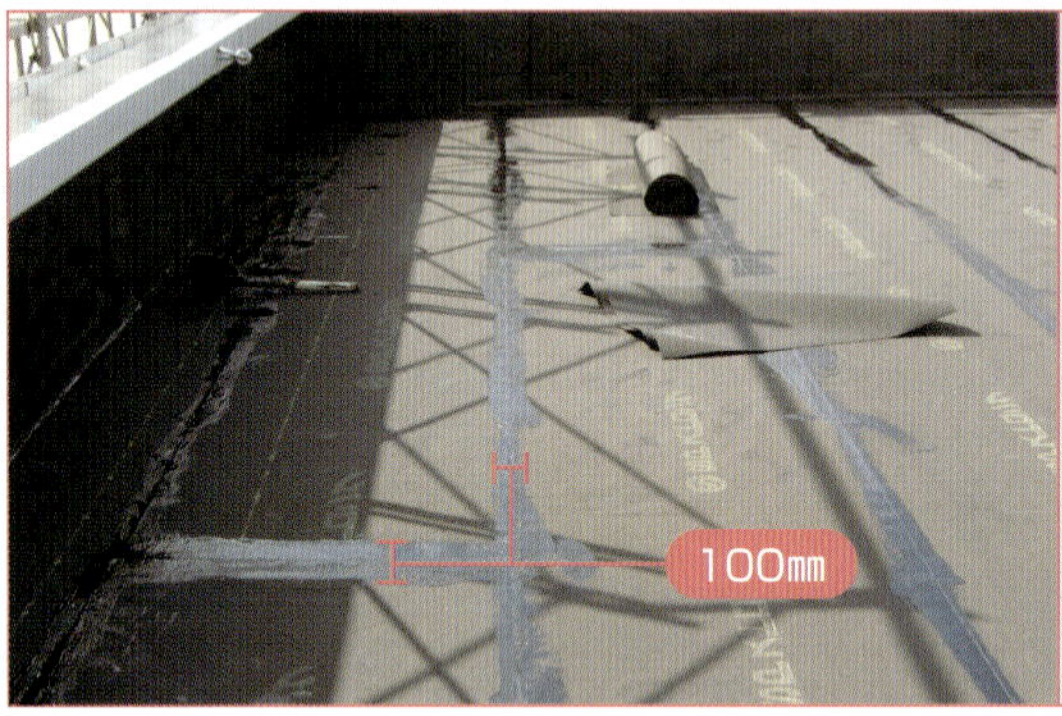

ルーフィングの重ね代は長手方向、短手方向ともに100㎜以上

立上り部の施工。アスファルトによる溶着で、アスファルトルーフィングを張る

この上に絶縁シートが敷かれ、防水層の完成

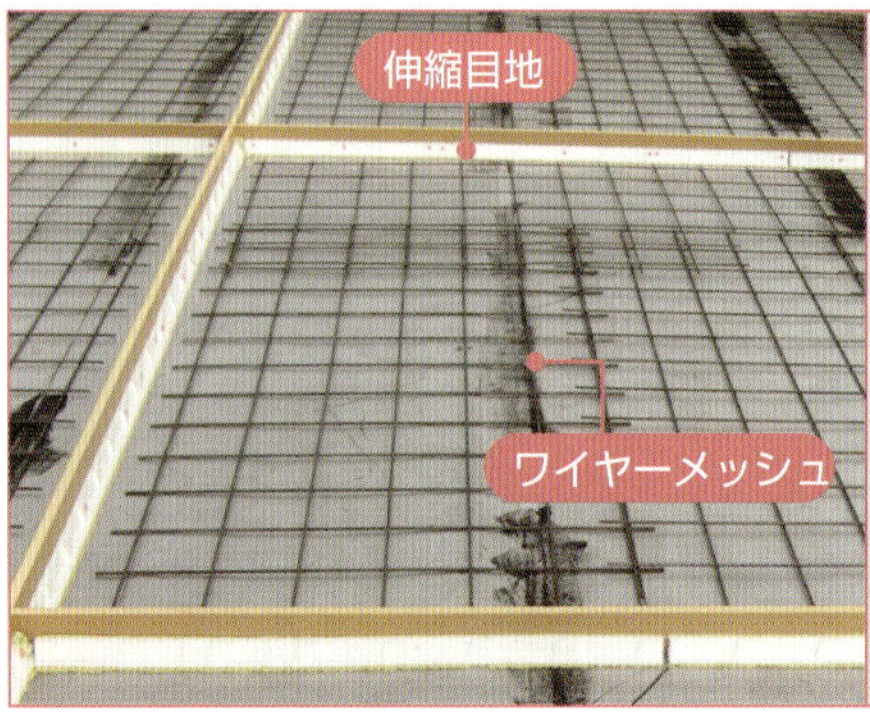

その後、水張り試験を経て、仕上げへ。この現場の場合、仕上げにコンクリートが打たれるため、伸縮目地[❷]とワイヤーメッシュが敷かれている

❶臭気をやわらげるため、ここでは、石けんの香りのするアスファルト専用の香料を入れている。現場によっては醤油を入れることもある | ❷伸縮目地：硬化時の収縮や荷重による変形など、コンクリート躯体の動きを吸収する目地

設備工事

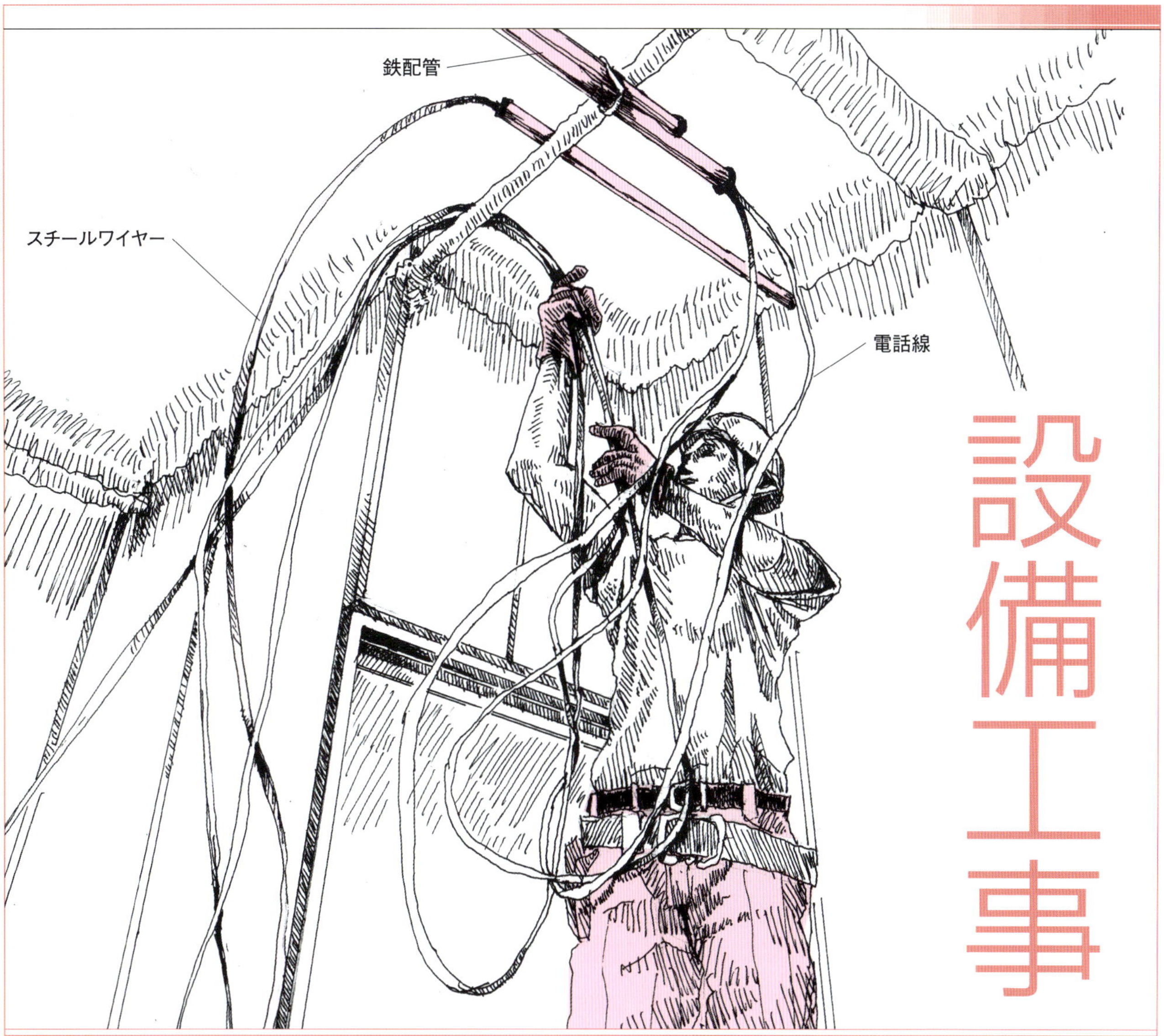

電気設備

オフィスだけでなく住宅にもＬＡＮ配線が普及するなど、近年の電気設備は複雑化している。当然ながら、設計段階での配線計画や正確性も要求される

電線管の配管

電線管は、地中や躯体の貫通部などに各種電気ケーブルを配線する際のルートとなる管である

地中埋設の電線管を通す。ここでは、埋戻しの時点で土間に管が埋められている。この管は、外部から引き込まれる電線を通すためのもの［❸］

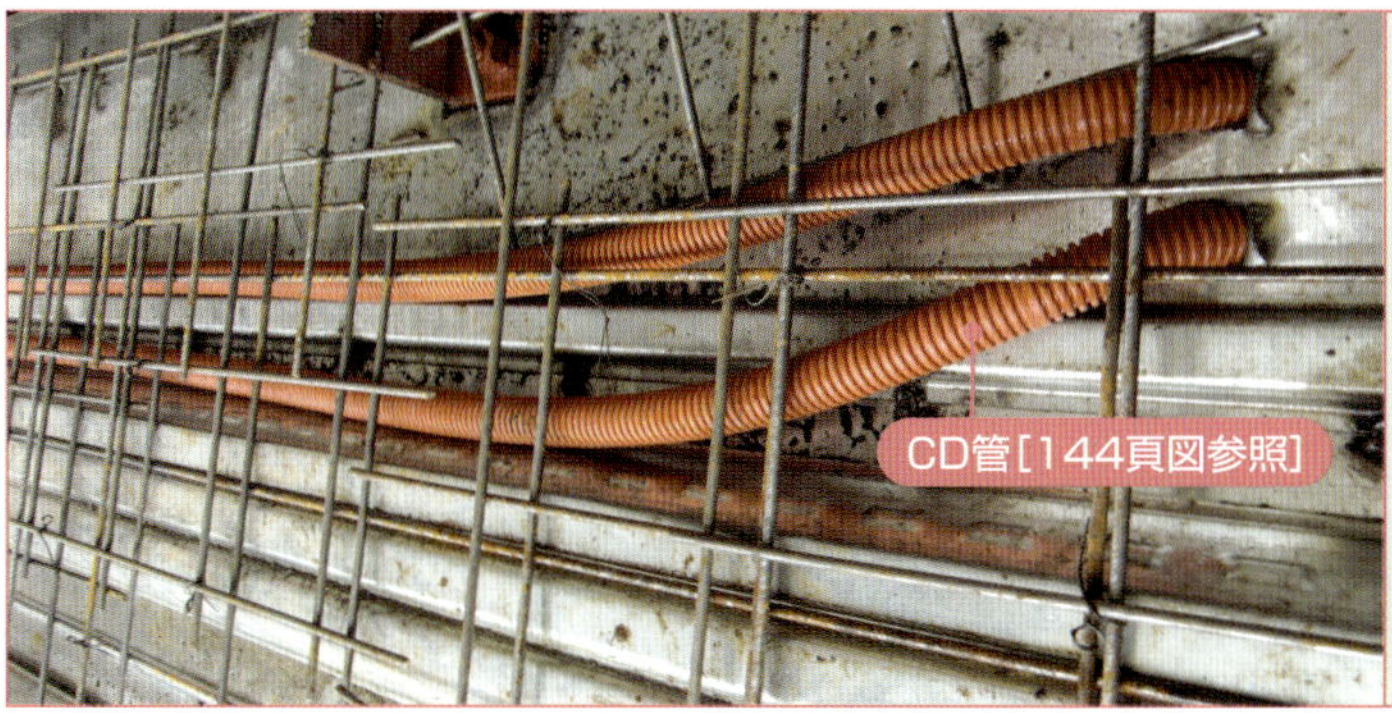

必要に応じ、スラブコンクリート打設前にデッキプレートを貫通させて、電線管を通す。このCD管は弱電などのケーブルを通すもの［❹］

❸電線管の打込みでは、構造の耐力に影響を与えないよう、管の間隔、交差に注意が必要｜❹住宅では家庭内LANや家電のデジタル化といった変化にともなう配管の増設を考慮し、弱電用の空の電線管を先行配管しておくとよい

図｜電線管の種類

電線管には、可とう性がある（自由に曲げられる）可とう管が多く使われる。なかでも合成樹脂製可とう電線管［**写真上**］は、安価なうえ、曲げやすい、軽いなど、施工性のよい材であることから、建物内の配管材として普及している。合成樹脂製可とう電線管は、耐燃性（自己消火性）［❶］のあるPF管（Plastic Flexible Conduit）と非耐熱性のCD管（Combined Duct）に分けられる。さらにPF管は、複層構造のPFD管と単層構造のPFS管に分けられる

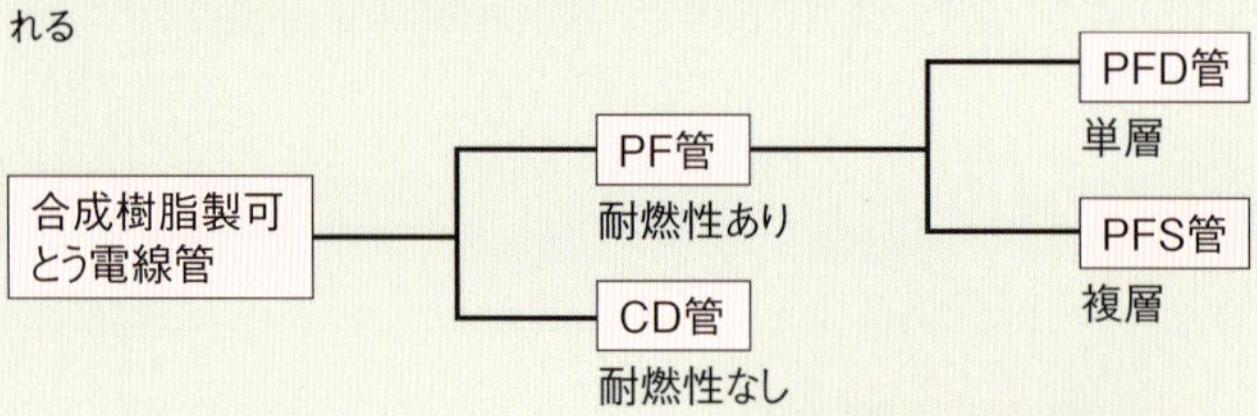

CD管はオレンジ色でPF管と区別される。施設場所の区分は「電気設備の技術基準の解釈」および「内線規定」を参照のこと

このほか、可とう管の一種である波付き硬質ポリエチレン管（FEP）［**写真中**］や、金属製電線管（鋼管）［**写真下**］なども使われる。これらは圧力などに対して強度があるため、特に地中埋設管として使われることが多い。金属製電線管は可とう性が低いため、管を曲げる際には専用のベンダー［**写真下**］が使われる

デッキプレートを下から見た様子。CD管が貫通している

打設後、CD管がスラブを貫通している様子。CD管をコンクリートに埋設する場合、打設時に管が折れたりつぶれたりすることがある。このため、打設の際には設備設計者や設備業者が立ち会うことが望ましい

パイプスペース（PS）

外壁建込みや防火区画処理［**151頁参照**］が施され、PSがかたちづくられていく。集合住宅などのビル建築では、PS内の幹線から各戸へ配線されることになる

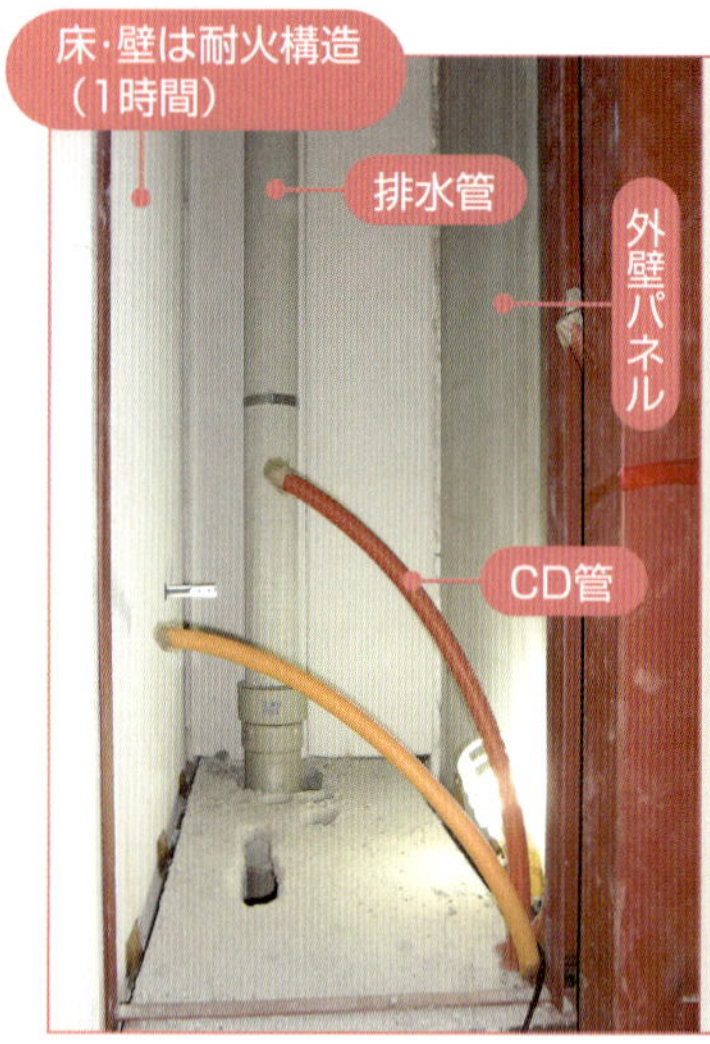

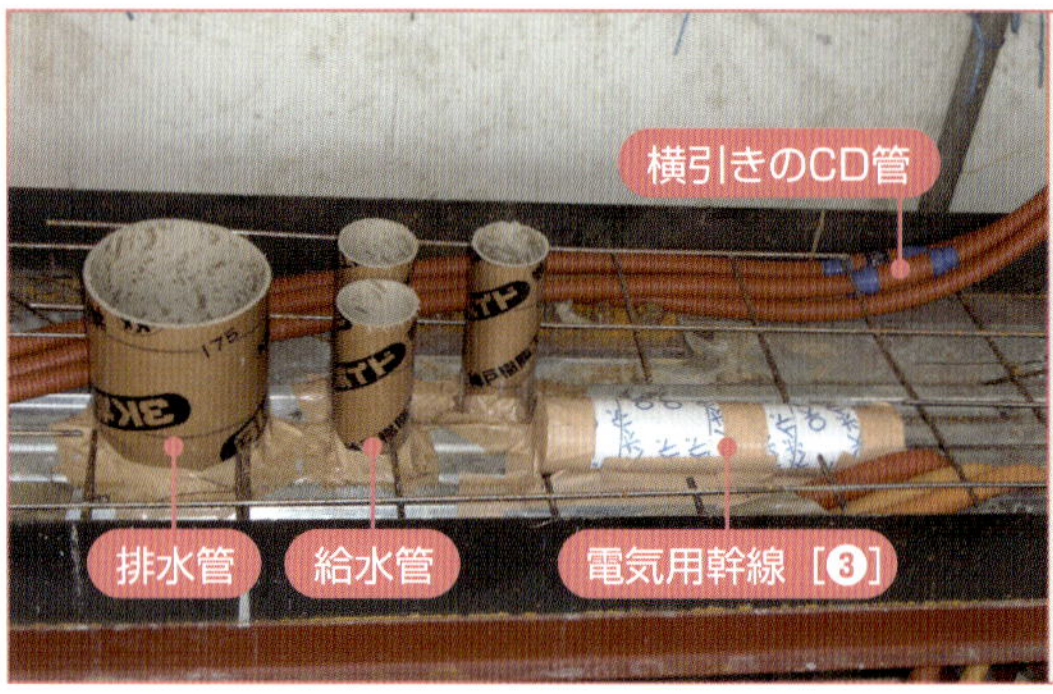

PSとなるスラブのコンクリート打設前の様子。幹線の貫通部には横にボイド管［❷］が入っていた

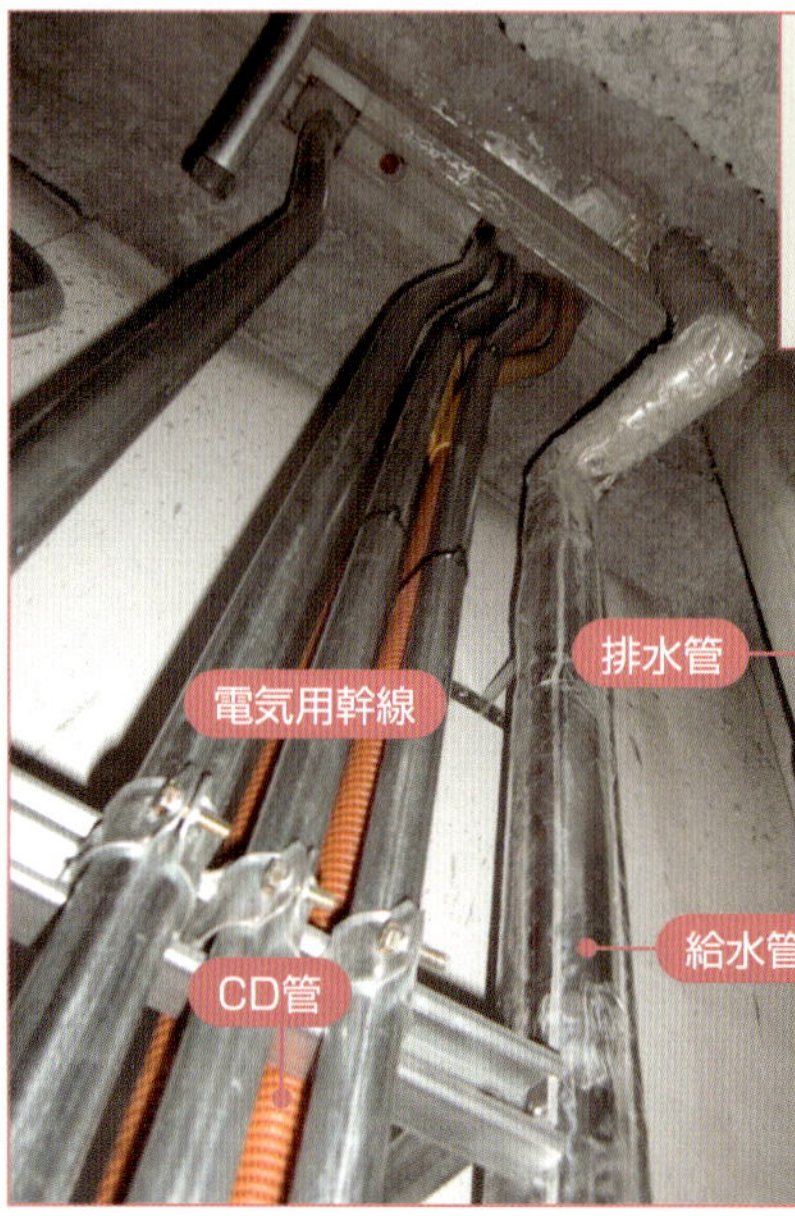

PS内の配管

❶耐燃性（自己消火性）：管が火に触れて燃焼した際、炎を取り去ってから一定時間内に自然に消える性質｜❷ボイド管：設備配管用のスリーブに使用する円形の厚紙｜❸電気用幹線のスペースを確保するために横向きに設置しているが、通常横向きには設置しない。この場合、納まり上の理由で、構造検討を経て設置している

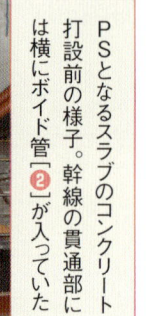

こちらは1階のPS。地中からの管をプルボックス[4]で中継して上階へつないでいる

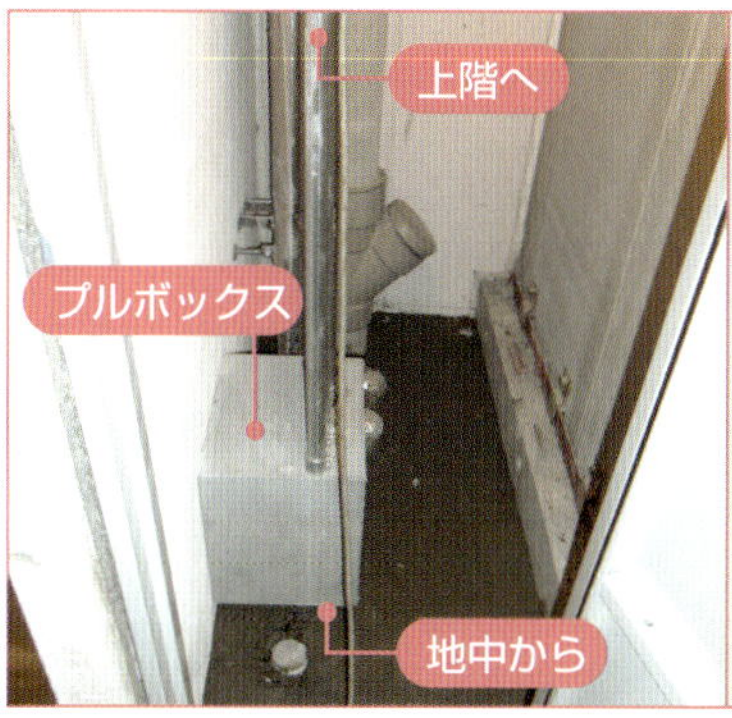

内部配線

PSの配管と平行して、住戸内では内部配管が始まる

内装下地（LGS）が組まれて、本格的な配線が始まる

電線管の継手

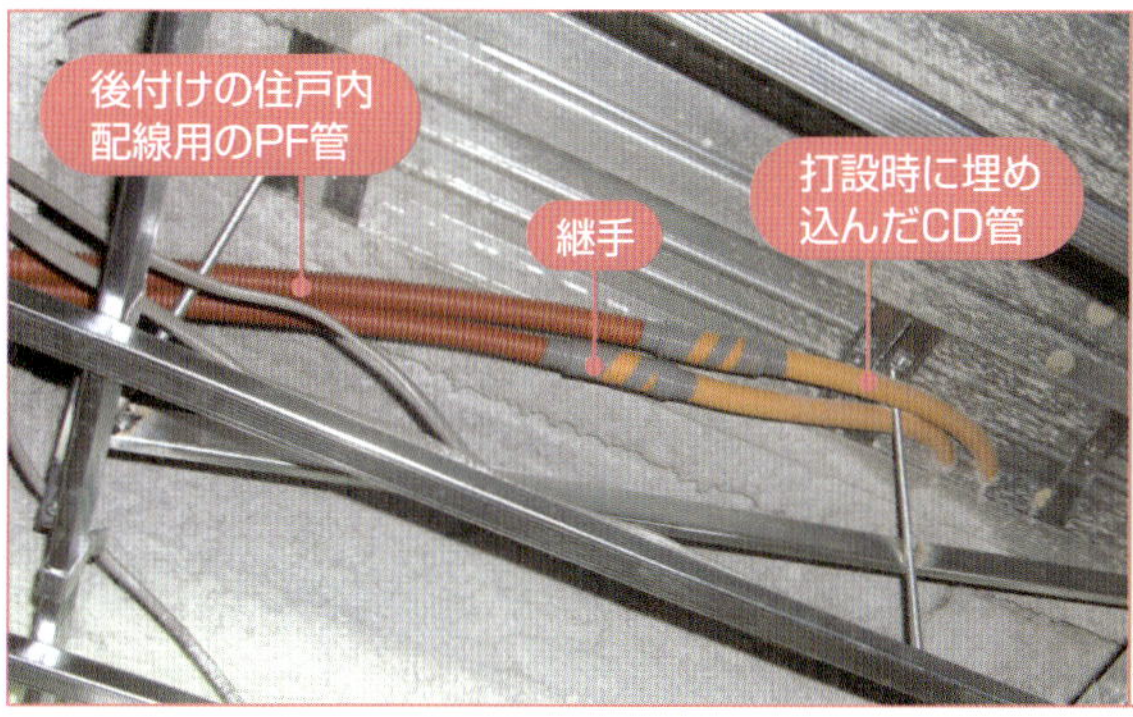

直付けの照明などは、配線がLGSを貫通する場合がある。この場合、LGSのエッジでケーブルが傷付くのを防ぐため、貫通部に保護材を設ける

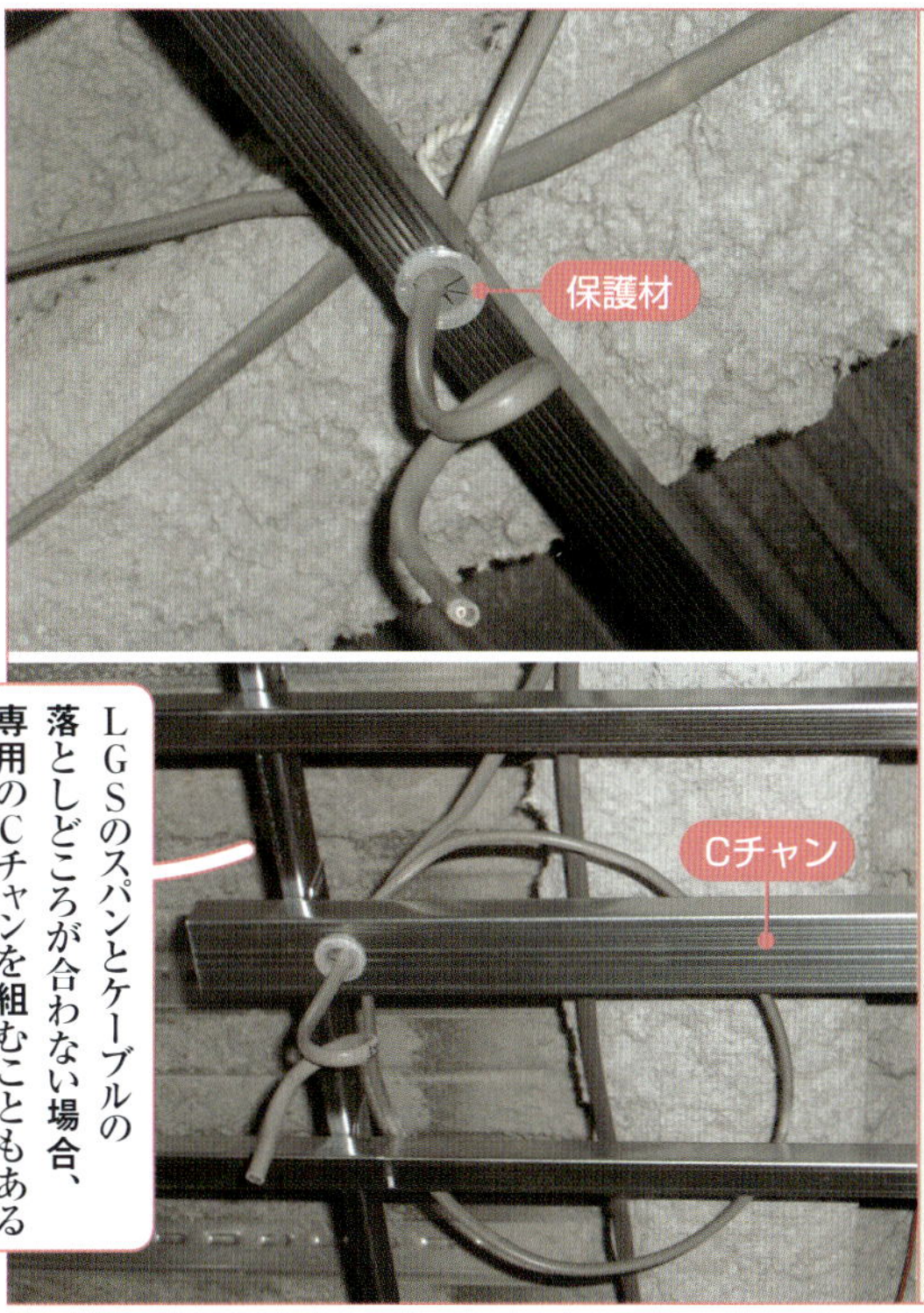

CD管、PF管の継手には専用の継手材が使われる

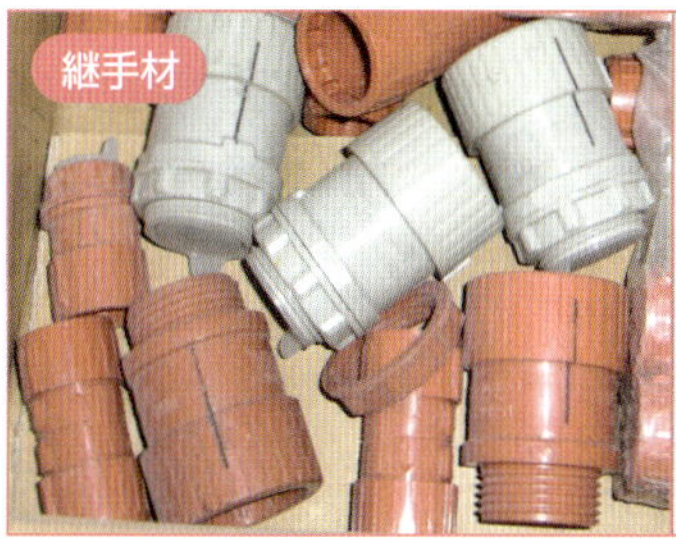

こちらは天井点検口からのぞいた天井。ユニットバスの天井内は点検しやすいため、ジョイント部などの配線が集まる傾向にある

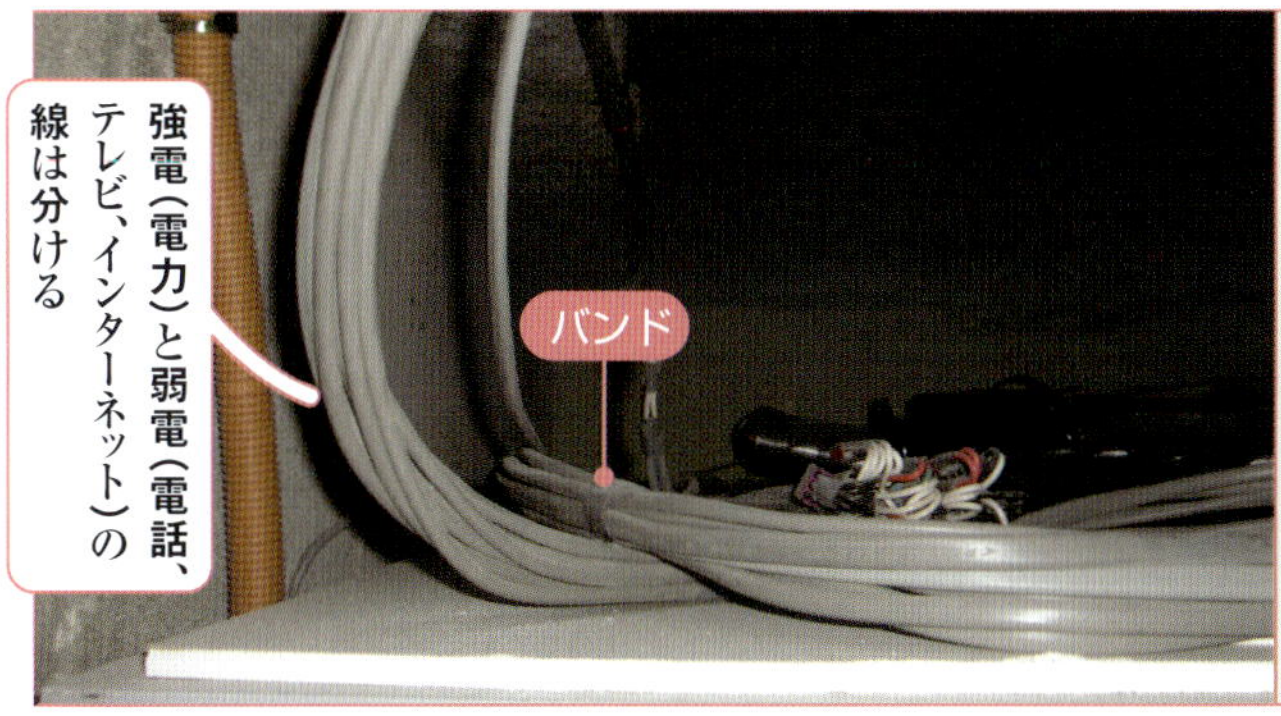

コンセントボックスの取付け

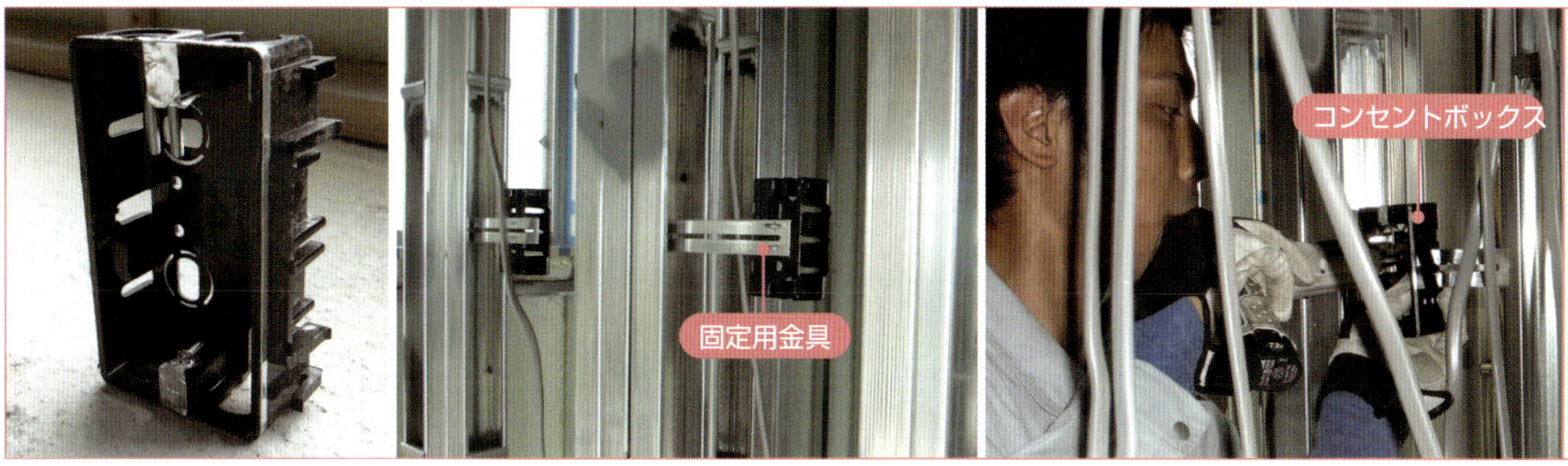

[4] プルボックス：電線管内へ通線しやすくするために配管の中継地点に設ける鋼製のボックス

PSから住戸への配線

内部配線が進んだ時点でようやく、住戸内からPSへ、電力ケーブルが通される

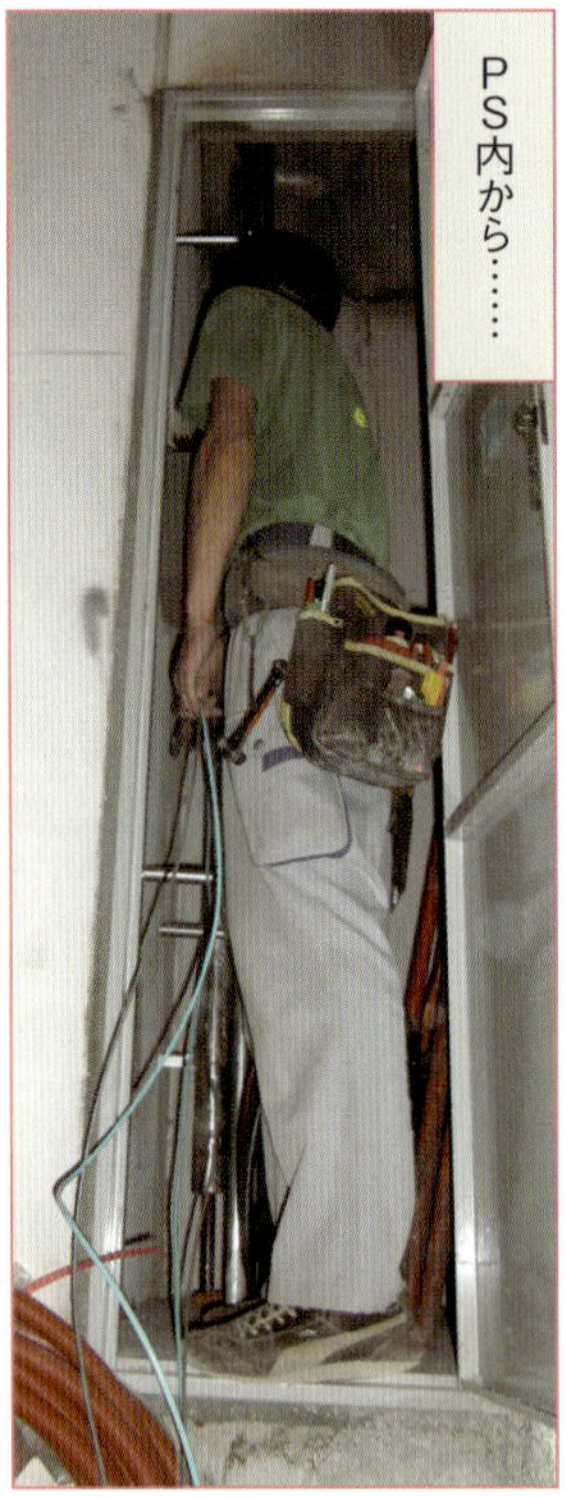

PS内から……

電線管を通して……

電線管の中への通線には、スチールワイヤーが使われる

住戸のコンセントへ

これで、PSから住戸内コンセントへ、CD管を介して電線が引き込まれた

内装工事が進み、石膏ボードが張られた状態。石膏ボードを切り欠きコンセントボックスを露出させる［❶］

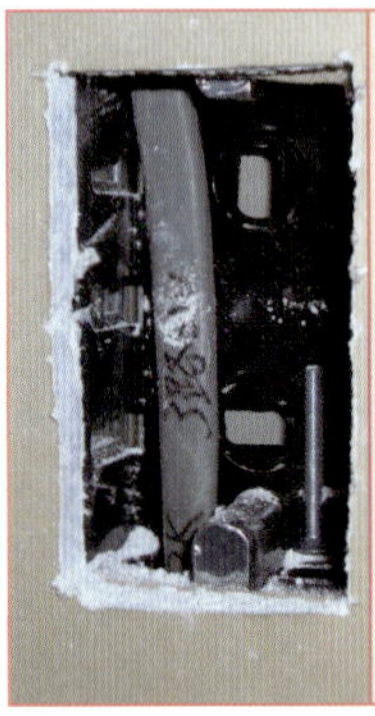

この後、コンセントやスイッチが取り付けられて完成となる

給排水設備

水廻りに関するトラブルはクレームにつながりやすい。設備機材の劣化など、不可避な原因もあるが、施工不良によるクレームは避けたいところだ

屋外の配管

基礎配筋時に設置された梁貫通部のスリーブ

埋戻し時、貫通部に排水管が通される。地中へ管を埋設する際は、構造耐力上の検討が必要となる

地盤への転圧などが**十分でないと埋設管が沈下**するおそれがある。**排水管の場合**、それにより**勾配がとれなくなる**おそれがあるため、**基礎工事の施工は設備配管にとっても重要です**

❶孔あけの位置は、石膏ボードが張られる前に高さなどの離れ寸法を床などに明示しておく

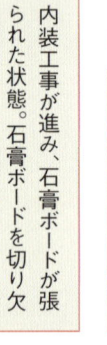

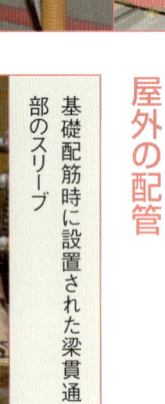

給水管も同時期に施工される［❷］

給排水管の立上り。ここから建物内のPSにつながる

横引きの配管が地中に埋まると、配管に沿って支持棒が露出する

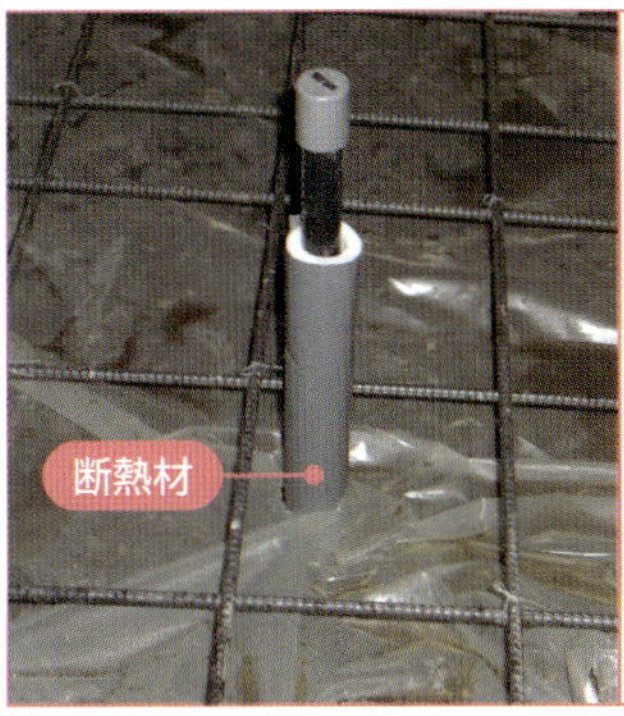

基礎立上り部の給水管が断熱材で被覆されている。これは、断熱のほか温度変化による伸縮を吸収する役割がある。さらに、管とコンクリートとの縁を切ることで給水音の遮音性を高める

外構部には雨水と汚水の枡が設置されている。ここで使われているのは塩ビ製の小口径の枡。軽くて施工しやすいという理由から、一般に普及している

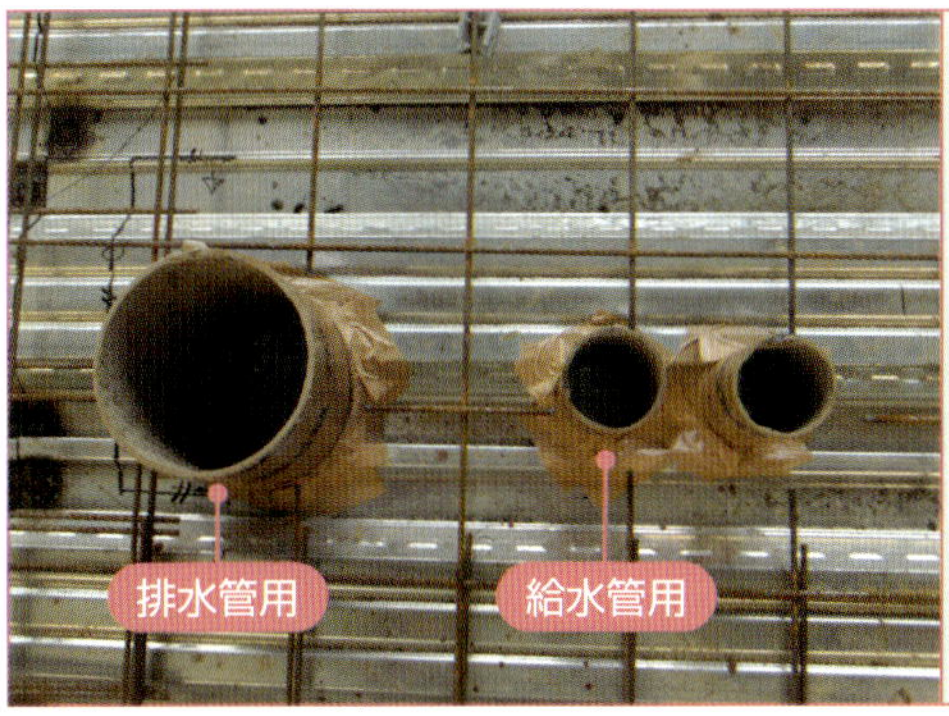

こちらはスラブの貫通部

排水管

スラブコンクリート打設後、室内配管が始まる

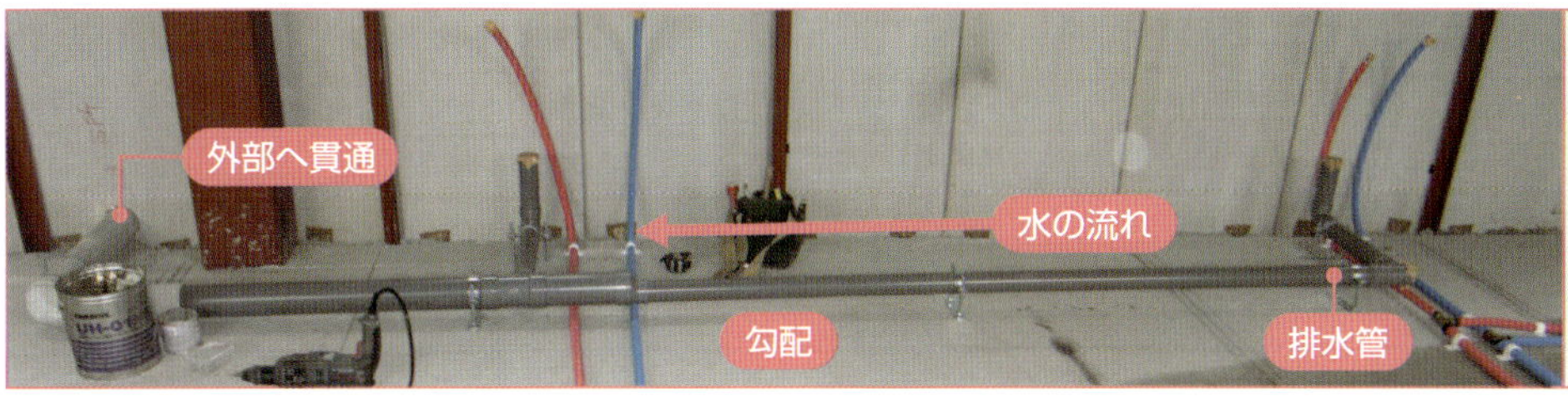

ここはPSまで勾配（1／50以上）をとる床懐がないため、排水管を外部露出にしている

排水管の曲がりは少ないほうがよい。曲がりが出る場合はできるだけ大曲《おおまがり》エルボや45°エルボを使う

外部露出の排水管

この後、外構工事が入る。排水管の先端は排水枡につながり、土に埋まる

❷土間への埋設では、温度変化による伸縮を吸収するために、最低でも継手部分に緩衝材を設置するのがよい｜❸支持棒には、腐らないようにステンレスが用いられる

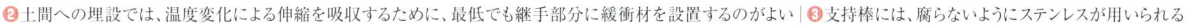

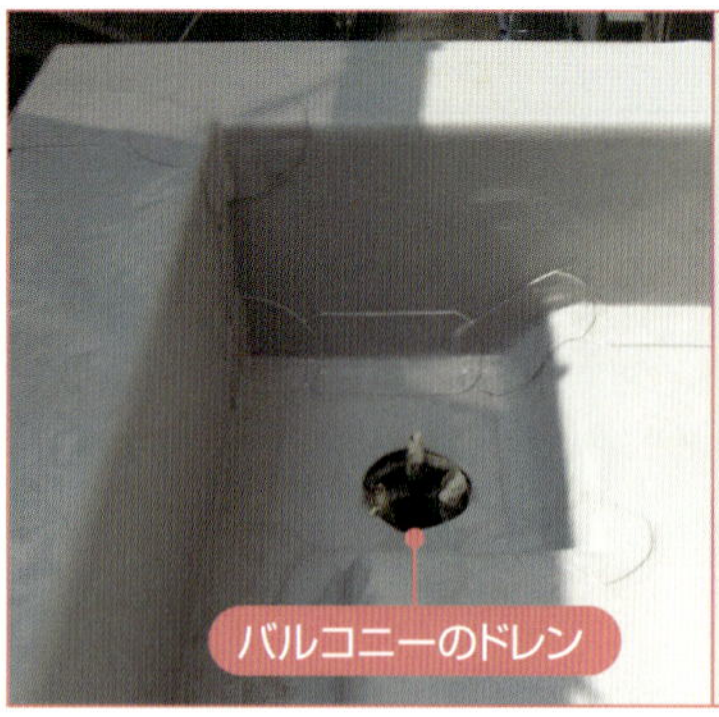

屋上やバルコニーには排水ドレンが設けられる。これも外部露出の排水管につながる。ここでは、バルコニーのドレンは縦引き、屋上のドレンは横引き（139頁参照）にしている

バルコニーを下から見上げた様子

給水管

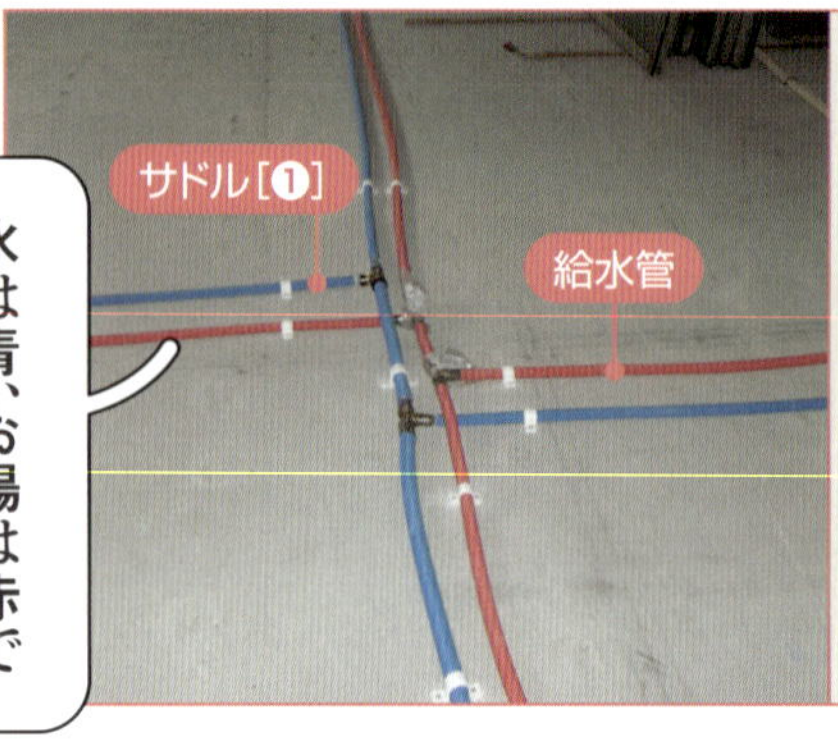

給水管の継手。ここでは給水管が水栓の付近で分岐する先分岐工法が採用されている。配管の工法にはこのほかにヘッダー工法［**図**］がある

水は青、お湯は赤で色分けされている

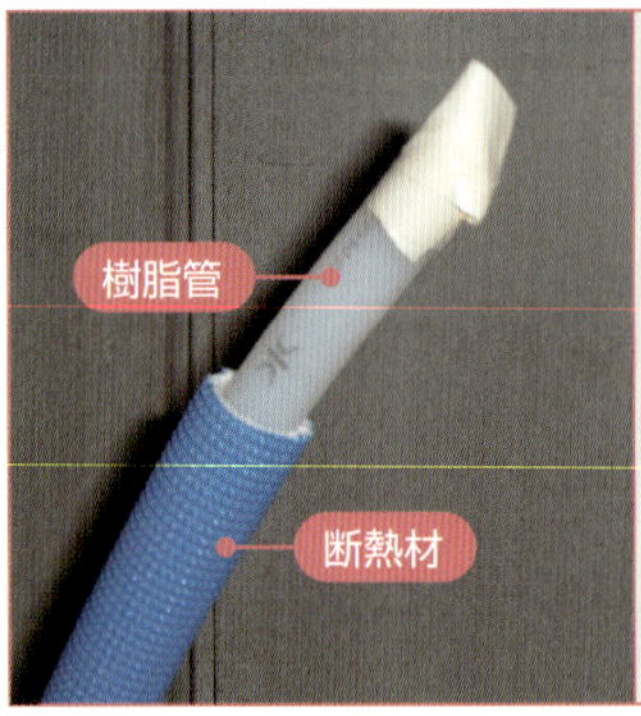

ここで使われている給水管は、断熱材付きの樹脂管。さびの心配がなく、軽くて曲げやすいので配管しやすい

曲げ半径をとれないくらいの床懐では、給水管の継手を支持する金具や高さ調整用のチャンネル（溝形鋼）が付けられることがある

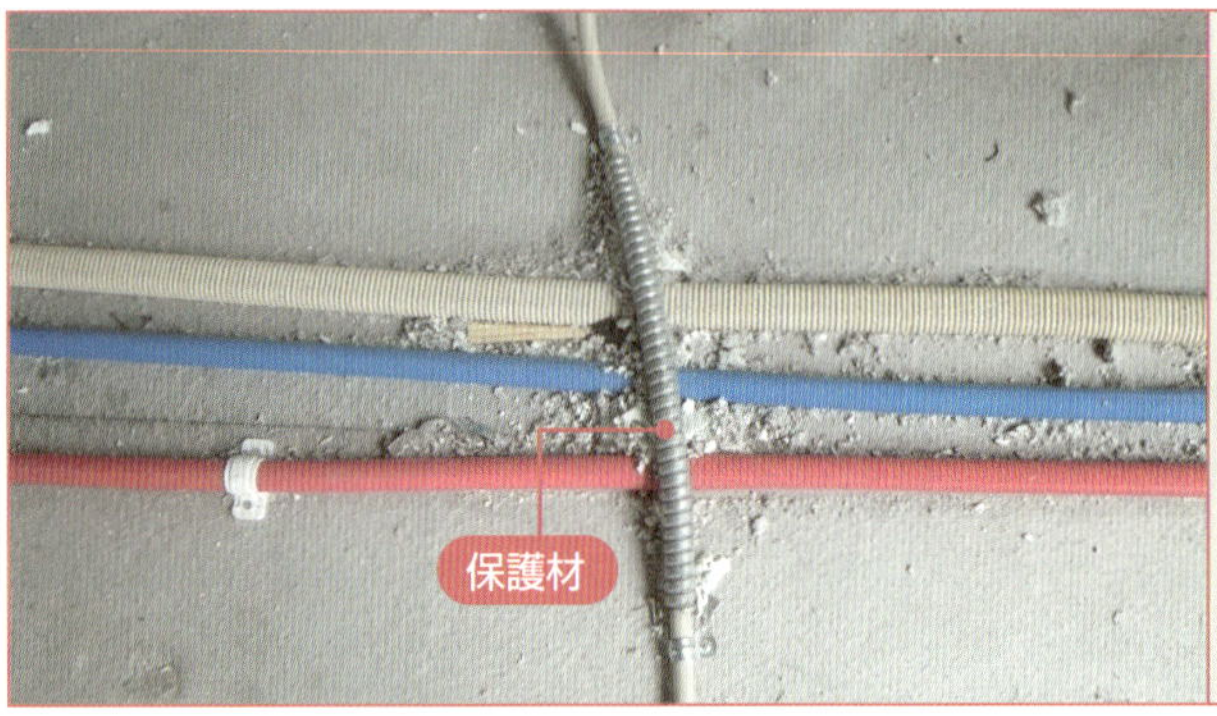

配管が交差する個所は、上部の管にCD管などの保護材を付ける

図｜ヘッダー工法

ヘッダーと呼ばれるユニットで給水・給湯をまとめ、そこから水栓ごとに給水管を通す配管工法をヘッダー工法と呼ぶ。1本の給水管につき1つの水栓に供給されるため、複数の水栓を同時に使用しても水量変化が少ない。また、分岐がないため給水管に継手が生じず、継手からの水漏れの心配がないというメリットもある

ヘッダー工法

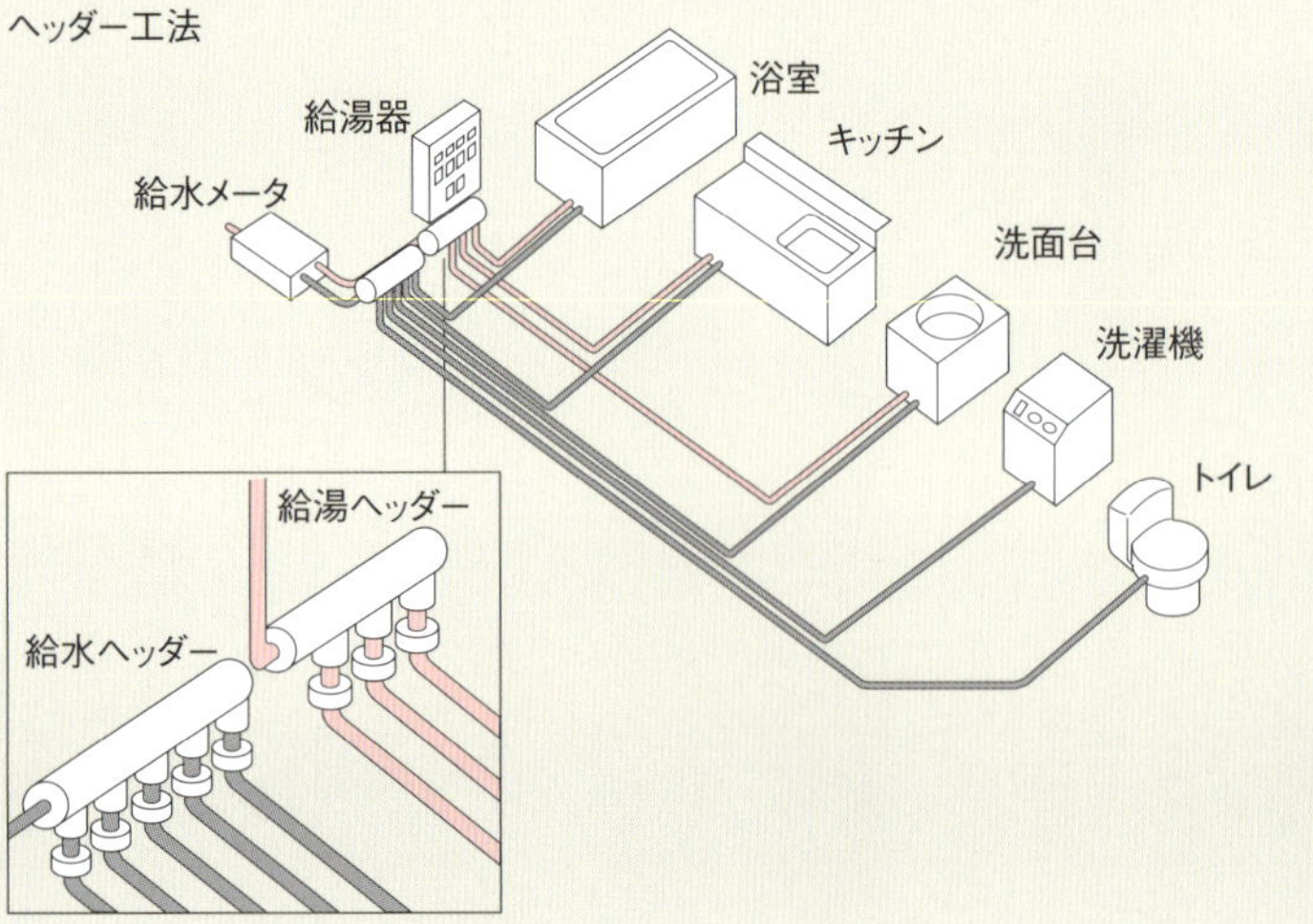

さや管ヘッダー工法

ヘッダー工法のなかで、給水管、給湯管の保護として樹脂製のさや管を使う方式を、さや管ヘッダー工法と呼ぶ。さや管は樹脂製なので、曲げやすいうえ、裸配管に比べて結露が起きにくく、保温効果も期待できる。そのうえ給水管が劣化しても中の管だけを抜き出して交換すればよく、配管しなおす必要がない。このように多くのメリットがあるため、普及してきている

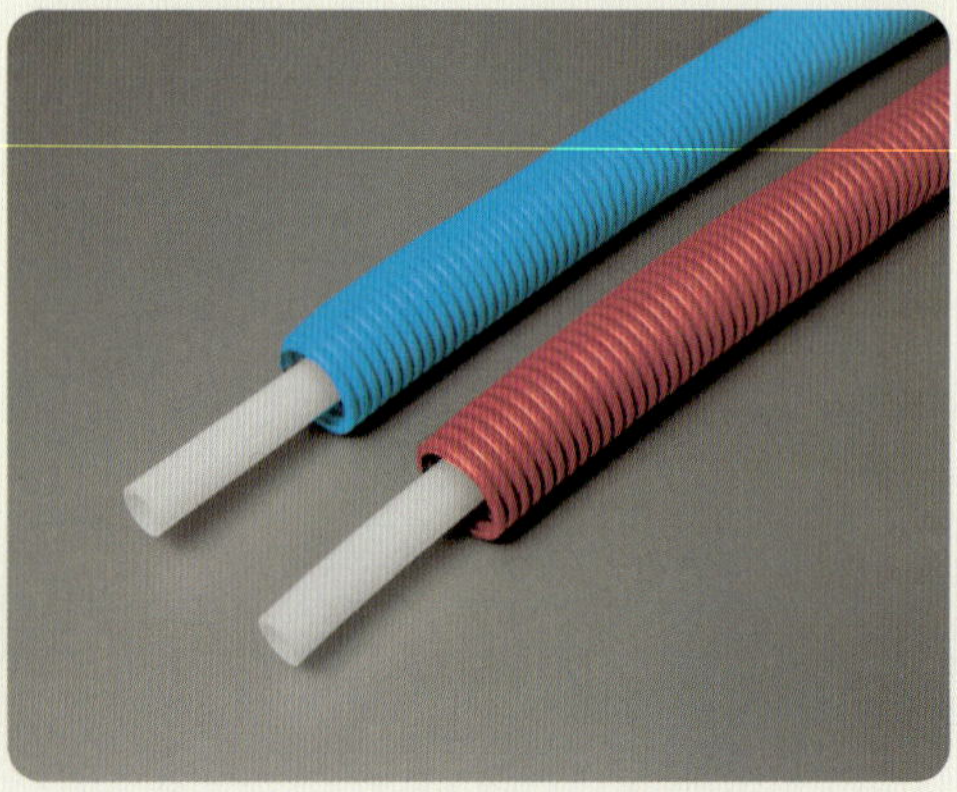

❶サドル：配管を固定するための金具

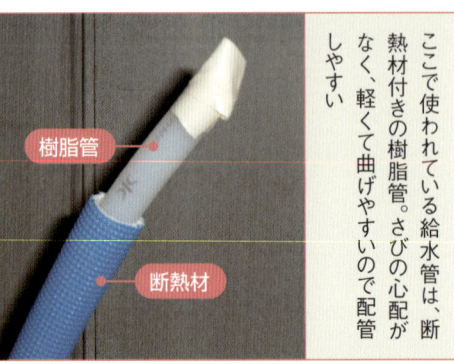

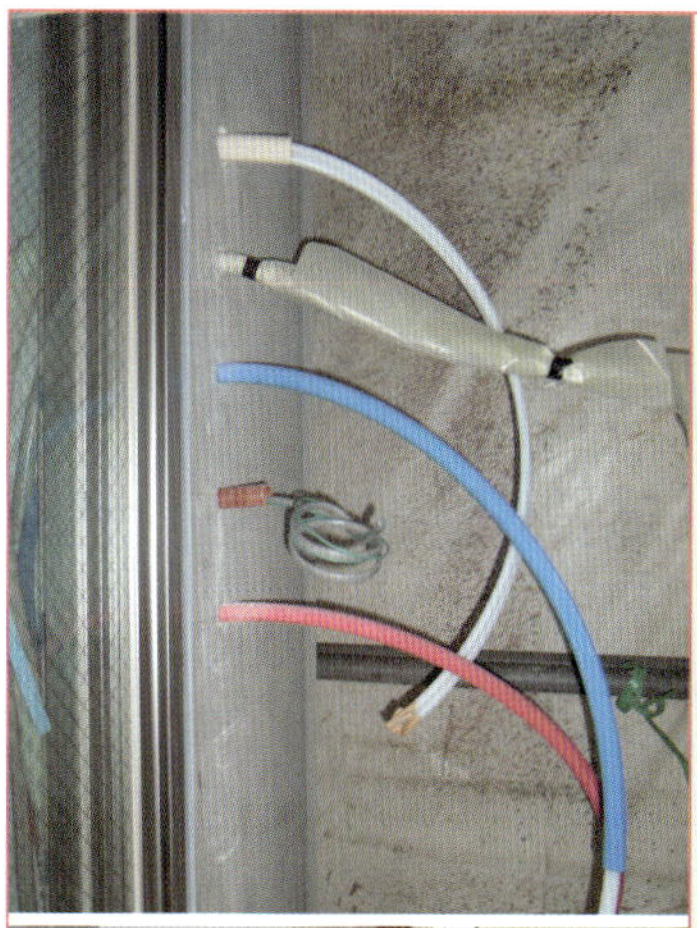

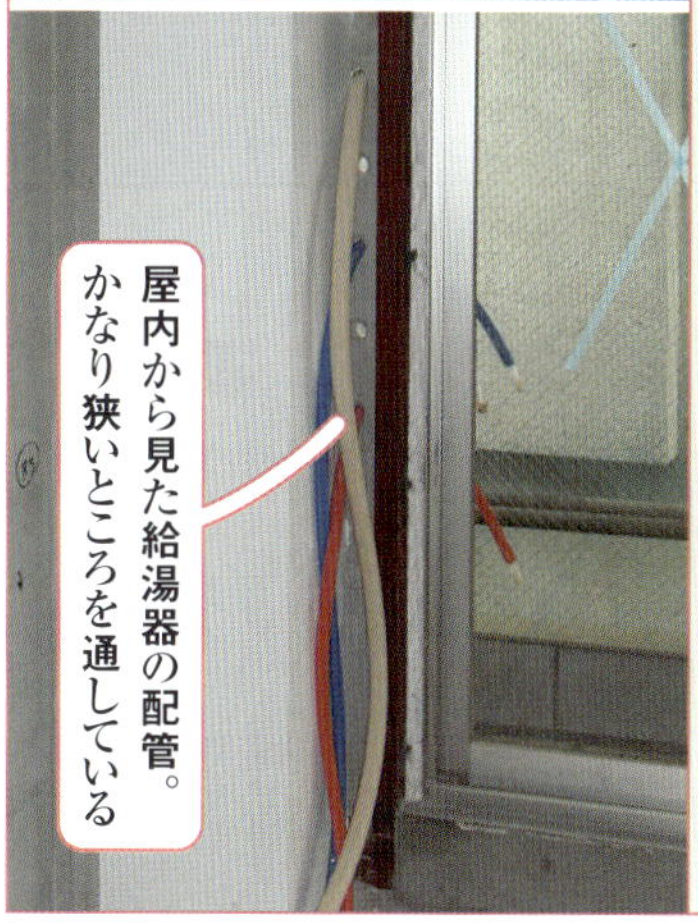

給湯器の配管。設置場所については、窓からの距離など、防火上の配慮が必要となる。また、給湯器の配管には防振支持が必要。振動対策として、アンカーを外壁パネルに埋め込む場合もある

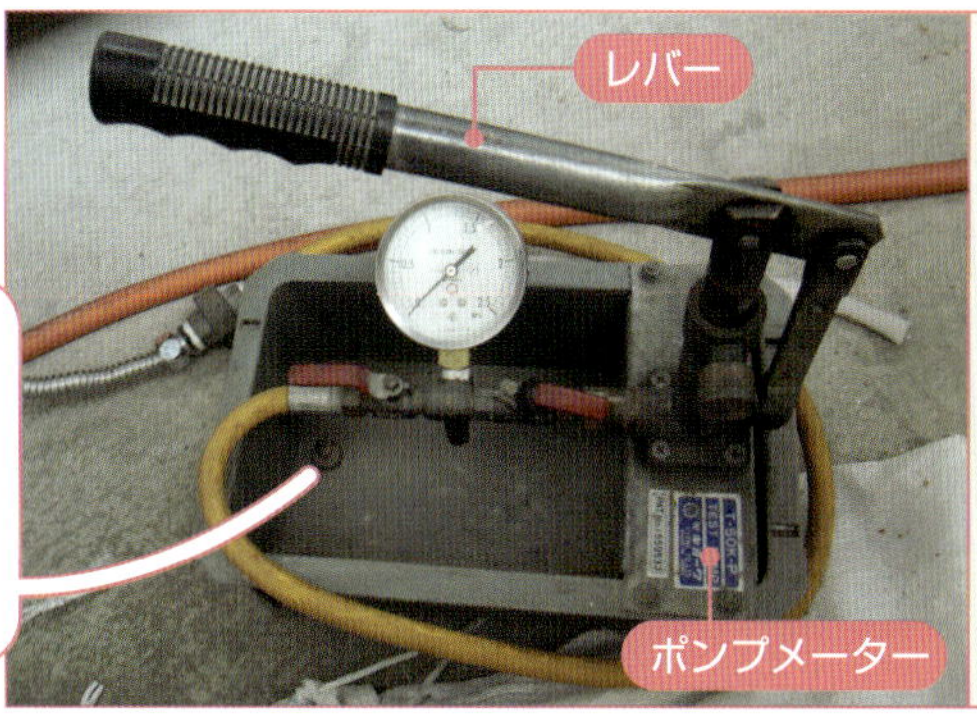

配管の完了後、水圧検査（満水試験）を行う。ポンプで圧力をかけてすべての給水管に水を送り、水漏れが生じないかを調べる

この部分に水を溜める

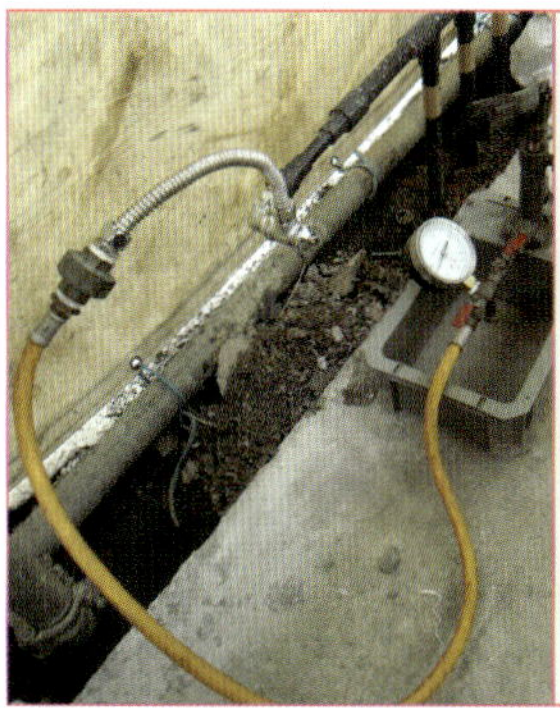

給水管の幹線にポンプメーターをつなぐ

1.5MPaの圧力がかかっている。この状態で1時間保持する

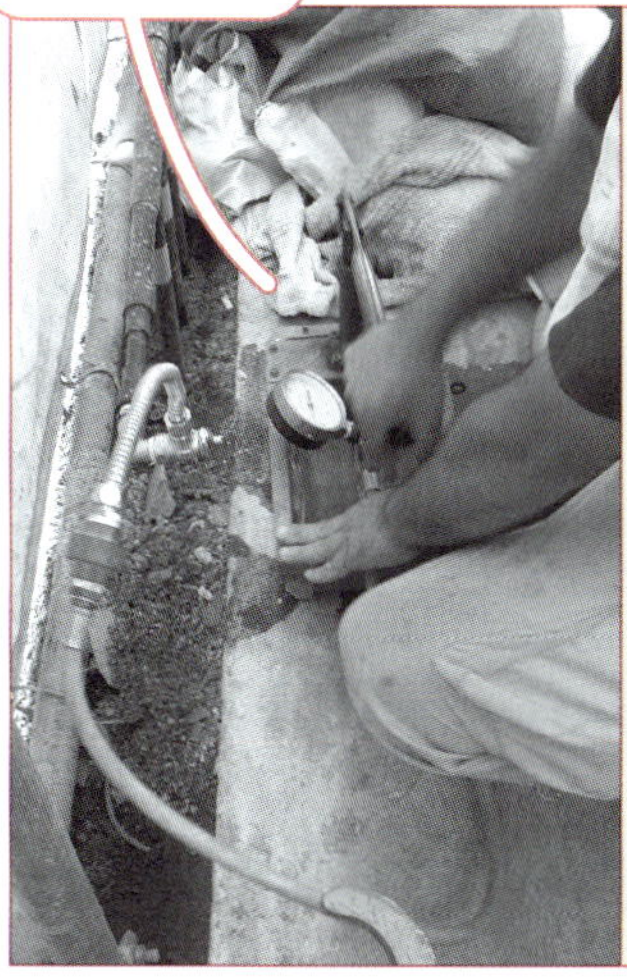

ポンプメーターに水を溜めた状態でレバーを押し、手動で圧力をかける

15分くらい圧力を送り続ける。これが結構しんどい

❶ 冷暖房換気設備

最近の集合住宅などでは24時間換気が義務付けられるなど、これまで以上に換気の重要性が認知され始めている。大きい径の孔を設けることから、防火の面でも注意が必要になる

冷暖房設備配管

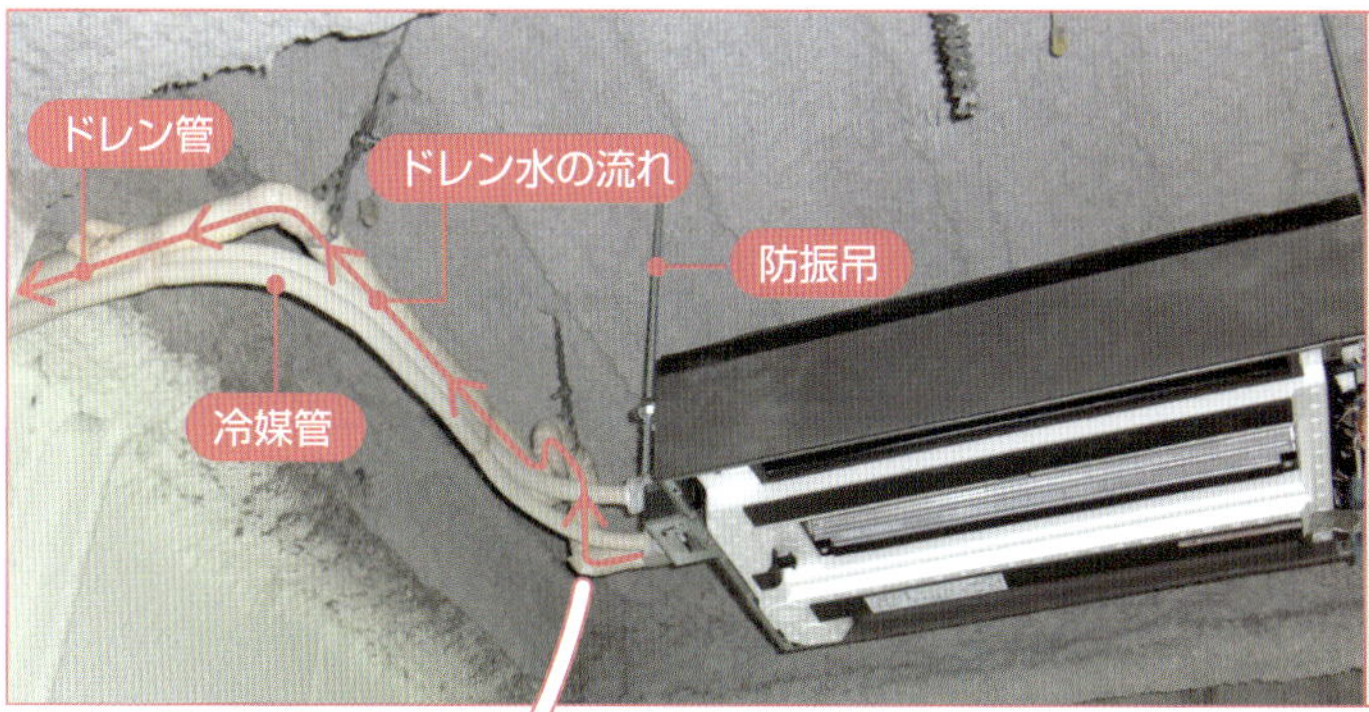

エアコンの配管。この時点で、冷媒管とドレンがエアコン本体に配管されている。この後、電気線も配線される。エアコンは天井からの防振吊で固定する

ドレンアップ［❷］でいったんドレンを高い位置に持ってきている

冷媒管はフロンなどの液体ガスを通し、その作用で熱を移動させる管。室外機と室内機を結ぶ［❸］

❷ドレンアップ：ドレンを高い位置まで上げるための小型ポンプ。ドレン管には1／100以上の勾配が必要だが、これを使うことで勾配をとるための高さを稼ぐことができ、短い距離でも勾配を確保できる。また、ドレン水の逆流を防ぐこともできる｜❸冷媒管は、空調機によっては断熱材の厚さの規定が異なることがある（写真は、2本がペアになっている冷媒管）

ダクト配管

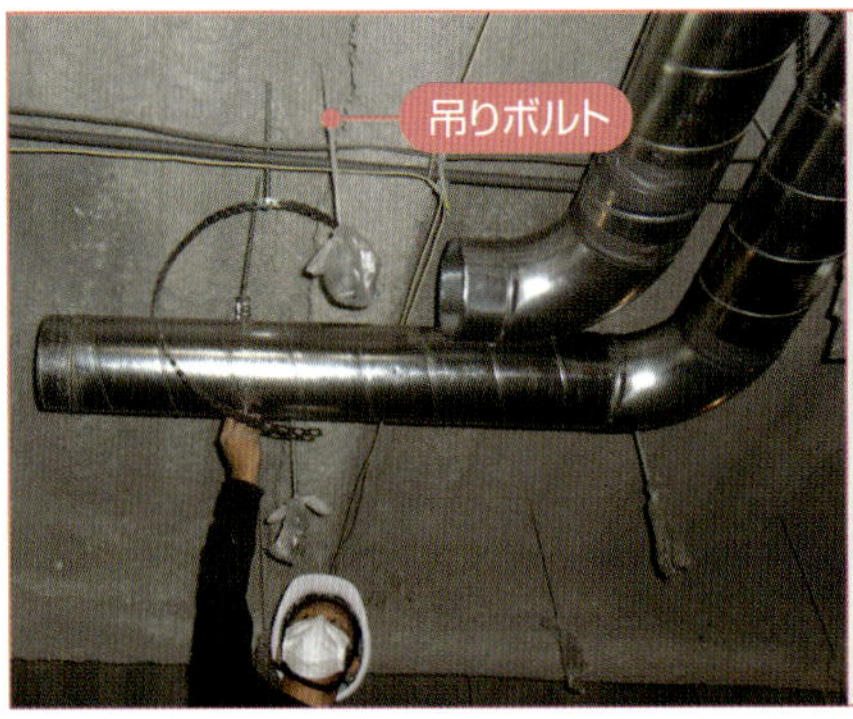

吊りボルトに付けられたバンドで管を支持する

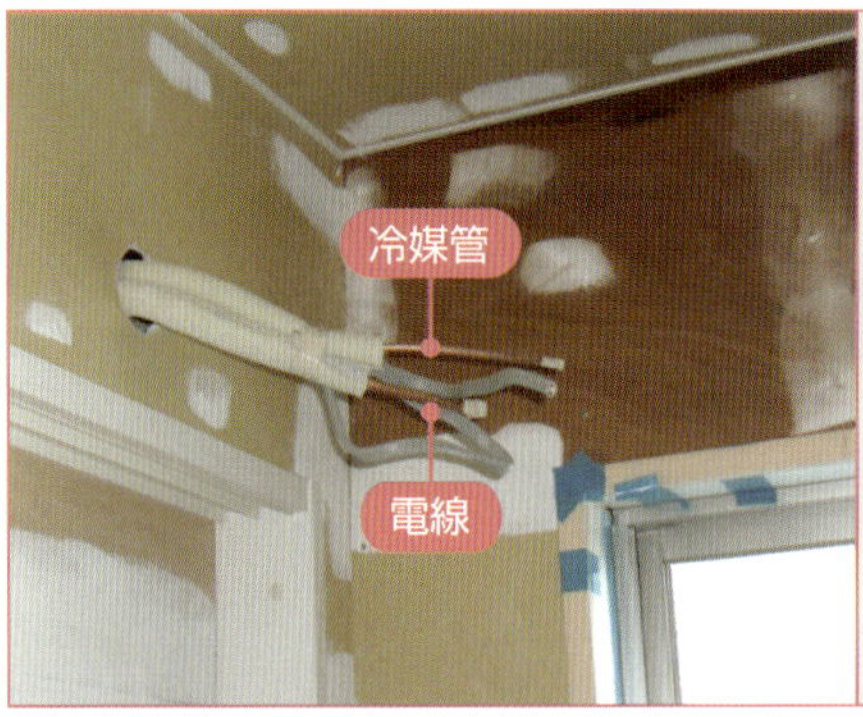

冷媒管はエアコン本体の設置に先行して配管する。取出しが容易な位置に配管することと、ドレンの接続が逆勾配にならないようにすることがポイント

管の継手の接続法はいくつかあるが、ここではビスとダクトテープが使われる。ビスは脱落防止のため に付けられ、3点接合が理想。真下に付けると結露水で腐食するおそれがある。継手内部にはブチルゴムを巻き付けて挿入し、外側をダクトテープで巻く[❶]

ベントキャップ

ベントキャップ施工のポイントは、シーリングに尽きると言っても過言ではない

レンジフード廻り

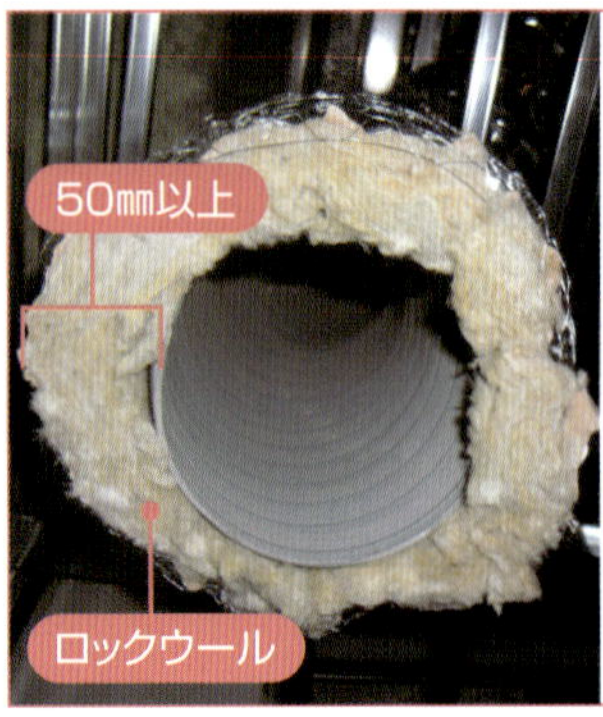

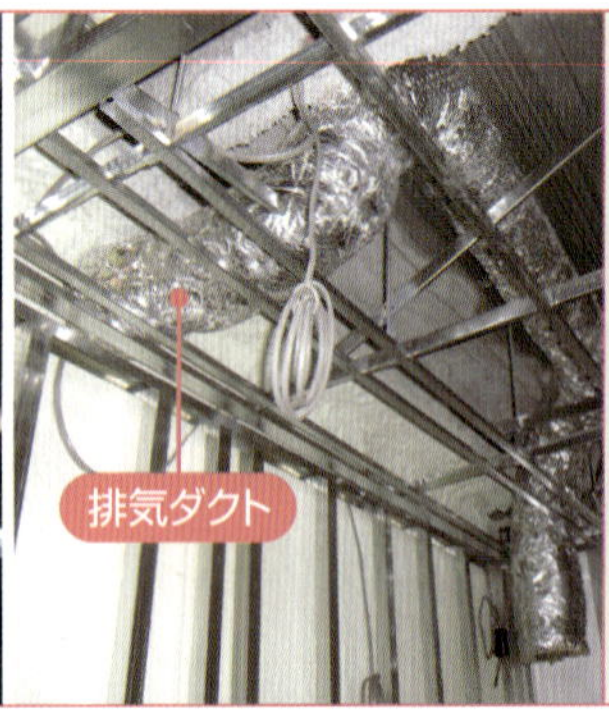

排気ダクトはロックウールなどの不燃材で厚さ50㎜以上被覆する[❷]

写真｜外壁の孔あけ

ダイヤモンドカッターでコンクリート壁などに貫通孔をあける。通称「コア抜き」。ここでは押出成形セメント板の孔あけ作業を見てみよう

コア抜きにはコアドリルが使われる。先端面が真空吸盤状になっており、これでドリルを固定する。アンカーなどを打込んで固定する方法もある

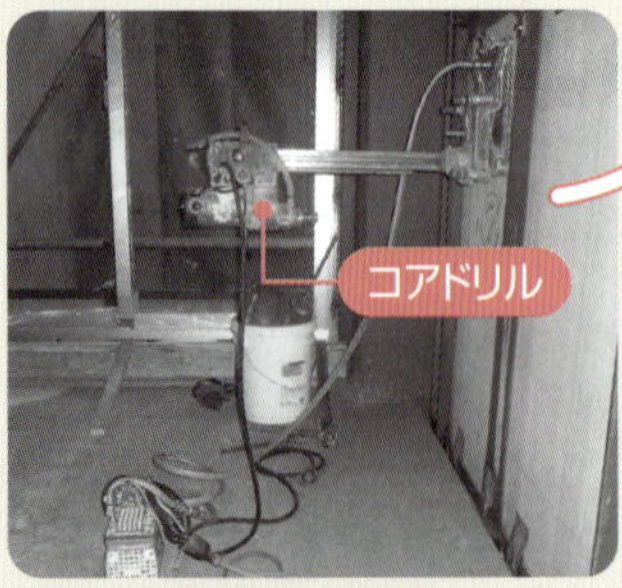

吸盤だとドリルを固定した跡が残りません

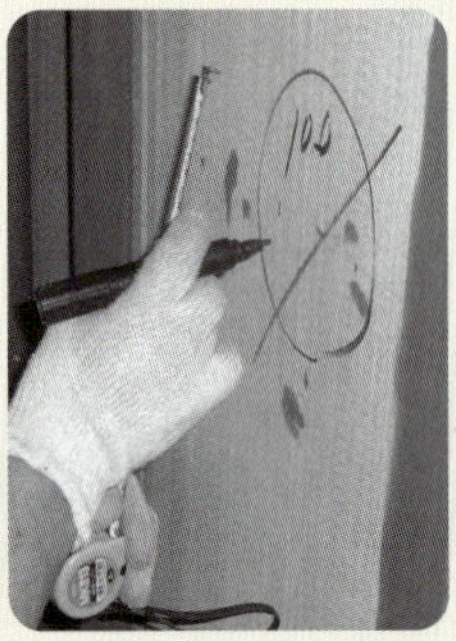

施工手順は、まず孔をあける個所を墨出し後、ドリルを固定

ダイヤモンドカッターで切る

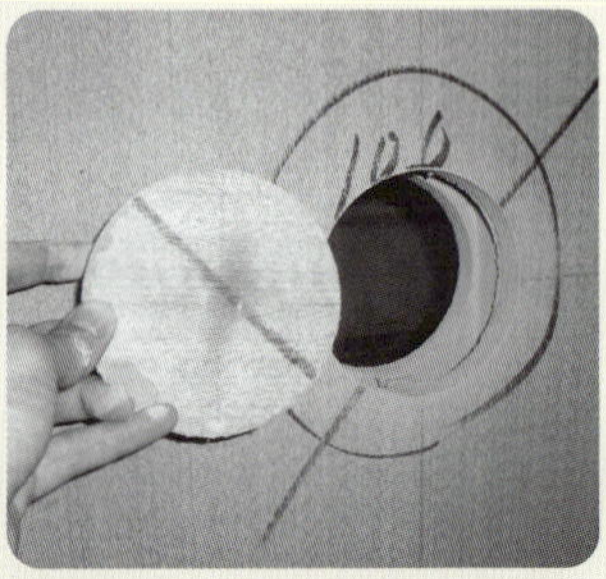

施工完了。きれいに切り抜かれました

❶ブチルゴム：イソブチレンとイソプレンの共重合体。気密性や耐候性に優れる｜❷大臣認定を受けている厚さ20㎜の断熱材もある

防火区画貫通処理

防火区画は火災時の延焼を防ぐために設けられるもので、集合住宅の場合、主に階段室やPSなどの竪穴区画が該当する。竪穴区画や、ダクトなど外壁への貫通孔の耐火処理は、不備があると延焼を招く危険性があるため、防火上の大きなポイントとなる［❸］

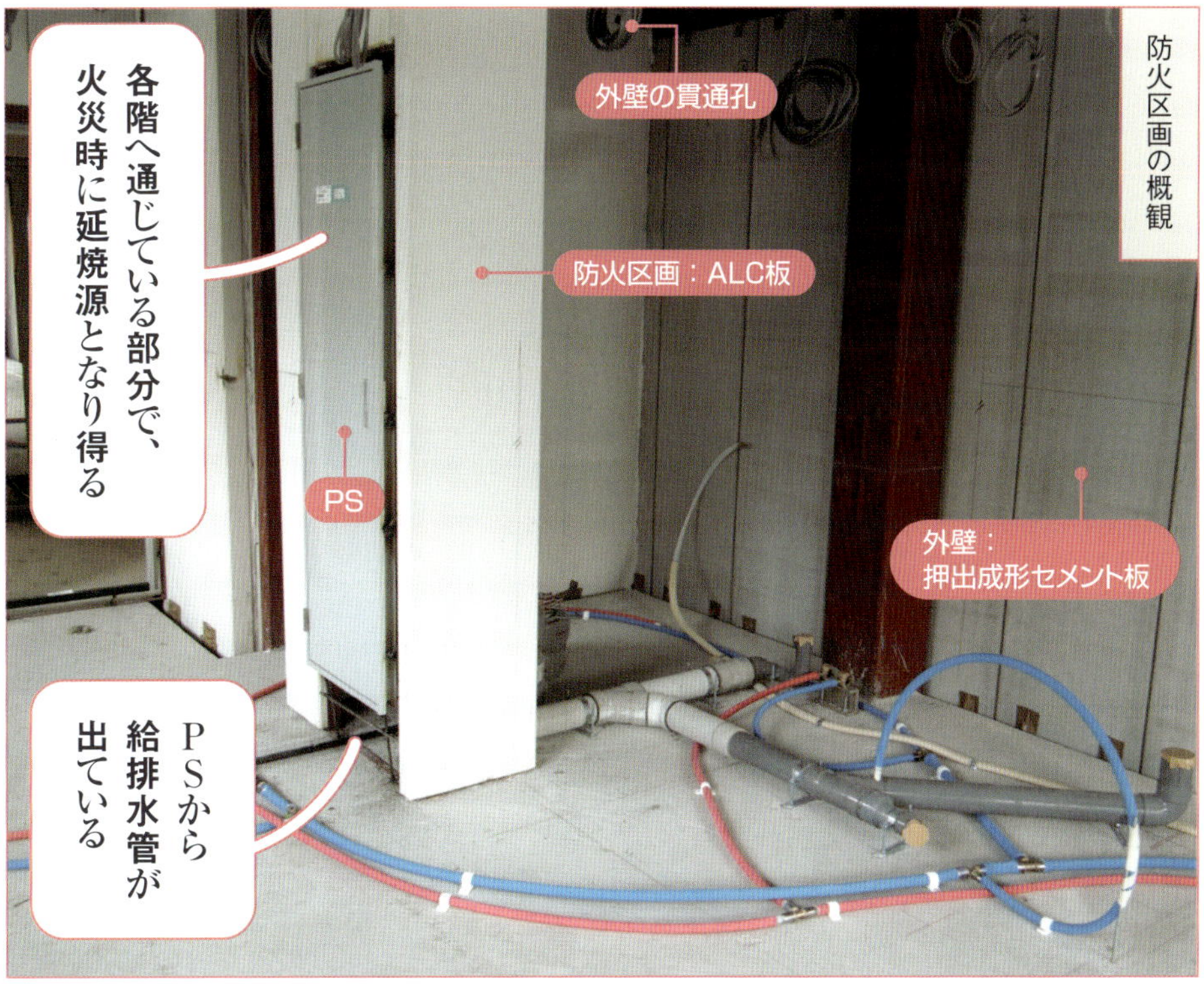

防火区画の概観

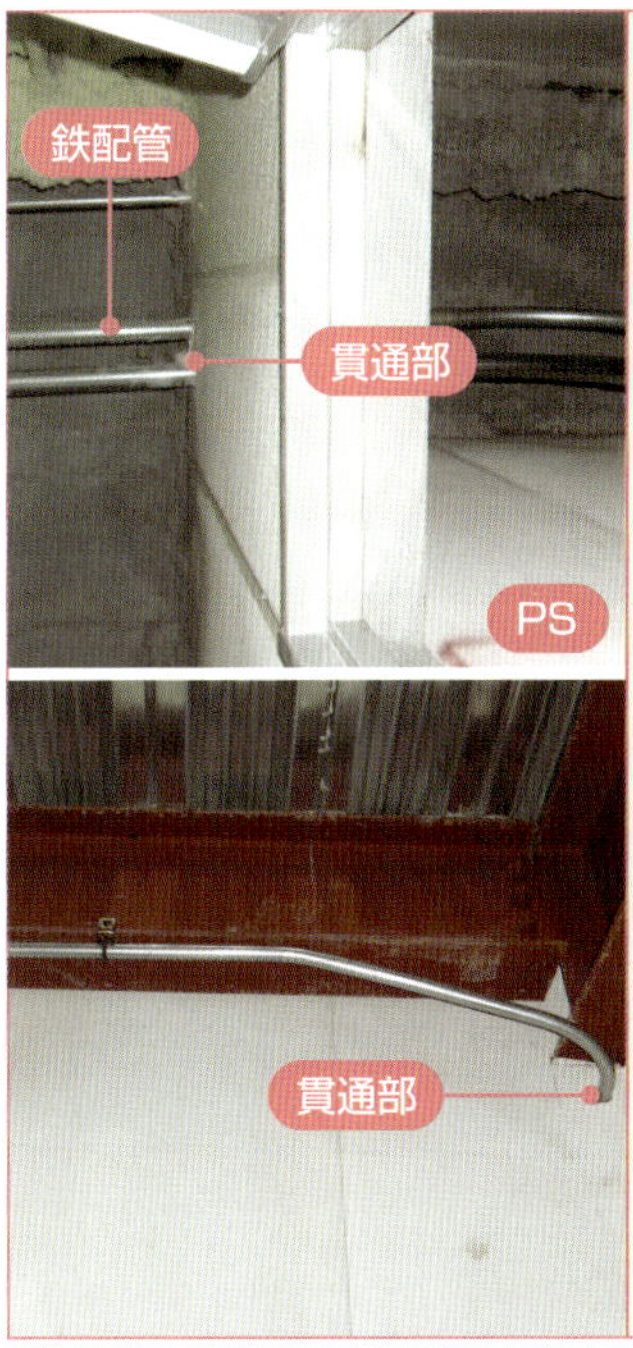

配管が防火区画を貫通する場合、区画の両側から1m以内を不燃材料とする。ここでは、電線管に不燃材料である鋼管（鉄配管と呼ぶ）を使用している

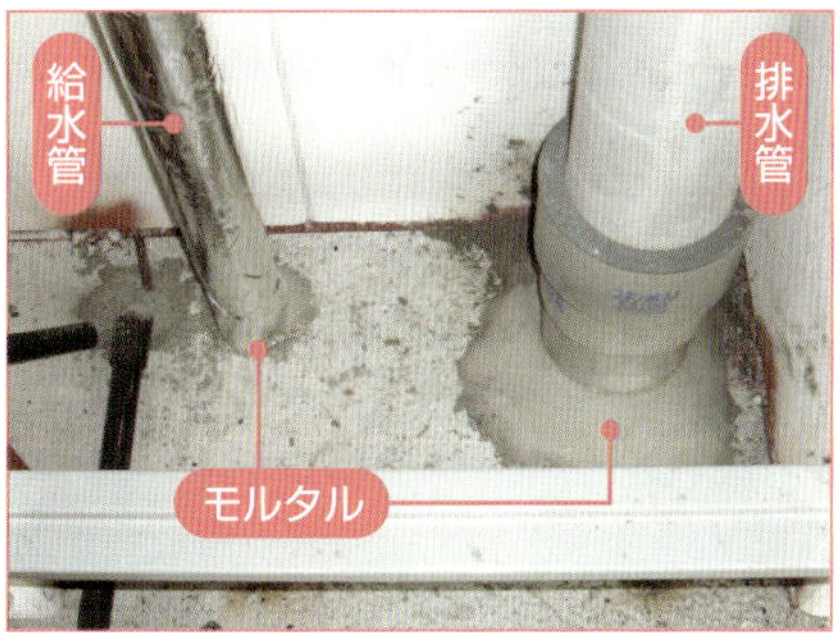

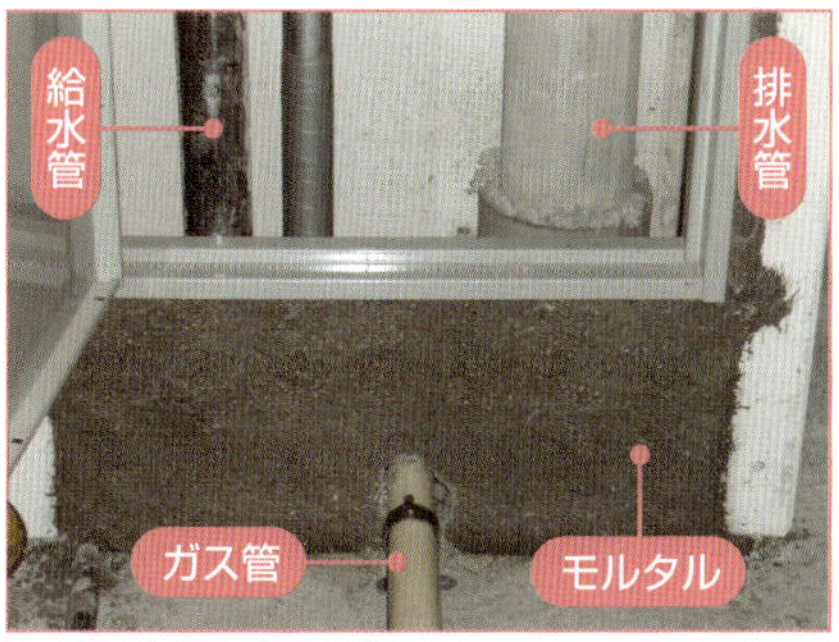

PSの内部や下端など、随所に見られる隙間は、すべて不燃材料で埋める

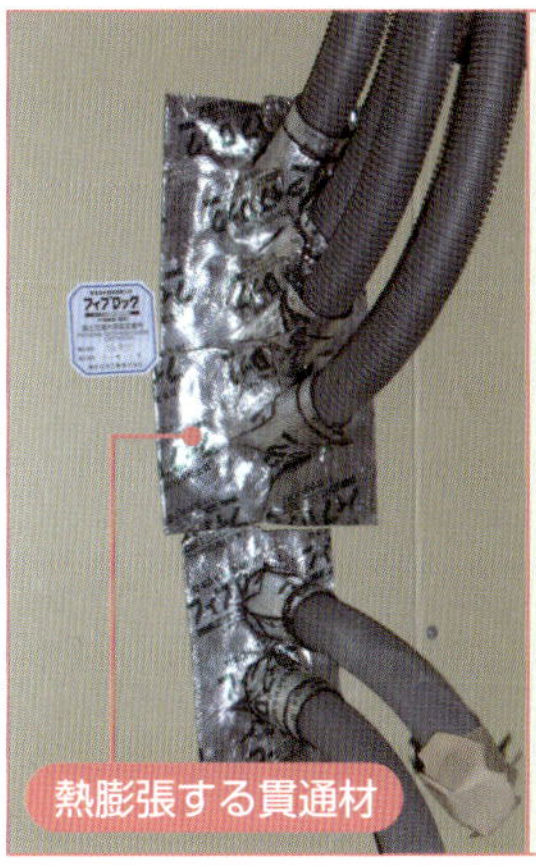

別の現場では、貫通部の隙間に熱膨張性の貫通材を使用している。防火区画との隙間は不燃材料で埋めなければならない

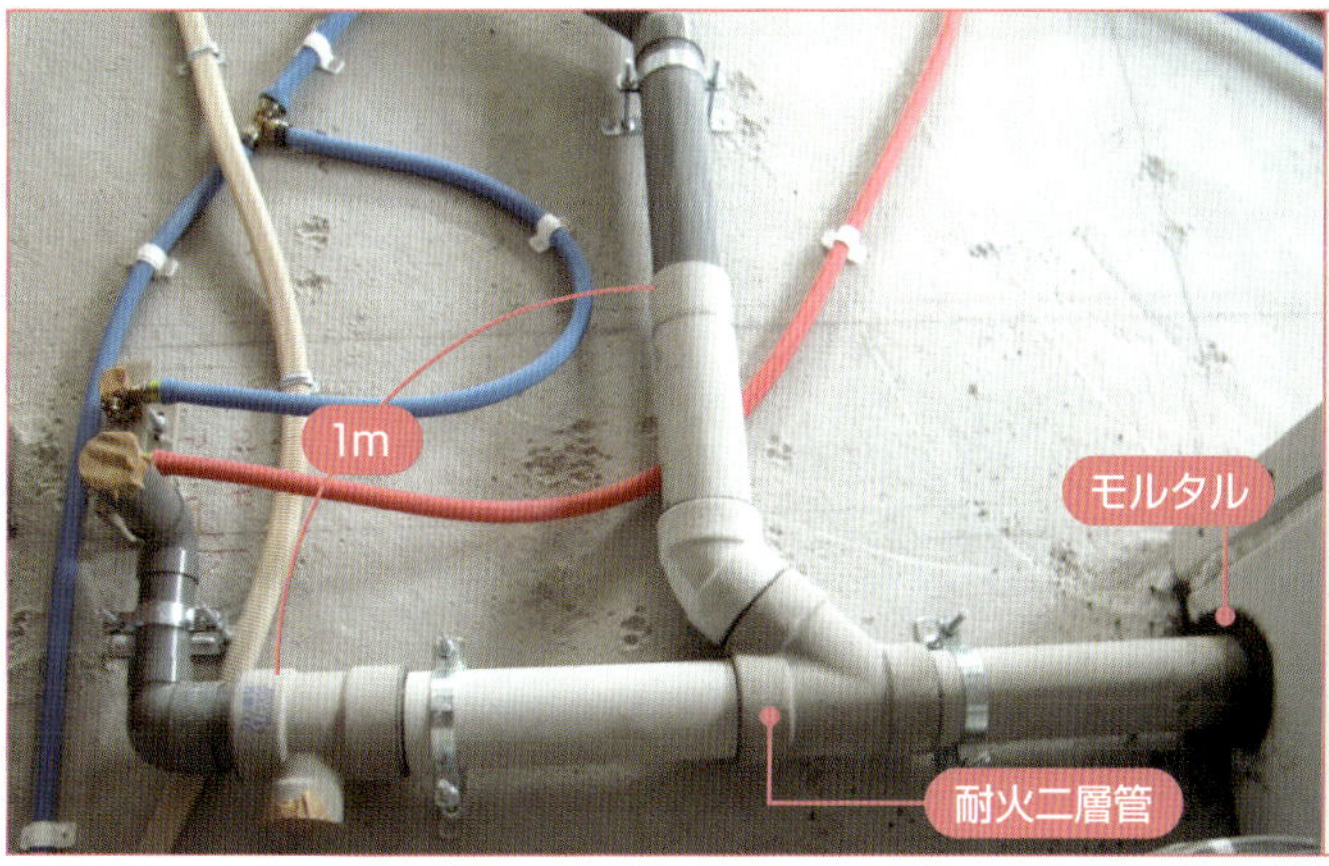

こちらは排水管の貫通処理。不燃材料の耐火二層管が使われる。耐火二層管は目地処理もポイントとなる。ここでは、高温になると膨張する特殊目地を使っているため、目地処理の施工を省略できた

❸区画貫通処理の工法認定として従来BCJ認定があったが、法改正で区画貫通処理の目的が遮炎に変わったことにともない、BCJ認定から国土交通大臣認定に変わった

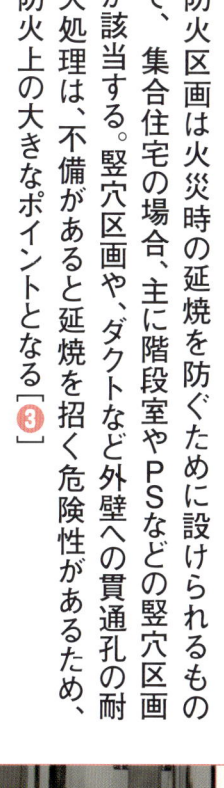

耐火被覆

耐火被覆

鋼材は加熱されて高温になると強度が急激に低下し、自立できなくなる。このため、耐火性能が求められる建築物では、一定時間鋼材の温度が上昇しないよう、耐火被覆を施すことが定められている［❶］

表1　耐火被覆認定工法

耐火被覆材には国土交通大臣の認定工法を取得している材料を用いる

認定工法の例

吹付けロックウール（半湿式工法）

被覆する部位と厚さによってそれぞれ耐火認定番号がある

被覆する厚さ	被覆部位	耐火時間	耐火認定番号
25㎜	柱	1時間	FP060CN-9460
	梁		FP060BM-9408
45㎜	柱	2時間	FP120CN-9463
	梁		FP120BM-9411
65㎜	柱	3時間	FP180CN-9466
60㎜	梁		FP180BM-9414

❶耐火構造は建築基準法2条7項で定められており、同施行令107条では耐火性能に関する技術的助言が定められている。耐火被覆にはこれらにもとづいた国土交通大臣認定を取得している材料を用いる

表2 主な耐火被覆材

施工法によって、大きく以下の4種類に分けられる

施工法	概要	主な材料	長所	短所
吹付け	ロックウールをセメントなどと混ぜて吹き付ける工法で、現在一般に普及している	ロックウール	コストが安い	大量の粉塵が発生し作業環境が悪い
成形板	成形板を柱や梁に直接、あるいは下地の上から張る工法	ケイ酸カルシウム板、ALC板、石膏ボード、押出成形セメント板	工場製作のため均質。意匠性が高い。下地なしで柱形や梁形が組める	柱梁接合部など、取合い部での施工性がよくない
巻付け	シート状の被覆材を柱や梁に巻き付ける工法	耐火布（不織布＋高耐熱ロックウール）	工場製作のため均質。加工が容易。施工性が高い。作業環境が良い	柱梁接合部など、取合い部での施工性がよくない
塗布	一定温度で発泡して耐火層となる発泡性塗料を塗布する工法	耐火塗料（発泡性アクリル系樹脂塗料）	鉄骨を露しとすることができ、意匠性が高い	コストが高い。複数回塗布する必要があり、施工性がよくない

これらに加え、柱・梁の耐火被覆材の一部を隣接する外壁材などで代替した合成耐火工法もある

ロックウール吹付け

吹付け方式として、ロックウールとセメントを工場で混合する乾式工法と、現場で混合する半湿式工法がある。ここでは、一般的な建物で普及している半湿式を取り上げる

ロックウール。半湿式工法では、モルタルと混合されていない状態で搬入される

解繊機にかけて細かくしたうえで、セメントと混合する

セメントと水の攪拌機。濃度を一定にするために2層になっている。水を出しながら攪拌すると、セメントペーストの濃度を一定に保ちにくい

吹付け中。まんべんなく所定の厚みが出るように吹き付ける。大量の埃が飛散するため、マスクなどの防護装備は必須。もちろん、吹付け部位の周囲ではほかの工事はできない

ブロワーで、ロックウールを霧状にするためのコンプレッサーの圧縮エアーを、吹付け作業を行う階に送る

ピンでロックウールの厚みを確認。厚さ25㎜で1時間耐火としている

ロックウールが柱と梁に吹き付けられた。この後、鏝《こて》で押さえて厚みを均一化する

合成スラブは耐火構造として認定を受けているため耐火被覆の必要はないが、ここは最上階の天井なので、結露防止のためにデッキプレートの裏面にロックウールを吹き付けている

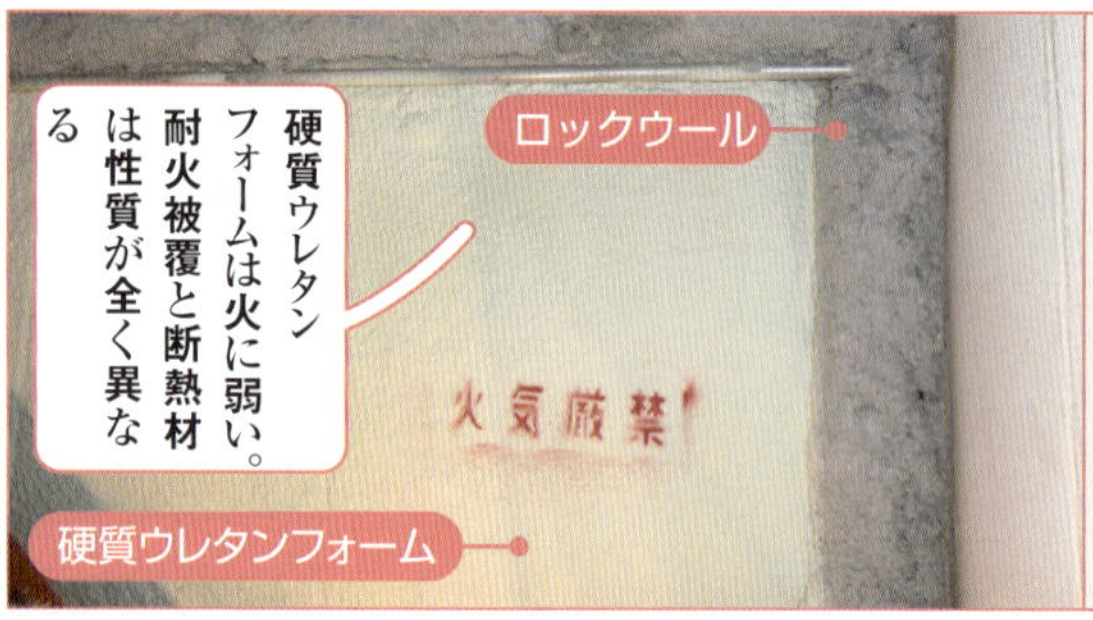

ちなみに、この現場では、耐火被覆のほかに断熱材である硬質ウレタンフォームを壁に吹き付けた

ケイ酸カルシウム板建込み

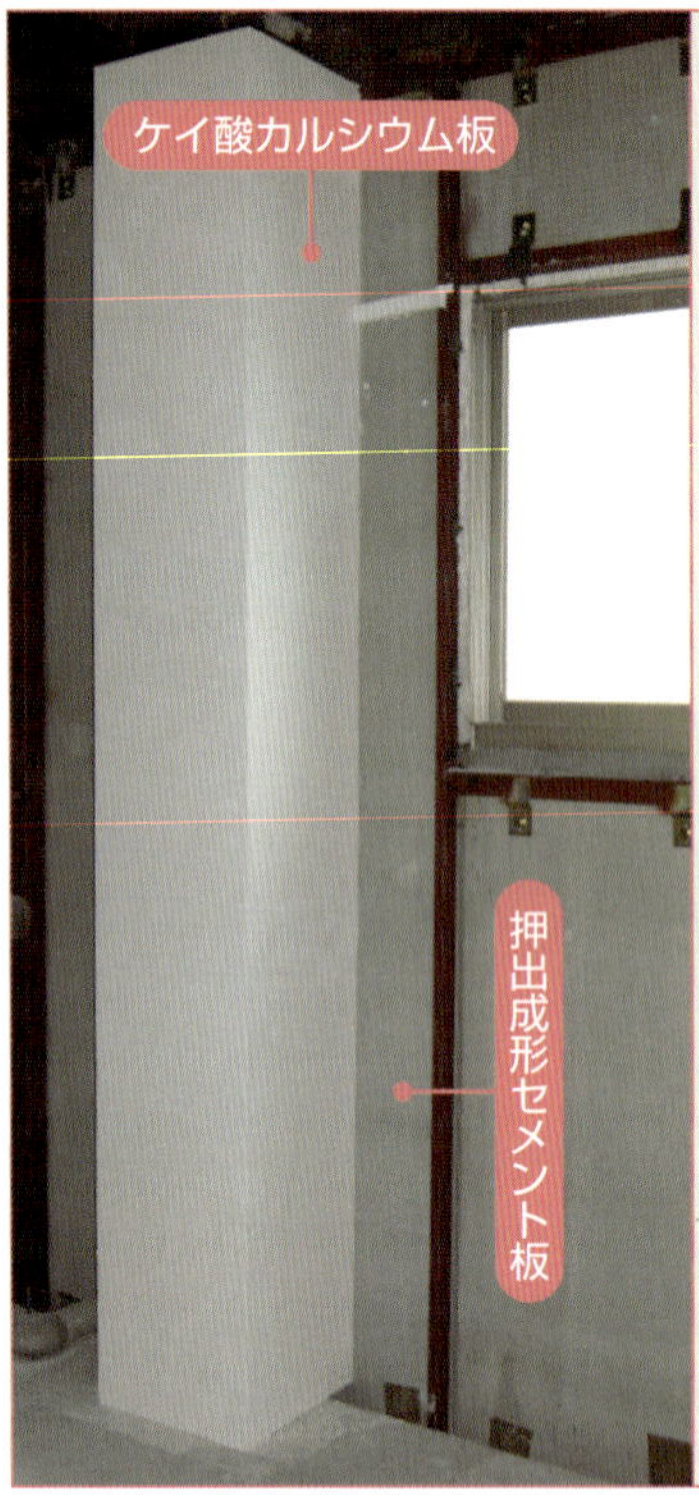

柱形を露しとするため、柱をケイ酸カルシウム板で被覆した現場。外壁の押出成形セメント板と組み合わせて、合成耐火となる

COLUMN

耐火構造の壁

岡田 安平(岡田安平建築設計事務所)

最近、大阪の個室ビデオ店で発生した火災では、宿泊可能な小部屋の間仕切壁に隙間があり、その隙間を通って一酸化炭素を含む煙が広がって被害を大きくした。隙間がないか、ふさがれていれば災害は最小限に食い止められていたかもしれない。

建築基準法では、火災や爆発などの際、避難経路を確保し、延焼を最小限にとどめるため、一定の建物に耐火性の高い壁(耐火構造の壁:以下、耐火壁)などを設けることを規定している。

耐火壁は厳密に構造が規定されているが、これに小さな穴があれば人命にかかわる災害につながることがある。ましてや、避難経路にあたる階段などを区画する耐火壁では、たとえ小さな隙間でも許されない。煙は小さな穴でも難なく通り過ぎてしまうからだ。

隙間が生じる要因は多々あるが、よくあるのは耐火壁が他の部位(外壁や上階の床面など)と取り合う部分や、耐火壁を貫通する電気や給排水の設備配管の貫通部だ。

これらの部分をふさぐ材料や工法はすでに開発されているが、施工の手順を十分検討せずに先を急ぐあまり、なかなか十分な施工ができていない場合がある。また、天井裏などは見えにくい部分であるため、チェックが不十分になりがちである。

建物の性能にかかわる部分であるため、人の命を預かるものをつくる、という意識をもち、より十全な注意と検討が必要である。

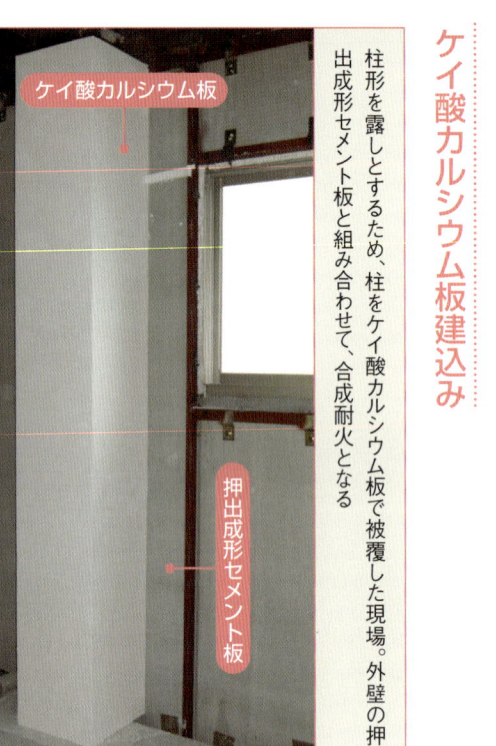

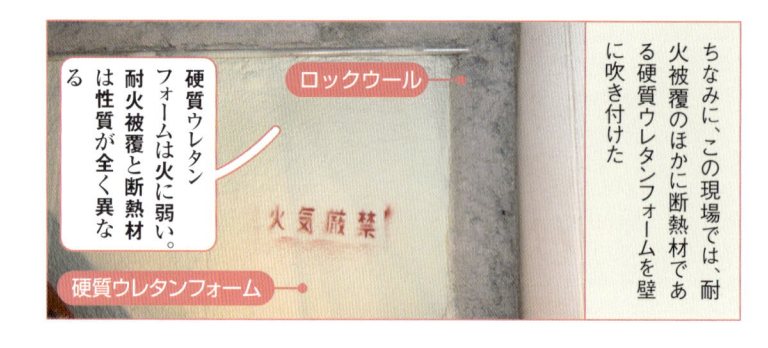

消防検査

消防検査項目の例

検査部位	検査事項
1　構造躯体（柱・梁・スラブ）界壁	耐火・準耐火・防火構造の基準に則った耐火処理ができているか
2　防火区画貫通部	貫通部の隙間がモルタルなどの不燃材料で埋められているか 区画から1m以内の管に不燃材料が使われているか
3　ダクト	防火ダンパ（FD）［❶］が取り付けられているか
-　火災報知設備	住宅用火災警報器、非常ベル、自動火災報知設備などの設備が適切な位置に設置されているか
-　避難器具	滑り台、避難はしご、救助袋、緩降機などが適切に取り付けられているか
-　無窓階	避難口誘導灯、通路誘導灯が適切に取り付けられているか
-　ダクト	FDの点検口が付いているか

消防検査は、消防法や自治体の条例にもとづき、建築物の完成時に管轄消防署が行う検査である。自治体により異なるが、延床面積500㎡以上の集合住宅では検査対象になることが多い。原則としては建物の完成時に行われるが、検査事項によっては仕上げで隠れる部分の確認が必要なこともある。このため、適宜、完了検査の前に検査を受けることがある。

1　躯体、界壁

柱・梁・スラブや界壁は、仕上げ工事に入ると隠れてしまうため、完了検査前にチェックすることがある

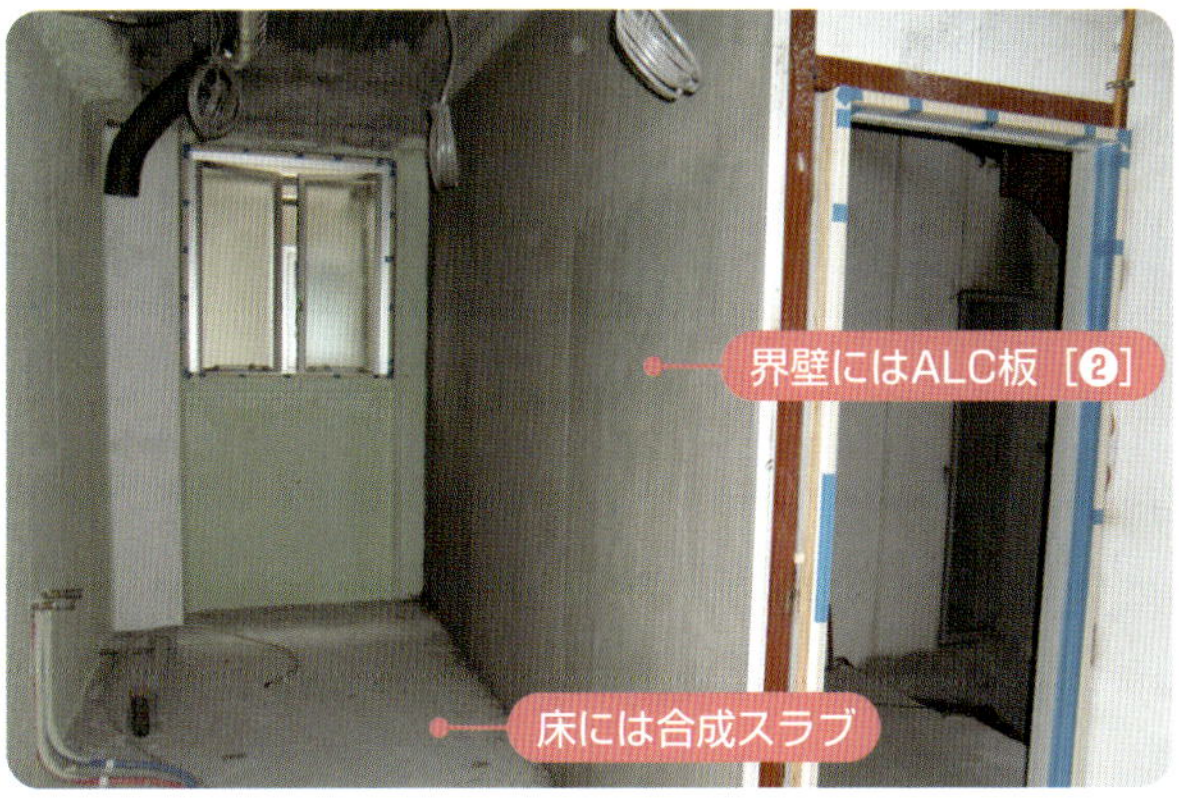

2　防火区画処理

この部分も仕上げ工事前でないと確認することができない

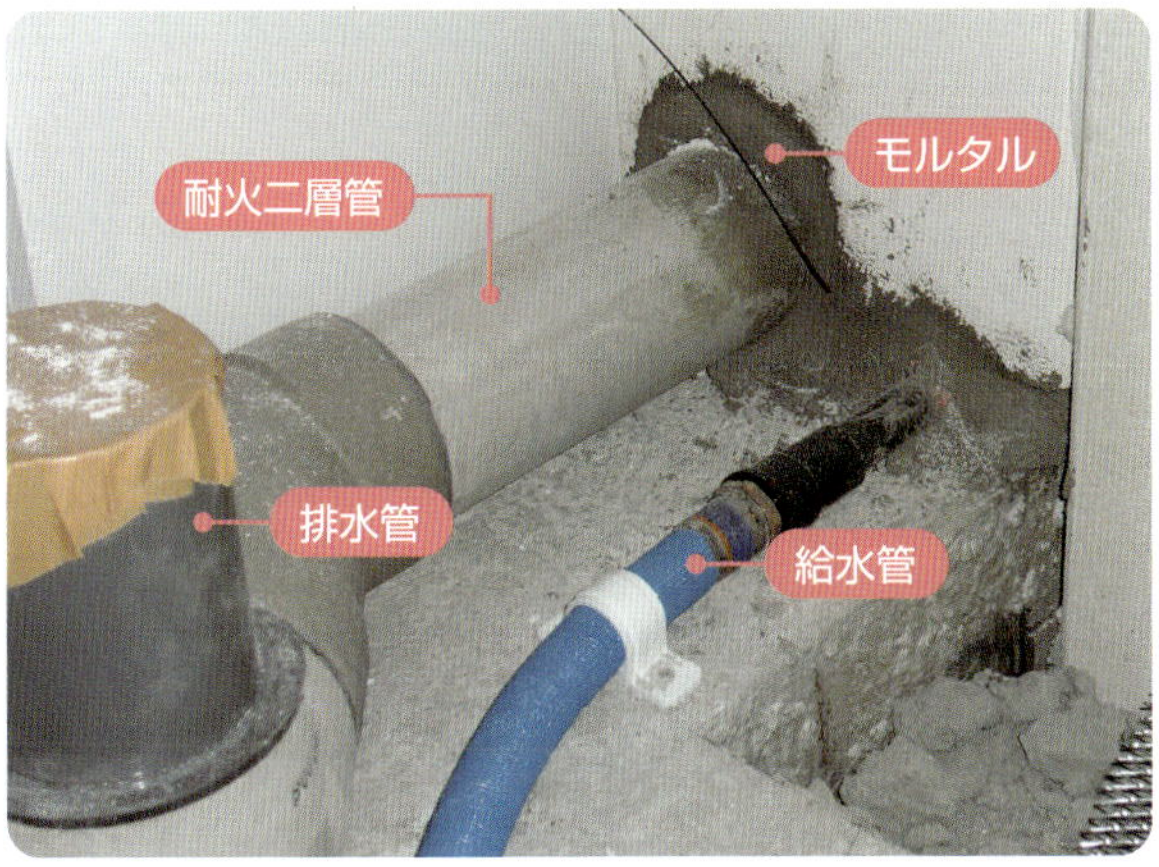

3　ダクト

FDが中間ダンパの場合は完了検査前のチェックとなる

FDはベントキャップに付いていることが多いが、ベントキャップが足場のない個所などに付く場合、ダンパの復帰が困難になるため、排気ダクト内に中間ダンパを設けるとよい。これは、レンジフードが付くと見えなくなるので、中間検査時の対象となり得る

❶防火ダンパ：ダクトが防火区画を貫通する場合、ダクトを介した延焼を防ぐためにダクト内に設けられる装置。一定以上の温度に達するとヒューズが溶けてダンパが閉じる仕組みになっている｜❷界壁はスラブから上階スラブまで、防火戸を設けた開口部を除き、隙間なく達していなければならない

建具関連工事

アルミサッシ取付け

製品によって仕様が異なるため、施工手順の詳細に違いがある。ここでは、あらゆるサッシに共通する内容を中心に解説する

墨出し

サッシ枠の心（基準墨）を出す。基準墨には、陸墨《ろくずみ》（水平方向）・心墨（垂直方向）・通り心墨（奥行き＝出入口方向）が必要となる。陸墨、心墨は、あらかじめ壁や床に出されている墨をそのまま使えることが多い

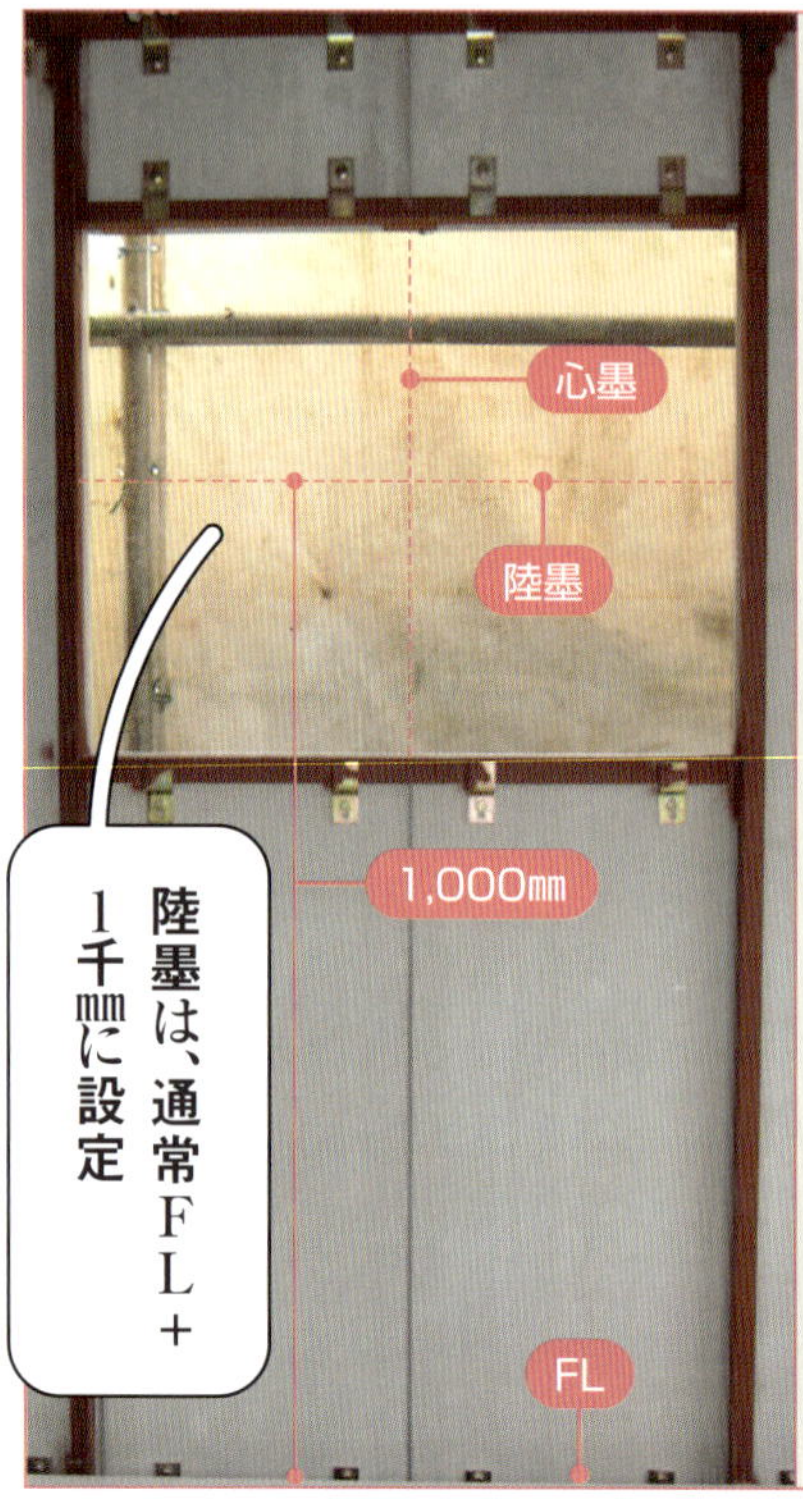

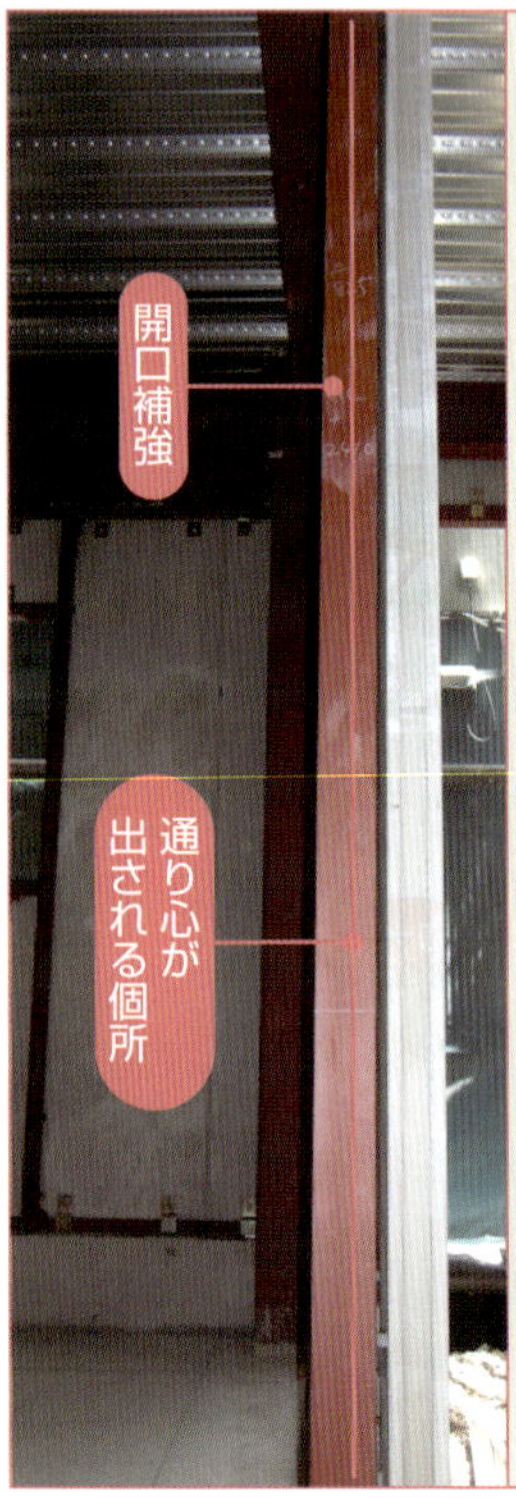

通り心は狭い出入方向に墨を出すため、取り付けの際に隠れてしまい、位置確認ができなくなる場合がある。このため、必要に応じて心から逃げた床や壁に返り墨を出す

サッシ枠取付け

取付け前に、基準墨に対応した印をサッシ枠に付けておく

それから、溶接用の金物を取り付ける

サッシ枠取付け開始。まずは針金で仮留め

下げ振りで鉛直を確認しながらサッシ枠をクサビで固定する

レーザー水平器で再確認

アンカー（短い鉄筋）とサッシの金物が溶接される。これにより、サッシと躯体がしっかり固定される

溶接完了

下部は躯体に埋め込んだ鉄筋に溶接している

アンカーには、鉄筋以外の金物が使われることもある

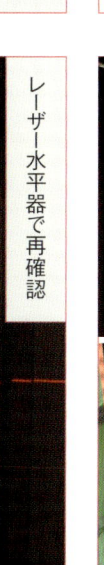

モルタル充填によって、サッシ枠が枠の中心方向に曲がることがあるので注意

その後、モルタルで隙間を埋め、ガラスを入れる

図 サッシ詳細図

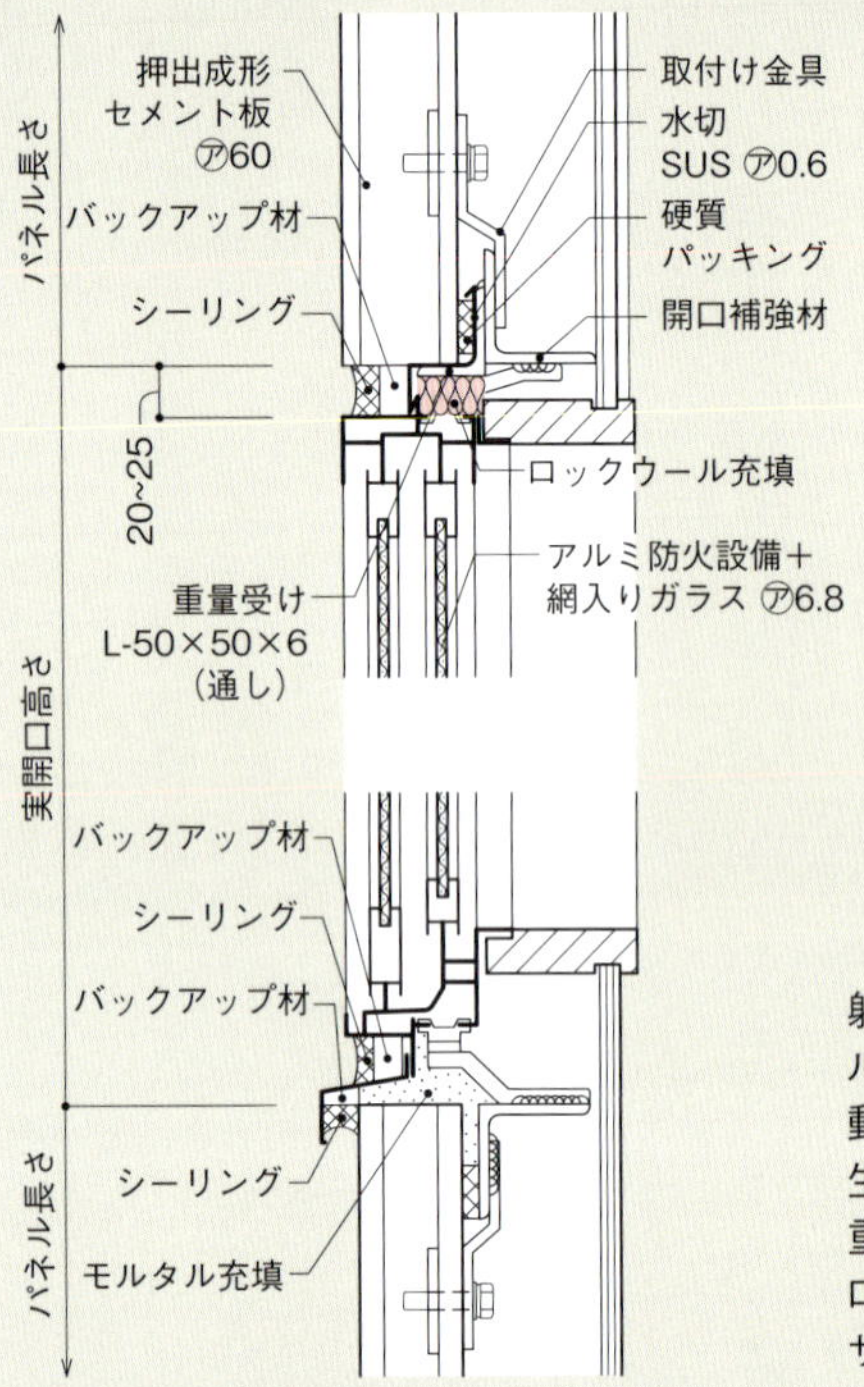

躯体とサッシの隙間をモルタルで充填した場合、鉄骨造の動きにより、モルタルに割れが生じることがある。そこで、荷重を受ける下端以外の3辺はロックウールを充填し、躯体とサッシの縁を切っている

水切りの下端のシーリングは、防水上重要なポイント

外側からはシーリングが打たれる

額縁が入って完了となる

こちらは、バルコニーの防水立上り部分。防水のことを考えれば立上りは120㎜以上は確保したいところだが、段差が大きくなるとバリアフリーの観点からは問題となるため、調整が難しいところ

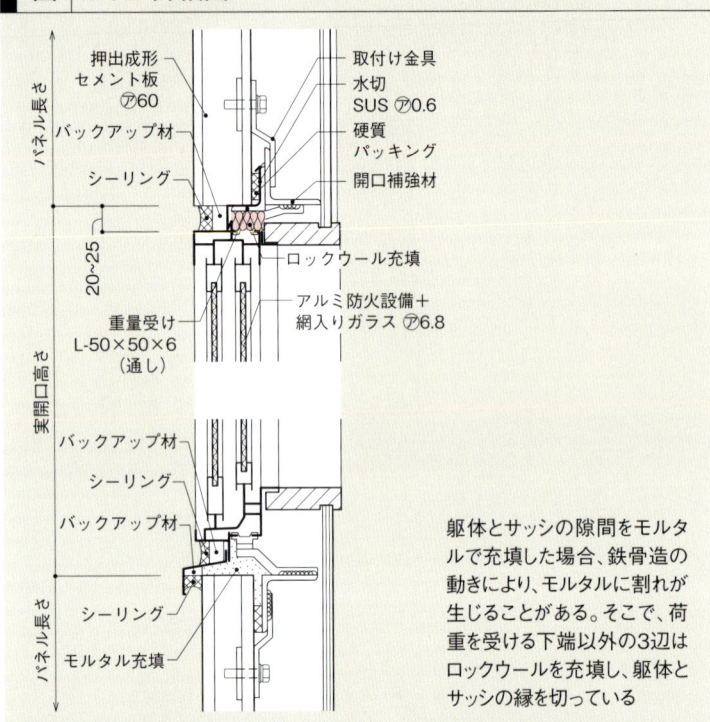

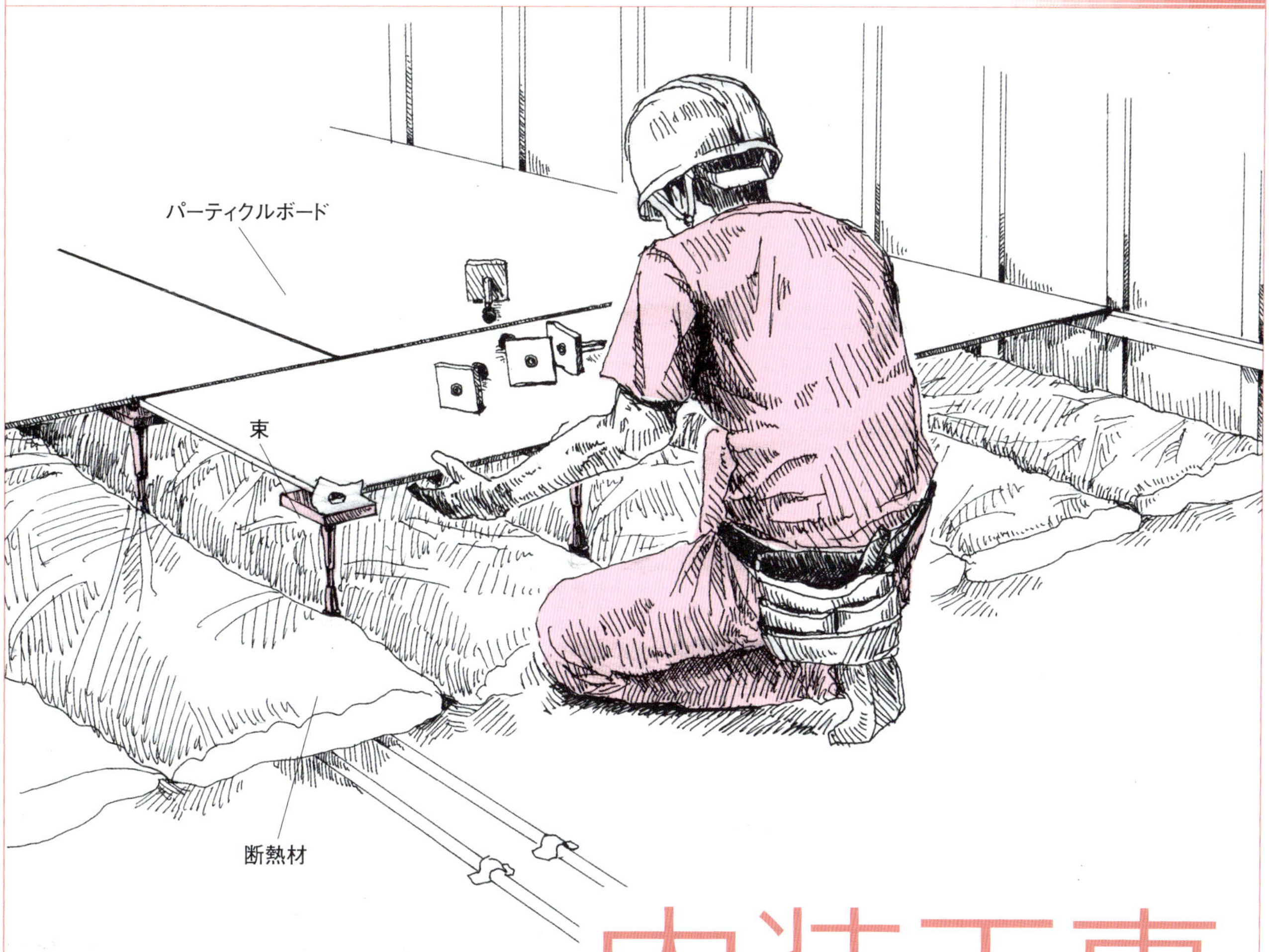

内装工事

内装下地

中小規模の鉄骨造の内装下地では軽量鉄骨（ＬＧＳ）が普及しており、ここではＬＧＳについて解説する

内装下地

まず、野縁受けを支持するための吊りボルトとハンガー金物を接合する

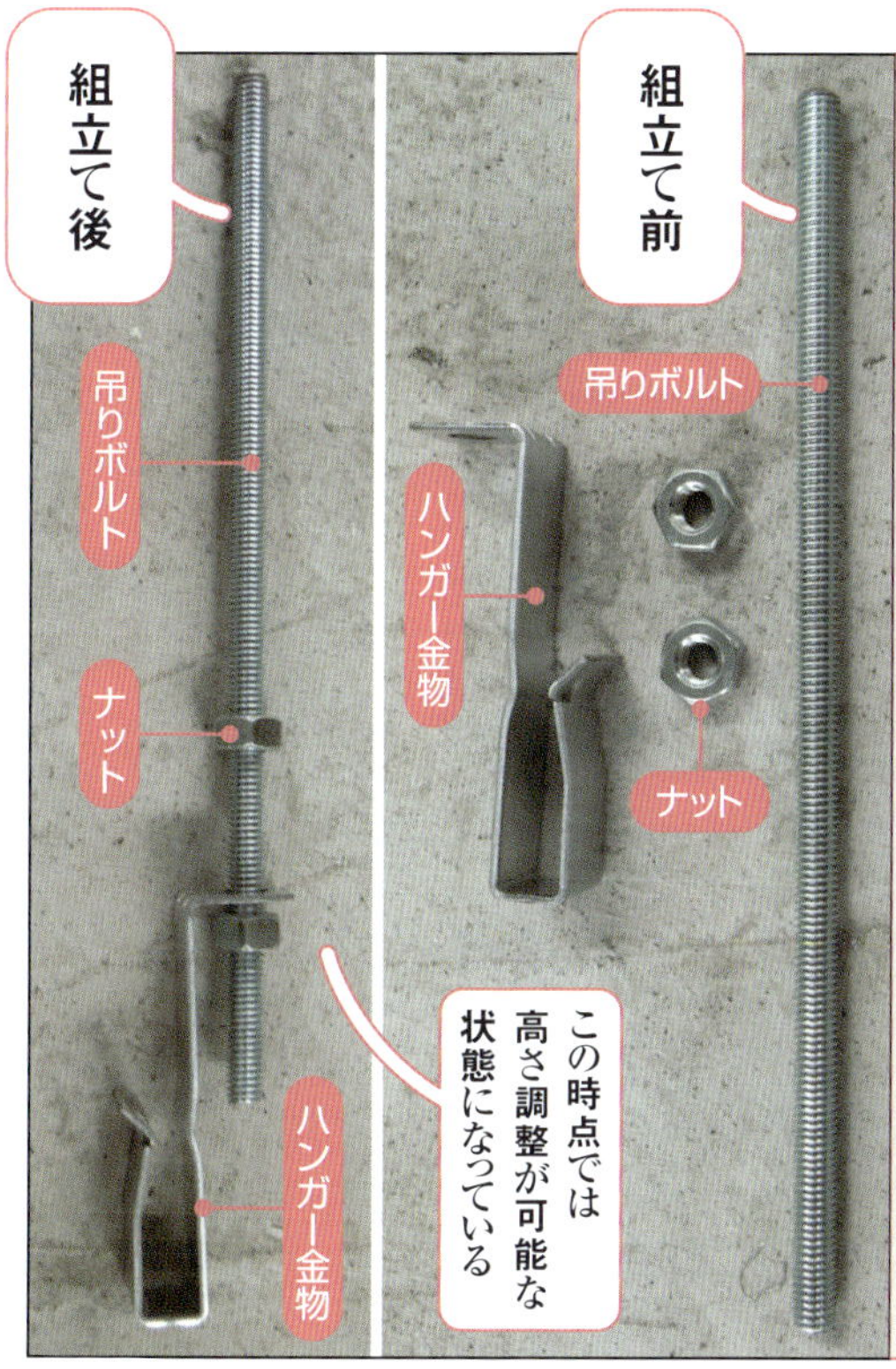

吊りボルトは、吊金具（インサート）にねじ込まれた状態でデッキプレートの裏面に取り付けられる

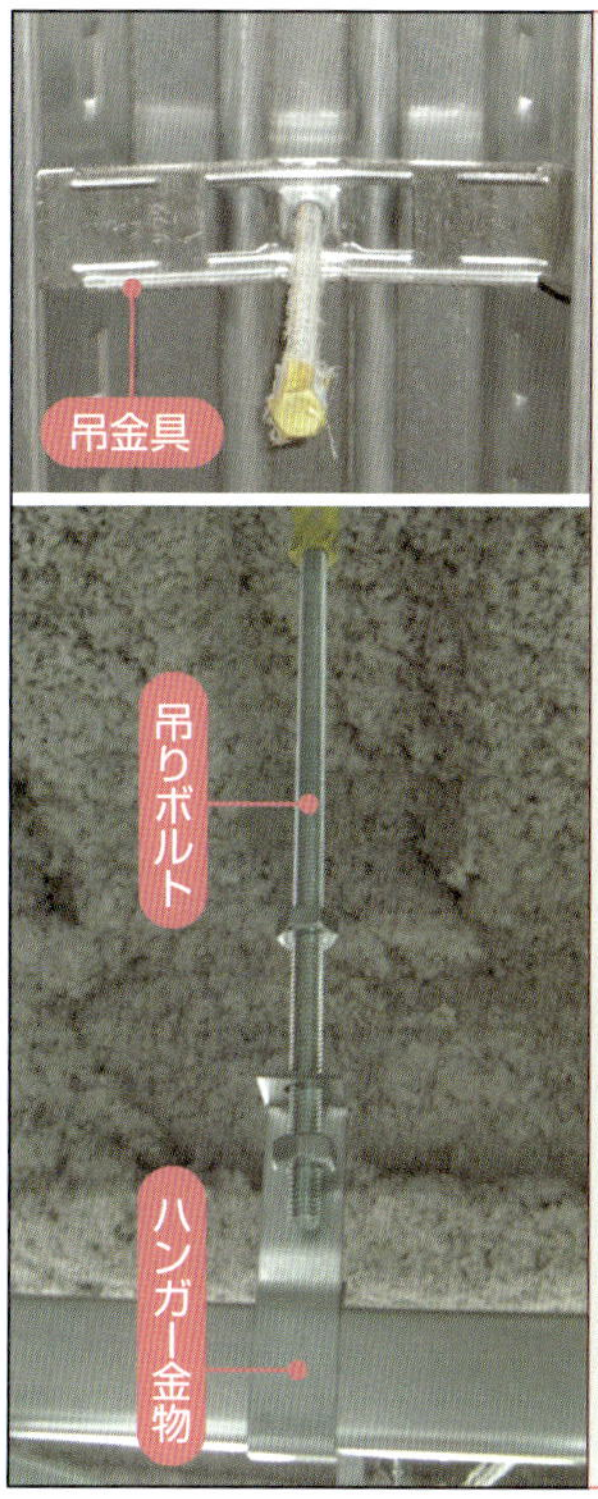

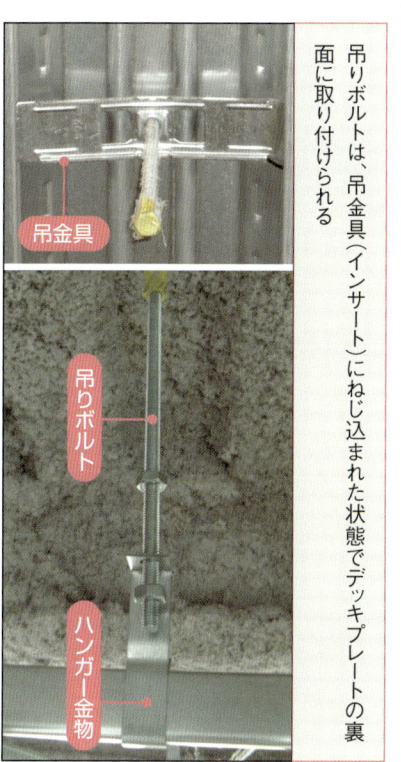

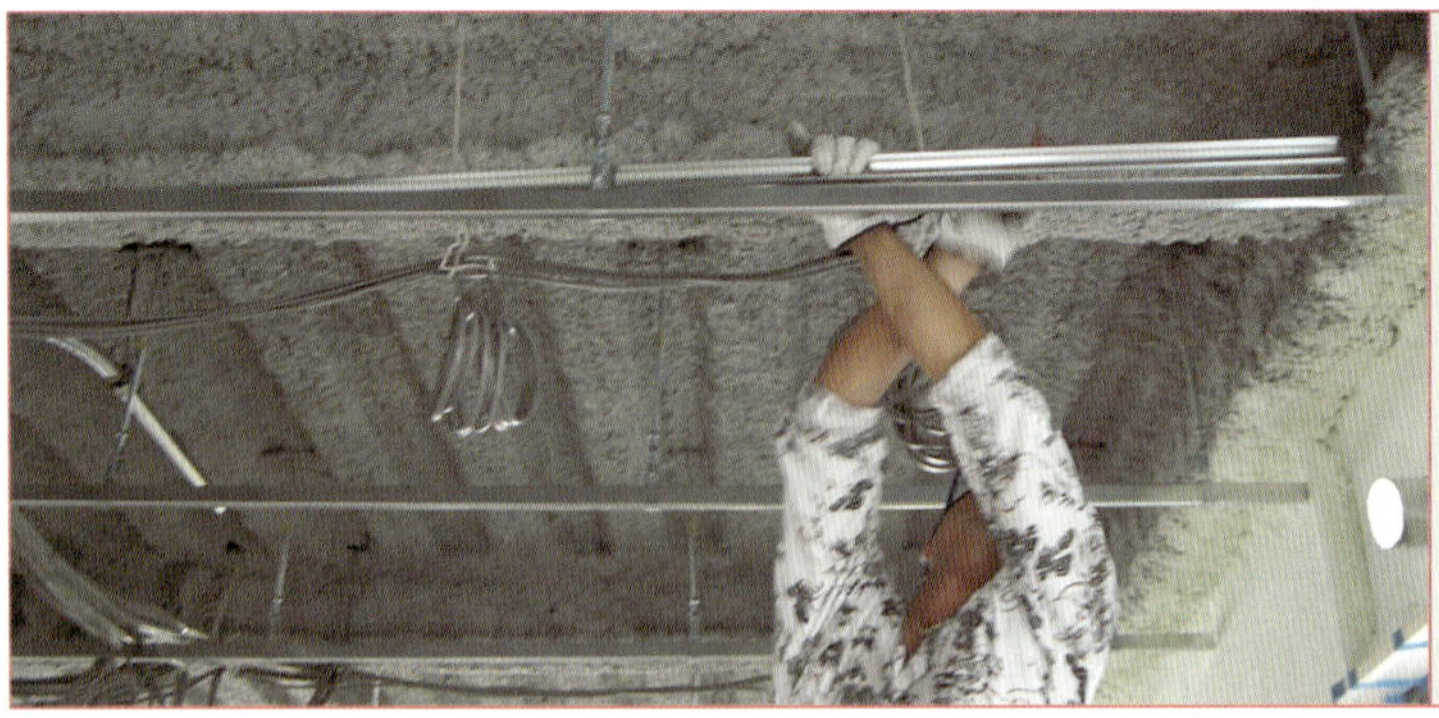

設置された吊りボルトに沿って、野縁受けが渡される

野縁受けに継手が発生する場合は、野縁受け用のジョイント金具が使われる

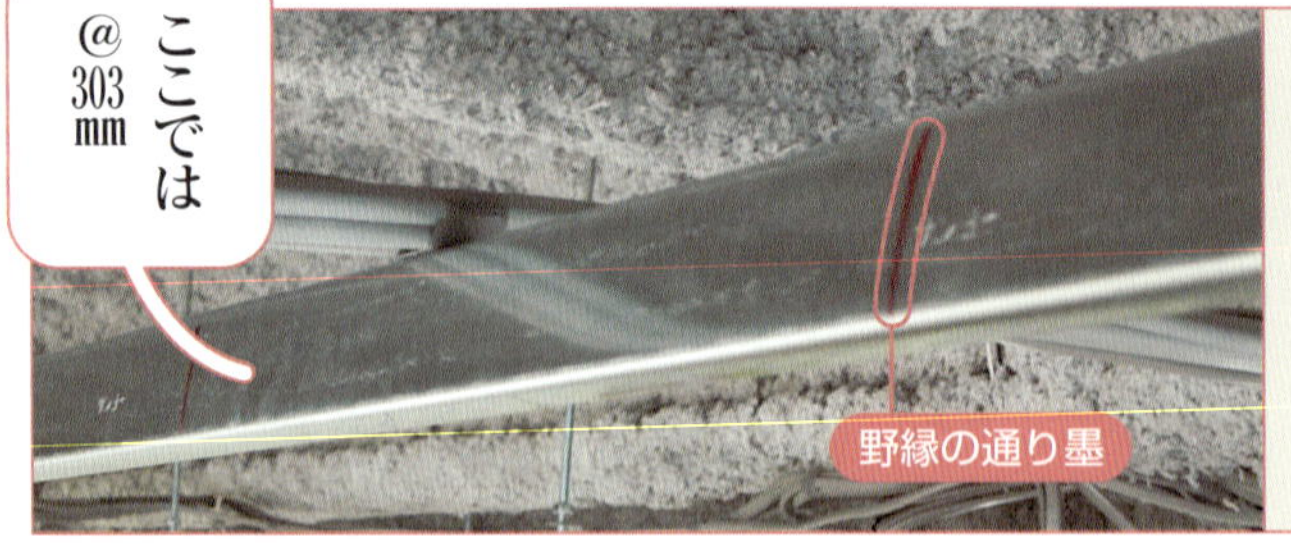

野縁受けに野縁の通り墨を打つ

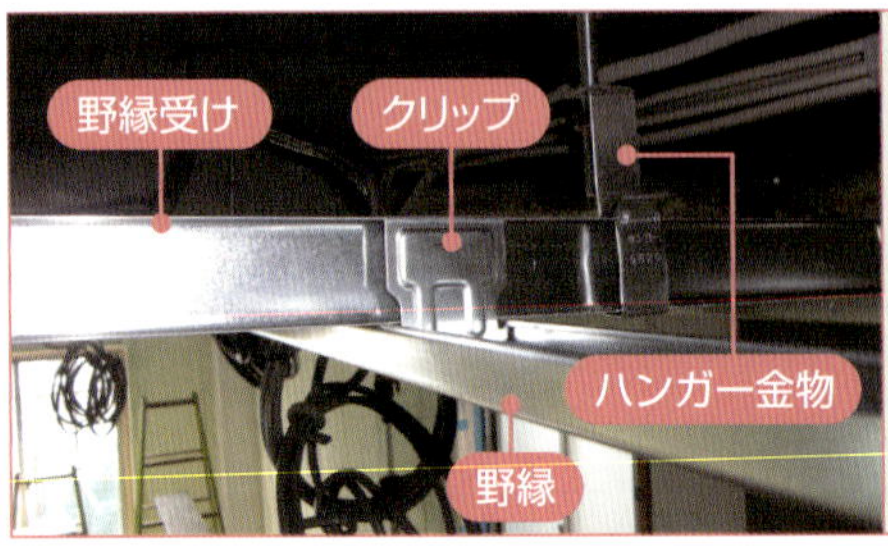

野縁と野縁受けの接合には、クリップが使われる

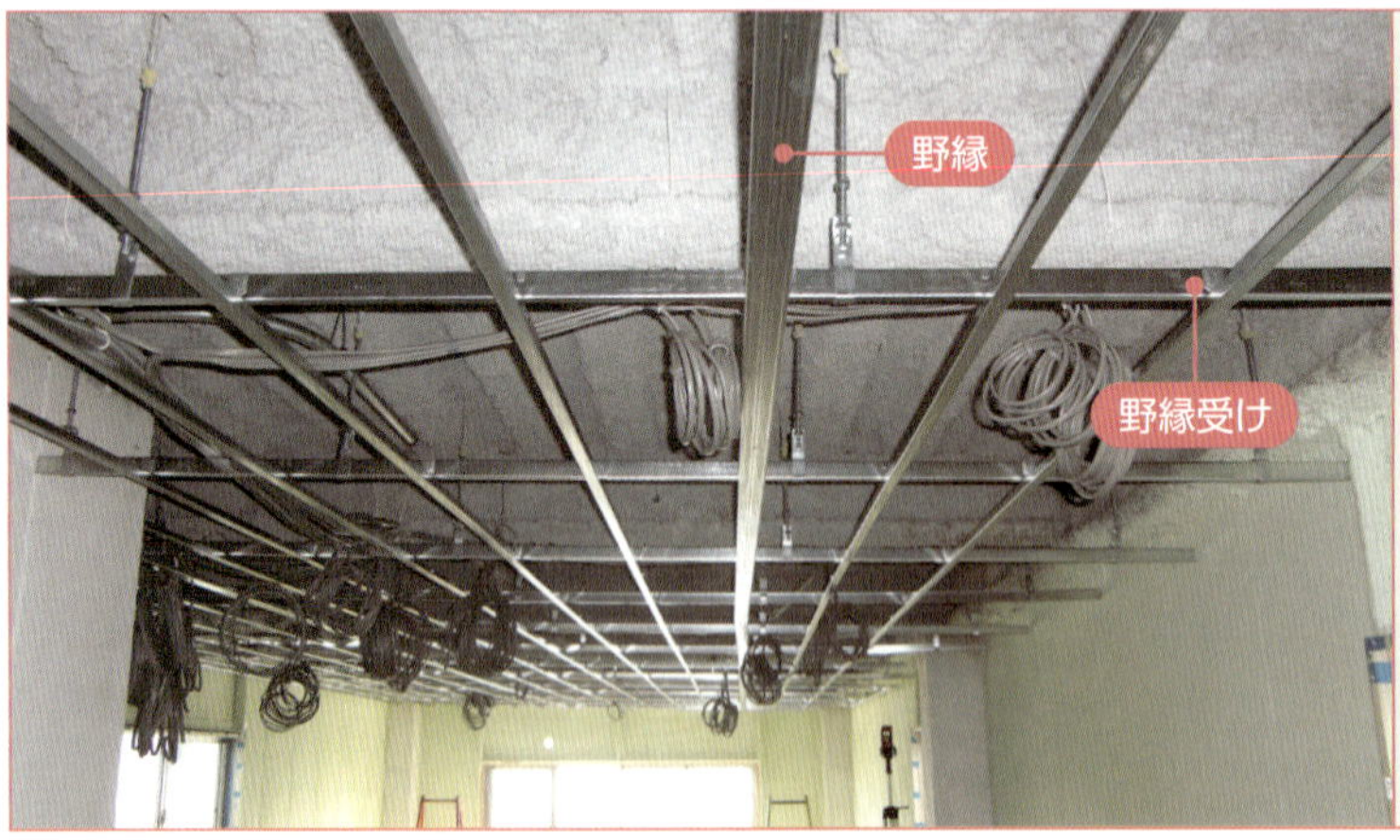

野縁が配置された状態

最後に、レーザー水平器で天井高を出し、各吊りボルトで高さを微調整する

壁下地

搬入されたＬＧＳは、現場で随時、適当な長さに切断される

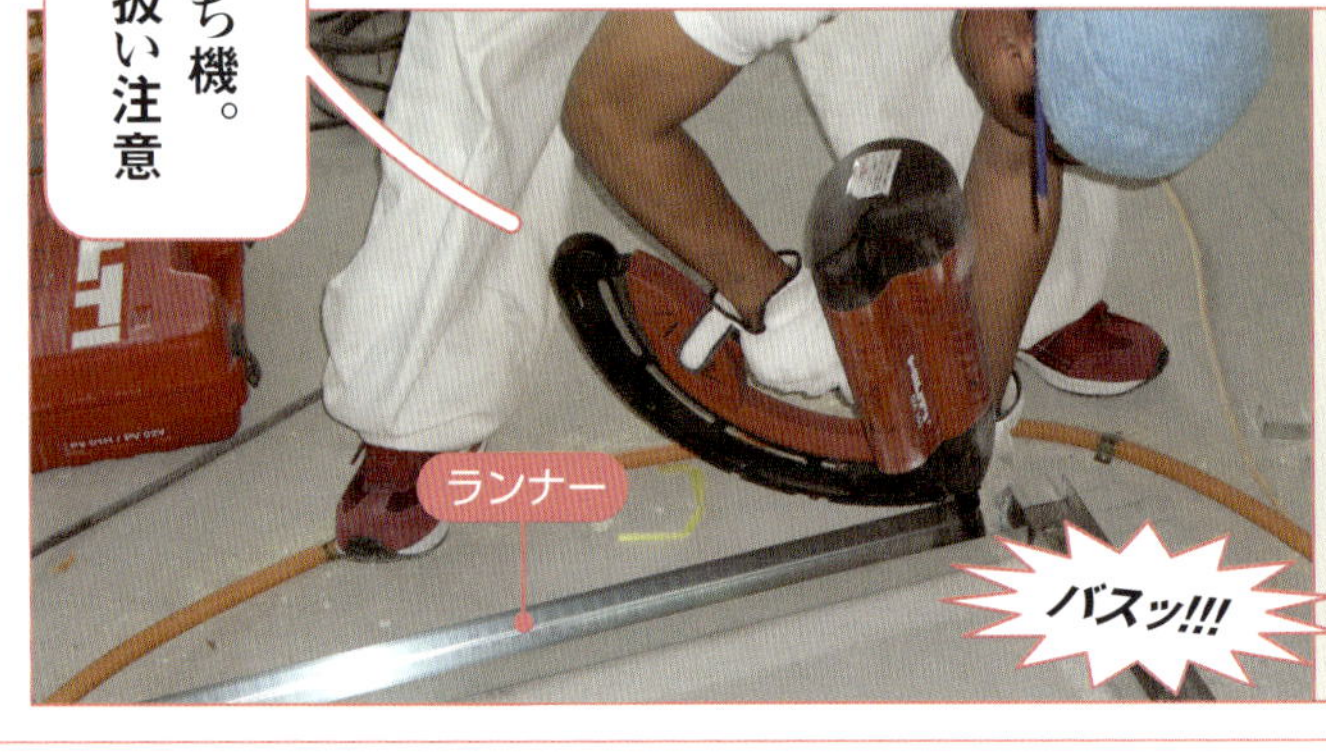

ランナー❶をスラブに固定する

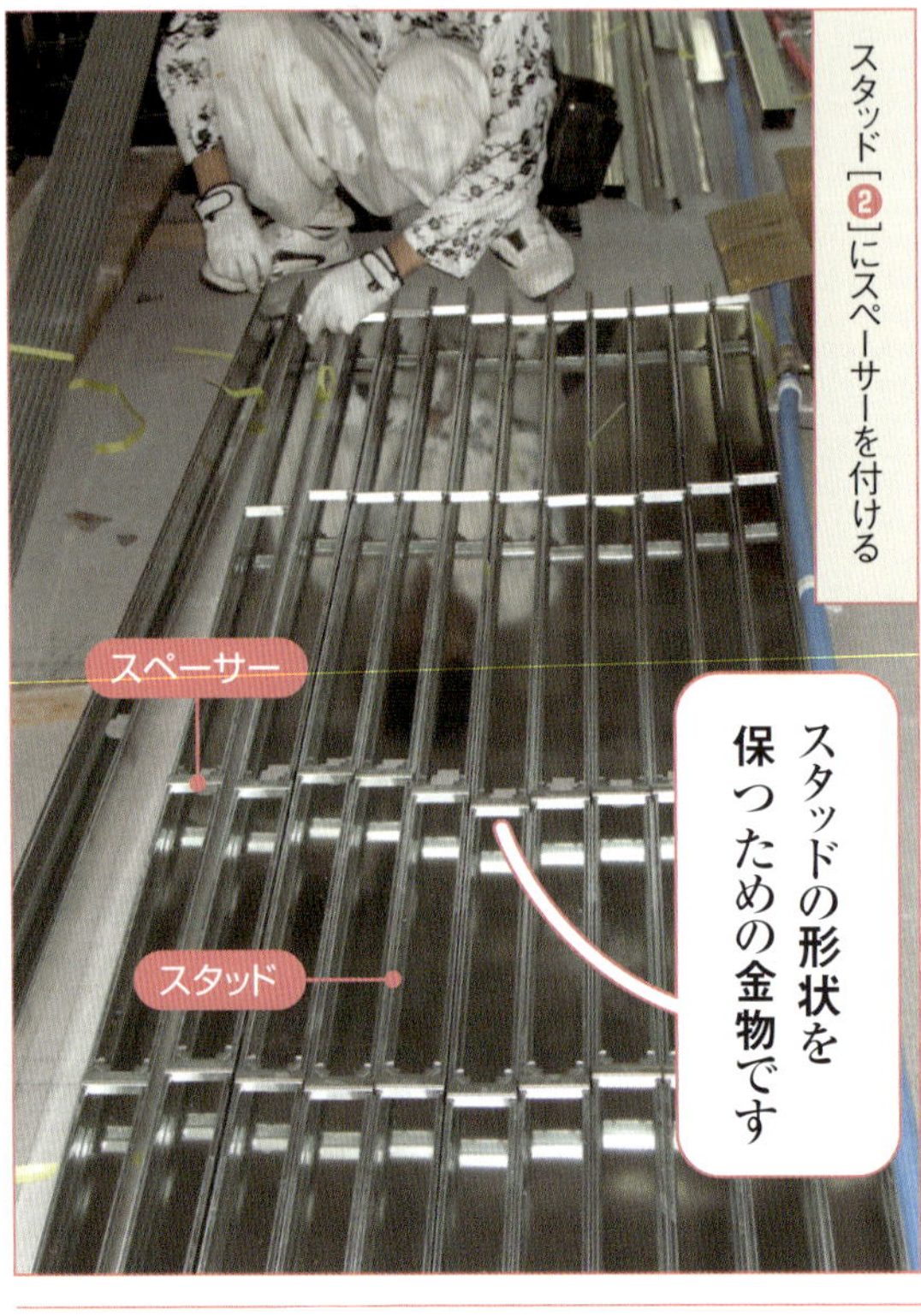

スタッド❷にスペーサーを付ける

❶ランナー：軽量鉄骨間仕切で床と天井面を這わせるコの字形の金物｜❷スタッド：垂直方向に配置される間柱

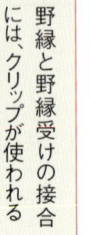

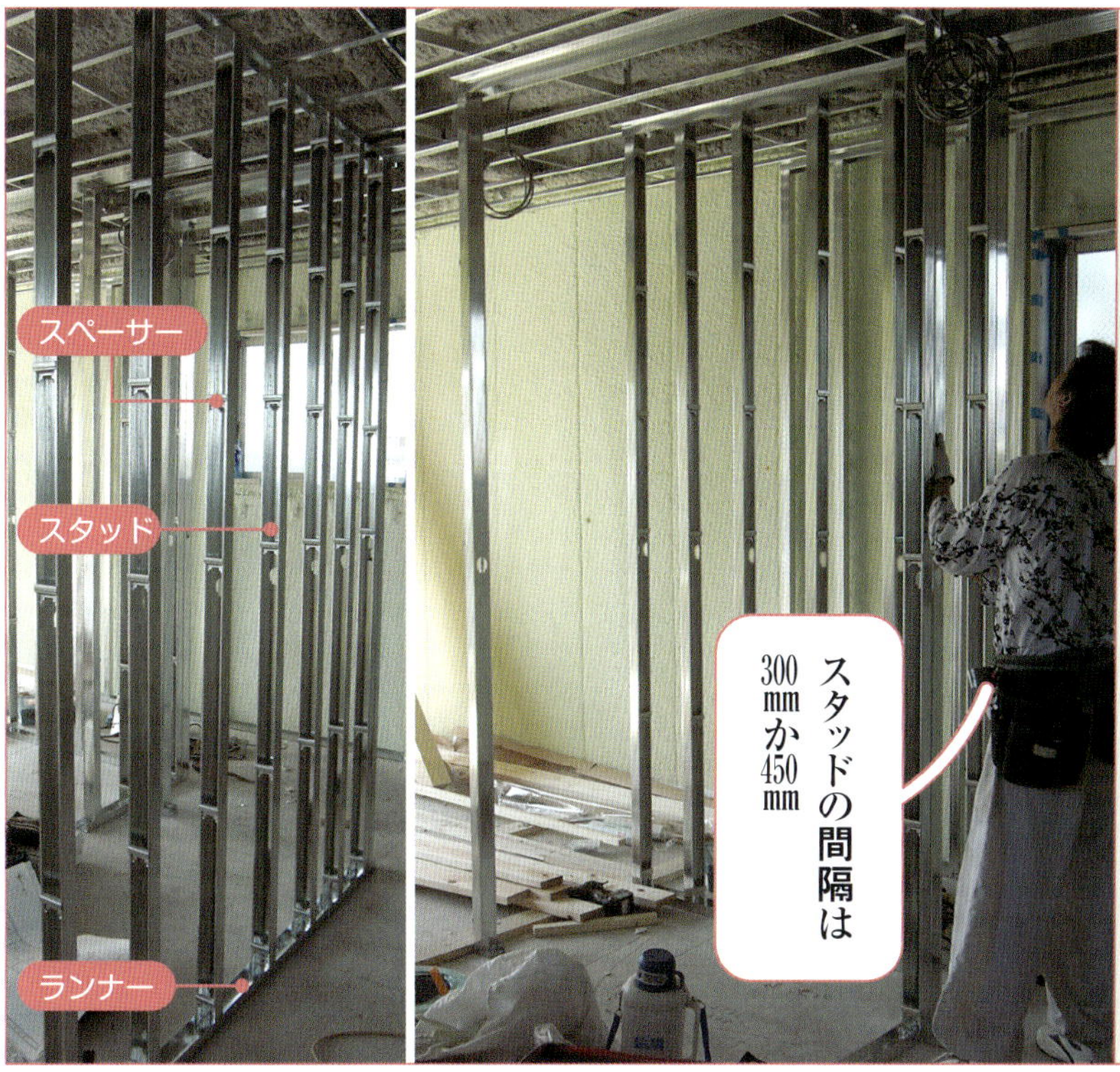

スタッドをランナーに差し込む

最後に、スタッドの振れ止めを入れて完成

床

ここでは、二重床を例に施工の様子を解説する。二重床は床下の設備配管の施工性や遮音性能の面で優れており、集合住宅でも採用が多くなっている

LGSの下地が組まれた状態（壁勝ち）から床工事がスタート。床工事は、LGS建込みより先行して行う場合（床勝ち）もある

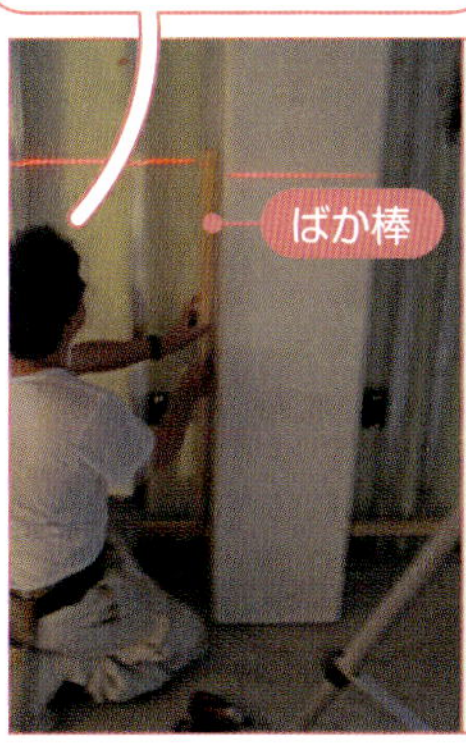

まずは壁際の際根太の施工。ばか棒❸とレーザー墨出し機でレベルを出す

レベルを合わせたら、インパクトドライバーで際根太❹をLGSに留め付ける

ボンドで際根太に束を付ける

際根太の施工完了

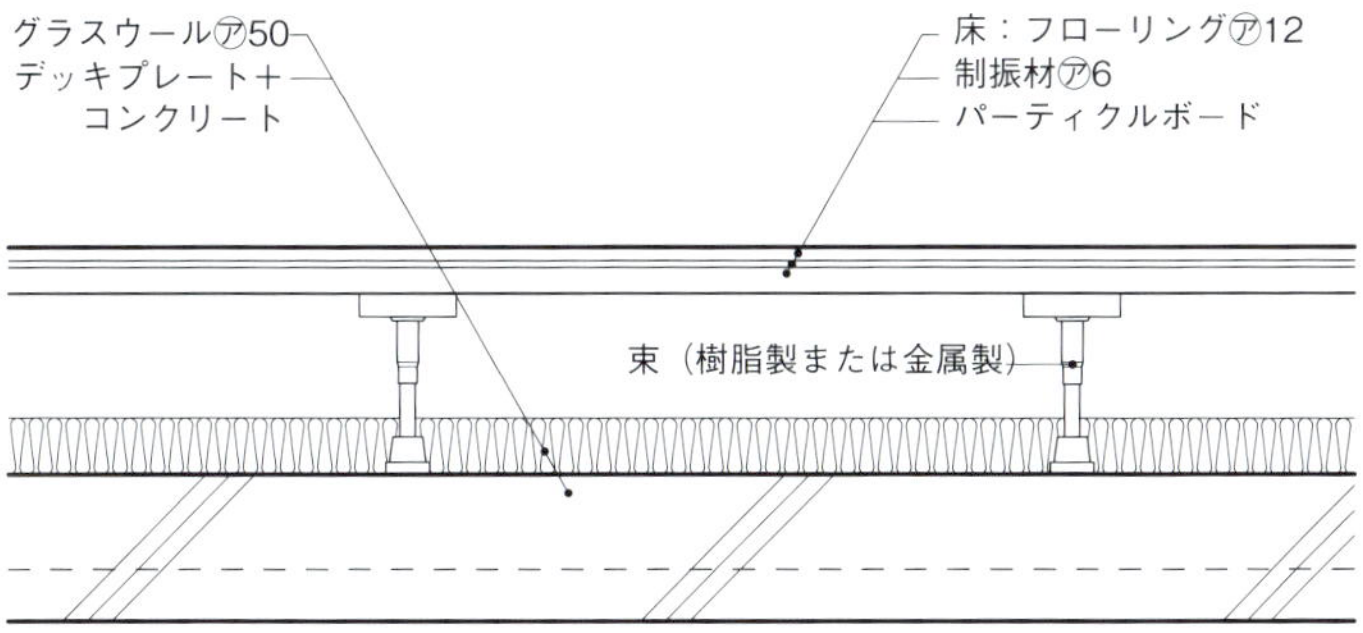

この現場の床断面図。遮音性能を高めるためにグラスウールで軽量衝撃音を、制振材で重量衝撃音を吸収する

❸ばか棒：部材の接合高さや床の高さを出すために使われる簡単な寸法の印を入れてある棒

❹際根太：壁際の床の強度を上げるために取り付ける根太。既製二重床の壁際は、ほとんどの場合、割付により切断された二重床となるため、際根太により補強する必要がある。また、在来工法においても根太受けの上に根太方向と直交方向に床を受ける際根太が必要となる

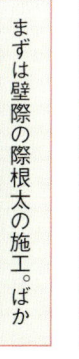

床の構成部材

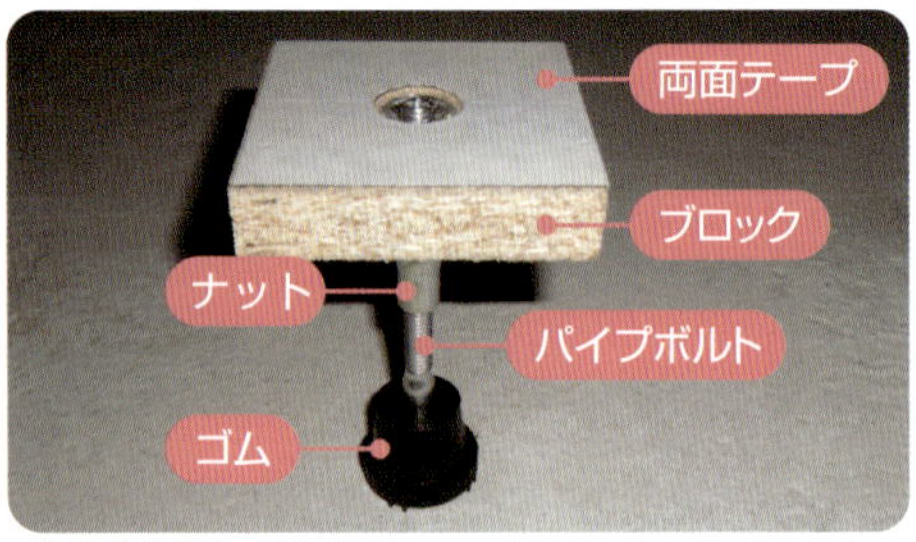

支持脚。ナットで高さを調整する

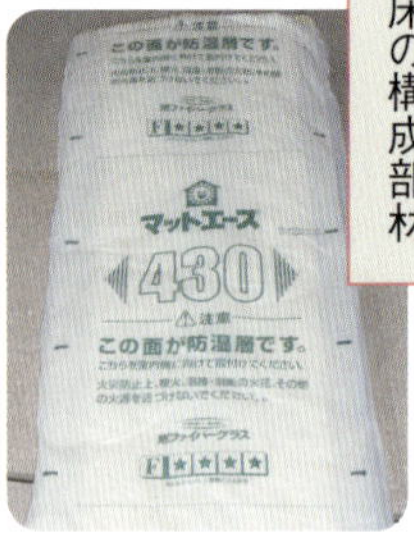

グラスウール。断熱や防湿効果を期待できる

制振材。6㎜厚のアスファルトシートを使う

パーティクルボード。耐久性と剛性を確保する。寸法は1,820×600㎜

床材の施工。まずはグラスウールから敷きつめる

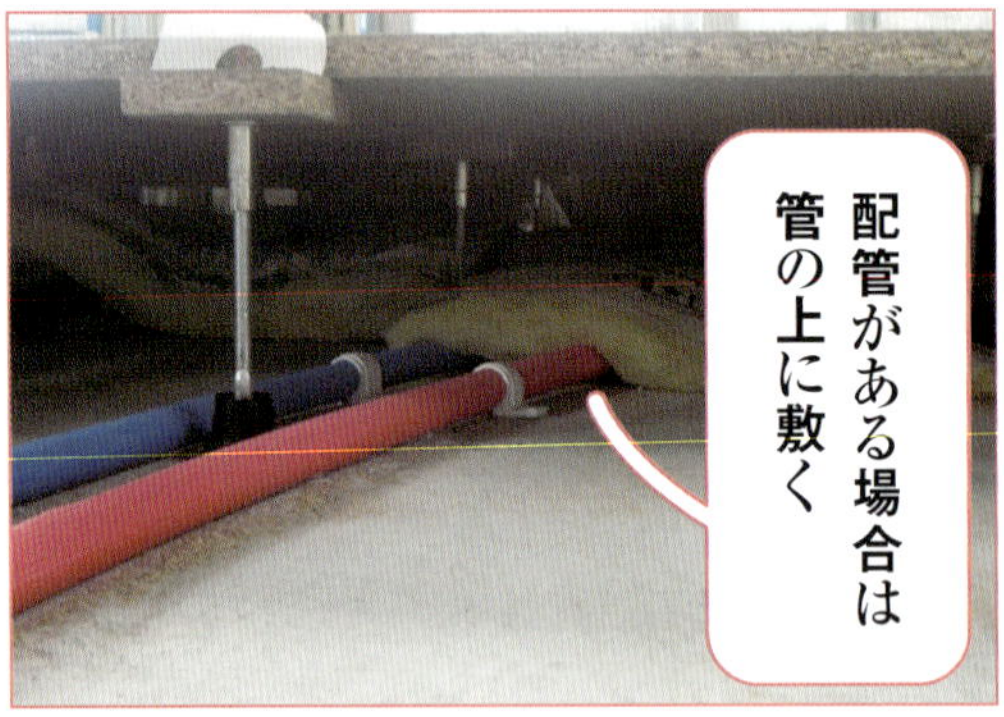

次に支持脚の敷設。ドライバーで支持脚のナットを回し、高さを調整する

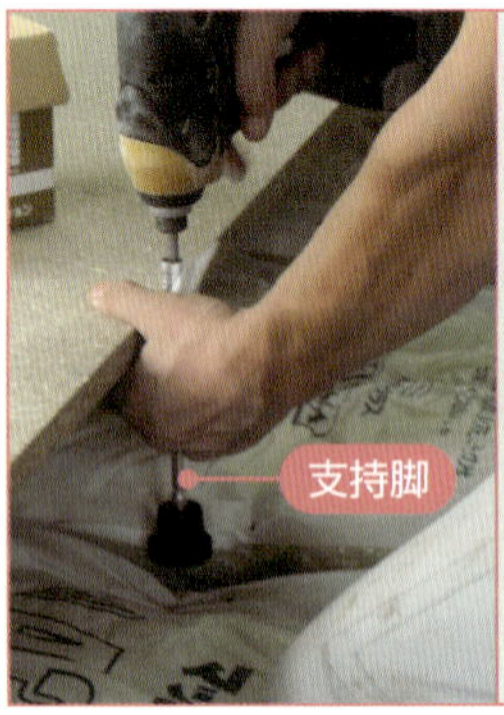

パーティクルボードの敷設

ここでのポイントは、ボード間を15㎜程度あけること。この隙間は、後で支持脚のレベルを調整し、支持脚に接着剤を注入するためのもの

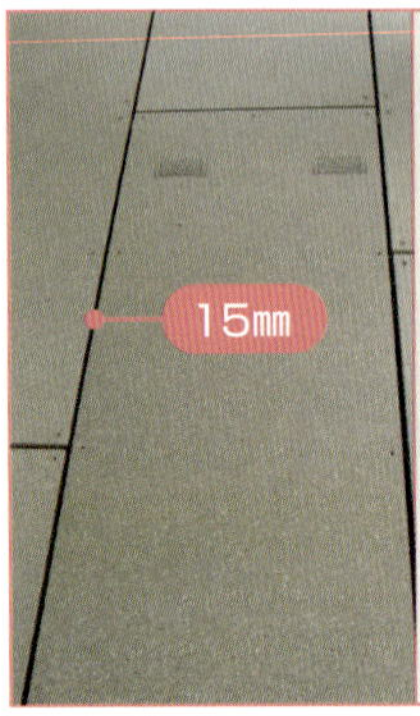

ボードの位置を決めたら、ビスで支持脚に固定する

床面の高さを確認したうえで、支持脚のボルト部に接着剤を注入。ボルトの穴を通してスラブ面まで接着剤が届き、支持脚とスラブが接着される

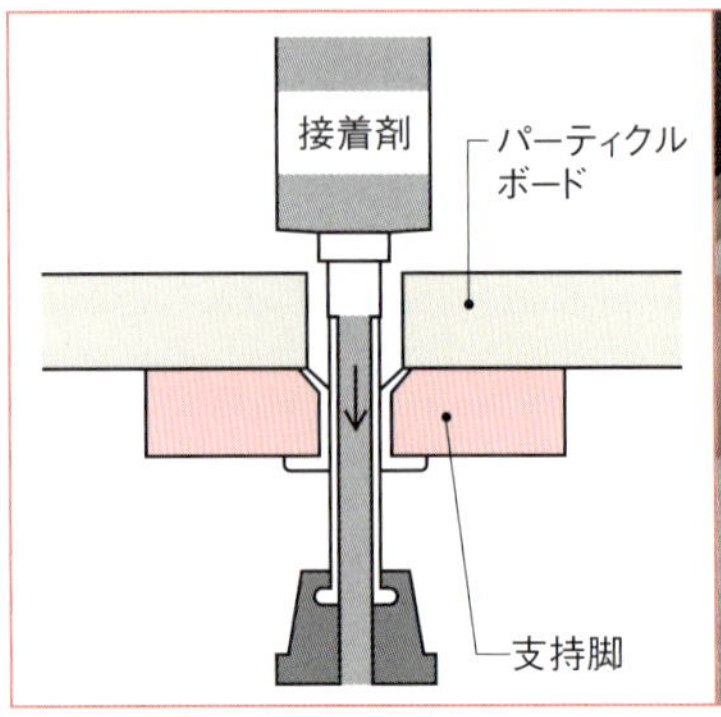

ゴミなどが入り込まないように、ボードの隙間をクラフトテープで養生する

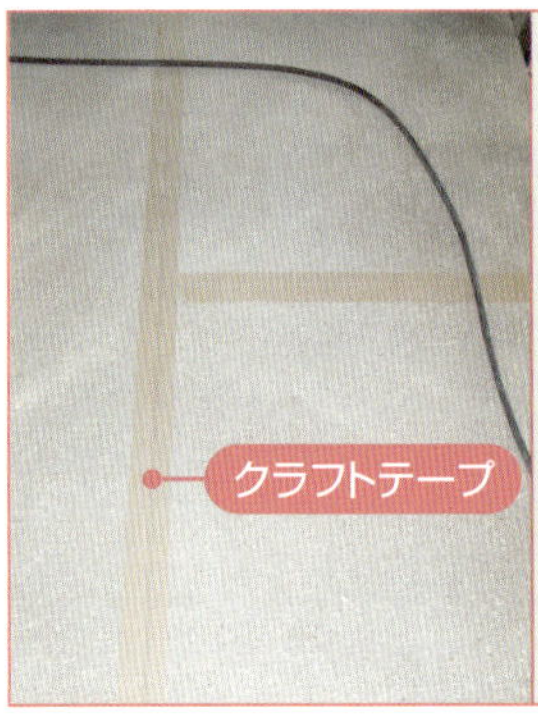

次に制振材敷設。こちらは隙間なく敷いていく

この後仕上材を敷いて床工事完了となる

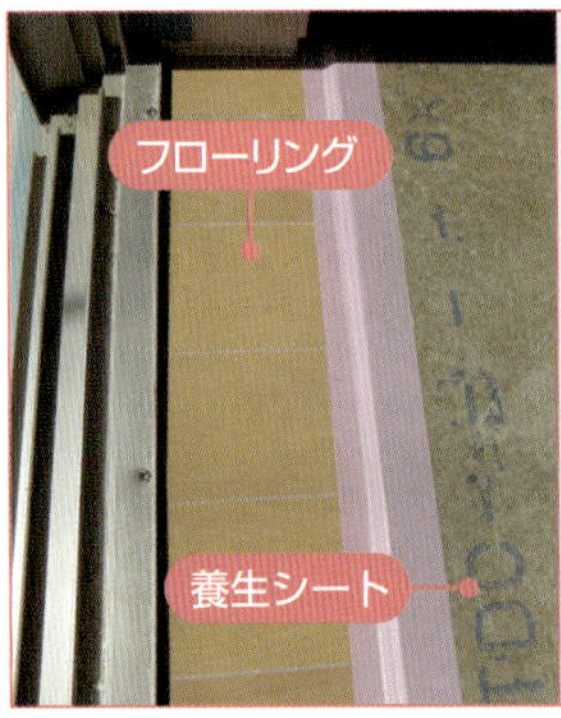

壁・天井

鉄骨造の壁や天井は、LGS下地の上に石膏ボードを張り、クロスで仕上げるというのが一般的だ

石膏ボード張り

搬入された石膏ボード

石膏ボードを適切な大きさに切断する

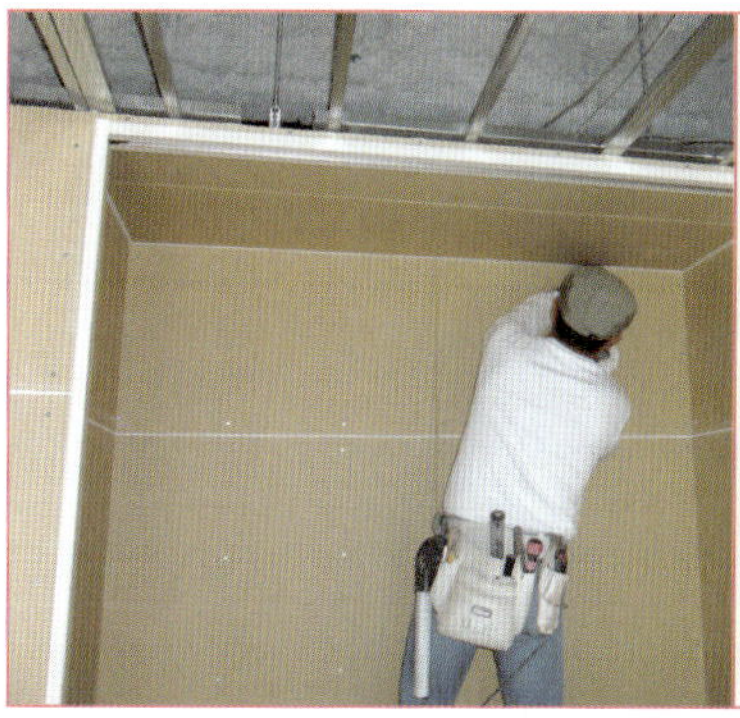

ボードの張り付け。ボードの上にクロスが直張りされるため、不陸や目違いには特に注意する

LGS下地の場合、ボードはスクリュー釘で留め付けられる。ここでは1枚張りだが、2枚張りにする場合もある

石膏ボードではビスの保持力が弱いため、エアコンが取り付く部分には下地材として合板を張っている[❶]

別の現場。ここは耐火構造間仕切とするため、ケイ酸カルシウム板の上に石膏ボードが張られている

クロス下地

仕上材を張る際、下地の不陸をなくすため、ボードの釘頭と目地には塗装下地、(パテ処理、パテしごき)が施される

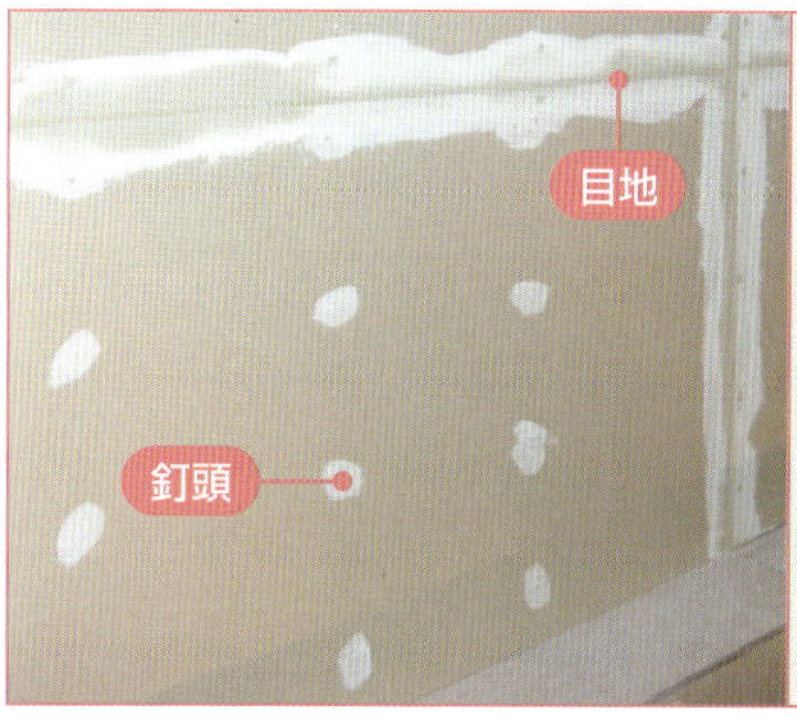

ボードの目地と釘頭へのパテ処理

目地にジョイントテープ(ファイバーテープ)を張り、その上からパテを複数回塗り重ねる。テープを張ることで継目の段差をなくすほかに、強度が向上するメリットがある

クロス下地処理の完了。このあとクロスが張られ、内装工事が完了する

❶内装制限を受ける個所の場合は、石膏ボードの下に鋼板を張るなど、準不燃材または不燃材で下地を作る

建方 42・120
建具 156
段板 53
段ずらし 54
柱脚 13・100
中間検査 128
超音波探傷検査 40
継手 29
継手接合 95
吊りボルト 85・159
定着 107
デッキ受け 46
デッキプレート敷設 125
鉄骨加工工場 38
鉄骨製品検査 118
電気設備 143
電線管 143
胴縁 63
通しダイアフラム 21・113
通り心 98
トルシア形高力ボルト 29・95・123
ドレン 139・149
ドレンアップ 149

な

内装下地 84・159
二重床 161
根切り 97
根巻き柱脚 19
野縁 85

は

排水管 147
パイプ式ターンバックル 33
パイプスペース(PS) 144
パネルの割付 69
パネルゾーン 112
パラペット 79・137
梁貫通孔 28
半自動炭酸ガスアーク溶接 115
ひび割れ防止筋 48
被覆アーク溶接 25
標準貫入試験 94
平鋼ブレース 33
吹付けロックウール 41・73・153
ブラケット 23・114
ブラスト 41
フラッシング 46
ブレース 32
振れ止め 85
ベースプレート 16・127
ベタ基礎 103
ヘッダー工法 148
ベントキャップ 150
防火区画貫通処理 151・155
防水下地 137
防錆塗装 41・117
ボルト接合 31

ま

マーキング 29・31
摩擦杭 96
摩擦接合 123
丸鋼ブレース 33
水貫 92
ミルシート 118

や

焼抜き栓溶接 46・125
屋根 77
山留め 97
床 45・161
ゆがみ取り 44
揚重機 42
溶融亜鉛メッキ 41

ら

ランナー 84
陸屋根 82
冷暖房換気設備 149
冷媒管 149
レベルモルタル 110
露出柱脚 14・100
ロッキング工法 66・136
ロックウール 41・73・153

わ

ワイヤーメッシュ 48・126
割枠式ターンバックル 33

アルファベット

ALC板 51・59・66
CIW認定 58
FRP防水 81
H形鋼 117
LGS 84・159
WES(日本溶接協会規格) 40

鉄骨造 キーワードINDEX

あ

アスファルト防水 141
アルミサッシ 64・156
アンカーボルト 13
アンカーフレーム 100
アンダーカット 117
インサート 48
内ダイアフラム 21・113
埋込み柱脚 19
埋戻し 111
裏当て金 22・114
裏はつり 25
エレクションピース 30
エンドタブ 21・114
大組 115
オーバーラップ 117
押出成形セメント板 63・132

か

開先 21
開先加工 112
階段 52
外壁 59
外壁下地 132
外壁パネル 132
ガウジング 116
角形鋼管 118
笠木 80
重ね継手 107
ガス圧接 104
ガスシールド半自動アーク溶接 25
ガセットプレート 32
型枠 109
かぶり厚 107
側桁 52
完全溶込み溶接 25・114
キーストンプレート 51
基礎配筋 102
基礎配筋検査 106
給水管 148
給排水衛生設備 146
杭 92
クサビ 64
グラウト 127
ケイ酸カルシウム板 71・74・154
軽量鉄骨 84・159
蹴込み板 53
ケレン 41
現場溶接 30・124
鋼管杭 93
合成スラブ 45・49
勾配屋根 82
高力六角ボルト 123
コンクリート止め 47・50
コンクリート金鏝押さえ 110

さ

サッシ 69・156
さや管 148
シート防水 139
シーリング 64・136
仕口 20・114
支持杭 96
支持杭基礎 103
住宅瑕疵担保責任保険 138
消防検査 155
スカラップ 21・114
スタッド 84
スタッドボルト 47
スチールサッシ 62
スチフナー 117
スパッタ 113
スペーサー 48
墨出し 99・156
隅肉溶接 25・114
スラブコンクリート 129
スランプ試験 131
製品検査 38
石膏ボード 163
折板 77

た

ダイアフラム 112
耐圧版コンクリート 108
耐火左官材 41・71・75
耐火塗料 41・71・75
耐火板 41・71・74
耐火被覆 41・71・152
タイコ 112
タイトフレーム 77
ダクト 150・155
脱型 111
建入れ直し 44・123

第２部「現場監理」監修

井上洋一（いのうえ・ようういち）**大友建設**
1964 年生まれ。'82 年大友建設入社。以来、耐火構造建築物を主体に施工管理に携わる。同社工事部工務課長

大山章吾（おおやま・しょうご）**岡建工事**
1968 年生まれ。岡本建築設計事務所を経て、'04 年岡建工事入社。主に自社設計・施工物件の構造設計・監理を担当

金田勝徳（かねだ・かつのり）**構造計画プラス・ワン**
1944 年生まれ。'68 年日本大学理工学部建築学科卒業。石本建築事務所などを経て、'87 年構造計画プラス・ワンを設立

定久秀孝（さだひさ・ひでたか）**共同設計事務所**
1947 年生まれ。東京写真短期大学卒（現、東京工芸大学）。設備設計事務所、建築設計事務所で建築を学ぶ。'77 年共同設計事務所設立、相談役所長を務める

冨井雅司（とみい・まさし）**コラム**
1960 年生まれ。もともと住宅設計を目指していたが、コラム入社後、現場管理の道に目覚める。同社第 1 制作室室長

西條　正（にしじょう・ただし）**モノリス秀建**
1953 年生まれ。10 年間、都内の工務店勤務を経て、'99 年モノリス秀建入社。同社常務取締役

久田基治（ひさだ・もとはる）**構造設計工房デルタ**
1964 年生まれ。日本大学理工学部建築学科卒業。木村俊彦構造設計事務所入所。同事務所解散に伴い、（有）構造設計工房デルタ設立

久松好行（ひさまつ・よしゆき）**岡建工事**
1957 年生まれ。'76 年岡建工事入社。施工現場の技術指導などを担当。同社技術・監理部長

取材協力［五十音順］

飯塚拓生／飯塚拓生アトリエ
猪飼富雄／大林組
礒村一司／ギルド・デザイン
大崎一男／（財）住宅保証機構
岡田安平／岡田安平建築設計事務所
加藤陽介／コラム
久保朝一／久保工業
佐久間一浩／モノリス秀建
佐治孝利／（財）住宅保証機構
清正　崇／清正崇建築設計スタジオ
高田康臣／ジョージナカネデザインオフィス
仲條　誠／シー・アイ・エス
野原正次郎／岡建工事
萩原功二／岡建工事
橋本憲幸／岡建工事
長谷川泉／長谷川泉設計室
早舩智彦／モノリス秀建
福田洋子／ CLAP
堀口　道／キクシマ
松永隆文／ Qull
宮崎　勲／大林組
横山達也／キクシマ
渡辺　猛／モノリス秀建
渡辺　誠／キクシマ

現場の職人の方々

執筆・監修者プロフィール［五十音順］

第１部「現場入門」執筆

稲継豊毅（いなつぎ・とよき） 稲継豊毅計画工房
1958年生まれ。'81年神奈川大学工学部建築学科卒業。同年神奈川大学工学部建築学科志水研究室勤務。'82年高田弘建築工房入所。'98年稲継豊毅計画工房設立。

江尻憲泰（えじり・のりひろ） 江尻建築構造設計事務所
1962年東京生まれ。'86年千葉大学工学部建築工学科卒業。'88年同大学大学院修士課程修了。同年青木繁研究室入所。'96年江尻建築構造設計事務所設立。現在、日本女子大学教授。「材には、強度・剛性以外にもさまざまな性質があり、使われる環境やその形状によっても性質が変わるので、材の性質を考えながらものづくりを行う」

大戸　浩（おおと・ひろし） 建築計画網・大系舎
1954年神奈川県生まれ。'78年福井大学工学部建築学科卒業。'81年渡辺豊和建築工房入所。'83年大野建築アトリエ入所。'89年建築計画網・大系舎設立。「個人住宅、集合住宅を中心に設計監理を行っている。また、ウェブサイトを活用した家づくりの手法を試行錯誤する毎日」

岡本憲尚（おかもと・のりひさ） 岡本構造研究室
1952年静岡県生まれ。'75年日本工業大学工学部建築学科卒業。同年斉構造設計事務所入所。'82年岡本構造研究室設立。スリランカ津波災害復興支援プロジェクト、イラクサマーワ火力発電所建設プロジェクト、ルーマニア地震災害軽減計画プロジェクトなど、海外でも活動する

小林眞人（こばやし・まひと） 小林真人建築アトリエ
1956年東京生まれ。'80年京都工芸繊維大学卒業。同年黒川雅之建築設計事務所入所。'97年小林真人建築アトリエ設立。「常に新しい発見・ドラマがある〈空間〉や〈物〉を創りたいと思っている。同じ〈空間〉や〈物〉なのに、ある時は気持ちを和ませ、ある時は気持ちを奮い立たせる。理屈でなくて心や体に訴える空間・ものづくりである

牧屋知行（まきや・ともゆき） 真喜屋構造設計室
1951年神奈川県生まれ。'75年早稲田大学大学院修士課程修了。同年構造計画研究所入所。'95年真喜屋構造設計室設立。「現在、主としてアトリエ派建築家の構造設計を行っている。いつも構造計算屋にならないことを心掛けている」

望月泰宏（もちづき・やすひろ） 金箱構造設計事務所
1972年静岡県生まれ。'97年明治大学大学院修士課程修了。同年金箱構造設計事務所入所。

よしだきんじ Plan and Do design system
1962年生まれ。'86年芝浦工業大学大学院修士課程修了。同年一色建築設計事務所入所。'91年Plan and Do design system設立。「下町の狭小住宅を中心に創作活動を行っている。下町では軟弱地盤のため木造や鉄骨造が多いが、どちらの場合もその構造体らしさを表すことに努めている。構造体露しの建物には詳細施工図の作成、精度いい工事監理法が不可欠。これらを合理的に行うため、現在〈詳細施工図レベルの3D設計〉を研究中」

サクッとわかる
鉄骨造のつくり方
改訂版

2023年9月27日　初版第1刷発行

発行者
澤井聖一

発行所
株式会社エクスナレッジ
〒106-0032
東京都港区六本木7-2-26
https://www.xknowledge.co.jp/

問合せ先
編集　Tel03-3403-1381 ／ Fax03-3403-1345
　　　info@xknowledge.co.jp
販売　Tel03-3403-1321 ／ Fax03-3403-1829